Knaur.

Im Knaur Taschenbuch Verlag sind bereits
folgende Bücher der Autorin erschienen:
Das Geheimnis der Hebamme
Die Entscheidung der Hebamme

Über die Autorin:
Sabine Ebert wurde in Aschersleben geboren und ist in Berlin aufgewachsen. Sie hat Lateinamerika- und Sprachwissenschaften in Rostock studiert und arbeitet als freie Journalistin in Freiberg – dort, wo auch ihre Romane spielen.
Weitere Informationen finden Sie auf der Homepage der Autorin unter www.sabine-ebert.de

Sabine Ebert

Die Spur
der Hebamme

Roman

Knaur Taschenbuch Verlag

Besuchen Sie uns im Internet:
www.knaur.de

Originalausgabe Januar 2008
Copyright © 2008 by Knaur Taschenbuch.
Ein Unternehmen der Droemerschen Verlagsanstalt
Th. Knaur Nachf. GmbH & Co. KG, München
Alle Rechte vorbehalten. Das Werk darf – auch teilweise –
nur mit Genehmigung des Verlags wiedergegeben werden.
Redaktion: Ilse Wagner
Umschlaggestaltung: ZERO Werbeagentur, München
Umschlagabbildung: AKG images
Satz: Adobe InDesign im Verlag
Druck und Bindung: CPI – Clausen & Bosse, Leck
Printed in Germany
ISBN 978-3-426-63695-4

7 9 10 8 6

Dramatis Personae

Aufstellung der wichtigsten handelnden Personen. Historische Persönlichkeiten sind mit einem * gekennzeichnet.

Bewohner von Christiansdorf

Christian*, Ritter im Dienste des Meißner Markgrafen Otto von Wettin

Marthe, eine junge Hebamme und Kräuterkundige, Frau von Christian

Thomas und Clara, ihre Kinder, sowie Johanna und Marie, Stieftöchter von Marthe

Randolf, erbittertster Feind Christians und Burgvogt von Christiansdorf

Richenza, Frau von Randolf

Lukas, einst Christians Knappe, nun Ritter in seinem Gefolge

Jakob, Lukas' jüngerer Bruder, Knappe
  Christians

Gero und Richard, Ritter und Freunde
  Christians

Herwart, Hauptmann der Wachen von
  Christiansdorf

Jonas, ein Schmied, und seine junge Frau Emma

Karl, Schmied und Stiefsohn Marthes

Agnes, Frau von Karl

Mechthild, Köchin in Christians Haushalt

Till, Christians Schreiber, früher als Spielmann
  unter dem Namen Ludmillus bekannt

Hildebrand, der frühere Dorfälteste, und seine
  Frau Griseldis

Kuno und Bertram, angehende Wachen in
  Christians Diensten

Bartholomäus, der Dorfpfarrer

Hermann, der Bergmeister

Hans und Friedrich, ehemals Salzfuhrleute aus
  Halle

Peter und seine Schwester Anna, Waisenkinder

Hilbert, Kaplan in Christians Haushalt

Josef, ein Tuchhändler

Anselm, ein Gewandschneider

ein Medicus

Tilda, eine Hurenwirtin

Meißen

Otto von Wettin*, Markgraf von Meißen

Hedwig*, Gemahlin von Otto

Albrecht* und Dietrich*, Söhne von Otto und
Hedwig

Sophia* und Adela*, Töchter von Otto und
Hedwig

Ulrich von Böhmen*, Ehemann von Sophia

Martin*, Bischof von Meißen

Susanne, Magd im Dienste Hedwigs

Josefa, eine weise Frau und Ziehmutter
Christians

Hochadel und Geistlichkeit

Kaiser Friedrich von Staufen*, genannt
Barbarossa

Beatrix von Burgund*, Gemahlin von Friedrich

Heinrich der Löwe*, Herzog von Sachsen und
Bayern

Mathilde*, Gemahlin von Heinrich

Jordan von Blankenburg*, Heinrichs Truchsess

Dietrich von Landsberg*, Markgraf der Ostmark, Bruder von Markgraf Otto

Konrad*, Markgraf Dietrichs Sohn

Dedo von Groitzsch*, Heinrich von Brehna*, Friedrich von Wettin*, weitere Brüder Markgraf Ottos

Wichmann*, Erzbischof von Magdeburg

Ludwig der Fromme*, Landgraf von Thüringen

Otto von Brandenburg*, Hermann von Weimar-Orlamünde*, Dietrich von Werben* und Bernhard von Aschersleben*, Söhne Albrechts des Bären* und Brüder Hedwigs*

Sonstige handelnde Personen

Ekkehart, Giselbert und Elmar, Ritter und Randolfs Freunde

Raimund, Ritter im Dienste Ottos und Freund Christians

Elisabeth, seine Frau

Sigrun, Lukas' Braut

Sebastian, ihr Beichtvater

Berthold* und Conrad*, die Herren der Nachbardörfer von Christiansdorf und Freunde Randolfs

Martin und Gertrud, ehemalige Christiansdorfer, die ins Nachbardorf gezogen sind

Hilda, eine weise Frau

Melchior, Anführer und »Meister« einer Diebesbande von Kindern

Aloisius, Astrologe

Prolog

Mit allem Mut, den sie aufbringen konnten, und unter unsäglichen Mühen waren sie einst aufgebrochen, um in der Fremde ihr Glück zu suchen und ein freies Leben zu beginnen.

Dann wurde in ihrer neuen Heimat Silber gefunden. Unvorstellbar viel Silber.

Schnell verbreitete sich die Kunde, in Christiansdorf liege das Glück nur so auf den Straßen.

Doch unter Leiden mussten die Menschen lernen: Das Glück liegt nicht auf der Straße. Es will erkämpft sein.

ERSTER TEIL

Gefährliche Begegnungen

März 1173 in Christiansdorf

Herr, wir brauchen ein Hurenhaus!«
Verwundert starrte der Reiter – ein dunkelhaariger Ritter
von etwa dreißig Jahren mit scharf geschnittenen Gesichtszügen – auf die alte Frau, die ihm trotz des Schneetreibens entgegengerannt war und sich auf die Knie geworfen hatte, um mit
griesgrämiger Miene diese merkwürdige Mitteilung loszuwerden.

Mit einem stummen Seufzer zügelte er seinen Grauschimmel.
Er war tagelang bei Kälte und Schnee unterwegs gewesen und
war müde, hungrig, durchgefroren und nass bis auf die Haut.
Und er sehnte sich nach seiner Frau.

Herr im Himmel, ich weiß, wir sollen unsere Nächsten lieben,
doch bei diesem ewig zeternden Weib machst Du mir dies wirklich schwer, dachte er grimmig angesichts der griesgrämigen
Alten.

Die Bäuerin schien seinen Unwillen vor lauter Entrüstung gar
nicht wahrzunehmen. »Man kann nicht mehr durchs Dorf gehen, ohne auf diese Schamlosen mit ihren halbnackten Brüsten
und lüsternen Blicken zu treffen«, ereiferte sie sich. »Selbst auf

15

die Ehemänner haben sie es abgesehen. Und vor all dem wilden Mannsvolk, das sich inzwischen hier niedergelassen hat, ist keine ehrbare Frau mehr sicher.«

An dir wird sich bestimmt niemand vergreifen, schoss es dem Ritter durch den Kopf. Doch etwas musste vorgefallen sein, wenn ihm die Alte bei diesem Wetter regelrecht aufgelauert hatte, noch bevor er in seinem Haus angekommen war.

»Ich kümmere mich darum, Griseldis«, sagte er ungeduldig. »Nun geh endlich wieder an deinen warmen Herd!«

Wie es aussah, wollte der Winter in diesem Jahr kein Ende nehmen. Dabei war es schon Mitte März. Wenn der Schnee nicht bald schmolz, würde die Aussaat verspätet beginnen. Aber falls die Nachrichten zutrafen, die er in Meißen bei seinem Dienstherrn Markgraf Otto erfahren hatte, würde sein Dorf bald noch schlimmere Sorgen haben als eine verspätete Aussaat.

»Ja, Herr. Selbstverständlich, Herr.« Eifrig verbeugte sich die Alte und humpelte davon, während der Ritter sein Pferd wieder in Bewegung setzte. Der Grauschimmel wusste längst, dass sein Stall in der Nähe war, und strebte von selbst dorthin.

Wie jedes Mal, wenn er nach längerer Abwesenheit zurückkehrte, ließ Christian seine Blicke über die Flur schweifen und betrachtete die gewaltigen Veränderungen, die sein Dorf erfahren hatte, seit er vor knapp sechs Jahren mit einer Gruppe fränkischer Siedler hier eingetroffen war. Sie hatten ihre Heimat verlassen und waren mit ihm ins Ungewisse gezogen, um nach einer gefahrvollen Reise mitten in der Wildnis dem Dunkelwald ein Stück Land abzuringen und urbar zu machen. Doch dann war eine mächtige Ader Silbererz gefunden worden. Bald zogen Bergleute und Handwerker in so großer Zahl hierher, dass aus den ursprünglich vier Dutzend Bewohnern nun schon ein paar hundert geworden waren. Und es kamen auch Diebe, Abenteurer und Huren, mit denen es während seiner Abwesenheit wieder einmal Ärger gegeben haben musste, wollte er Griseldis glauben.

Männer und Frauen verbeugten sich und grüßten ehrerbietig, als sie ihren Herrn erkannten.

Im Gegensatz zu anderen Dörfern herrschte hier keine Winterruhe. Von allen Seiten hörte er das Schlagen und Pochen der Bergleute in den Gruben, die an Stelle von Feldern die Flur prägten, das Hämmern an den Scheidebänken und in der Schmiede. Aus den Schmelzhütten am Bach drang dicker Qualm.

Voller Vorfreude lenkte Christian den Grauschimmel auf den Hof seines Anwesens. Doch statt der erwarteten Marthe war es eine der Mägde, die ihm entgegenlief.

Wozu hat man eine hellsichtige Frau, wenn sie nicht einmal ahnt, dass ich komme, dachte er enttäuscht.

»Gott sei gepriesen, Ihr seid gesund zurück, Herr«, begrüßte ihn die Magd mit ehrlicher Freude.

Er dankte ihr für das Willkommen. »Wo ist meine Frau?«

»Es tut mir leid, Herr. Sie sagte, dass Ihr wohl heute eintreffen würdet. Wir haben Suppe auf dem Herd und heißes Wasser für ein Bad. Aber sie musste fort. Vorhin hat es in einer der Gruben ein Unglück gegeben.«

Wenigstens ist es keine Entbindung, zu der sie gerufen wurde, dachte Christian. Dann hätte es sein können, dass er sie den ganzen Tag nicht zu sehen bekam. Doch im nächsten Augenblick schalt er sich für seine Gedanken. Vielleicht hatte es Verletzte gegeben oder sogar Tote.

»Jemand soll ihr Bescheid sagen, dass ich da bin. Und ein heißes Bad wäre wunderbar.«

Die Magd entfernte sich rasch, während Christian begann, seinen Hengst trockenzureiben. Der Grauschimmel war zu unberechenbar, als dass er einen der Stallburschen an ihn heranlassen konnte. Nachdem er dem Pferd eine reichliche Portion Hafer gegeben hatte, ging er endlich ins Haus. Dort erwartete ihn schon die zehnjährige Marie, eine der beiden Stieftöchter seiner Frau aus ihrer ersten, erzwungenen und unglücklichen Ehe. Sie hatte seinen Sohn Thomas an der Hand. Scheu begrüßte Marie den Ankömmling, während der knapp Dreijährige begeistert seinem Vater entgegenstürzte. Erst umklammerte er Christians Beine, dann reckte er die Arme, um hochgenommen zu werden. Der Junge schmiegte sein Gesicht an die Wange seines Vaters, um im nächsten Augenblick zurückzuzucken und sich lautstark über die Bartstoppeln zu beschweren.

»Nachher lasse ich mich rasieren«, versprach Christian lächelnd. Stolz und zärtlich sah er auf seinen Sohn, der ihm mit seinen schwarzen Haaren und dunklen Augen wie aus dem Gesicht geschnitten war.

»Was macht deine Schwester?«, erkundigte er sich.

»Schläft. Sie kann immer noch nicht laufen«, entrüstete sich Thomas zur heimlichen Belustigung seines Vaters. »Aber alle sagen, dass sie es bald tut«, fügte er mit wichtigtuerischer Miene hinzu.

Clara war ein dreiviertel Jahr alt. Ihr Bruder hegte vom Tag ihrer Geburt an ritterliche Gefühle für seine Schwester und beobachtete genau jeden Fortschritt, den die Kleine machte.

Der Junge strampelte, um auf dem Boden abgesetzt zu werden, und zerrte seinen Vater zur Wiege, der nur zu bereitwillig mitging. Gerührt betrachtete er seine Tochter. Während Thomas nach ihm kam, versprach die kleine Clara mit ihren grünen Augen und dem kastanienbraunen Haar das Abbild ihrer Mutter zu werden. Jetzt schlief sie. Ihre Lippen zuckten leicht, als ob sie saugen würde, ihr Gesicht war rund und rosig. Jeden Tag dankte Christian Gott dafür, dass er ihn mit zwei gesunden Kindern gesegnet und dass seine Frau die Entbindungen überlebt hatte. Er konnte sich nicht vorstellen, wie er ohne Marthe leben sollte. Sie war die Liebe seines Lebens.

Mechthild, die Köchin, kam zu ihnen. »Wollt Ihr heiße Suppe, Herr? Das Bad ist gleich fertig.«

Christian beschloss, sich das Essen in der Küche geben zu lassen, die wegen der Brandgefahr etwas abseits des Haupthauses stand. Dort war es wärmer, und die Mahlzeiten wurden nicht kalt auf dem Weg in die Halle. Die Köchin füllte ihm eine Schüssel und schob ihm einen Kanten Brot zu. Frisch gebacken, merkte Christian beim ersten Bissen und sog den verführerischen Duft der Suppe ein, ehe er zu essen begann. Bohneneintopf, auf jene besondere Art mit Kräutern gewürzt, die nur Marthe beherrschte. Er tunkte das Brot in die Schüssel und ließ seinen Sohn davon abbeißen.

Die heiße Suppe und das Herdfeuer taten ihm gut. Erst jetzt merkte er, wie erschöpft und durchgefroren er war. Der harte Ritt hatte ihn trotz der Kälte schwitzen lassen. Seine in Heilkünsten erfahrene Frau würde darauf bestehen, dass er schnellstens die nassen Sachen ablegte und ins heiße Wasser stieg.

Er schob die Schüssel mit dem Rest der Suppe zu seinem Sohn, der ihn mit immer kleiner werdenden Augen ansah.

»Wenn du aufgegessen hast, gehst du schlafen.«

Der Junge verzog das Gesicht. »Noch nicht«, bettelte er.

»Gehorche, dann reiten wir morgen zusammen aus.«

Freudestrahlend sah Thomas zu ihm auf. Christian strich ihm über das seidige Haar. Nachdem er seinen Sohn wieder Marie übergeben hatte, ging er hinauf in die Schlafkammer, wo schon heißes Wasser im Badezuber dampfte und Tücher bereitgelegt waren.

Während er es genoss, wie sich sein Körper entspannte und durchgewärmt wurde, kreisten seine Gedanken um die Reise, von der er gerade zurückgekehrt war.

Was ihm sein Lehnsherr, Markgraf Otto von Meißen, aufgetragen hatte, konnte beträchtlichen Ärger mit sich bringen. Wieder einmal standen das Schicksal seines Dorfes und sein eigenes auf dem Spiel. Das Silber war Segen und Fluch zugleich. Es hatte ihnen zu einem gewissen Wohlstand verholfen, gemessen an den Entbehrungen der ersten harten Jahre nach ihrer Ankunft in der Einöde, aber es hatte auch Begehrlichkeiten von Feinden geweckt, Blut und Leid gekostet.

Doch noch mehr beschäftigte ihn ein anderer Gedanke. Die nächsten Wochen würden Klarheit darüber bringen, was aus seinem erbittertsten Feind geworden war, mit dessen Rückkehr er schon seit Monaten rechnete. Der Mann, den zu töten er geschworen hatte.

Das Knarzen der Tür riss ihn aus seiner Versunkenheit.

Da stand sie, schlank und zierlich, noch mit Schneeflocken auf dem Umhang. Ihr Gesicht leuchtete vor Freude.

Mit einer schnellen Bewegung erhob sich Christian und stieg aus dem Zuber.

Marthe griff nach einem der Tücher und ging auf ihn zu, um ihn trockenzureiben. Doch er hinderte sie daran, indem er sie fest in seine Arme schloss und an sich zog. »Du hast mir gefehlt.«

Der Begrüßungskuss schien kein Ende zu nehmen. Schließlich löste sie sich von ihm und sagte, glucksend lachend: »Das sehe ich«, während sie ihren Blick seinen Körper hinabwandern ließ.

Sie verschränkte ihre Arme in seinem Nacken, küsste ihn sanft und flüsterte: »Ich hab dich auch vermisst.«

Er schob die Haube von ihrem Kopf, so dass er ihr kastanienbraunes Haar sehen und mit den Händen hindurchfahren konnte, und streifte ihr den Umhang von der Schulter. Dann nahm er sie auf seine Arme und trug sie zum Bett.

Während seine Lippen ihre Schulter liebkosten, glitten seine Hände schon ihre Schenkel empor, die sie bereitwillig öffnete.

Ungeduldig zerrte Marthe an den Schnüren ihres Gewandes. Manchmal wusste sie nicht, wie sie auch nur einen Tag ohne ihn auskommen sollte. Jedes Mal, wenn er fort gewesen war, fielen sie wie ausgehungert übereinander her.

Diesmal würde sie wohl nicht mehr aus den Kleidern kommen. Sie konnte genauso wenig länger warten wie er.

Sie umklammerte ihn, bog sich ihm entgegen und stöhnte erleichtert auf, als er in sie glitt und begann, sich kraftvoll zu bewegen. Es dauerte nicht lange, bis sie gemeinsam vor Leidenschaft schrien.

»Jetzt habe ich dein Kleid zerdrückt«, sagte er mit gespielter Reue, als sie schwer atmend, schweißnass und glücklich nebeneinanderlagen. »So können wir nicht in die Halle gehen, ohne dass sich jeder in diesem Haushalt seinen Teil denkt.«

Marthe lachte leise. »Nach dem Lärm, den wir gemacht haben und der bis ins Nachbardorf zu hören war, dürfte der Zustand meines Kleides wohl niemanden mehr überraschen.«

Zärtlich strich sie über sein Gesicht. »Sie wissen doch sowieso, wie es um uns steht.«

Nun blitzte Schalk in ihren graugrünen Augen auf. »Und hab ich als dein Eheweib nicht die Pflicht, dir alle Wünsche zu erfüllen?«

Er konnte sich ein Grinsen nicht verkneifen. »Ich bestehe darauf.«

Sie setzte sich auf. »Hilfst du mir bei den Schnüren? Ich werde das Grüne anziehen.«

Geduldig entknotete er die Kordeln, die sie in ihrer Hast verheddert hatte, zog ihr erst das Kleid über den Kopf, dann das Unterkleid und betrachtete sie verliebt. Die zwei Schwangerschaften hatten ihren Körper kaum verändert, sie war mit ihren

21

neunzehn Jahren immer noch fast so mädchenhaft schlank wie an dem Tag, als sie nach vielen Leiden zueinandergefunden hatten. Nur ihre Brüste waren voller geworden.

Als er sie das erste Mal gesehen hatte, war sie eine mittellose, blutjunge Hebamme auf der Flucht gewesen. Ein grausamer Burgherr hatte ihr Hände und Füße abschlagen lassen wollen, weil seine Frau einen toten Sohn geboren hatte. Christian war damals gerade mit dem Siedlerzug aufgebrochen, den er in die Mark Meißen führen sollte, und bot ihr Schutz vor den Verfolgern an. Ihre wachen Sinne und ihr Geschick im Heilen lenkten bald seine Neugier auf das Mädchen, doch nicht nur seine. Als er sie auf den Meißner Burgberg mitnahm, damit sie den jüngsten Sohn des Markgrafen heilte, vereitelte Marthe einen Giftanschlag auf die Markgräfin Hedwig und zog damit auch die Aufmerksamkeit seiner Feinde auf sich. Nach den ersten Silberfunden überschlugen sich die Ereignisse. Markgraf Otto ernannte Christians mächtigsten Feind Randolf zum Vogt der künftigen Burg von Christiansdorf. Randolf wütete grausam im Dorf und ließ Christian unter falscher Anklage einkerkern und foltern. Unter Einsatz ihres Lebens hatten Marthe und Christians Knappe Lukas ihn retten können und enthüllten ein Komplott gegen Markgraf Otto. Marthe pflegte den fast zu Tode geschundenen Christian wieder gesund. Und bevor er in einen Kampf auf Leben und Tod zog, um sein Dorf von Randolf zu befreien, gestanden sie sich endlich ihre Liebe ein, die unmöglich erscheinende Liebe zwischen einem Ritter und einer jungen Kräuterfrau.

Markgraf Otto schickte Randolf zur Sühne ins Heilige Land und machte den einfachen Ministerialen Christian und seine junge Frau Marthe zu Edelfreien.

Dass sie wieder lachen kann!, dachte Christian, während er sie schweigend betrachtete. Zu lange hatte er mitansehen müssen, wie Kummer und Gram sie zerstörten. Die Liebe hatte sie beide geheilt, auch ihn von langer Trauer. Doch innere Narben waren geblieben, die nun wieder aufbrechen würden angesichts dessen, was er ihr bald eröffnen musste.

Marthe wollte aufstehen und das grüne Kleid aus der Truhe holen, doch er griff nach ihrer Hand und zog sie zurück aufs Bett. Der Anblick ihres nackten Körpers hatte erneutes Verlangen in ihm geweckt, doch es war noch mehr – als könnte er sie mit seiner Umarmung vor allem Unheil bewahren. Er wollte sie glücklich sehen.

Bereitwillig sank sie neben ihn und strich mit ihren Fingern durch sein schulterlanges Haar, über sein Gesicht und die muskulösen Arme. Dann begann sie, jede der Narben auf seinem Oberkörper nachzuzeichnen, wie sie es oft tat, wenn sie nebeneinanderlagen.

Er unterbrach sie dabei, indem er sich auf sie schob. Diesmal ging er langsam vor, streichelte und küsste ihren Hals, ihre Brüste, ihre Schenkel.

Doch schon bald wurde sie ungeduldig.

»Komm«, forderte sie ihn auf und machte ihm mit einem Griff ihrer schmalen Hand klar, dass sie nicht länger warten wollte.

Er war fast zwei Wochen weg gewesen. Eine endlose Zeit.

»Bei Gott, der ganze Haushalt wird verhungern, wenn wir nicht endlich hinuntergehen. Und wenn ich jetzt nicht aufstehe, schlafe ich ein und wache erst in zwei Tagen wieder auf«, meinte er später.

Marthe lächelte. »Du bist der Herr des Hauses. Wir können auch hierbleiben und die anderen allein essen lassen«, schlug sie vor.

Doch er lehnte ab, sosehr ihm der Vorschlag gefiel. Es war zur Gepflogenheit geworden, dass sie an den Abenden seiner Heimkehr von Reisen in großer Runde gemeinsam mit dem ganzen Haushalt in der Halle aßen und er sich erzählen ließ, was während seiner Abwesenheit im Dorf passiert war.

»Du hast doch die Köchin bestimmt gedrängt, etwas Besonderes aufzutischen. Dann wollen wir sie nicht enttäuschen.«

Jetzt, während der Fastenzeit und da beinahe alle Vorräte aufgebraucht waren, war es schwierig, ein gutes Mahl zu kochen. Mit mehr als fleischloser Suppe oder gesalzenem Fisch würde er wohl nicht rechnen dürfen.

Bevor sie nach unten gingen, sahen sie nach den Kindern, die nebenan ruhig schliefen. »Sie sind wunderbar«, flüsterte er und zog Marthe noch einmal an sich.

»Ja, das sind sie«, gab sie leise zurück. »Willkommen zu Hause.«

Neuigkeiten

Gemeinsam gingen Christian und Marthe in die Halle, wo die Mägde bereits damit beschäftigt waren, Tische und Bänke aufzustellen. Marthes Stieftöchter halfen ihnen dabei.

»Bist du wohlauf, Johanna?«, begrüßte er die Ältere von beiden, die er seit seiner Ankunft noch nicht gesehen hatte. Bestimmt war sie mit Marthe bei den verletzten Bergleuten gewesen.

»Ja, mein Herr«, sagte sie schüchtern, knickste tief und strich eine blonde Haarsträhne zurück, die sich aus ihrem Zopf gelöst hatte. »Obwohl jetzt viel zu tun ist. Das Winterfieber ... und dann noch das Grubenunglück. Zwei Männer sind verletzt. Aber sie werden bald wieder arbeiten können.«

»Ich bin sicher, du hast dein Bestes getan«, sagte er freundlich zu ihr.

Die Zwölfjährige hatte sich früh für Marthes Arbeit zu interessieren begonnen und inzwischen beachtliche Kenntnisse im Umgang mit Kräutern erworben.

Nach seiner Hochzeit mit Marthe hatte er auch ihre Stieftöchter zu sich ins Haus genommen. Es waren zwei liebe, fleißige Mädchen, hübsch und mit blonden Locken, die ihm nach wie vor mit Scheu begegneten. Die Vorstellung, an Stelle eines einfachen, ergrauten Bauern nun einen Ritter als Hausvater zu haben, war ihnen immer noch fremd. Zumal die Dorfbewohner den als streng, aber gerecht geltenden Christian selten lächeln sahen. Nur in der Zweisamkeit mit Marthe oder bei seinen Freunden zeigte er sich von dieser anderen Seite.

Im Gegensatz zu ihrer meist fröhlichen jüngeren Schwester Marie war Johanna oft ernst und in sich gekehrt. Aber schon mit acht Jahren hatte sie großen Mut bewiesen, um gemeinsam mit Marthe ihren älteren Bruder Karl und den Dorfschmied Jonas vor dem Tod zu retten. Randolf hatte damals über die beiden jungen Männer, die zu Christians treuesten Verbündeten zählten, ein grausames Willkürurteil verhängt. Mit Johannas Unterstützung hatte sich Marthe unter Lebensgefahr nachts zu ihnen geschlichen, um ihnen zu helfen. Wäre Christian nicht im letzten Moment mit gezogenem Schwert aufgetaucht, hätte auch Marthe und die kleine Johanna eine blutige Strafe getroffen.

»Lauf zu Pater Bartholomäus, zum Bergmeister und zu Jonas und seiner Frau, um sie zum Essen einzuladen«, bat Christian Johanna. »Und bring auch deinen Bruder mit.«

Karl, ihr großer Bruder, arbeitete in der Schmiede bei Jonas und wohnte in der Kate, die seinem Vater gehört hatte.

Das Mädchen nickte, holte ihren Umhang und lief los, während die blonden Locken hinter ihr herflatterten.

Wenig später saßen alle gemeinsam am Tisch und ließen es sich schmecken. Neben Christian hatten die Ehrengäste Platz genommen: der Pater, der Bergmeister und der Dorfschulze. Pater Bartholomäus war ein zumeist freundlicher Mann mit weißem Haarkranz, der die Priesterweihen empfangen und vor sechs Jahren sein Kloster verlassen hatte, um mit den Siedlern in den Dunklen Wald zu ziehen und für ihr Seelenheil zu sorgen. In die Zuständigkeit von Bergmeister Hermann gehörte alles, was mit den Gruben und Schmelzhütten zu tun hatte. Jonas, den Dorfschmied mit der hübschen Frau, der rotblonden Emma, hatten die Bewohner von Christiansdorf vor drei Jahren trotz seiner Jugend zum Dorfschulzen gewählt. Sein Vorgänger Hildebrand – der Mann jener Griseldis, die Christian bei seiner Heimkehr abgefangen hatte – hatte sich in der Not als feige erwiesen.

An Marthes Seite saßen die Brüder Gero und Richard, Ritter ohne eigenes Land und Freunde Christians, die er vor drei Jahren in seine Dienste genommen hatte. Zwei fehlten neben ihnen: Lukas, der einst Christians Knappe gewesen und für seinen Mut von Markgraf Otto persönlich vorzeitig zum Ritter ernannt worden war, und sein jüngerer Bruder Jakob, der nun Christian als Knappe diente. Christian hatte die beiden nach Hause geschickt, als ein Bote die Nachricht brachte, ihr Vater sei schwer erkrankt.

Am langen Tisch saßen zur Feier des Tages alle, die noch zu Christians Haushalt gehörten: Marie, Johanna und Karl, die Köchin, die Mägde, Stallburschen und die Witwe Hiltrud, die in Christians Auftrag das Brauen und Backen im Dorf beaufsichtigte. Ihr Mann war unter merkwürdigen Umständen umgekommen, nachdem er Christian und dem Bergzimmerer Guntram heimlich gestohlenes Silber untergeschoben hatte. Guntram wurde dafür von Randolfs Leuten gehängt.

Dass Christian ihr keine Mitschuld am Verrat ihres Mannes gab, hatte die verängstigte Hiltrud mit fassungsloser Dankbarkeit erfüllt. Sie würde ihm jeden Wunsch von den Lippen ablesen und war seit dem Tod ihres gewalttätigen Mannes regelrecht aufgeblüht.

Zufrieden ließ Christian seinen Blick über die Runde schweifen. In dieser Gesellschaft fühlte er sich um ein Vielfaches wohler als unter den Intriganten und Schmeichlern bei Hofe. Marthe neben ihm strahlte vor Glück, oben schliefen seine Kinder. Leider würde er diese Idylle nicht lange genießen können.

Als alle mit der Mahlzeit fertig waren, schob er die Schüssel beiseite, ließ Bier nachschenken und lehnte sich zurück.

»Was gibt es Neues im Dorf?«, fragte er in die Runde.

»Drei Kinder sind schon an dem Fieber gestorben, das jetzt umgeht«, klagte Pater Bartholomäus. »Und zwei Lepröse sind im tiefsten Schnee hier angekommen. Wir haben für sie eine Unterkunft am Dorfrand bauen lassen und stellen regelmäßig Essen davor ab. Feuerholz können sie sich selbst aufsammeln. Wenn der Schnee geschmolzen ist, wollen sie weiterziehen, falls sie dann noch leben.«

»Griseldis hat sich bei mir beschwert und ein Hurenhaus gefordert. Was hat es da gegeben?«, erkundigte sich Christian.

Jonas konnte sich ein Grinsen nicht verkneifen. »Eine der Hübschlerinnen hat ihrem Hildebrand schöne Augen gemacht, und der konnte seine Blicke gar nicht mehr losreißen. Da sind die zwei Weiber aufeinander losgegangen und haben sich vor aller Augen geprügelt.«

»Solche Zustände können wir nicht dulden«, warf der Pater streng ein. »Vielleicht wäre ein Hurenhaus wirklich eine gute Lösung. So beschmutzen sie mit ihrem sündigen Anblick nicht unser aller Augen. Und es wäre auch für die Frauen besser.«

»Wir brauchen die Huren«, brummte der Bergmeister. »Unter

meinen Leuten und den Wachen sind zu viele unverheiratete Männer. Wenn sie nicht ab und zu für Geld eine Frau haben können, gibt es hier noch mehr Ärger. Sie raufen sich doch schon jetzt um die paar Weiber.«

»So viele Abenteurer und Diebe sind hierhergekommen, da hatte ich geglaubt, die Huren folgen ihnen von ganz allein«, meinte Christian und warf Marthe einen hilfesuchenden Blick zu. Die lächelte in sich hinein. Wahrscheinlich würde Christian die Lösung dieses heiklen Problems lieber ihr überlassen.

»Über sündige Fleischeslust und zänkische Weiber werde ich beim nächsten Gottesdienst ein paar Worte verlieren. Aber du solltest schnell wieder einen Gerichtstag abhalten, mein Sohn. In letzter Zeit häufen sich die Diebstähle. Deine Wachen haben einen Jungen erwischt, als er der Witwe Elsa den Geldbeutel gestohlen hat«, berichtete der Pater.

Christian runzelte die Stirn. Er verhängte nicht gern Urteile, bei denen Diebe die Hand verloren, wenn es noch Kinder waren. Doch dulden konnte er auch nicht, dass jemand die Dorfbewohner um die Früchte ihrer Arbeit betrog. Es gab genug zu tun, und im Vergleich zu anderswo ging es den Menschen hier gut. Wer Not litt, konnte sich an einer Scheidebank verdingen und beim Zerkleinern der Erzbrocken sein Brot verdienen. Selbst die Krüppel und Bettler, die im Dorf lebten, wurden freigiebig mit Almosen versorgt. Das Silber hatte viele Menschen reicher gemacht, als sie in ihrer alten Heimat je hätten werden können.

Marthe legte ihre Hand auf seinen Arm. »Diese Sache solltest du genauer untersuchen. Ich glaube, jemand hat eine ganze Bande Kinder hergebracht, die er für sich stehlen lässt. Befrag den Jungen, der ist halb verhungert und grün und blau geschlagen, und finde den Mann.«

Als er die Runde später auflöste, forderte Christian den Bergmeister mit höflichen Worten auf, noch einen Moment zu bleiben.

Mit einem bedauernden Blick bat er Marthe um Verzeihung für das, was er jetzt eröffnen musste.

»Markgraf Otto will, dass ich ihn gleich nach Ostern zum Hoftag des Kaisers nach Goslar begleite. Dort soll ich noch mehr Bergleute anwerben. Nach Eurem jüngsten Bericht über die Erzgänge in der Nähe will der Markgraf auch dort die Förderung so schnell wie möglich beginnen.«

Der Bergmeister starrte ihn verblüfft, beinahe entsetzt an. »Ihr sollt dem Kaiser unter seinen Augen Bergleute aus seiner eigenen Stadt abwerben?«

»Ich verstehe Eure Bedenken, Bergmeister. Aber der Befehl des Markgrafen ist unmissverständlich«, entgegnete Christian hart.

Gleich nach dem ersten Silberfund hatte Markgraf Otto Bergleute nach Christiansdorf kommen lassen und die Erzförderung energisch vorangetrieben. Doch jetzt gab es für ihn einen zusätzlichen Grund, den Abbau zu beschleunigen. Der Kaiser, den die Lombarden spöttisch »Barbarossa« nannten, hatte die Absicht zu einem erneuten Feldzug nach Italien bekundet. Die Bereitschaft unter den deutschen Fürsten, sich daran zu beteiligen, war alles andere als groß. Der letzte Italienfeldzug, der immerhin schon sechs Jahre zurücklag, hatte sich als Desaster erwiesen, und es sprach wenig dafür, dass der nächste glücklicher verlaufen würde. Otto wollte sich – wie manch anderer auch – von der Teilnahme am Feldzug freikaufen. Doch dafür brauchte er Silber. Viel Silber.

Gemäßigter fuhr Christian fort: »Ich würde gern einen von Euren Männern mit in den Harz nehmen. Nicht Euch selbst, das wäre zu auffällig. Vielleicht einen der Steiger, jemanden, der Verwandte dort hat, die er ohne großes Aufsehen überzeugen kann, hierherzuziehen.«

»Ich werde Euch bis morgen jemanden benennen«, sagte Hermann nachdenklich und verabschiedete sich mit einem Dank für das Mahl.

Christian sah den Augenblick nahen, wo er wieder mit Marthe allein sein konnte, um endlich die schlimmsten Neuigkeiten loszuwerden. Doch da stand noch Karl, der unverkennbar etwas auf dem Herzen hatte.

Obwohl der junge Schmied vor Kraft nur so strotzte und bei Gefahr viel Mut bewiesen hatte, wirkte er diesmal reichlich eingeschüchtert.

Jonas stieß ihn leicht in Christians Richtung, Marthe lächelte ihn aufmunternd an. Mit verschränkten Armen wartete Christian gespannt, was nun kommen würde.

Karl trat mit verlegener Miene noch einen Schritt näher.

»Herr, ich möchte Euch um die Erlaubnis bitten, heiraten zu dürfen«, brachte er endlich hervor.

Christian war überrascht. »Wer soll die glückliche Braut sein?«

»Agnes, die Tochter des Obersteigers. Ich kann sie ernähren, in der Schmiede gibt es jede Menge Arbeit«, beeilte er sich anzufügen, denn eigentlich war er mit zwanzig Jahren noch zu jung, einen eigenen Hausstand zu gründen.

Christian rief sich das Mädchen in Erinnerung: ein schüchternes Wesen mit kastanienbraunem Zopf, das äußerlich eine gewisse Ähnlichkeit mit Marthe aufwies. Er hoffte sehr, dass Karl sie um ihrer selbst willen mochte und nicht nur als Ersatz für Marthe, die er geliebt hatte. Aber für Agnes würde es bestimmt keine schlechte Verbindung sein: Karl war als Schmied eine gute Partie und ein kräftiger, gutaussehender Kerl, der mit seinen jüngeren Schwestern liebevoll umging.

»Was sagt ihr Vater?«

»Er ist einverstanden.«

»Und sie selbst?«

Karl grinste und wurde noch verlegener. »Auch.«

Christian legte ihm eine Hand auf die Schulter. »Wann dachtet ihr?«

»Ihr seid einverstanden?«, fragte Karl so erleichtert, als hätte er statt mit der Zusage mit einem riesengroßen Donnerwetter gerechnet.

»Natürlich. Meinen Segen habt ihr.«

»Im Mai werde ich einundzwanzig«, sagte Karl, vor Glück strahlend.

»Also nach der Heuernte. Abgemacht? Wenn deine Stiefmutter einverstanden ist, überlassen wir euch das Haus und das Land deines Vaters.« Er wusste, dass Marthe diesen Vorschlag gutheißen würde, denn sie hatten darüber schon einmal gesprochen.

»Das würdet Ihr tun?«, brachte Karl erstaunt hervor.

»Wir haben hier ein gutes Auskommen. Dein Vater hat sein Leben gegeben, um Marthe zu retten. Nimm es als dein rechtmäßiges Erbe.«

Er sah zu Jonas hinüber. »Was hältst du davon, wenn er dort eine zweite Schmiede einrichtet? Du klagst doch, dass ihr die Arbeit kaum noch schafft. Dann kann sich jeder einen Gehilfen nehmen, und ihr könnt euch die Aufträge aufteilen – soll einer für die Bergleute arbeiten und der andere Nägel und Hufeisen schmieden und Pflugscharen ausbessern. Oder wie ihr es sonst wollt. Ich rede euch da nicht hinein. Mit einer Ausnahme: Um die Waffen kümmerst du dich.«

Jonas nickte. »Ein guter Vorschlag. Besprechen wir gleich die Einzelheiten?«

Karl wirkte geradezu überwältigt. »Lass mich erst zu Agnes, ihr die gute Nachricht bringen.« Und schon war er aus dem Haus gelaufen.

Jonas und Emma tauschten einen innigen Blick, bevor auch sie sich verabschiedeten.

»Hast du davon gewusst?«, erkundigte sich Christian bei Marthe, immer noch überrascht von dieser Neuigkeit.

»Da bahnt sich schon eine ganze Weile zwischen den beiden etwas an«, antwortete sie lächelnd. »Und bevor du weiterfragst: Ja, er hat mit mir gesprochen, weil er sich nicht sicher war, ob der Zeitpunkt günstig ist für seine Frage und wie du reagieren würdest.«

Er schob sie die Treppe hoch in die Kammer, in der sie schliefen. »Warum sollte ich etwas dagegen haben? Er ist ein anständiger Kerl und tüchtig dazu«, brummte er.

»Sie werden bestimmt glücklich miteinander«, meinte Marthe, als sie oben angekommen waren. Dann griff sie nach einem Krug und schenkte zwei Becher voll.

»Nun raus damit: Was hast du verschwiegen, um es jetzt erst loszuwerden?«

Resigniert ließ sich Christian auf einen Schemel sinken. Ihr konnte man wirklich nichts vormachen. Mit einem Mal müde, strich er sich das dunkle Haar zurück. »Zum einen ist es ärgerlich, dass ich bald wieder wegmuss. Und diesmal kannst du nicht mitkommen zum Hoftag.«

»Clara ist sowieso noch zu klein für solch eine Reise. Und dass ich sie selbst stille, würde nur für Befremden sorgen. Außerdem hast du es ja gehört, es geht ein gefährliches Fieber um, drei Kinder sind schon gestorben. Ich bin mit Johanna von früh bis spät unterwegs, um nach den Kranken zu sehen.«

»Bei Gott, das hätte ich fast vergessen!« Christian sprang auf und lief mit großen Schritten die Treppe hinunter. Verdutzt sah Marthe ihm nach. Wenig später kam er mit einem weichen Bündel wieder.

»Für dich.«

Verwundert schlug sie es auseinander und hielt vor Staunen den Atem an. Es war ein Umhang aus tiefblauem Tuch und mit Kapuze, am Rand mit Fell verbrämt. Gerührt legte sie sich das schöne Stück um die Schultern und strich über den weichen Stoff.

»Er ist wunderschön, aber er muss ein Vermögen gekostet haben. Können wird uns das überhaupt leisten?«

»Das sagst du jedes Mal, wenn ich dir Kleider kaufe. Du weißt doch, dass ich das nicht nur tue, um dich herauszuputzen.«

Marthe blickte ihn skeptisch an. »Du willst, dass ich damit Krankenbesuche mache?«

Er nickte nachdrücklich. »Teure Kleider zeigen deinen Stand an. Wenn du schon weiterhin diese Arbeit verrichten willst, darf niemand glauben, du wärst immer noch die kleine, schutzlose Heilerin, die sie nach Belieben herumstoßen können. Vergiss nicht – einmal wollten sie dich als Hexe erschlagen.«

Marthe seufzte innerlich. Sie hatten dieses Gespräch schon oft geführt, und das Thema bereitete ihr immer wieder Unbehagen. Nicht nur aus Sorge ums Geld. Ein einziges Dorf als Lehen genügte nicht, damit ein Ritter seine Ausrüstung bezahlen und seinen Verpflichtungen gegenüber seinem Lehnsherrn nachkommen konnte, doch ihr Dorf war durch das Silber reich und groß geworden. Christian aber setzte fast seine gesamten Einkünfte dafür ein, Wachen einzustellen und auszurüsten. Aus gutem Grund: Das Silber war eine große Verlockung für Diebe, und bereits mehrfach mussten sie Angriffe auf das Dorf abwehren.

Sie aber hatte auch andere Feinde – wenn vielleicht nicht hier, dann im Nachbarort, der von Gegnern Christians regiert wurde und in dem nun auch die Frau lebte, die sie einst der Hexerei beschuldigt hatte. Marthe hatte damals den Verfolgern nur entkommen können, weil sich ihr erster Mann ihnen in den Weg gestellt und sein Leben geopfert hatte. Damit hatte er wohl sühnen wollen, wie schlecht er sie in der erzwungenen Ehe behandelt hatte.

Teure Kleider würden sie schützen wie ihn ein Kettenpanzer, sagte Christian immer wieder. Und sie brauchte diesen Schutz, wenn er nicht da war. Deshalb bestand er unerbittlich darauf, dass sie auch bei der Krankenpflege wie eine Edelfrau gekleidet war.

Dabei mochte sie es nicht, die Herrin herauszukehren. Im Grunde ihres Herzens fühlte sie sich immer noch als einfaches Mädchen und nicht als Herrin, und es befremdete sie, wenn sich ihre früheren Gefährten vor ihr verneigten oder gar niederknieten.

Macht war ein zweischneidiges Schwert. Sie konnte leicht den verderben, der sie ausübte.

Marthe schob den Gedanken beiseite, wie sie wohl das kostbare Kleidungsstück in den engen, verrauchten Katen der Bauern und Bergleute sauber halten sollte. »Danke«, sagte sie leise, gerührt von seiner Sorge um sie. Dann blickte sie ihren Mann ernst an. »Was ist es wirklich, das dich bedrückt? Abgesehen davon, dass du bald wieder fortmusst und einmal mehr für Otto die Eisen aus dem Feuer holen sollst?«

Christian starrte für einen Moment ins Leere.

»Wir hatten jetzt drei friedliche, glückliche Jahre«, begann er und richtete den Blick auf seine junge Frau. »Möglich, dass die ruhige Zeit bald vorbei ist.«

Fragend blickte Marthe ihn an.

»Markgraf Otto hat Nachricht erhalten, dass Heinrich der Löwe Anfang des Jahres von seiner Pilgerfahrt aus dem Heiligen Land zurückgekehrt ist«, berichtete Christian. »Es heißt, die Braunschweiger hätten ihn und die fünfhundert Ritter seines Gefolges mit Jubel empfangen. Er soll wertvolle Reliquien mitgebracht haben und will nun eine prächtige Stiftskirche bauen. Und es heißt auch, er sei unterwegs überall wie ein König oder Kaiser empfangen worden.«

Marthe begriff sofort, was das bedeuten konnte.

Vor sieben Jahren hatte sich Markgraf Otto gemeinsam mit vielen anderen Fürsten und hohen Geistlichen einer Rebellion gegen Heinrich den Löwen, den mächtigen Herzog von Sachsen und Bayern, angeschlossen. Christian und sie waren dabei gewesen, als der Kaiser bei einem Hoftag in Würzburg die Aufständischen beschuldigte, seinen mächtigsten und treuesten Vasallen angegriffen zu haben. Nur weil die Gegner des Löwen damals einem brüchigen Frieden zugestimmt hatten, waren sie ohne Strafe davongekommen.

»Aber die meisten Anführer der Rebellion sind tot: Albrecht der Bär, Ludwig von Thüringen, Christian von Oldenburg ... Denkst du, dass es trotzdem wieder zum Krieg kommt?«, fragte sie leise.

»Heinrich hat durch seine Pilgerfahrt noch an Macht und Einfluss gewonnen. Über kurz oder lang wird es gerade deshalb neuen Streit geben – zwischen ihm und den Fürsten, und vielleicht auch zwischen ihm und dem Kaiser.«

Marthe schloss für einen Moment die Augen. Vor sich sah sie die niedergebrannten Dörfer, die Berge von verstümmelten Kinder- und Frauenleichen, die toten Männer, die jene grausam geführte Fehde gekostet hatte. Musste Christian bald in den Krieg ziehen? Und würden die plündernden, brandschatzenden Horden diesmal auch hierherkommen? Denn nun war Christiansdorf nicht mehr ein unbekannter Weiler mitten im Dunklen Wald, sondern weithin bekannt für seinen Silberreichtum.

»Das ist immer noch nicht alles, was du mir sagen wolltest«, bohrte sie.

»Nein.« Christian holte tief Luft, bevor er weitersprach.
»Ottos Spione berichten, dass im Gefolge des Braunschweigers auch ein Meißnerischer Ritter von edlem Geblüt aus dem Heiligen Land zurückgekommen sein soll.«

Marthe sank auf ihrem Schemel in sich zusammen, obwohl sie längst mit dieser Nachricht gerechnet hatte.

Randolf war zurück. Der Mann, der sie gemeinsam mit seinen Kumpanen entführt und brutal geschändet hatte, als sie kaum vierzehn Jahre alt gewesen war, der Christian unter falscher Anklage gefangen und beinahe zu Tode gefoltert hatte und der von Otto für seine Missetaten lediglich zu einer Pilgerfahrt geschickt worden war. Aber um sie zu schützen, hatte Christian nach Ottos Richtspruch schweren Herzens darauf verzichtet, Randolf zum Zweikampf zu fordern und stattdessen Marthes Erhebung in den Stand einer Edelfreien erbeten.

Christian griff nach ihrer Hand, die auf einmal eiskalt geworden war, und legte sie an seine Brust, um sie zu wärmen. »Vielleicht ist er es nicht. Und wenn doch, ist er vielleicht in den Dienst des Löwen getreten. Wäre er sonst nicht zuerst nach Hause geritten, um seine Frau und seinen Sohn zu sehen?«

Sie wussten beide, dass Randolf unmittelbar vor seiner Abreise ins Heilige Land eine junge Witwe geheiratet hatte, um seine Ländereien nicht nur unter Aufsicht eines Verwalters zu lassen. In seiner Abwesenheit hatte seine Frau einen Sohn geboren, der fast auf den Tag genauso alt war wie ihr eigener.

Marthe blickte auf und sah Christian ruhig in die Augen. »Das glaubst du selbst nicht. Wie viele Ritter hat Otto sonst noch ins Heilige Land geschickt? Und Otto braucht ihn – so wie der Kaiser den Löwen braucht. Es sind ihre mächtigsten Gefolgsleute, sie stellen bei Feldzügen den größten Heerbann. Also wird er ihm noch mehr Einfluss und Macht versprechen, um ihn in der Mark Meißen zu halten.«

Sie holte tief Luft. »Du weißt es so gut wie ich. Es wird nicht lange dauern, bis Randolf wieder hier auftaucht. Gott sei uns allen gnädig.«

Gerichtstag

Am nächsten Morgen wurde Marthe in aller Frühe zu der verzweifelten Emma gerufen, deren Kinder fieberten. Rasch griff sie nach dem Korb mit Salben und Tinkturen und lief zu der jungen Frau, die aus dem gleichen Dorf wie sie stammte und seit jeher ihre Freundin war.

Auch Christian hielt sich nicht länger als nötig im Haus auf. Eine Menge Dinge waren zu regeln, bevor er wieder aufbrechen musste. Er trat vor die Tür und genoss den Anblick für einen Moment. Das Schneetreiben hatte aufgehört, die Sonne schien und brachte die weiße Schneedecke zum Funkeln, die unter jedem seiner Schritte knirschte.

Ein dunkles Bündel huschte an ihm vorbei, stolperte und rollte prustend in den Schnee.

»Hoppla!« Blitzschnell packte Christian den Jungen am Kittel und hielt ihn fest. Es war der kleine Christian – das erste Kind, das in diesem Dorf geboren worden war und auf Bitten der Eltern seinen Namen erhalten hatte. Inzwischen war er fast sechs Jahre alt.

»Wie geht es deiner Mutter?«, erkundigte sich Christian.

»Gut, Herr«, krähte der Kleine. Berthas Mann war jener Bergzimmerer gewesen, den Randolf unter falscher Anklage hatte hängen lassen. Der Bergmeister hatte sie danach bei sich aufgenommen, damit sie seinen Haushalt besorgte. Seine eigene Frau war schon lange tot, seine Tochter hatte er verstoßen, nachdem sie Marthe als Hexe verleumdet und ihren Tod gefordert hatte.

»Geh in mein Haus und lass dir von der Köchin etwas zu essen geben. Und trockne dich am Feuer«, wies Christian den Jungen mit gespielter Strenge an. Der bedankte sich strahlend und lief hüpfend zum Haus. Dem kleinen Christian wurde von den meisten Dorfbewohnern besondere Fürsorge zuteil – nicht nur, weil er Halbwaise war, sondern vor allem, weil die Menschen in ihm auch ein Symbol für das Gedeihen ihres neuen Heimatortes sahen.

Christian ging weiter zu den Ställen und begrüßte seine Pferde.

»Nimmst du mich mit? Du hast es versprochen«, hörte er hinter sich die helle Stimme seines Sohnes.

Lächelnd drehte er sich um. »Sag Marie oder der Köchin Bescheid, damit dich niemand sucht.«

Begeistert rannte Thomas durch den Schnee zurück ins Haus.

Christian klopfte Drago, seinem Grauschimmel, auf den Hals. »Tut mir leid«, sagte er zu ihm, »aber mit diesem Irrwisch von Sohn muss ich ein anderes Pferd nehmen.«

Auch wenn Drago bald zu alt sein würde, um einen Ritter in voller Rüstung zu tragen, so war er immer noch unberechenbar und duldete keinen anderen als Christian auf seinem Rücken. Um Thomas davon abzuhalten, den wilden Grauschimmel später einmal heimlich zu reiten, unterließ er es bewusst, ihn mit Drago zusammenzubringen.

Er sattelte einen jungen Rappen mit überschäumendem Temperament. Nach Ansicht der meisten Menschen wäre auch dies kein Pferd, um einen Dreijährigen daraufzusetzen, doch Christian wollte, dass sein Sohn so früh wie möglich mit Pferden vertraut wurde. Und er selbst war ein so erfahrener Reiter, dass er sich zutraute, den übermütigen jungen Hengst zu einem zuverlässigen Gefährten zu erziehen. Der Rappe war das Hochzeitsgeschenk seines Freundes Raimund, der Pferde züchtete und sich Drago mehrfach als Deckhengst ausgeliehen hatte. Mit dieser großzügigen Gabe hatte sich Raimund auch dafür bedankt, dass Marthe ihm einst nach einer schweren Verwundung das Leben gerettet hatte.

Schon stand Thomas wieder neben ihm und sah ihn mit leuchtenden Augen an. Christian nahm seinen Sohn vor sich in den Sattel und ritt zum westlichen Dorfeingang, wo die Wachen, die er eingestellt hatte, Quartier, Ställe und Übungsplatz hatten und ein paar junge Burschen aus dem Dorf als Verstärkung ausbildeten. Ein weiterer Wachturm stand am nordöstlichen Ausgang des Dorfes, von wo aus der Weg nach Meißen führte.

Die Männer waren mit Waffenübungen beschäftigt, als Christian ankam. Zufrieden begrüßte er Herwart, ihren Hauptmann, der einen guten Ritter abgegeben hätte, wäre er von edler Geburt. Er mochte schon an die vierzig Jahre alt sein, hatte viele Kämpfe hinter sich und war trotz seines Alters schnell mit dem Schwert.

»Wie machen sich die neuen Leute?«, wollte Christian wissen.

»Mit dem Maul behender als mit der Waffe«, erwiderte Herwart grinsend, während sich die Falten in seinem kantigen, wettergegerbten Gesicht noch vertieften.

Er winkte zwei der Jungen heran, einen Rothaarigen mit unzähligen Sommersprossen und einen etwa Gleichaltrigen mit zerzaustem schwarzen Haar.

»Ihr da, der Herr will wissen, was ihr inzwischen gelernt habt. Lasst mal sehen.«

Die beiden traten näher und verbeugten sich. Kuno und Bertram waren zwei sechzehnjährige Burschen, die mit den ersten Siedlern hierhergekommen waren und vor Abenteuerlust nur so strotzten. Aber sie hatten sich in gefährlichen Situationen als tapfer erwiesen. So erfüllte Christian ihnen ihren brennenden Wunsch und ließ sie an den Waffen ausbilden. Der rothaarige Kuno war Waise; seine Ziehmutter, die alte Grete, war einst von Randolf erstochen worden, nachdem sie ihn verflucht hatte. Und die Eltern von Bertram – der ehemalige Dorfälteste und eben jene nörglerische Griseldis, die Christian am Vortag bei seiner Heimkehr aufgelauert hatte – wagten keinen Einspruch gegen Christians Entscheidung.

Was den beiden abenteuerlustigen Burschen im Umgang mit Waffen an Übung fehlte, machten sie mit Ungestüm wieder wett. Wenigstens teilweise.

»Ihr seid schneller geworden«, sagte Christian anerkennend. »Aber zu unvorsichtig.«

Er löste den Schwertgurt, reichte Herwart seine Waffe und ließ sich einen der Stöcke geben, mit denen die Burschen übten. Dann rief er den Rotschopf zu sich. »Greif an und versuch, mich abzuwehren.«

Zögernd trat Kuno näher. Es war schon schwer genug, sich einigermaßen unter den Männern zu behaupten, die ihm um Jahre in der Ausbildung voraus waren. Doch Christian besaß einen legendären Ruf als Schwertkämpfer. Kuno hatte selbst bei mehreren Gelegenheiten miterlebt, wie sein leuchtendes Vorbild größere und stärkere Gegner besiegt hatte. Aber kneifen durfte er nicht. Also hieb er kräftig drauflos.

Doch schon bei der dritten oder vierten Bewegung ließ Christian seinen Stock ungehindert mit einem wuchtigen Hieb von oben niederfahren und stoppte die Bewegung erst zwei Fingerbreit über der Stelle, wo Kunos Hals und Schulter ineinander übergingen.

»Wenn dein Gegner größer ist als du, wird er zumeist sofort mit einem Oberhau angreifen. Aber du warst völlig offen für meinen Hieb«, hielt er ihm vor.

Der sonst so kecke Kuno wirkte gleichermaßen enttäuscht und beschämt.

Christian wiederholte seine Bewegung, nur diesmal langsam.

»Wenn du schnell genug bist, kannst du den Augenblick nutzen, in dem dein Gegner weit ausholt. Dann ist sein Oberkörper ungedeckt«, erklärte er und bot Kuno durch seine langsame Bewegung Gelegenheit, einen Stich zu plazieren.

»Lerne vorauszusehen, was dein Gegner als Nächstes tut«, mahnte Christian, während er seinen Schwertgurt wieder umschnallte. »Dein Leben hängt davon ab.«

»Ihr habt mich blamiert, ihr Versager«, grollte Herwart.

»Dafür lass ich euch Rost von den Kettenpanzern schleifen, bis der Morgen graut, damit ihr Schwächlinge endlich Muskeln bekommt.«

»Nicht jetzt, Herwart«, fiel ihm Christian ins Wort.

Er schob seinen Sohn hinüber zu den beiden. »Passt für eine Weile auf den Jungen auf. Aber bleibt in der Nähe, ich habe einen Auftrag für euch.«

Zumindest die letzte Ankündigung richtete Kuno wieder auf. »Ja, Herr.«

»Denkt nicht, dass ihr so davonkommt«, drohte Herwart.

Christian warf einen letzten Blick auf die zwei, denen sein Sohn begeistert folgte, weil er wusste, dass sie immer zu einem Streich aufgelegt waren. Dann ging er mit Herwart in die Wachstube.

»Ich muss gleich nach Ostern wieder fort, zum Hoftag des Kaisers«, informierte er den Hauptmann. »Vier von deinen besten Leuten sollen während meiner Abwesenheit in mein Haus ziehen.«

Diese Ankündigung veranlasste Herwart dazu, die Brauen hochzuziehen. Aber er hütete sich, zu fragen. Was zu sagen war, würde Christian schon kundtun.

Der Hauptmann kratzte seine bärtige Wange. »Wenn die Euren mehr Schutz brauchen, gehe ich wohl am besten selbst dorthin. Wir können die Waffenübungen auch auf Eurem Hof abhalten, dann bin ich immer zur Stelle.«

»Gut«, meinte Christian, erleichtert über den Vorschlag. »Was ist mit diesem kleinen Dieb, den ihr gefangen habt?«

»Gerade mal sieben Jahre alt und schon ein erfahrener Beutelschneider. Er hockt im Verhau.«

Herwart holte aus einer Kiste ein zusammengeknotetes Leinentuch. »Das haben wir bei ihm gefunden. Die alte Elsa hat es klar als ihr Eigentum erkannt – hier, an diesem gestickten Zeichen.«

Christian knotete das Tuch auf, das um eine von jenen Kupferschalen gebunden war, in denen die dünnen Pfennige übereinandergestapelt aufbewahrt wurden, damit sie nicht zerbrachen.

»Ist noch alles da?«

Herwart nickte.

»Meine Frau vermutet, es gibt hier eine ganze Bande kleiner Diebe, die von einem Älteren auf Beutezüge geschickt werden.«

»Das denke ich auch, aber wir haben bisher noch niemanden ausfindig machen können. Jedenfalls wimmelt es in letzter Zeit hier von kleinen und sehr geschickten Langfingern. Ich weiß nicht, woher die auf einmal kommen, noch dazu um diese Jahreszeit. Die Waisen, die wir im Dorf haben, sind doch alle bei Verwandten untergebracht.«

»Hol den Burschen. Und mach ihm tüchtig Angst vor mir«, meinte Christian. Herwart grinste breit. »Aber gern.«

Wenig später kam er mit dem Gefangenem zurück, einem halb verhungerten, schmutzverschmierten Jungen, der sich alle Mühe gab, tapfer und gelassen zu wirken. Selbst im Dämmerlicht der Wachstube sah Christian, dass sein Gesicht, die halbnackten Arme und Beine von Prügelspuren unterschiedlichen Alters übersät waren.

»Knie nieder vor dem Herrn des Dorfes«, raunzte Herwart den Jungen an, der sofort gehorchte.

»Morgen halte ich Gericht über dich«, verkündete Christian streng. »Um dich hängen zu lassen, müsste ich dich nach Meißen schaffen, dafür habe ich keine Zeit. Also lasse ich dir eine Hand abschlagen. Aber ich will gnädig sein: Du darfst dir aussuchen, ob die linke oder die rechte.«

Kreidebleich starrte der Junge ihn an, sichtlich bemüht, die Fassung zu bewahren. Doch er sagte kein Wort.

»Wer hat dir geholfen?«, fragte Christian schroff und beugte sich vor.

»Das kann ich Euch nicht sagen, Herr«, sagte der Junge mit brüchiger Stimme.

»Und warum nicht? Wenn du gestehst, verhänge ich eine mildere Strafe.«

Der kleine Dieb kämpfte lange mit sich, bis er schließlich leise sagte: »Weil er dann meiner Schwester sehr weh tun würde …«

Christian fragte freundlicher: »Der Mann, der euch zum Stehlen ausschickt?«

Der Junge nickte und wischte sich die Nase mit dem Ärmel ab.

»Der Meister sorgt für uns, damit wir nicht verhungern. Wir haben doch sonst niemanden mehr …«

»Ich sehe nur, dass er euch schlägt, auf Diebeszüge schickt und sich nicht darum schert, ob ihr gehängt werdet«, entgegnete Christian scharf. »Wie viele gehören zu eurer Bande? Wo hält sich euer ›Meister‹ versteckt?«

»Herr!« Jetzt liefen dem Jungen die Tränen ungehindert übers Gesicht. »Ich darf Euch das nicht sagen, sonst schlägt er meine kleine Schwester tot.«

»Wie heißt sie? Und wie ist dein Name?«

»Peter. Sie heißt Anna. Sie ist noch nicht einmal sechs«, schniefte der magere kleine Dieb. »Wir sind die Einzigen, die noch übrig sind von unserer Familie …«

»Sag mir, wo ich sie finde, und ich sorge dafür, dass ihr nichts geschieht. Du hast mein Wort.«

Wenig später trat Christian wieder nach draußen und suchte nach Kuno und Bertram. Die beiden trieben sich mit seinem Sohn bei den Pferden herum und erzählten ihm genüsslich blutrünstige Geschichten über den berüchtigten Slawenfürsten Radomir, nach dem Christians Rappe benannt worden war. »Und er hat wirklich Wein aus den Schädeln seiner toten Feinde getrunken?«, fragte Thomas gerade mit leuchtenden Augen. »Klar doch«, meinte Kuno. »Aus seinen Augen loderten Flammen, er hatte rabenschwarzes Haar wie das Pferd Eures Vaters. Und wenn ihm ein schönes Mädchen unter die Augen kam …«

»Genug Schauermärchen für heute«, unterbrach ihn Christian. »Kuno, Bertram, ihr müsst euch wieder mal verkleiden. Zieht Bergmannskittel oder Bauernkleider an und haltet im Handwerkerviertel Ausschau.«

Nach dem, was er soeben erfahren hatte, gab er ihnen genaue Anweisungen. »Aber wartet bis zum Nachmittag«, bestimmte er. »Zuerst muss noch etwas erledigt werden.«

Als Christian mit seinem Sohn zurück ins Haus kam, stand Marthe in der Küche und kochte irgendetwas gegen Husten. Der Geruch war ihm vertraut, aber auch nach so vielen Jahren wusste er immer noch nicht genau: War das nun Thymian, oder was für Zeug rührte sie da zusammen? Ihre Fingerspitzen waren ganz grün wie meistens bei diesen Gelegenheiten.

»Wie geht es den Kindern von Emma und Jonas?«, erkundigte er sich, nachdem Thomas seine Mutter stürmisch begrüßt hatte und ihr aufgeregt von den gruseligen Geschichten erzählte, die Kuno ihm aufgetischt hatte.

»Noch ist das Fieber nicht hoch«, berichtete Marthe, während sie weiter Kräuter zerkleinerte. »Emma ist zum Glück rechtzeitig gekommen.«

Sie wirkte bedrückt. Christian wusste, dass sie sich Vorwürfe machte, die Kinder nicht gerettet zu haben, die am Fieber gestorben waren. Kinder und Alte starben immer zuerst bei Epidemien. Aber es gab kaum Alte in ihrem jungen Dorf.

Den gefahrvollen Weg nach Osten in die Fremde, in ein unbekanntes, erst zu erschließendes Land, hatten fast ausnahmslos junge, kräftige Leute auf sich genommen, um sich hier ein besseres Leben aufzubauen.

»Du tust, was du kannst«, versuchte er sie zu trösten. »Alle kannst du nicht retten.«

Er nahm ihr das Kräutermesser aus der Hand und sagte: »Aber ich weiß von jemandem, den du retten kannst. Bist du bereit für ein kleines Wagnis?«

Während er ihr seinen Plan erklärte, sah er, wie wieder Leben in ihre Gesichtszüge kam, sich abwechselnd Zorn und Unternehmungslust darin spiegelten.

»Ich werde Johanna sagen, dass sie das hier fertigmachen soll«, meinte sie, wischte sich die Hände ab und holte den prachtvollen Umhang, den Christian ihr geschenkt hatte.

Zielstrebig ging Marthe auf das Viertel der Handwerker und Kaufleute zu, das in den letzten drei Jahren gewachsen war, seit zusätzlich zu Bauern und Bergleuten auch Seiler, Töpfer, Böttcher, Gürtler, Wagner und viele andere nach Christiansdorf gezogen waren. Nur die Gerber und die Seifensieder wohnten wegen ihres Gestank verbreitenden Gewerbes ein Stück abseits des Ortes. Die anderen Handwerker jedoch und die Kaufleute hatten unterhalb der Bauerngehöfte ihre Häuser gebaut und würden bald sogar ihre eigene Kirche haben, die prachtvoll zu werden versprach. Sie sollte dem heiligen Nicolai gewidmet werden, weshalb dieser Teil des Dorfes jetzt schon Nicolai-Viertel genannt wurde. Die Bergmannssiedlung hingegen hieß bei den Einheimischen »Sächsstadt«, weil die meisten Bergleute aus Sachsen kamen: aus dem Harz, der Kaiserstadt Goslar und vom Zellerschen Feld.

Noch waren für die neue Kirche kaum mehr als die Fundamente gesetzt, über deren Tiefe Marthe immer wieder staunte. Die ersten Reihen Steine waren wegen der Kälte in Stroh verpackt. Aus den Bauhütten drang der Lärm der Steinmetzen, die Formen für die Schmuckelemente der Pfeiler bearbeiteten.

Die Händler und Handwerker mussten gut verdienen, wenn sie sich eine Kirche aus Stein leisten konnten. Die beiden anderen Kirchen des Dorfes – die Erste, die die Siedler bald nach ihrer Ankunft errichtet hatten, und die dem heiligen Jakob geweihte Kirche in der Siedlung der Bergleute – waren schlichte Holzbauten.

Marthe ging an der entstehenden Kirche vorbei und bog in eine der Gassen ein, durch die ein paar magere Hunde streunten. Hier hatte sich der Schnee schon in schmutzigen Matsch verwandelt, aber er verbarg immer noch den größten Teil des Unrates, der auf den Straßen lag.

Betont gemächlich schlenderte sie die Gassen entlang und hielt dabei heimlich Ausschau. Sie kaufte beim Kerzenzieher einige Lichter, begutachtete bei der Frau des Töpfers Becher und Krüge und besprach mit ihr ein paar Muster, die sie haben wollte. Bald fühlte sie sich auf ihrem Weg von mehreren Augenpaaren beobachtet.

Einen neuen Krug und das Bündel mit den Kerzen gut sichtbar vor sich hertragend, ging sie weiter zu dem Tuchhändler, der sich im Herbst hier niedergelassen hatte, und betrachtete seine Waren.

»Meister Josef, ich will vier Ellen und nicht den ganzen Ballen kaufen«, rügte sie ihn, als er ihr einen viel zu hohen Preis nannte. Wortreich pries er die Qualität seiner Ware an und begann mit ihr zu feilschen. Marthe wusste, dass er sie übervorteilen wollte, weil er glaubte, bei Frauen leichtes Spiel zu haben. Unwirsch unterbrach sie seinen Redeschwall. »Macht mir einen deutlich besseren Preis, dann bestellen wir bei Euch. Mein Mann will zum Osterkirchgang den ganzen Haushalt neu einkleiden. Aber wenn Eure Ware zu teuer ist, kaufen wir bei Meister Wolfram in Meißen.«

Solche herrischen Auftritte waren nicht Marthes Art, aber sie hatte lernen müssen, dass auch das gelegentlich nötig war, um sich zu behaupten.

Angesichts ihrer Worte huschten Gier und Bestürzung in schnellem Wechsel über Meister Josefs Gesicht. Unter vielen Beteuerungen und Verbeugungen führte er seine Kundin zur Tür.

Als sie aus dem Haus trat, wusste sie sich schon von einem unsichtbaren Rattenschwanz von Kindern verfolgt. Bald entdeckte sie, wonach sie Ausschau hielt.

Sie winkte ein mageres kleines Mädchen mit strähnigem Haar zu sich, das barfuß und mit zerlumptem Kleid im Schnee stand und sie mit flackernden Augen beobachtete.

»Du da! Du kannst mir die Einkäufe nach Hause tragen. Ich werde dich dafür bezahlen«, rief sie mit befehlsgewohnter Stimme. Die Kleine huschte herbei.

»Gern, edle Dame«, flüsterte sie und griff nach dem Bündel Kerzen, während ihre Augen Marthes Taille streiften. Die wusste, dass diese Augen nach der Geldbörse am Gürtel unter ihrem Umhang suchten.

Marthe nahm das Mädchen fest bei der Hand, damit es nicht weglaufen konnte, und ging nun zielstrebig nach Hause. Sie wollte, dass das halbnackte Kind bald aus der Kälte kam, und sie fühlte sich auch zunehmend unwohl unter den vielen heimlichen Blicken, die ihr folgten.

Sie führte die Kleine in die Küche, schob sie Richtung Feuer und nahm ihr die Einkäufe ab. »Möchtest du etwas essen?«, fragte sie.

Das Mädchen bekam leuchtende Augen und nickte, doch dann erstarrte sie mitten in der Bewegung. »Ihr habt gesagt, Ihr würdet mich bezahlen, Herrin«, meinte sie ängstlich.

»Das werde ich auch«, beruhigte Marthe sie und füllte eine Schüssel mit warmem Brei. »Hier, iss.«

Sie wies die Köchin an, auf das Mädchen aufzupassen, das mit Heißhunger den Brei hinunterschlang, und ging hinaus, um Christian zu holen.

Als sie wenig später mit ihm die Küche betrat, zuckte die Kleine zusammen, schaufelte hastig den letzten Löffel voll in sich hinein und kniete nieder, die Augen ängstlich auf den Schwertgurt des streng dreinschauenden Ritters gerichtet.

»Du heißt Anna, nicht wahr?«, fragte Marthe und erntete dafür einen überraschten Blick. »Das ist Christian, der Herr des Dorfes«, fuhr sie ruhig fort. »Er wird morgen über deinen Bruder richten, der beim Diebstahl ertappt wurde.«

Das Mädchen sah wieder voller Angst auf Christian.

Als niemand etwas sagte, stand sie langsam auf und trat zwei Schritte auf ihn zu.

»Bitte, Herr, tut meinem Bruder nichts. Dann werde ich auch sehr nett zu Euch sein«, flüsterte sie und hob ihr zerlumptes Kleid hoch, wobei sie sich unbeholfen mit dem Ärmel ein paar Tränen abwischte.

Marthe und Christian wechselten einen finsteren Blick. Sie

wussten beide, dass in großen Städten gewissenlose Anführer ganze Kinderbanden zu Beutezügen abrichteten und nicht selten auch dazu zwangen, die abartigen Gelüste mancher Männer zu befriedigen. Doch hier? Und diese magere Kleine war noch nicht einmal sechs Jahre alt!

Christian räusperte sich. »Zieh dein Kleid wieder herunter. Auf diese Art musst du hier zu niemandem nett sein.«

»Aber wenn Ihr meinem Bruder die Hand abschlagen lasst, kann er seine Arbeit nicht mehr tun, Herr. Dann wird der Meister ihn davonjagen, und er wird verhungern, und ich bin ganz allein«, sprudelte es aus dem Mädchen heraus.

»Verrate uns, wo ihr euch versteckt. Dann sorge ich dafür, dass du und dein Bruder eine richtige Unterkunft und ausreichend zu essen bekommt, ohne dafür stehlen … und zu Männern nett sein zu müssen«, redete Christian ihr zu.

»Aber er wird uns und die anderen bestrafen … Wir werden alle sterben«, wimmerte das Mädchen und biss sich auf die Fingerknöchel.

»Du hast mein Wort. Dieser ›Meister‹ wird keinem von euch mehr etwas antun können. Wer von deinen Gefährten hierbleiben will, kann sich mit ehrlicher Arbeit sein Brot verdienen.«

Für den nächsten Morgen hatte Christian das gesamte Dorf zum Gerichtstag zusammengerufen. Schwere Verbrechen, auf die die Todesstrafe stand – wozu oft auch Diebstahl zählte –, wurden in Meißen verhandelt, die Zwistigkeiten der Bergleute schlichtete der Bergmeister, aber für alle anderen Streitigkeiten im Dorf war Christian zuständig. Von den verhängten Bußgeldern stand ihm ein Anteil zu, ebenso für die Nutzung der Dorfmühle, des Gemeindebackofens und das Braurecht. Er brauchte das Geld, um für den Schutz des Dorfes aufzukommen.

Während seiner Abwesenheit hatten sich einige Zwischenfälle zugetragen, über die er nun richten sollte.

Als Erstes erhob der Weinhändler Anklage gegen den Bader. »Er hat mir ausgerechnet vierzehn Tage nach Lichtmess fast die Hälfte meiner Vorräte abgekauft.«

»Das ist kein Verbrechen«, protestierte der Bader sofort.

Das war es wirklich nicht, doch die Angelegenheit war für alle so offenkundig dreist, dass sofort Gemurmel aufkam und der Weinhändler das mehr oder weniger laut bekundete Mitgefühl der Zuschauer erhielt, während der Bader einige unflätige Rufe zu hören bekam.

Christian ermahnte die Versammelten zur Ruhe. Jedes Jahr am Lichtmesstag wurde das Geld »verrufen«; bei einem Beauftragten des Markgrafen mussten alte Pfennige gegen neue eingetauscht werden. Doch für vier alte gab es nur drei neue Münzen; die vierte Münze ging an den Markgrafen. Nur noch vierzehn Tage länger durfte das alte Geld verwendet werden. Wer also zwei Wochen nach Lichtmess Bargeld statt Ware besaß, büßte ein Viertel davon ein. Es war zwar erlaubt, alte Münzen zu behalten und aufzubewahren; ihr Silberwert blieb erhalten, doch sie in Umlauf zu bringen wurde bestraft. Also sah jeder zu, seine Pfennige noch kurz vor oder nach Lichtmess gegen Waren einzutauschen. Wenn der Bader dem Weinhändler ausgerechnet am letzten Tag der Frist einen Haufen Pfennige aufgedrängt hatte, roch das nach Boshaftigkeit. Andererseits hätte der ja auf den Handel nicht eingehen müssen.

Die nächsten Worte des Weinhändlers bestätigten Christians Vermutung. »Damit wollte er mir heimzahlen, dass ich ihm nur den halben Preis fürs Zahnziehen bezahlt habe, weil er mir dabei den Kiefer gebrochen hat«, beschwerte sich der Weinhändler.

»Ich hab ihn ja auch wieder gerichtet, und das ganz umsonst«, konterte der Bader sofort.

»Hast du wegen der Behandlung noch eine Forderung an den Weinhändler?«, fragte Christian.

Der Bader breitete mit dramatischer Geste die Arme aus. »Aber nein, Herr. Ich bin ein ehrlicher Mann. Wenn er nicht zufrieden war, soll er weniger zahlen. Aber mich vor Gericht bringen, nur weil ich bei ihm kaufe – nein, wirklich! Meine Gäste haben Durst und wollen trinken.«

»Du hast ihm so viel Wein verkauft, wie er wollte?«, fragte Christian nun den Weinhändler. Der nickte.

»Dann kannst du diesen Mann nicht verklagen. Du musst das Geld tauschen. So lautet das Gesetz«, verkündete Christian.

Frohlockend wollte der Bader gehen, während der Weinhändler ein mürrisches Gesicht zog, doch Christian hielt sie beide zurück.

»Gut möglich, dass nächstes Jahr vierzehn Tage nach Lichtmess besonders viele Leute in deine Badestube kommen und mit Pfennigen bezahlen«, rief er dem Bader nach. Die Reaktionen der Dorfbewohner, die sofort tuschelten und kicherten, verrieten ihm, dass sein indirekter Vorschlag auf fruchtbaren Boden gefallen war. Bei der nächsten Geldverrufung würde sich der Bader vor Kundschaft kaum retten können, ohne Gelegenheit zu haben, die eingenommenen Münzen noch loszuwerden. Diese Vorstellung hellte auch die Miene des Weinhändlers auf. Unter dem Gelächter der Umstehenden zogen die beiden von dannen.

Als Nächstes hatte Christian die öffentliche Prügelei zwischen Griseldis und einer der Huren zu verhandeln. Auch hier sparten die Zuschauer nicht mit bissigen Kommentaren. Nicht nur der Zwischenfall selbst war pikant. Der Umstand, dass ausgerechnet die als Spaßvögel bekannten Fuhrleute Hans und Friedrich als Zeugen gehört wurden, versprach besondere Unterhaltung. Die beiden Brüder hatten vor ein paar Jahren noch Salz von Halle nach Böhmen gefahren und bei einem Aufenthalt in Christiansdorf das erste Silbererz entdeckt, mitgenommen und im Harz untersuchen lassen. Auf Christians Vorschlag hin verlegten sie ihr Geschäft in das Dorf und waren nun Zeugen der Schlägerei mitten im Schnee geworden, als sie Holz zu einer der Gruben fuhren.

Lang und breit wollte Friedrich, der Ältere der beiden, den Vorfall ausschmücken, doch sehr zum Leidwesen der Zuhörer kürzte Christian die Sache ab. Nicht nur, um den Frauen die Peinlichkeit zu ersparen, sondern auch, weil noch dringendere Angelegenheiten zu klären waren. Er erlegte den Frauen ein Bußgeld auf. »Beim nächsten Mal stelle ich euch an den Pranger – beide gemeinsam«, kündigte er an, und diese Drohung brachte die Dorfbewohner erneut zum Lachen, die sich das Spektakel schon ausmalten.

Dann ließ Christian Peter vorführen. Sofort wurde es still, denn jeder wusste, nun wurde der schwerste Fall verhandelt.

Marthe spürte, wie sich eine merkwürdige Stimmung über die Menge legte – die Gier nach harter Strafe. Die meisten, die eben noch gelacht hatten, wollten nun Blut fließen sehen.

Diebstahl galt kaum weniger schlimm als Mord. Wer ehrliche Leute um den Lohn ihrer Arbeit bringen wollte, gehörte unerbittlich bestraft.

»Dieser Junge ist ein Dieb«, verkündete Herwart, der Hauptmann der Wache, streng. »Er hat die Witwe Elsa bestohlen und ist alt genug, um die volle Strafe für sein Verbrechen zu bekommen.«

Bleich stand der Junge vor Christian und hatte Mühe, nicht in Tränen auszubrechen.

Ein paar höhnische Zwischenrufe kamen aus der Menge, aber Christian brachte sie mit einer Handbewegung zum Verstummen.

»Der Junge hat nicht für sich gestohlen, sondern im Auftrag eines Mannes, der vor zwei Wochen mit einer Gruppe hungernder Waisen, die er zu Dieben abgerichtet hat, in unser Dorf gekommen ist.«

Christian gab den Wachen ein Zeichen, die einen hageren Fremden in die Mitte stießen. Er hatte ein schmutziges Schaffell um sich gewickelt und trug einen zotteligen Bart. In seinen Augen funkelte Hass.

Kuno und Bertram hatten den Anführer der Diebesbande am Vortag nach Marthes Hinweisen aufgespürt und sein Versteck heimlich beobachtet. Als die Kinder bei Einbruch der Dämmerung kamen, um ihre Beute abzuliefern, hatten die Wachen ihn festgenommen.

»Zähl nach, ob noch alles drin ist«, rief Christian und warf der verblüfften Witwe Elsa ihre ins Tuch geknotete Pfennigschale zu.

»Du Hurensohn, du kleine Ratte, du hast mich verraten! Dafür schlag ich dich tot! Dich und dein Miststück von Schwester!«

Der Zerlumpte wollte sich auf Peter stürzen, doch die Wachen waren sofort zur Stelle und hielten ihn fest.

»Du wirst hier niemanden totschlagen«, meinte Christian zornig.

»Kannst du einen Gewährsmann benennen, der verbürgt, dass das Geld ehrlich erworben ist, das wir bei dir gefunden haben?«, fragte er dann. Doch der Fremde spuckte nur aus, wofür ihm Herwart einen derben Fausthieb verpasste.

»Wir haben hier also zwei Diebe – einen Großen und einen Kleinen«, sagte Christian laut in die Runde.

Marthe strich Anna, die sich hinter ihr versteckt hatte und nun zu wimmern begann, beruhigend über das frischgewaschene Haar.

»Den Jungen verurteile ich dazu, als Wiedergutmachung für

sein Verbrechen ein Jahr lang bei der Witwe Elsa zu arbeiten. Du wirst ihr helfen und für sie Feuerholz sammeln, Wasser holen und alles erledigen, was sie dir sonst noch aufträgt. Ist das klar?«

Eifrig nickte Peter, während er sich Tränen der Erleichterung aus dem verschmierten Gesicht wischte.

»Beklagt sie sich, weil du faul bist, etwas gestohlen hast oder ausreißen wolltest, kommst du nicht noch einmal so glimpflich davon«, ermahnte Christian den Jungen streng.

Der sank auf die Knie und strahlte ihn an. »Gott belohne Euch für Eure Gnade! Ihr werdet zufrieden mit mir sein, mein Herr.«

»Du Ratte! Ich kriege dich«, zischte der Zerlumpte dem Jungen zu.

»Schweig!«, fuhr Christian ihn an. »Von heute an ist dir verboten, dich diesem Ort auf weniger als zwanzig Meilen zu nähern. Zur Warnung für alle anderen wirst du gebrandmarkt.«

Während die Menge das Urteil zufrieden kommentierte, stießen am Rand ein paar zerlumpte kleine Gestalten erschrockene Rufe aus. Auf Christians Zeichen trug Jonas ein Becken mit glühenden Kohlen und einem Eisen heran. Der Schmied war voller Zorn gewesen, als Christian und Marthe ihm am Abend zuvor von der angebotenen »Nettigkeit« Annas erzählt hatten. Seine eigene Tochter war fast im gleichen Alter wie das verwahrloste Mädchen, das dieser Dreckskerl offenkundig schon an Männer verkauft und vielleicht auch selbst missbraucht hatte.

»Wer von euch hier ein Heim und ehrliche Arbeit finden will, soll zu mir kommen«, rief Christian laut in die Richtung, in der sich die mageren, zerlumpten Gestalten aneinanderdrängten. »Für die anderen gilt ab sofort das gleiche Verbot. Solltet ihr noch einmal hier gesehen werden, ergeht es euch wie ihm.«

Inzwischen hatten zwei Wachen den Fremden hochgezerrt, ein weiterer Wachmann näherte sich mit dem glühenden Eisen.

»Ich verfluche Euch! Euch und Euer heimtückisches Weib«, geiferte der Verurteilte.

»Schweig, sonst lasse ich dich doch noch hängen«, fuhr Christian ihn an.

Dann zischte das Eisen, mit dem die Wachen dem Verurteilten das Diebeszeichen in die Wangen brannten. Er schrie markerschütternd, stürzte zu Boden und rappelte sich mühsam wieder hoch.

»Ich verfluche Euch! Merkt Euch meinen Namen. Ihr werdet noch hören von Melchior, dem Meister der Diebe«, brüllte der Gebrandmarkte, während er unter dem Hohngeschrei der Dorfbewohner aus dem Ort getrieben wurde.

Nach einigem Zögern folgten ihm ein paar größere Burschen aus dem armseligen Häufchen.

Ein Mädchen und vier Jungen im Alter von Anna und Peter blieben unsicher stehen. Marthe bahnte sich den Weg zu ihnen und vertraute sie ihrer Köchin an. »Sie wird euch mitnehmen, euch etwas zu essen geben, und danach werden wir beraten, wie wir euch unterbringen. Einverstanden?«, sagte sie aufmunternd zu ihren neuen Schützlingen.

Mechthild zögerte nicht lange und schob die Kinder vor sich her. »Vorher könnt ihr Wasser und Seife vertragen«, brummte sie. Trotz ihrer zumeist grimmigen Miene war sie froh, wenn sie jemanden bemuttern konnte, Marthe eingeschlossen, nachdem ihre eigenen Kinder gestorben waren.

Die Menge begann sich zu zerstreuen, um die Urteilssprüche auf dem Heimweg oder in der Schenke ausgiebig zu diskutieren.

Marthe ging zu Christian und kam dazu, als der sich gerade mit strenger Miene den kleinen Dieb vornahm. »Du hast heute großes Glück gehabt, das ist dir doch klar?«

»Ich werde Euch nicht enttäuschen, edler Herr«, versicherte

der noch einmal eifrig. »Was immer Ihr befehlt – ich werde es tun. Darf ich Euch dienen, wenn meine Zeit bei der Witwe Elsa vorbei ist?«

»Wir werden sehen«, meinte Christian. Er blickte auf Anna, die zu ihrem Bruder gerannt war und sich an ihn klammerte. »Erst einmal werden wir deine Schwester bei uns aufnehmen.«

Doch über Annas Gesicht zuckte die Angst. »Er hat Euch verflucht. Der Meister hat Euch verflucht«, flüsterte sie. »Er wird wiederkommen und uns Schlimmes antun.«

Marthe strich ihr beruhigend übers Gesicht. »Das wird er nicht. Ihr Kinder steht jetzt unter dem Schutz des tapfersten Ritters in der ganzen Mark Meißen.«

Heikle Gespräche

Mit einem gequälten Aufschrei fuhr Marthe aus dem Schlaf. Im nächsten Augenblick stand Christian vor dem Bett, das blanke Schwert in der Hand, und suchte nach einem Eindringling.

»Ein Alptraum. Weiter nichts«, sagte sie, am ganzen Leib zitternd, während ihr immer noch das Schreckensbild aus dem Traum vor Augen stand: Sie selbst war mit Ketten an die Mauer eines finsteren Kerkers geschmiedet, während dünne, spinnenbeinartige Finger nach ihrem entblößten Körper griffen.

Seit ihrer Flucht aus dem Heimatdorf war Marthe oft von verstörenden Ahnungen und Traumbildern heimgesucht worden, die sich stets auf die eine oder andere Art bewahrheitet hatten. Doch seit ihrer Heirat kam das kaum noch vor, was sie sich mit den Schwangerschaften und der Mutterschaft erklärte. Andererseits waren die letzten drei Jahre zwar nicht ereignislos, aber relativ friedlich verlaufen, ganz im Gegensatz zu den blutigen Geschehnissen davor.

Nur teilweise beruhigt, legte Christian das Schwert wieder neben das Bett, wo er es stets griffbereit aufbewahrte. Doch statt sich wieder zu ihr zu legen, entzündete er eine Kerze und schob die Bettvorhänge ein Stück beiseite, damit das Licht auf Marthe fiel. Dadurch drang zwar noch mehr Kälte zu ihr, aber sie verstand. Christian wollte ihr die Angst vor den Dämonen nehmen, die sie heimgesucht hatten.

»War es der Fluch?«, fragte er schließlich.

Marthe legte sich auf den Rücken und starrte nach oben. Ihr Traumbild war zu verstörend, als dass sie jetzt darüber hätte reden können.

»Das oder die Angst, er könnte zurückkommen und sich rächen«, sagte sie mit einem Anflug von schlechtem Gewissen, weil sie ihm den Alptraum verschwieg.

Die Schreckensszene aus dem Kerker, die ihr immer noch vor Augen stand, erfüllte sie mit abgrundtiefem Entsetzen. War das eine Warnung vor etwas, was tatsächlich geschehen würde? Marthe wünschte sich Josefa her, eine alte weise Frau aus Meißen. Sie hatte Christian aufgezogen, bis er auf den Burgberg beordert wurde, nachdem sein Vater als Spion im Dienst von Markgraf Ottos Vater hingerichtet worden und seine Mutter vor Gram gestorben war. Josefa würde wissen, was das zu bedeuten hatte.

Christian hing inzwischen seinen eigenen düsteren Gedanken nach. »Glaubst du, es wäre besser gewesen, ihn zu hängen? Aber in Meißen hätten sie eher den Jungen als diesen Melchior aufgeknüpft«, sagte er, auf der Bettkante hockend. Die Kälte schien ihm nichts auszumachen, während Marthe sich fröstelnd die Decke über die Schultern zog.

»Ich hätte nur nicht gedacht, dass ihm so viele folgen würden.«

»Ja, die werden weiter für ihn stehlen. Und bald wird er wieder ein paar ganz Kleine verprügeln und zu ›Nettigkeiten‹ zwingen«, meinte sie bitter.

»Wir können nicht die ganze Welt verbessern«, erwiderte Christian ungeduldig. »Es ist schon schwierig genug, aus diesem einen Dorf einen friedlichen Ort zu machen.«

Und sollte Randolf wirklich wieder hierherkommen, dann können wir diesen Traum wahrscheinlich ganz begraben, dachte er grimmig.

Er blieb sitzen, aber nun drehte er sich zu ihr um, und seine Stimme bekam etwas verdächtig Beiläufiges. »Übrigens ... während ich beim Hoftag bin, wird Herwart mit ein paar seiner Leute hier ins Haus einziehen. Ich habe das heute früh mit ihm abgesprochen.«

Überrascht setzte sich Marthe auf und zog die Bettdecke bis zum Hals. »Was befürchtest du?«

Christian stieß ein kurzes Lachen aus. »Vorahnungen sind in dieser Familie deine Sache. Es ist nur eine einfache Vorsichtsmaßnahme.«

Er stand auf, löschte die Kerze und legte sich wieder zu ihr.

Doch in dem winzigen Moment, bevor die Dunkelheit sie erneut umhüllte, hatte Marthe in seinen Augen gesehen, dass auch ihn Dämonen der Vergangenheit quälten.

Während Christian am nächsten Tag gemeinsam mit seinem Sohn unterwegs war, nahm Marthe eine heikle Angelegenheit in Angriff.

Sie rief Anna zu sich, die – frisch gewaschen und in ein Kleid gesteckt, das ihr noch zu groß war und einer der Töchter der Köchin gehört hatte – in der Küche half.

»Möchtest du deinen Bruder besuchen?«, fragte sie das Mädchen, das sie mit großen Augen ansah und sofort nickte. Marthe beschrieb ihr den Weg zu Elsas Haus und drückte ihr ein Leinensäckchen mit Thymian in die Hand. »Frag sie höflich in meinem Namen, ob sie deinen Bruder für einen halben Tag entbehren und zu mir schicken kann. Gib ihr dafür diese Arznei gegen den Husten. Sie soll regelmäßig einen Löffel voll davon aufbrühen, durchseihen und den Sud trinken.«

Schüchtern wiederholte Anna den Auftrag und huschte davon. Es dauerte nicht lange, bis sie mit ihrem Bruder wieder auftauchte.

»Was Ihr auch wünscht, schöne Dame, es wird sofort erledigt«, prahlte Peter und verbeugte sich tief vor Marthe, ein keckes Lächeln auf den Lippen. Anna sah ihn bewundernd an.

Es wärmte Marthe das Herz, zu sehen, wie die Geschwister aufgeblüht waren. Was ein Dach über dem Kopf, etwas zu essen, Wasser, Seife und ein bisschen Zuwendung ausmachen, dachte sie.

»Ich habe einen wichtigen Auftrag für dich. Aber er ist nicht leicht zu erfüllen.«

»Sagt es nur, und ich bin schon unterwegs«, versicherte der kleine Dieb eifrig.

»Du suchst nacheinander alle Huren des Ortes auf und bittest sie in mein Haus. Sag ihnen, es gibt etwas Wichtiges zu besprechen«, verkündete Marthe. Der Junge riss erstaunt die Augen auf, verkniff sich aber jede Bemerkung und sauste davon. Marthe war sicher, dass er den Auftrag bestens erfüllen würde. Er war ein Straßenjunge und hatte in den Tagen seit seiner Ankunft im Ort bestimmt genau beobachtet, was hier vor sich ging. Er würde wissen, wann und wo er die Frauen treffen konnte.

Tatsächlich dauerte es nicht lange, bis die ganze Gruppe kam. Einige der Huren waren noch jung, andere alt und mit klaffenden Zahnlücken. Bei zweien konnte man sehen, dass sie schwanger waren; eine stand kurz vor der Niederkunft.

Laut schwatzend blieben sie vor dem Haus des Dorfherrn stehen, bis Marthe sie hereinbat.

»Wollt Ihr von uns ein paar Ratschläge, wie Ihr Euren Gemahl im Bett an Euch fesseln könnt?«, fragte eine vorwitzig.

»Oder sollen wir uns um ihn kümmern? So einen stattlichen und edlen Ritter würde bestimmt jede von uns gern nehmen«, rief eine andere dazwischen.

»Ähm … das wird nicht nötig sein. Wir kommen zurecht«, murmelte Marthe, während ihr das Blut ins Gesicht schoss.

»Davon haben wir gehört«, rief eine der jungen Huren mit üppigen blonden Locken lachend.

Noch einmal öffnete sich die Tür. Jonas, der Schmied, trat ein und erlöste Marthe aus ihrer Verlegenheit, um selbst sofort von den Frauen umringt zu werden.

»Was für ein starker junger Mann. Wenn du willst, erfülle ich dir deine geheimsten Wünsche«, gurrte eine unter dem Gelächter ihrer Begleiterinnen und strich über Jonas' muskulösen Arm.

»Dumme Gans! Willst du wegen Unzucht mit Verheirateten fortgejagt werden?«, ermahnte eine ältere Rothaarige sie.

Doch Jonas hatte seinen Arm schon verärgert losgerissen und sich neben Marthe gesetzt. Die anstehende Angelegenheit zu regeln, das wäre wohl seine Sache als Dorfschulze gewesen. Aber wenn er sich auch sonst vor keiner Aufgabe scheute, genau solche Szenen hatte er befürchtet und deshalb Marthe um Beistand gebeten.

»Wir haben euch einen Vorschlag zu machen«, begann sie, und augenblicklich trat Stille unter den Frauen ein, die sie nun neugierig ansahen.

»Ihr wisst, es gibt euretwegen immer mehr Ärger im Dorf. Verheiratete Frauen beschweren sich, letztens gab es sogar eine Prügelei, und der Pater ist erbost über öffentliche Unzucht. Andererseits wurde vor ein paar Tagen schon wieder eine von euch auf der Straße so zugerichtet, dass sie eine Woche nicht arbeiten kann.«

»Wollt Ihr uns etwa wegschicken?«, rief die Blondgelockte dazwischen. »Ihr werdet Euch wundern, wie viel Ärger die Kerle in ihrer Geilheit dann erst machen.«

»Nein, nein«, beruhigte Marthe sie. »Wir wollen euch vorschlagen, ein Haus zu bauen, wo ihr leben und eurer Arbeit nachgehen könnt. Dann müsst ihr nicht länger auf der Straße nach Kundschaft suchen, und es gibt keinen öffentlichen Ärger mehr.«

»Ein Haus? Warum nicht gleich einen Palast? Wenn wir uns ein Haus leisten könnten, würden wir nicht mehr auf der Straße stehen und uns den Arsch abfrieren«, rief eine Ältere mürrisch.

»Es gibt da mehrere Möglichkeiten«, übernahm Jonas wieder. »Einige von euch könnten beim Bader um Arbeit nachfragen. Er will seine Badestube vergrößern, wie ich gehört habe.«

»Diese Ratte!«, ertönte der nächste Zwischenruf. »Zahlt schlecht und will selbst andauernd ran.«

»Oder«, fuhr Jonas ungerührt fort, »das Dorf stellt ein paar Leute ab, die ein Haus für euch bauen. Ihr könntet dort einziehen und zahlt dafür jeden Monat einen Anteil von dem, was ihr verdient.«

»Wir wollen keinen Hurenwirt, der uns prügelt, das ganze Geld abnimmt und auch noch ein Leben lang umsonst bedient werden will«, erklärte die Rothaarige entschlossen. Mehrere der anderen Frauen nickten zustimmend.

»Wie ihr das Haus betreibt, könnt ihr untereinander ausmachen«, beschwichtigte Marthe. »Ihr müsst euch nicht sofort entscheiden. Beratet euch und gebt Meister Jonas Bescheid. Aber es soll keinen Streit mehr auf den Straßen geben«, sagte sie dann streng, während sie die Frauen nacheinander ins Auge fasste.

Sie kannte die meisten von ihnen, denn fast alle waren in den letzten Jahren schon wegen dieses oder jenes Leidens bei ihr gewesen. Nur eine war ihr bisher unbekannt, ein blutjunges Ding, bestimmt kaum älter als zwölf Jahre, das recht hübsch ausgesehen hätte, wäre ihr Gesicht nicht mit deutlichen Spuren von Schlägen verunstaltet.

Sie beschloss bei sich, der Sache unauffällig nachzugehen, und schickte die Frauen fort, mit der Ermahnung, sich das Angebot gründlich durch den Kopf gehen zu lassen. Nur die ältere Hure mit dem roten Haar hielt sie zurück.

»Was machen deine Beschwerden, Tilda?«, erkundigte sie sich. Die Frau war ihr einmal in einer gefährlichen Lage zu Hilfe gekommen und hatte dafür Marthes Versprechen erhalten, dass sie sie immer umsonst behandeln würde.

»Bei der Kälte wird alles nur schlimmer«, stöhnte die Rothaarige. »Aber ich will nicht jammern, die Hanna ist viel schlimmer dran, die wird's wohl nicht mehr lange machen. Das Fieber ...«

Marthe füllte ihr etwas Akeleitinktur in ein Tonfläschchen und stöpselte es sorgfältig zu. »Hier, bring ihr das. Sie soll mehrmals am Tag einen Löffel voll davon nehmen.«

Die Frau sah sie mit ehrlicher Verwunderung an und sank dann auf die Knie. »Gott segne Euch! Ihr seid wirklich eine Heilige. Wann hat man das schon erlebt, dass ein armes Mädchen eine Dame wird und trotzdem die nicht vergisst, die schlecht dran sind?«

»Steh schon auf«, meinte Marthe verlegen. Als sich die Rothaarige zum Gehen umwandte, hielt sie sie zurück. »Wer ist das junge Ding? Und wer hat sie so zugerichtet?«

Mit einem Mal verschloss sich Tildas Gesicht. »Weiß ich nicht. Und Ihr solltet es besser auch nicht wissen«, erwiderte sie knapp und verließ das Haus.

Endlich schlug das Wetter um, ein warmer Wind und vier Tage Dauerregen ließen den Schnee rasch zusammenschmelzen. Auf den schlammigen Straßen kam nun der Unrat aller Art wieder zutage und verbreitete Gestank. Christian sollte befehlen, dass beim allgemeinen Hausputz am Ostersonnabend im ganzen Dorf auch die Straßen gekehrt werden, überlegte Marthe, während sie in die Trippen fuhr, um einigermaßen trockenen Fußes über den Hof zu gelangen. Diese ungewöhnliche Idee würde wohl bei den Bewohnern auf wenig Gegenliebe stoßen, aber das war ihr gleichgültig.

Die kleine Anna, die zum Gänsehüten hinausgeschickt worden war, rannte aufgeregt ins Haus und unterbrach Marthes Gedanken. »Zwei Reiter kommen hierher, Herrin«, stieß sie atemlos hervor.

Marthe zuckte zusammen. Randolf!, war ihr erster und einziger Gedanke. Jeder Tag, der vergangen war, seit Christian ihr von den Neuigkeiten aus Braunschweig erzählt hatte, hatte ihre Hoffnung genährt, der Verhasste könnte entgegen aller Wahrscheinlichkeit ausbleiben.

Sie trat vor die Tür, und sofort breiteten sich Erleichterung und Freude auf ihrem Gesicht aus. Die Ankommenden waren Lukas und sein Bruder Jakob.

»Du wirst immer schöner, Dame Marthe«, begrüßte Lukas sie und zwinkerte ihr zu, bevor er sich über ihre Hand beugte und sie küsste.

»Und du hast schon immer deine Scherze mit mir getrieben«, gab Marthe lächelnd zurück. Der junge Ritter, der nur drei Jahre älter war als Marthe, war für sie der vertrauteste unter Christians Freunden. Dabei hatte sie ihn kennengelernt, als sie noch eine blutjunge Wehmutter auf der Flucht und er Christians Knappe war, der blondgelockte Schwarm der Mägde auf dem Meißner Burgberg und stets zu Scherzen aufgelegt. Die gemeinsam überstandenen Gefahren hatten sie einander nähergebracht, als ihre unterschiedliche Herkunft erlaubte. Sie liebte ihn wie einen Bruder.

»Das war kein Scherz«, protestierte Lukas. Doch als sein Blick Marthe traf, wusste sie, dass sich nichts an der Situation geändert hatte, über die sie nie miteinander reden würden: Er liebte sie auch, aber nicht wie eine Schwester, obwohl sie nun als Frau seines Dienstherrn und besten Freundes für ihn unerreichbar war.

Der kleine Thomas rettete die Situation, indem er herbeigerannt kam und sich sofort auf Lukas stürzte. »Reitet Ihr mit mir ein Stück auf Eurem Hengst?«, drängelte er. »Vater lässt mich ja nicht auf Drago.«

Lukas hob den Jungen hoch, wirbelte ihn herum und setzte ihn wieder ab. »Später, mein junger Ritter. Jetzt haben sich die Pferde erst einmal etwas Ruhe und eine Portion Hafer verdient.«

Marthe bat ihn und seinen jüngeren Bruder ins Haus und sorgte dafür, dass sie heiße Suppe, frisches Brot und Bier bekamen.

Christian kam dazu und begrüßte den Freund mit einem herzhaften Schlag auf die Schulter. Die fast zehn Jahre Altersunterschied und der Umstand, dass Lukas einst Christians Knappe war, taten ihrer Freundschaft keinen Abbruch. Christian fand, dass der Jüngere sich durch sein mutiges Eingreifen während Randolfs Schreckensherrschaft seine Achtung und seine Freundschaft mehr als verdient hatte. Dass sie beide die gleiche Frau liebten, war ein Thema, das sie in stillschweigendem Einverständnis mieden.

»Wie steht es um deinen Vater?«, erkundigte sich Christian.

»Der alte Fuchs ist auf wundersame Weise wieder gesundet, nachdem er mir die Zusage für ein Verlöbnis abgepresst hat«, berichtete der sonst fast immer gutgelaunte Lukas düster. »Der einzige Sohn unseres Nachbarn ist bei einem Turnier gestorben. Jetzt soll ich unbedingt seine älteste Tochter heiraten, damit sie einmal die Güter zusammenlegen können.«

»Klingt vernünftig«, entgegnete Christian ungeachtet Lukas' mürrischer Miene, denn er wusste, welche Last auf den Schultern seines einstigen Knappen lag: Von dessen günstiger Heirat hing ab, ob sein Vater das Geld für die Schwertleite und die Mitgift für Lukas' jüngere Geschwister aufbringen konnte. Deshalb drängte der Vater auf eine baldige Verbindung und war sogar bereit, sich am Tag der Hochzeit auf sein Altenteil zurückzuziehen und dem Erstgeborenen das Erbe zu übergeben. Doch der hatte bisher keinerlei Interesse an einer Heirat gezeigt.

»Sie haben sie deshalb aus dem Kloster geholt. Erspar mir weitere Einzelheiten«, sagte Lukas in ungewohnt schroffem Ton und ließ keinen Zweifel daran, dass das Thema für ihn damit erschöpfend behandelt war.

Wie jedes Mal, wenn Christians Abreise bevorstand, zählte Marthe voll Kummer die Tage rückwärts, die ihnen noch blieben. Tagsüber war es nicht so schlimm, da hielt die Arbeit sie beschäftigt. Die Kinder beanspruchten sie, die Fieberseuche, die nun endlich abflaute, und die vielen anderen Dinge, die getan werden mussten, um den großen Haushalt in Gang zu halten. Außerdem stand das Osterfest bevor, das von den Dorfbewohnern freudig erwartet wurde, denn es brachte das Ende der Fastenzeit und die Hoffnung auf mehr Wärme und neues Leben in Feld und Flur. Gemeinsam mit Mechthild überprüfte

Marthe sämtliche Vorräte und rechnete zusammen, was noch beschafft werden musste. Auch Christian war Tag für Tag unterwegs, kümmerte sich um die Ausbildung der Wachleute, sprach mit dem Bergmeister über die Erträge aus den Gruben, besuchte die Schmelzer in ihren Hütten und machte mit Jonas und Karl Pläne für die zweite Schmiede.

Doch abends, wenn sie endlich Zeit füreinander hatten, wurde ihr das Herz immer schwerer.

»Ich dachte, mit der Zeit wird es leichter für mich, wenn du fortgehst, aber es wird jedes Mal schlimmer«, sagte sie und lehnte sich bekümmert an ihn.

»Ich ziehe ja nicht in den Krieg«, versuchte er sie zu trösten.

Ein schwacher Trost, wie beide wussten. Jeder von ihnen konnte jeden Tag sterben – an einer heimtückischen Krankheit, bei einem Unfall, einem Brand oder einem Überfall.

Erneut schreckte Marthe tief in der Nacht aus dem Schlaf – wie so oft in den letzten Tagen. Aber diesmal war es nicht der wiederkehrende, verstörende Alptraum von den Spinnenfingern im Kerker, der sie geweckt hatte. Obwohl der ganze Haushalt schon schlief, war ihr, als hätte sie ein merkwürdiges Geräusch gehört, etwas, das aus der Halle kam.

Ihr erster Gedanke: Feuer! Doch sie roch keinen Rauch. Hatte sich jemand ins Haus geschlichen? Beklommen sah sie auf das leere Bett neben sich.

Christian war am Morgen zu seinem Freund Raimund geritten, der als Ritter ebenfalls in Markgraf Ottos Diensten stand und dessen Ländereien unmittelbar an Randolfs grenzten. Vor seiner Abreise zum Hoftag wollte er unbedingt herausfinden, ob sein Gegner inzwischen auf dem Familienbesitz eingetroffen war.

Wenn sie jetzt nach Lukas oder einer der Wachen rief, würde sie den ganzen Haushalt aufwecken. Also beschloss sie nach einigem Zögern, zuerst allein nachzusehen, wer oder was sich in der Halle zu schaffen machte. Wenn es gefährlich werden sollte, konnte sie immer noch Hilfe herbeirufen.

Sie nahm den Dolch, den sie stets griffbereit unter dem Kissen aufbewahrte, wenn Christian nicht da war, und zog sich ihren Umhang über. Barfuß und bemüht, ja kein Geräusch zu machen, schlich sie die Treppe hinab und zählte die Stufen, um diejenigen auszulassen, die besonders laut knarrten. Es war eiskalt und finster im Haus, doch bald sah sie einen schwachen Lichtschein von unten.

Wie konnte das sein? Sie hatte doch wie jeden Abend vor dem Schlafengehen einen Kontrollgang durchs Haus gemacht, damit alle Kerzen gelöscht und das Herdfeuer gedeckt waren. Jede Hausfrau tat das. Die Gefahr war viel zu groß, dass aus purer Leichtsinnigkeit ein Brand ausbrach.

Sie lief schneller und kümmerte sich nun nicht mehr um knarrende Stufen. Von unten hörte sie ein gequältes Stöhnen, dann etwas hart auf Holz prallen. War jemand verletzt?

Marthe war auf vieles gefasst, als sie die Halle erreichte, aber nicht auf diesen Anblick. Im Schein einer Kerze saß Lukas am Tisch. Den Kopf hatte er in eine Hand gestützt, in der anderen hielt er einen Becher, vor ihm stand ein großer Krug. Er bot einen Anblick dumpfer Verzweiflung, und als er nach ihrem leisen Aufschrei hochblickte, erkannte sie, dass er auf bestem Weg war, sich hoffnungslos zu betrinken.

So hatte sie ihn noch nie erlebt. Lukas war sonst stets ein Beispiel an Lebenslust gewesen, zumeist mit einem frechen Spruch auf den Lippen und oft sorglos, wenn auch selten leichtsinnig.

»Was ist mit dir?«, brachte sie hervor, während sie zum Tisch stürzte, den Dolch fallen ließ und nach seiner Hand griff.

Lukas sah sie an und schien eine Weile zu brauchen, ehe er sie erkannte. Dann schüttelte er wortlos den Kopf und nahm einen tiefen Schluck.

»Dir wird morgen mächtig der Schädel dröhnen, wenn du nicht damit aufhörst und ins Bett gehst«, redete sie auf ihn ein.

»Macht nichts. Dann muss ich wenigstens nicht mehr denken«, antwortete er brüsk, entzog ihr seine Hand und wollte sich neu einschenken. Entschlossen griff Marthe nach dem Krug und schob ihn weg, so dass Lukas ihn nicht mehr erreichen konnte, ohne aufzustehen. Seiner Miene war anzusehen, dass er mit sich kämpfte, ob er nun mit ihr streiten, sich von der Bank hochstemmen oder einfach sitzen bleiben sollte. Schließlich ließ er resignierend die Hand sinken und sackte zusammen.

»Es ist wegen der Hochzeit, nicht wahr?«, fragte Marthe leise. Sie hegte längst den Verdacht, dass diese Sache Lukas stärker zusetzte, als er sich eingestehen wollte. »Ist deine Braut denn so abscheulich?«

Er lachte bitter auf. »Ich hab sie ja erst zweimal gesehen. Sie kleidet sich wie eine Nonne, sie führt sich auf wie eine Nonne … Sie hasst mich und wird mich ewig hassen.«

»Woher willst du das wissen? Lass ihr etwas Zeit, dich kennenzulernen.«

Mit einem erneuten kurzen Auflachen schüttelte Lukas den Kopf. »Zwecklos. Sie wollte im Kloster bleiben. Ihr Vater hat sie da rausgeholt und besteht auf der Hochzeit.«

Marthe sagte nichts, sah ihn nur an und ermutigte ihn so zum Weiterreden.

»Sie will unbedingt Jungfrau bleiben, um in den Himmel zu kommen. Und ich verderbe ihr das. Schon bei meinem Anblick bekreuzigt sie sich, als wäre ich der Leibhaftige selbst, und fängt an zu heulen. Weil sie denkt, dass ich sie in die Hölle bringe, beschert sie mir die bereits hier.«

Marthe biss sich auf die Unterlippe. Das klang wirklich nach

einer ausweglosen Situation. Wenn sich das Mädchen aus Uner-
fahrenheit vor der Ehe fürchten würde und nur Zeit brauchte,
um ihren künftigen Mann besser kennenzulernen, dann hätte
sie keinen Zweifel gehabt, dass Lukas sie umstimmen konnte.
Er war trotz seiner Jugend schon ein bewährter Ritter, sah gut
aus und hatte ein einnehmendes Wesen.

Aber so? Die Kirche lehrte, dass nur Jungfrauen in den Himmel kamen. Treue Ehefrauen, die Kinder gebaren, und keusche
Witwen hatten allenfalls eine vage Aussicht darauf. Doch wenn
Lukas' Braut in ihm denjenigen sah, der ihr diese Chance
nahm, wenn sie nicht nur verängstigt, sondern sogar hasserfüllt
war …

»Ich will sie ja nicht einmal«, fuhr Lukas fort. »Allein die Vorstellung, die Hochzeitsnacht mit diesem wandelnden Wasserfall
zu verbringen …«

Er ließ den Kopf in beide Hände sinken. »Ich habe noch nie
ein Mädchen in den Armen gehalten, das mich nicht wollte.
Aber wie es aussieht, muss ich nun sogar eine in mein Bett
zwingen.«

Mit einem Mal stöhnte er auf und vergrub die Hände in seinem
blonden Haar. »Ich kann nicht glauben, dass ich mit dir darüber
rede.«

»Ich werde niemandem etwas sagen«, versicherte Marthe
schnell. »Nicht einmal Christian. Du hast mein Wort.«

Dabei wirbelten ihre Gedanken durcheinander. Sie war einst
grausam geschändet worden und hatte später in ihrer ersten
Ehe erdulden müssen, dass sich ihr ein ungeliebter Mann im
Bett aufzwang. Doch sie hatte noch nie darüber nachgedacht,
was es für einen Mann bedeuten mochte, bei einer Frau liegen
zu müssen, die ihn hasste und verabscheute, für einen Mann,
der sich nicht an der Angst und dem Entsetzen der ihm ausge-
lieferten Frau berauschte, sondern mit Liebe im Ehebett emp-

fangen werden wollte. Mit einem Mal wusste sie nicht, wen sie mehr bemitleiden sollte: Lukas oder seine ihr unbekannte Braut.

»Und wenn ihr die Ehe nicht gleich vollzieht?«, fragte sie vorsichtig. »Vielleicht kannst du sie mit der Zeit umstimmen – oder die Ehe annullieren lassen und dir später eine Braut suchen, die du wirklich haben willst und die dich auch will.«

Lukas sah sie mit einem Blick an, der sie trotz des schwachen Lichts, das die Kerze warf, bis in ihr tiefstes Innere erschütterte. Dann schien er selbst zu bemerken, dass er sich verriet, schlug hastig die Augen nieder und schüttelte den Kopf. »Unsere Väter haben uns aufs Kreuz schwören lassen, um das zu verhindern. Und sie wollen dem Vollzug der Ehe beiwohnen.«

Entsetzt riss Marthe die Augen auf. Lukas sollte vor den Augen seines Vaters und seines Schwiegervaters seine verängstigte Braut entjungfern! Was für eine widerwärtige Idee zweier alter Männer!

»Dann sollten wir deine Verlobte vielleicht hierher einladen«, überlegte sie laut. »Sie würde dich besser kennenlernen, und ich könnte mit ihr reden … ganz behutsam natürlich.«

Mit schweren Lidern sah Lukas auf. »Das würdest du tun?«

Plötzlich war er hellwach. »Sieh dich bloß vor! Sie ist einfach … eine Frömmlerin.«

»Lass es uns wenigstens versuchen. Und nun geh schlafen, bevor du dir in der Kälte auch noch ein Fieber holst.«

Am Morgen griff Lukas wortlos nach dem gesalzenen Fisch, den ihm Marthe reichte, stürzte einen Becher Bier hinunter und rief dann ungeduldig nach Jakob, der bei den Pferden steckte.

»Los, kleiner Bruder, Schluss mit der Faulenzerei!«

Er wies ihn an, sich ein Schwert zu holen, und begann sofort, den Sechzehnjährigen mit wuchtigen Schlägen vor sich herzutreiben.

»Du bist schwach, du bist langsam, und du achtest nicht darauf, wohin mein nächster Hieb geht«, hielt er ihm unbarmherzig vor, während er dem Jüngeren das Schwert so schwungvoll aus der Hand hebelte, dass es in hohem Bogen davonflog. Jakob ging mit hochrotem Kopf, um die Waffe zurückzuholen.

»Er kann nichts für deine schlechte Laune«, ermahnte Marthe Lukas leise, die gesehen hatte, dass Jakob seinem Bruder einen hasserfüllten Blick zuwarf, als er sich unbeobachtet glaubte. Es war bestimmt nicht leicht für den Jüngeren, ausgerechnet hier, im Beisein seines ältesten Bruders, ausgebildet zu werden. So hatte Jakob nicht nur ständig vor Augen, dass nicht er, sondern Lukas die Ländereien ihres Vaters erben würde, sondern er musste sich auch noch dauernd vorhalten lassen, dass er dem Vorbild des Älteren nicht gerecht wurde.

Doch Lukas dachte nicht daran, seine Stimme zu dämpfen. »Es geht hier nicht um meine Laune«, meinte er unwirsch. »Ich tue ihm keinen Gefallen, wenn ich ihn schone. Wenn er es nicht endlich lernt, wird er seinen ersten echten Kampf nicht überleben. So wie er habe ich schon gefochten, bevor ich Knappe wurde.«

Da allerdings gab Marthe ihm insgeheim recht. Sie hatte Lukas kennengelernt, als er ungefähr so alt war wie sein Bruder jetzt, und er war damals im Umgang mit den Waffen deutlich geschickter gewesen als Jakob heute.

Der Knoten wird schon noch platzen, sagte sich Marthe.

Viel stärker beschäftigte sie im Moment die Frage, wie sie wohl Lukas' Braut umstimmen könnte.

Worauf hatte sie sich da nur eingelassen? Wenn die junge Frau – sie wusste nicht einmal ihren Namen – wirklich so fromm war, würde sie womöglich verärgert reagieren, wenn Marthe mit ihr über dieses heikle Thema sprach. Wahrscheinlich sogar. Aber ich muss etwas tun, das bin ich Lukas schuldig, dachte sie. Ich wünsche ihm doch von Herzen, dass er glücklich wird.

Christians Rückkehr riss sie aus ihren Grübeleien. Rasch lief sie ihm entgegen.

»Nichts«, beantwortete er ihre stumme Frage, noch während er vom Pferd sprang. Sein Freund hatte Randolfs Familiensitz gut im Auge behalten und sich sogar über den Klatsch des Gesindes informiert, das bei verschiedenen Gelegenheiten mit Randolfs Dienstboten in Kontakt kam. »Kein Brief, kein Bote, geschweige denn Randolf selbst ist gekommen.«

Niemand von ihnen mochte die stumme Hoffnung aussprechen, weil keiner von ihnen wirklich daran glaubte.

Am nächsten Morgen stellte sich der Trupp für die Abreise zum Hoftag nach Goslar auf. Mit Christian, seinen Rittern, dem Knappen und einem halben Dutzend Reisigen, die eine weitere Gruppe Goslarer Bergleute auf dem Weg hierher beschützen sollten, reiste auch einer der Steiger. Christian hatte ihm einen guten Lohn dafür versprochen, wenn er von Goslar aus zu seinen Verwandten ging, um sie dafür zu gewinnen, nach Christiansdorf zu ziehen.

Marthe stand scheinbar ruhig da, während um sie herum alles durcheinanderlief. Sie heftete ihren Blick auf Christian, der auf seinem Grauschimmel saß, als sei er mit ihm verwachsen, und sich umdrehte, um zu prüfen, ob alle auf den Pferden saßen und das Gepäck sicher verstaut war.

Sie trat näher, während sie noch einmal den Anblick in sich aufnahm: Christians Bewegungen, kraftvoll und geschmeidig, die unbeschreibliche Mischung aus Gelassenheit und Konzentration. Sie konnte sich daran nicht sattsehen. Das Wissen, dass er fortmusste, schnürte ihr die Kehle ab.

Was hatte der unberechenbare Markgraf diesmal mit ihm vor? Sie verdankten Otto viel: Er hatte die Siedler in die Mark holen lassen, ihnen Land und Saatgut für den Neubeginn gegeben, mit kühner Entschlusskraft dafür gesorgt, dass Bergleute ins Dorf kamen und Silbererz förderten und Christian und Marthe in den Stand der Edelfreien erhoben. Doch er hatte auch Randolf Macht über das Dorf verliehen, obwohl er wusste, dass ihn eine Todfeindschaft mit Christian verband.

»Gott schütze euch«, sagte sie mit brüchiger Stimme, als sie die Spitze des Zuges erreichte. Sie und Christian hatten sich schon in der Kammer voneinander verabschiedet.

»Dich auch und die Kinder«, gab Christian zurück. »Mach dir keine Sorgen. In fünf Wochen spätestens bin ich zurück.«

Auch er verzichtete auf einen öffentlichen Abschied, blickte sie nur noch einmal kurz an und gab das Zeichen zum Aufbruch.

Marthe sah den Reitern nach, bis sie im Wald verschwunden waren. Dann ging sie zurück ins Haus, um die Quartiere für Herwart und seine Leute vorzubereiten.

Sie musste sich beherrschen, um sich nicht von den düsteren Vorahnungen überwältigen zu lassen.

Randolf war trotz seiner Stärke kein Mann, der sich einem ebenbürtigen Gegner im offenen Kampf stellte.

Mai 1173, Hoftag in Goslar

Markgraf Otto hatte darauf bestanden, dass Christian die Bergleute am Rammelsberg aufsuchte, noch bevor er sich in der Goslarer Kaiserpfalz blicken ließ.

So bog Christian mit dem Steiger zur Siedlung der Berg- und Hüttenleute ab, während Otto, Markgräfin Hedwig und ihr Gefolge in der reichen und mit vornehmen Gästen gefüllten Kaiserstadt Einzug hielten.

Seinen Knappen hatte er mit Lukas und den anderen mitgeschickt. Christian wollte nicht, dass der Junge in die Schwierigkeiten hineingezogen würde, die ihm selbst drohten, sollte der Kaiser erfahren, dass ihm der Meißner Markgraf vor der Nase Bergleute abwarb.

Fritz, der Steiger, wies ihm den Weg zu einer der Katen, in der seine Schwester mit ihrem Mann und den Kindern lebte.

Der Frau entfuhr ein Aufschrei, als sie ihren Bruder erkannte. Sie hatte nie wieder ein Lebenszeichen von ihm erwartet, nachdem er vor Jahren ins Ungewisse aufgebrochen war.

»Gott steh uns bei! Bist du es wirklich oder ein Geist?«, rief sie und presste die Hände an die Wangen, während ihr Tränen in die Augen schossen. »Du lebst! Und bist gesund!«

Erst dann wurde ihr bewusst, dass ihr Bruder in Begleitung eines Ritters aufgetaucht war, und sie erschrak.

»Verzeiht mir, edler Herr«, beeilte sie sich zu sagen und sank händeringend auf die Knie. »Ich bin ganz durcheinander.«

Bevor sie sich endlos weiter entschuldigen konnte, saß Christian ab und versuchte sie zu beruhigen. »Steh auf. Ich will etwas mit deinem Mann bereden. Nein, nein, nichts Schlimmes«, beeilte er sich zu sagen, als er merkte, dass die Frau erneut erschrak.

»Das ist Christian, der Herr meines Dorfes«, stellte Fritz seinen Begleiter vor und bewirkte damit nur, dass die Frau wieder auf die Knie sank und die Hände ineinander verknotete.

»Was könnten wir für Euch tun, Herr?«, jammerte sie. »Wir sind arme Leute. Und außerdem kommt mein Mann erst morgen Abend zurück. Er ist jetzt in einer anderen Grube«, erklärte sie, zu ihrem Bruder gewandt. »Der Weg ist zu weit, um ihn jeden Tag zweimal zu gehen. Erst sonnabends fährt er aus und kommt heim.«

»Es ist gut«, beruhigte Fritz seine Schwester. »Nun bitte uns schon ins Haus hinein und lass den Herrn sein Pferd unterstellen ...«

Unter wortreichen Entschuldigungen für ihre ärmliche Kate bat sie die Besucher hinein. Drinnen krabbelten zwei kleine Kinder über den gestampften Lehmboden. Ihre älteren Geschwister arbeiteten bestimmt an der Scheidebank, mutmaßte Christian. Aus den kargen Worten des Steigers hatte er herausgehört, dass seine Schwester und sein Schwager fleißige, aber arme Leute waren, die Not hatten, ihre fünf Kinder satt zu bekommen. Deshalb hatte Christian vorsorglich ein Säckchen Hirse mitgebracht, das er nun der dankbaren Hausfrau übergab. »Sei so gut, koch uns etwas«, bat er. So war für das Essen gesorgt, und er hatte nicht erst noch einen Wechsler aufsuchen müssen, der seine Meißner Pfennige in hiesige umtauschte.

Dass er aber einen ganzen Tag verlor, um auf Fritz' Schwager zu warten, verdross ihn. Er hatte es eilig, unter den Gästen des Hoftages Ausschau nach einem bestimmten Gesicht zu halten.

Nach dem Essen bot ihm die Frau ihr eigenes Bett an und wollte mit den Kindern auf dem Fußboden schlafen, aber Christian lehnte dankend ab und legte sich neben sein Pferd ins Stroh. In die Stadt würde er heute nicht mehr kommen, die Tore mussten längst geschlossen sein. Und in den Quartieren unterwegs hatte er so viele Wanzen und Flöhe vorgefunden, dass es auf eine Nacht mehr oder weniger auch nicht mehr ankam, in der er zerbissen und zerstochen wurde.

Den nächsten Tag wollte er nicht mit Warten zubringen, und so führte Fritz ihn an den Gruben, Halden, Scheidebänken und

Schmelzöfen vorbei, wo Hunderte Menschen schufteten, denen sich Staub und Schmutz tief in die Haut eingefressen hatten. Christian war erstaunt über die Größe des Reviers am Rammelsberg, in dem schon seit unzähligen Generationen gewaltige Mengen Silber und Kupfer gefördert worden waren.

Die Sonne stand fast im Zenit, als Fritz' Schwester aufgeregt auf sie zugehumpelt kam. »Mein Mann ist schon zurück«, berichtete sie schnaufend. »Sie haben einen Verletzten heimgebracht.«

Sie kehrten um und gingen zur Kate, wo Fritz von seinem fassungslosen Bruder begrüßt wurde. Seine Haare und Kleider rochen intensiv nach Rauch – wahrscheinlich vom Feuersetzen. Wie Bergmeister Hermann Christian einmal erklärt hatte, war das eine bewährte Methode, um das Erz zu lockern, damit es leichter gebrochen werden konnte: Man legte Feuer in einer Grube und wartete, bis es erloschen und das Gestein ausreichend abgekühlt war.

Die Schwägerin des Steigers setzte ihnen Dünnbier vor, dann unterbreitete Christian das Angebot des Markgrafen.

»Er stellt euch Geleit für die Reise und sichert zu, dass jeder in Christiansdorf als freier Mann nach Silber graben darf, wenn er ihm seinen Anteil zahlt. Redet mit Fritz darüber, wie das Leben bei uns ist, und überlegt, ob ihr das Angebot annehmen wollt.«

Er erkannte schnell, dass seine Worte auf fruchtbaren Boden gefallen waren. Wenn Fritz seine Verwandten und Freunde nicht überzeugen konnte, würde es niemand können. So ließ er die Brüder bald in der Kate zurück und machte sich auf den Weg nach Goslar.

Zur gleichen Zeit stellte die Meißner Markgräfin in ihrem Quartier in der Kaiserstadt ihren Mann heftig zur Rede. Die Dame Hedwig war schlank, blond und mehr als zwanzig Jahre jünger als Otto, der die Fünfzig längst überschritten hatte. Mit seinem breiten Kreuz und dem markanten Kinn wirkte der Markgraf respekteinflößend. Doch Hedwig ließ sich von seiner Statur und der finsteren Miene nicht abschrecken.

»Willst du tatsächlich den gleichen Fehler ein zweites Mal begehen?«, hielt sie ihm mit kaum gezügeltem Temperament vor. »Ich habe es dir damals gesagt und sage es heute wieder: Der Dunkle Wald ist groß, aber nicht groß genug für diese beiden Männer. Schon gar nicht nach dem, was vor Randolfs Sühnefahrt vorgefallen ist.«

Sie ist wirklich ein zänkisches Weib, dachte Otto bei sich und betrachtete seine Frau mürrisch. Andererseits musste er sich zähneknirschend eingestehen, dass sie in den meisten Fällen recht hatte. Genaugenommen fast immer und diesmal ganz besonders. Und wenn sie sich dermaßen ereiferte wie jetzt, glühten ihre Augen und brannten ihre Wangen vor Leidenschaft. Das brachte ihn auf ganz andere Gedanken.

Nach dem Zerwürfnis mit Hedwig vor ein paar Jahren hatte er lange Zeit gebraucht, um die Wogen zu glätten. Wenn er ehrlich sein wollte: Er war auch ziemlich rüde mit ihr umgegangen. Erst hatte er sie zu Unrecht des Ehebruchs mit Christian beschuldigt und eine Nacht in Fesseln verbringen lassen, bis ihm sein Irrtum klar wurde, dann verfiel er selbst einer anderen Frau und verbannte Hedwig zu seinem jüngeren Bruder Dietrich, dem Markgrafen der Ostmark. Dummerweise erwies sich diese Geliebte als Spionin seines Erzfeindes Heinrich des Löwen und hätte bei ihrem Fluchtversuch beinahe seinen Neffen Konrad getötet.

Seitdem verzichtete er zu seiner eigenen Überraschung auf Affären, abgesehen von gelegentlichen Frauenbesuchen, wenn er auf Reisen war, die er sofort wieder vergaß.

Außerdem wurde er nicht jünger. Auch deshalb wusste er es

durchaus zu schätzen, wenn seine Frau ihm im Bett ihre Gunst erwies.

Hedwig war verstummt, verschränkte die Arme vor der Brust und betrachtete ihren Mann. Sie kannte ihn lange genug, um zu erraten, was ihm durch den Kopf ging, selbst wenn sie sich davon nichts anmerken ließ.

Als sie vor gut fünfzehn Jahren mit Otto vermählt worden war – sie war damals halb so alt wie heute und entsetzt über diese Entscheidung ihres Vaters gewesen –, war er ihr sofort verfallen. Und sie lernte schnell, diesen Umstand zu nutzen, wurde seine Vertraute und kluge Ratgeberin. Bis er in die Fänge jener Spionin geriet und seine Frau kaltstellte. Erst das Eingreifen von Christian, Lukas und der jungen Marthe hatten das Komplott enthüllt; Otto bat Hedwig kniefällig um Verzeihung und gelobte Besserung. Doch im Herzen hatte sie ihm die Kränkung nie verziehen, auch wenn er glaubte, alles sei nun wieder wie zuvor.

Sie sah die Begierde in seinen Augen aufflackern, seinen Blick zu dem Ausschnitt ihres Kleides wandern, das nach der neuesten Mode geschnitten war und den Ansatz ihrer Brüste zeigte. Sie war sich bewusst, dass sie trotz ihrer dreißig Jahre immer noch schön war.

»Ich werde dafür sorgen, dass die beiden diesmal nicht aneinandergeraten. Ich lasse sie einen heiligen Eid schwören«, versprach Otto.

Sie beantwortete seinen Blick mit einem angedeuteten Lächeln und wusste schon, was nun kommen würde.

Doch das Begehren, das er früher bei solchen Gelegenheiten in ihr schüren konnte, war erloschen.

Aber das durfte sie sich um nichts in der Welt anmerken lassen, denn nur an Ottos Seite konnte sie gegen die Anfeindungen und Intrigen am Hof bestehen. Also schloss sie die Augen und träumte von einem anderen Gesicht, als Otto sie auf das Laken drückte.

Wie jedes Mal war Christian beeindruckt, als er durch Goslar ritt. Die starken Stadtmauern, Türme und Tore, die vielen Kirchen und die eng bebauten, gewundenen Gassen kündeten von Wohlstand und Stärke der Kaiserstadt, die durch die Erzfunde reich geworden war.

Als der Staufer Friedrich Kaiser wurde, hatte er seinem Neffen und ebenbürtigen Thronanwärter Heinrich dem Löwen Goslar überlassen – zum Ausgleich dafür, dass er ihm mit dem Herzogtum Sachsen nicht auch noch sofort Bayern zurückgeben konnte wie versprochen. Doch nach der Revolte der sächsischen Fürsten gegen Heinrich hatte der Kaiser vor fünf Jahren die reiche Stadt vom Löwen als Gegenpfand dafür zurückgefordert, dass er ihn gegen seine Feinde unterstützte.

Christian erinnerte sich noch gut an den genüsslichen Spott, mit dem Otto damals den Umstand kommentierte, dass Herzog Heinrich die Erzgruben als Geldquelle verlor, während er selbst welche anlegen ließ.

So wohlhabend und gut geschützt wünschte ich mir mein Dorf, dachte er. Markgraf Otto hatte bereits angesichts der ersten Silberfunde den Gedanken laut geäußert, aus Christiansdorf könnte einmal eine starke, reiche Stadt werden. Er hatte sich sogar schon einen Namen dafür ausgedacht: Die Stadt am freien Berge.

Ob es je dazu kommen wird?, fragte sich Christian. Wenn das Dorf weiter so schnell wuchs, konnte es sogar noch zu seinen Lebzeiten geschehen, sollte er nicht bald in einem Kampf fallen. Andererseits bildeten sich Städte an großen Furten oder Handelsstraßen und nicht mitten im Wald nur aufgrund einiger Erzgruben und Schmelzhütten.

Als Christian seinen Hengst zur prachtvollen Kaiserpfalz lenkte, hielt er Ausschau nach bekannten Gesichtern. Doch statt seiner Freunde – oder Feinde – war Ottos jüngerer Bruder Dietrich von Landsberg der Erste, der ihn ansprach, nachdem er sein Pferd eingestellt hatte.

Christian verneigte sich ehrerbietig vor dem Markgrafen der Ostmark. Er stand tief in Dietrichs Schuld, denn dieser hatte vor reichlich drei Jahren dank Marthes und Lukas' mutigem Einsatz mitgeholfen, dass ihn, Christian, seine Freunde aus Randolfs Kerker befreien konnten.

»Ich muss Euch sprechen, Christian«, begann Dietrich ohne Umschweife. »Begleitet mich in mein Quartier.«

Dort angekommen, schickte Dietrich alle anderen Anwesenden hinaus. Christian suchte in den Zügen des Markgrafen zu erkennen, was dieser von ihm wollte. Trotz der Familienähnlichkeit Dietrichs mit Otto – beide hatten ausdrucksstarke, kantige Gesichter und das gleiche schwarze Haar, auch wenn Ottos nun ergraute –, waren sie von Statur und Wesen grundverschieden. Otto war stämmig und oft mürrisch, seine Zornausbrüche waren gefürchtet. Der zehn Jahre jüngere Dietrich hingegen war schlank gebaut, bewegte sich mit der Geschmeidigkeit einer Raubkatze und besaß nach den vielen Jahren, die er im Gefolge des Kaisers zugebracht hatte, vollendete Manieren.

Auch jetzt blieben seine Gesichtszüge völlig beherrscht.

»Ich weiß, nach wem Ihr hier Ausschau haltet«, sagte Markgraf Dietrich, als sie allein waren. »Und ich muss Euch darauf vorbereiten, dass Ihr ihn bald zu Gesicht bekommen werdet.«

Er richtete seinen Blick auf Christians Hand, die sich unwillkürlich an den Griff seines Schwertes gelegt hatte.

»Fasst Euch«, ermahnte er ihn streng. »Ich kann mir vorstellen, wie Euch zumute sein muss. Doch Ihr dürft nicht einen Mann angreifen, der ein Jahr lang im Heiligen Land Pilgerfahrer mit dem Schwert beschützt und dort sogar eine kostbare Reliquie erworben hat. Wenn Euch Euer Leben, das Eurer Familie und Euer Dorf etwas bedeuten, dann beherrscht Euren Zorn«, sagte er, nun mit Schärfe in der Stimme.

Christian atmete tief durch und schwieg. Sollte es ihm wieder verwehrt bleiben, seinen Feind zum Zweikampf zu fordern und sich dafür zu rächen, was er Marthe angetan hatte?

Dietrich stand auf und schenkte sich und seinem Gast Wein ein – eine besondere Geste, die Christian zu schätzen wusste.

»Mein Bruder ist in einer schwierigen Lage«, fuhr Dietrich nun ruhig fort. »Randolf hat im Heiligen Land den Löwen beschützt und ihn auf der Heimreise nach Braunschweig begleitet. Otto will ihn nicht an seinen Rivalen verlieren, der ihm ein großzügiges Lehen bieten könnte. Und er will die Reliquie in Meißen haben. Deshalb wird er ein altes Angebot an Randolf erneuern. Ihr werdet wissen, was ich meine.«

Christian stellte mit versteinerter Miene seinen Becher ab, ein wenig zu hart. Das Geräusch hallte durch den Raum.

Doch Dietrich ließ sich davon nicht beirren, lächelte sogar. »Die Dame Hedwig hat sich mit mir zu einer kleinen Verschwörung zusammengefunden, um Euch diese Warnung zukommen zu lassen und Eure Lage erträglich zu gestalten. Sie kann nicht mit Euch unter vier Augen sprechen, ohne ihren Ruf zu gefährden, deshalb bat sie mich darum. Wir beide haben Otto einige Sicherheiten für Euch abgerungen. Ich hoffe, Ihr enttäuscht uns nicht.«

»Nein, mein Herr«, sagte Christian hölzern. »Ich danke Euch.«

»Nach dem Abendläuten wünscht mein Bruder Euch in seinem Quartier zu sehen.«

»Ich werde dort sein.«

»Gut. Eine Bitte habe ich noch … abgesehen davon, dass Ihr

nicht gleich losstürzt und Euer Schwert in Randolfs Herz bohrt, sofern der überhaupt eines hat.«

»Was wünscht Ihr?«

»Ihr wisst sicher, dass mein Sohn Konrad inzwischen nicht mehr Page, sondern Knappe am Hof meines Bruders in Meißen ist. Aber seine Fortschritte mit dem Schwert lassen zu wünschen übrig. Ich würde mich freuen, wenn Ihr ihm auf diesem Gebiet einiges beibringt, sooft Ihr Zeit dazu findet.«

Christian verneigte sich tief. »Wenn Ihr erlaubt, werde ich ihn gleich suchen.«

Mit weit ausholenden Schritten und so finsterer Miene, dass die Entgegenkommenden ihm hastig oder gar ängstlich auswichen, ging Christian zu dem Platz, wo er bei seiner Ankunft etliche der Knappen bei Waffenübungen gesehen hatte. Einer der Jungen versuchte gerade, vom Pferd aus mit der Lanze eine Stechpuppe aus Stroh zu treffen, die anderen standen beieinander und musterten den unerwarteten Besucher.

Lukas und Arnulf, Ottos in Ehren ergrauter Waffenmeister, beaufsichtigten die Übungen und sparten nicht mit Kritik.

Christian wandte sich an Arnulf. »Markgraf Dietrich wünscht, dass ich seinem Sohn einige zusätzliche Lektionen mit dem Schwert erteile«, verkündete er.

»Weshalb?« Konrad, Dietrichs einziger ehelicher Sohn, war aus der Gruppe der Knappen vorgetreten und musterte Christian misstrauisch.

Dieser war nicht gerade in rücksichtsvoller Stimmung, dennoch wollte er den Jungen nicht vor seinen Altersgefährten bloßstellen. »Nach den Gründen befragt Ihr wohl besser Euren Vater selbst«, sagte er knapp.

»Weil Ritter Christian eine Vorliebe für Schwächlinge hat, du Schwächling«, erklang eine abfällige Stimme.

Christian hielt nach dem Rufer Ausschau und erkannte Albrecht, den ältesten Sohn von Markgraf Otto. Er war vierzehn Jahre, hochaufgeschossen und wäre hübsch zu nennen gewesen, wäre sein Gesicht nicht trotz seiner Jugend schon durch einen verächtlichen Ausdruck entstellt. Als Christian ihn zum letzten Mal gesehen hatte, war er noch ein paar Jahre jünger gewesen, aber damals schon unbeherrscht und grausam gegen seinen Bruder.

Albrecht wurde am Hof von Hedwigs Bruder Otto von Brandenburg ausgebildet, während sein jüngerer Bruder Dietrich Page im Gefolge des Kaisers war. Möglicherweise sollte Albrecht bei diesem Zusammentreffen in Goslar Ottos Waffenmeister seine Fortschritte im Umgang mit dem Schwert vorführen. Aber wie es schien, hatte die Zeit als Page und Knappe am Hof seines mächtigen Großvaters und nach dessen Tod bei seinem Onkel seine schlechten Eigenschaften nicht gemäßigt, sondern noch verstärkt.

Gott bewahre uns vor dem Tag, an dem dieser missratene Bengel einmal über die Mark Meißen herrscht, dachte Christian.

»Seid Ihr wirklich so gut mit dem Schwert?«, murrte Konrad halblaut, der wohl Albrechts verächtlichen Einwurf nicht unwidersprochen stehenlassen wollte.

Christian, ohnehin aufs äußerste gereizt, verzichtete auf eine Antwort und gab Lukas das Zeichen, ihm gegenüberzutreten.

Lukas hatte das Waffenhandwerk bei Christian gelernt und war ein begabter Schüler gewesen. Er kannte und beherrschte alle Manöver und Finten, mit denen Christian selbst überlegen scheinende Gegner besiegt hatte. Bis zu diesem Augenblick hatte er geglaubt, seinem Lehrmeister ebenbürtig geworden zu sein. Doch jetzt hieb Christian mit solcher Wut und Wucht auf ihn ein, dass er ihn kaum wiedererkannte. Was ist auf einmal in ihn gefahren? Will er mich töten?, dachte der Jüngere. Obwohl sich Lukas nach allen Regeln der Kunst schlug und manchen gestandenen Kämpfer längst besiegt hätte, trieb Christian ihn immer mehr in die Enge und entwaffnete ihn schließlich mit einem gewaltigen Hieb.

Mit bloßen Händen versuchte Lukas, den Rasenden zur Besinnung zu bringen. »Was ist los mit dir, Mann?«, zischte er ihm zu, als Christian seine Umgebung endlich wieder wahrzunehmen schien.

»Rate, was ich gerade erfahren habe«, sagte er grimmig und steckte sein Schwert schwer atmend in die Scheide. »Einzelheiten erzähle ich dir später.«

Dann blickte er sich unter den Knappen um, die ihn sprachlos anstarrten, manche mit offenem Mund. Solch einen schnellen und wuchtigen Kampf hatten sie noch nie gesehen, nicht einmal bei Turnieren.

Er wandte sich an Konrad. »Ist Eure Frage damit beantwortet?«

Dietrichs Sohn brauchte einen Moment, bis er antworten konnte. »Es wird mir eine Ehre sein, von Euch zu lernen«, stammelte er.

Währenddessen ging Markgraf Dietrich zur Kapelle, wo eine einzelne Frau mit schlanker Gestalt und kunstvoll geflochtenem blonden Haar vor dem Altar kniete.

Dietrich bekreuzigte sich und kniete neben ihr nieder.

Sie drehte den Kopf nicht, aber sie wusste genau, wer an ihrer Seite war.

»Ich habe mit Christian gesprochen«, sagte er leise, während er eine Kerze entzündete.

»Gott sei gepriesen! Vielleicht können wir neues Unheil vermeiden«, stieß Hedwig flüsternd hervor, ohne ihn anzusehen.

Als er die Kerze aufstellte, berührte seine Hand wie zufällig für einen kurzen Moment die ihre. Ein Schauer ging durch ihren

Körper. Sie konnte nicht anders, als ihn anzusehen, traf seinen Blick und erschauderte erneut.

»Lass uns endlich aufhören, die Gefühle zu leugnen, die uns schon so lange quälen«, sagte er kaum hörbar und legte seine Hand auf ihre.

Sie senkte den Blick, aber sie zog ihre Hand nicht weg.

Eine Kapelle ist wohl der denkbar schlechteste Ort, um einen Ehebruch zu verabreden. Das war der einzige klare Gedanke, den sie fassen konnte. In ihr brodelten die Gefühle, von Erschrecken über Freude bis zu Angst.

»Gibt es eine Magd oder jemanden unter deinen Kammerfrauen, der du völlig vertrauen kannst?«, flüsterte Dietrich, nachdem er seine Hand wieder unauffällig neben ihre gelegt hatte.

»Susanne. Sie ist mir treu ergeben und würde mich nie verraten«, erwiderte sie stockend.

»Sag Otto, du fühlst dich nicht wohl und er soll ohne dich zur Zusammenkunft mit dem Kaiser gehen. Schick die Kammerfrauen weg, borg dir Susannes Umhang und komm in das erste Gasthaus am Liebfrauenberg. Ich werde dort warten«, sagte Dietrich leise. Dann bekreuzigte er sich, stand auf und ging.

Hedwig atmete tief durch. Otto würde ihr seinen Dolch ins Herz stoßen, wenn er herausfand, dass sie ihn betrog. Aber das war ihr gleichgültig. Sie liebte Dietrich. Sie liebte ihn schon lange, auch wenn sie es sich bis eben nicht hatte eingestehen wollen.

Hedwig glaubte nach jedem Schritt, nicht weitergehen zu können, als sie im Umhang ihrer Magd und mit tief ins Gesicht gezogener Kapuze durch die Gassen zum Gasthaus lief. Und doch schienen ihre Füße einen eigenen Willen zu haben.

Ihr Herz hämmerte, als sie vor der Tür stand. Noch konnte sie umkehren. Noch war nichts geschehen.

Sie trat ein und sah, dass Dietrich sie bereits in der Schankstube erwartete. Er erhob sich sofort, nahm ihren Arm und führte sie schweigend die Treppe hinauf in eine der Kammern. Es musste ihn ein Vermögen gekostet haben, zu dieser Zeit ein Zimmer aufzutreiben, da es in der Stadt wegen des Hoftages von Gästen nur so wimmelte. Andererseits waren es die Wirte wohl gewohnt, dass bei solchen Gelegenheiten Besucher, die unerkannt bleiben wollten, ein verschwiegenes Plätzchen für ein Zusammentreffen suchten.

Jetzt gibt es kein Zurück mehr, dachte sie, als sie die Kammer betreten hatte. Jetzt bin ich eine Ehebrecherin. Noch dazu eine, die sich in schlimmster Blutschande ihrem Schwager hingibt. Die Kirche unterschied nicht zwischen Bluts- und angeheirateter Verwandtschaft, auch wenn es nicht ungewöhnlich war, dass eine Frau nach dem Tod ihres Mannes umgehend mit dessen Bruder verheiratet wurde, um den Familienbesitz zusammenzuhalten.

In der Kammer flackerte ein Feuer und sorgte für wohlige Wärme. Während Dietrich eine Kerze anzündete und auf dem Dorn befestigte, lehnte sie sich gegen die Tür. Es war, als ob sie Halt suchen und zugleich verhindern wollte, dass sie diese Tür wieder öffnete und floh.

Langsam ging Dietrich auf sie zu, schob die Kapuze zurück, nahm den Umhang von ihren Schultern und legte seine Hand sanft an ihre Wange.

»Liebste«, war alles, was er sagte.

Sie drückte ihr Gesicht gegen seine Hand und schloss die Augen. »Liebster.«

Auch wenn er sie eigentlich sofort nehmen wollte, hielt er sich zurück. Sie war bereit, sich ihm zu schenken, aber er durfte sie nicht verstören. Er war sicher, dass sie in ihrem Leben noch keinem anderen Mann außer Otto gehört hatte. Und es fiel ihm schwer zu glauben, dass sein mürrischer Bruder ein besonders zartfühlender Liebhaber war.

Er selbst hatte schon viele Frauen erobert. Doch noch keine hatte ihm je so viel bedeutet wie Hedwig. Er hatte sich so lange nach ihr verzehrt und wollte es genießen, sie in seine Arme zu nehmen, wie sie es auch genießen sollte.

»Komm«, raunte er ihr zu, während er sie in die Mitte des Zimmers zog. »Lass dich bewundern. Du verdienst es.«

Vorsichtig nahm er den Schleier von ihrem Kopf und berührte ihr blondes Haar.

Er umfasste ihre Taille, küsste ihre Schulter, ihren Hals und genoss den Anblick, den sie bot, den Kopf leicht nach hinten geneigt, sich mit geschlossenen Augen ganz seinen Zärtlichkeiten hingebend.

Dann küsste er sie leidenschaftlich und fühlte, wie sein Kuss erwidert wurde.

»Ich liebe dich schon so lange … Ich begehre dich«, flüsterte er, als sie schließlich schwer atmend voneinander abließen.

Er löste die Schnüre an ihrem Übergewand und ließ es zu Boden gleiten. Sanft liebkosten seine Hände ihre Brüste, spürten, wie sich die Spitzen aufrichteten. Er zog ihr das Untergewand aus, hob sie auf seine Arme und trug sie zum Bett. Es erschien ihm richtig, dass er dies alles allein tat – als könnte er damit auch die alleinige Schuld für ihr sündiges Verhältnis übernehmen.

Das flackernde Licht schien ihren Körper zu vergolden.

»Du bist wunderschön.«

Mit den Fingerspitzen berührte er sanft ihren Körper und fühlte sie erschauern. Dann wurde sein Griff fester. Er küsste ihre Brüste, ihren Bauch, liebkoste ihren Schoß, was ihr erst einen überraschten Ruf, dann entzückte kleine Schreie entlockte.

Als sie ihre Finger in sein dunkles Haar krallte und aufstöhnte, wusste er, dass nun auch in ihr das Feuer so heftig loderte, dass es nur noch auf eine Art zu löschen war. Er zerrte sich die Sachen vom Leib und nahm sie voller Leidenschaft, trotz seines brennenden Verlangens darauf bedacht, auch ihr ein Höchstmaß an Wonne zu bereiten.

Hedwig fühlte sich von unbekannten Gefühlen überrollt. Wellen des Verlangens erfassten ihren Körper und löschten jeden Gedanken aus. Sie wollte nur noch eines: Dies hier sollte niemals enden.

Was war das?, dachte sie verwirrt, benommen und von Glück erfüllt, als sie danach nebeneinander lagen. Fünfzehn Jahre war sie nun schon verheiratet, aber von der Existenz einer solchen Urgewalt hatte sie nichts gewusst, ebenso wenig von vielen Dingen, die Dietrich gerade getan hatte, um ihr höchstes Vergnügen zu bereiten.

Ob er das auch am Hof gelernt hat?, dachte sie flüchtig. Aber es war ihr gleichgültig.

Er strich sanft über ihre Wangen, ihr Haar, ihre Brüste, während sie ihn zärtlich ansah und den Rücken seiner vom Schwertkampf schwieligen Hand berührte.

Schließlich sagte er: »Wir müssen gehen, bevor dich jemand vermisst.«

Mit einem Mal schien es kalt im Zimmer.

»Ich weiß nicht, wie ich auch nur einen Tag ohne dich sein kann«, flüsterte Hedwig unglücklich.

»Mir geht es nicht anders.« Er küsste ihr Haar. »Aber mein Bruder würde dich töten, wenn er davon erfährt. Ich fühle mich schuldig, weil ich dich in Gefahr bringe.«

Nun legte sie ihre Hand an seine Wange. »Das musst du nicht. Ich habe es doch auch gewollt. Und ich bereue es nicht. Das hier ist mir mehr wert als mein Leben.«

Dietrich presste sie an sich. Dann löste er sich mühsam von ihr, stand auf und reichte ihr das Kleid.

»Es ist absurd«, meinte Hedwig mit brüchiger Stimme, während sie ihr Haar zu zwei Zöpfen flocht. »Als Otto mich zu dir verbannt hatte, hätten wir so viele Gelegenheiten gehabt. Jetzt weicht er kaum von meiner Seite.«

»Ich habe Otto vom ersten Tag an um dich beneidet, aber nie gewagt, diesen Gedanken zu Ende zu denken«, sagte er. »Als du dann nicht mehr auf meiner Burg warst, wurde mir plötzlich klar, wie sehr du mir fehlst und was du mir bedeutest.«

Ihre Stimme klang nun mutlos. »Werden wir uns nur zu den Hoftagen heimlich treffen können?«

»Ich lasse mir etwas einfallen«, versprach Dietrich wehmütig. »Aber es wird schwierig werden.«

Hedwig lachte beklommen auf. »Jetzt habe ich die schlimmste Sünde meines Lebens begangen und kann sie nicht einmal beichten. Denn jeder Priester würde sofort von mir verlangen, diese blutschänderische, ehebrecherische Beziehung zu beenden. Und das kann ich nicht.«

Dietrich drehte sie heftig zu sich um und sah ihr fest in die Augen. »Hedwig, Liebste. Das darfst du erst auf dem Sterbebett beichten! Um keinen Preis darfst du dich vorher den Priestern ausliefern. Sie hassen die Frauen und dich ganz besonders, weil du Einfluss auf Otto hast. Sie würden dich vernichten, selbst wenn sie das Beichtgeheimnis wahren. Stell dir vor, sie legen dir irgendeine besonders schwere Buße auf – und das werden sie tun. Dann werden deine Gegner öffentlich Fragen stellen und Otto Verdächtigungen einflüstern. Du wärst verloren.«

Er hauchte ihr einen Kuss auf die Schläfe. »Lass mich für dich Buße tun. Männern wird so etwas eher verziehen.«

Hedwig wusste, dass Dietrich aus Erfahrung sprach.

Er hatte eine polnische Königstochter heiraten müssen, um Frieden an der östlichen Grenze seiner Markgrafschaft zu bekommen. Doch seine frömmelnde Frau hatte ihm vom ersten

Tag an nur Verachtung und Hass entgegengebracht und hielt sich zumeist fern von ihm auf. Lange Zeit hatte Dietrich sein kaltes Ehebett mit einer jungen Ministerialenwitwe geteilt, die ihm zwei Bastarde geboren hatte, für deren Unterhalt er großzügig sorgte, danach hatte er verschiedene andere Frauen gehabt. Aber Hedwig glaubte zu wissen, dass sie für ihn mehr als nur eine seiner Eroberungen war. Sonst hätte er nicht dieses Risiko für sie und sich selbst auf sich genommen und seinen Bruder hintergangen. Was immer seine Gegner ihm nachsagten – Dietrich war ein Mann von Ehre.

»Wenn du es so willst«, flüsterte sie und zog sich die Kapuze tief ins Gesicht.

»Ich werde das Haus erst etwas später verlassen«, sagte er leise. »Draußen wartet mein treuester und verschwiegenster Gefolgsmann. Er ist als Wanderprediger verkleidet und wird dir folgen. Sollte Gefahr drohen, dass dich jemand erkennt, sorgt er für eine Ablenkung. Er weiß nicht, wer du bist, aber er wird sein Leben dafür einsetzen, dass du ungefährdet und unerkannt zurückgehen kannst.«

Noch einmal zog er sie an sich und küsste sie voller Leidenschaft. »Alle meine Gedanken werden bei dir sein.«

Entgegen ihren Befürchtungen erreichte Hedwig unerkannt ihr Quartier, wo die Magd Susanne sie erwartete. Wie um aus der Lüge Wahrheit zu machen, schlüpfte sie in ihr Bett, denn sie fühlte sich überglücklich und elend zugleich. Wieder und wieder rief sie sich die Dinge in Erinnerung, die Dietrich mit ihr getan hatte, fühlte bei der Erinnerung noch einmal Wellen des Verlangens durch ihren Körper branden und verzehrte sich vor Sehnsucht nach seinen Händen, seinen Küssen, seinem Körper, seiner Männlichkeit.

Sie wusste nicht, wie viel Zeit mit Tagträumen vergangen war, als Otto ins Zimmer stürmte. »Wie geht es dir, meine Liebe?«, rief er besorgt.

Mit einem Mal brach ihr kalter Schweiß aus.

Würde er ihr ansehen, dass sie nun eine Ehebrecherin war? Trug sie vielleicht schon ein verräterisches Mal auf der Stirn?

Plötzlich wurde ihr schlecht. Sie rief nach Susanne, die hastig eine Schale brachte. Hedwig erbrach sich, fühlte sich von einem merkwürdigen Blick Ottos gestreift und begann am ganzen Körper zu zittern.

»Habt Ihr etwas Unrechtes gegessen?«, fragte Otto ungeduldig. »Ich hatte gehofft, dass Ihr mich wenigstens zum Festmahl begleitet.«

»Nur noch einen Augenblick Geduld«, stöhnte Hedwig. »Ich weiß auch nicht, was es ist.«

Susanne hatte inzwischen die Schale beiseite gestellt und machte sich vorsichtig bemerkbar. »Meine Herrin … Ihr habt seit sechs Wochen nicht mehr geblutet«, sagte sie leise.

Entsetzt sank Hedwig in ihr Kissen zurück.

Sie war schwanger!

Die letzte Schwangerschaft hatte sie beinahe das Leben gekostet. Bald würde ihr Leib anschwellen, und Dietrich würde bei ihrem Anblick nicht mehr an den heutigen Nachmittag denken, sondern sich jedes Mal vorstellen, wie sein Bruder von ihr Besitz ergriff.

Verzückt stürzte Otto auf sie zu und griff nach ihrer Hand. »Meine Teure! Ihr macht mich überglücklich«, dröhnte er.

»Es ist ja noch nicht sicher«, murmelte Hedwig.

»Soll ich einen Medicus kommen lassen? Oder einen Harnbeschauer?«

Matt lehnte Hedwig ab.

»Bleibt hier, ruht Euch aus, ich lasse Euch etwas zu essen bringen«, meinte Otto großzügig.

»Nur etwas weißes Brot«, stöhnte Hedwig, deren Magen schon bei dem Gedanken an Essen revoltierte, und schloss verzweifelt die Augen.

Das Zusammentreffen

Noch während die Abendglocken läuteten, ließ sich Christian bei Markgraf Otto melden. Er verschloss seine Gesichtszüge und zwang sich, ruhig zu atmen, als er den Raum durchschritt, der Otto und Hedwig während ihres Aufenthaltes beim Hoftag als Quartier diente.

Sein hünenhafter Widersacher war bereits da.

Dank Markgraf Dietrichs Vorwarnung war Christian nicht überrascht. Er streifte Randolf nur mit einem kurzen Blick und sank dann mit regloser Miene vor seinem Lehnsherrn auf ein Knie.

Die Zeit im Heiligen Land hatte Randolf äußerlich verändert. Sein Gesicht war sonnenverbrannt, was einen starken Kontrast zu dem weißblonden Haar bildete. Aber es trug immer noch den gleichen grausamen Zug wie früher.

Durch die Strapazen der langen, mühsamen Reise oder vielleicht auch eine Krankheit hatte Randolf sichtlich an Gewicht verloren, dennoch wirkte er immer noch stark und bedrohlich.

Aus den Augenwinkeln sah Christian für einen Moment etwas in Randolfs Gesicht aufflackern. Sofort beherrschte sich der Hüne wieder und blickte scheinbar gleichgültig geradeaus.

»Erhebt Euch, Christian«, gebot Markgraf Otto.

Christian gehorchte und wartete stumm.

Vor seiner Abreise nach Goslar hatte er Pater Bartholomäus aufgesucht und gebeichtet, wie sehr ihn bei dem Gedanken an Randolf Hass, Zorn und Rachsucht beherrschten. Der Pater war hart mit ihm ins Gericht gegangen und hatte ihn aufgefordert, seine verderblichen Leidenschaften zu zügeln. »Rache gebührt Gott allein. Sei dankbar für die glücklichen Jahre, die dir und dem Dorf geschenkt wurden, mein Sohn. Wir hatten drei Jahre keine Missernten, keinen Krieg, niemand ist hungers gestorben. Nur wenigen ist so viel Gnade vergönnt«, hatte ihm der Pater unerbittlich vorgehalten. »Der Allmächtige schickt dir jetzt eine Prüfung, also tu dein Bestes, sie zu bestehen – für dich und die Menschen, die du zu schützen hast.«

Doch wenn Christian sonst auch jeden Rat des Paters befolgte, von seinen Rachegedanken konnte er nicht ablassen. Er würde den Mann töten, der Marthe geschändet und damit vor ihm geprahlt hatte, der Tod und Verderben über sein Dorf gebracht hatte. Lieber heute als morgen.

Otto ließ kein Unbehagen angesichts der Situation erkennen, doch Hedwig sah nicht nur besorgt aus, sondern totenbleich. Sie wandte den Blick nicht von Christian ab, als könnte sie ihn so beschwören, sich nicht von Randolf provozieren zu lassen.

»Habt Ihr weitere Bergleute gewinnen können, in mein Land zu ziehen?«, wollte der Markgraf wissen.

»Zehn Männer und ihre Familien sind bereit, darunter zwei erfahrene Schmelzer, mein Herr.«

»Gut. Sehr gut.« Otto lehnte sich zufrieden in seinem Stuhl zurück, um sich gleich darauf wieder vorzubeugen.

»Wir müssen Pläne machen, was den Erzabbau und das Dorf betrifft. Die Ausbeute steigt und muss gesichert werden. Es wird höchste Zeit, mit dem Bau einer Burg zu beginnen.«

Otto winkte Randolf herbei, der eine ebenso undurchdringliche

Miene aufgesetzt hatte wie Christian und nun neben diesen trat. Nur mit größter Willenskraft hielt sich Christian davon ab, sein Schwert zu ziehen.

Falls Otto etwas davon spürte, ließ er es sich nicht anmerken.

»Ich weiß, es gab Streit zwischen Euch«, sagte er und hob den Arm, um jede Erwiderung zu verhindern. »Doch ich dulde keine blutigen Händel unter meinen Gefolgsleuten.«

Mit hartem Blick wandte er sich an Christian. »Randolf hat sich schwer an Euch und Euren Leuten versündigt. Dafür hat er im Heiligen Land Buße geleistet und steht nun, von allen Sünden befreit, vor uns.«

Mit dem gleichen strengen Blick wandte er sich dem weißblonden Hünen zu. »Randolf, Ihr werdet keine weiteren Feindseligkeiten gegen Christian begehen.«

Der Zurückgekehrte neigte den Kopf und legte die Hand auf die Brust. »Ihr habt mein Wort, mein Fürst.«

»Gut«, erwiderte Otto. »Beginnt umgehend mit dem Bau einer Burg in Christiansdorf. Sie soll als sicherer Verwahrort für das Silber dienen. Ich erneuere hiermit Eure Ernennung zum Vogt dieser Burg. Doch vergesst nie, dass ich Ritter Christian für seine Verdienste in den Stand eines Edelfreien erhoben habe. Ihr werdet ihn als ebenbürtig behandeln und in Frieden mit ihm zusammenarbeiten.«

Herausfordernd blickte Otto abwechselnd auf seine verfeindeten Gefolgsleute. »Ich werde Euch beide genau im Auge behalten und es handhaben wie unser Kaiser mit seinen Männern im Feldlager: Wer Streit vom Zaun bricht, verliert die Schwerthand.«

Christian überlegte kurz, ob ihm Randolfs Tod nicht den Verlust seiner Schwerthand wert sein sollte. Schließlich focht er mit der Linken genauso gut. Doch Otto schien seine Gedanken erraten zu haben.

»Um sicherzugehen, verschärfe ich die Strafe«, verkündete der Markgraf. »Sollte einer von Euch Streit beginnen, verliert Ihr beide die Schwerthand, und ich ziehe Eure Lehen ein. Sollte einer von Euch den anderen töten, verliert er selbst sein Leben. Das sollte Euch Anreiz genug sein, jegliche Feindseligkeit zu unterlassen.«

Der Markgraf nickte einem Geistlichen zu, der vortrat und ein goldenes Kreuz ausstreckte.

»Schwört mir bei Eurer unsterblichen Seele, die alte Feindschaft zu begraben, um meine Interessen in Christiansdorf zu wahren.«

Randolf trat als Erster vor und legte mit verkniffener Miene die Hand auf das Kreuz. »Ich schwöre bei meiner unsterblichen Seele, keine Feindseligkeiten gegen Christian zu begehen. Sollte ich diesen Eid brechen, möge mir ewige Verdammnis beschieden sein.«

Er verneigte sich und trat zurück, während Otto zufrieden nickte und einen auffordernden Blick auf Christian richtete.

Ich kann es nicht, dachte Christian. Er verlangt Unmögliches von mir.

Angesichts seines Zögerns huschte für einen winzigen Moment ein gehässiges Lächeln über Randolfs Gesicht.

Hedwig biss sich auf die Unterlippe.

Ottos Gesicht begann sich zu verfärben. »Ich warte«, sagte er mit drohender Stimme.

Christian trat vor, legte die Hand auf das Kreuz und sah Otto entschlossen an, auch wenn er vielleicht mit den nächsten Worten sein Leben verwirken würde.

»Ich schwöre bei meiner unsterblichen Seele, beim Leben meiner Frau und meiner Kinder, stets Eure Interessen zu wahren und Randolf nicht zu töten, bevor Ihr es nicht selbst wünscht.«

Ein lautes Raunen ging durch den Raum, jemand zog scharf die Luft ein. Der Markgraf starrte auf ihn und wurde vor Wut rot.

»Und da wir alle wissen, dass Christian ein Mann von Ehre ist, besteht kein Grund zu streiten«, mischte sich Hedwig rasch ein, bevor er losbrüllen konnte. »Solange Ihr wünscht, mein Gemahl, dass er Randolf unbehelligt lässt, wird er das tun.«

»Jeden anderen würde ich in den Kerker werfen lassen für diese Ungeheuerlichkeit«, grollte Otto. »Aber ich nehme Euch beim Wort. Ihr werdet Euren Streit begraben und mit ihm zusammenarbeiten!«

Christian verneigte sich und trat einen Schritt zurück. »Dann erlaubt, dass ich umgehend in mein Dorf reite, um alle Vorbereitungen für die Ankunft der neuen Bergleute zu treffen, Herr.«

»Und mir, endlich zu meinem Weib zu reisen und den Sohn zu sehen, den sie mir geboren hat, während ich im Heiligen Land kämpfte«, meinte Randolf.

»Ihr bleibt beide, bis ich Euch fortschicke«, befahl Otto schroff. »Es sind eine Menge Einzelheiten zu bereden – über den Bau der Burg und anderes mehr.«

Er schickte ein grimmiges Lächeln zu seinen verfeindeten Gefolgsleuten. »Das gibt Euch Gelegenheit, unter meinen Augen zu lernen, miteinander auszukommen.«

Nach einem kurzen, besorgten Blick auf Hedwig fuhr Otto fort: »Wir werden morgen gleich nach der Frühmesse darüber sprechen, und Ihr erzählt uns von Eurer Zeit im Heiligen Land, Randolf. Aber jetzt lasst uns allein. Meiner Gemahlin ist nicht wohl.«

Beide Ritter verneigten sich und verließen die Kammer, wobei Christian darauf achtete, Randolf vor sich zu haben.

Als sie zur Tür hinaus waren, drehte Randolf sich zu ihm um und hob zum Zeichen seiner Friedfertigkeit die Hände. »Keine Furcht, Christian! Du siehst vor dir einen geläuterten Mann.«

Christian blickte ihn kalt an. »Ich fürchte dich nicht, Randolf.«
Der andere zwang sich zu einem Lächeln. »Zugegeben, wir hatten unsere Streitigkeiten. Das kommt vor unter Männern und ist lange her.«
Nun wurde Randolfs Lächeln herablassend. »Und letztlich hat dich der Zwischenfall doch erhöht und zum Edelfreien gemacht. Das sollte dir ein paar Nächte im Kerker wert gewesen sein.«
»Es geht hier nicht um mich«, stieß Christian hervor.
»Ah …« Randolf tat, als müsse er überlegen. »Deine schöne junge Frau … Ich schwör's, sie hat nichts von mir zu befürchten. Sie wird sich mit meiner Gemahlin anfreunden, unsere Söhne werden zusammen aufwachsen.«
»Wenn du dich meiner Frau auch nur auf zwanzig Schritte näherst, breche ich meinen Schwur und töte dich auf der Stelle, auch ohne Ottos Erlaubnis«, erwiderte Christian heftig.
Randolfs Lächeln verflog, sein Ton wurde gereizt. »Vielleicht liegt ja dir nichts an deinem Leben und deinem Besitz. Du hattest schon immer einen Hang zum Sterben. Aber ich verspüre keine Lust, wegen deiner Halsstarrigkeit alles zu verlieren, was ich mir erkämpft habe.«
Er hob die Hand, um Christian am Arm zu packen, ließ sie aber schnell wieder sinken, als er die stumme Warnung im Gesicht seines Gegenübers sah.
»Ich werde vorerst nicht oft in deinem Dorf sein. Ich werd mich nicht einmischen in die Angelegenheiten deiner innig geliebten Bauern. Also, gewöhn dich an den Gedanken, dass wir miteinander auskommen müssen.«
Dieser heißblütige Narr wird mir aus reiner Rachsucht noch alles verderben, dachte Randolf missgelaunt, während er davonstapfte. Ich muss ein paar zusätzliche Vorkehrungen treffen, um sicher zu sein. Und ich weiß auch schon, welche.

»Mann, beruhige dich«, redete Lukas Christian ins Gewissen, als sie und ihre Freunde beieinandersaßen und seinen knappen Bericht gehört hatten. »Im Grunde genommen ist das doch genau die Situation, auf die wir uns drei Jahre lang vorbereitet haben.«

Doch Christian schien ihm gar nicht zugehört zu haben. Er wandte sich an Gero und Richard. »Einer von euch beiden muss gleich bei Tagesanbruch nach Hause reiten.«

Die Brüder verständigten sich mit einem Blick, wie sie es oft taten. Der Umstand, dass jeder von ihnen auch ohne Worte zu wissen schien, was der andere dachte, bot ihren Freunden regelmäßig Anlass zu gutmütigem Spott, auf den Gero einmal geantwortet hatte, irgendwann würden sie wohl auch gemeinsam sterben.

»Ich«, sagte Richard.

»Gut. Berichte Marthe und weiche keinen Schritt von ihrer Seite. Geh mit ihr, wenn sie Kranke besucht, bleib bei ihr, wenn sie sich durchs Haus bewegt, und wache nachts vor ihrer Kammer.«

»Wie du willst«, meinte Richard verwundert. »Aber meinst du, das ist wirklich nötig? Du hast doch schon Herwart und seine Männer im Haus postiert. Und abgesehen davon, dass Randolf hier erst einmal genauso festsitzt wie du, kann er sich keinen offenen Angriff erlauben.«

»Tu es einfach«, meinte Christian barsch.

Lukas betrachtete seinen Freund aufmerksam, und ein furchtbarer Verdacht stieg in ihm auf. Für Christians übertrieben scheinende Vorsichtsmaßnahmen fiel ihm nur eine einzige, allerdings schreckliche Erklärung ein. Darüber konnte er mit niemandem reden. Denn wenn zutraf und sich herumsprach, was er vermutete, würde jeder erwarten, dass Christian seine Frau verstieß, ganz gleich, ob sie Schuld hatte oder nicht.

Aber es würde manches erklären: Warum Marthe damals so überraschend den alten Wiprecht geheiratet hatte, obwohl sie noch kurz zuvor von Hochzeit nichts wissen wollte, warum sie plötzlich so verändert war, verzweifelt und ohne Lebensmut.

Wenn seine Befürchtung zutraf, bestand keine Aussicht, zu verhindern, dass es eher früher als später zum Schlimmsten kam in Christiansdorf. Denn so beherrscht Christian auch sein mochte – solch eine Situation konnte kein Mann auf Dauer ertragen. Und wie erst sollte Marthe damit fertigwerden, dieses Ungeheuer wieder in ihrer Nähe zu wissen?

Am liebsten würde er sofort selbst an Richards Stelle losreiten, um sie zu beschützen. Doch das würde bei den anderen nur Fragen aufwerfen. Christian durfte nie erfahren, was er soeben erraten hatte. Und er musste ihn hier davon abhalten, eine Dummheit zu begehen – nun erst recht.

Raimund schien sich ähnliche Sorgen zu machen.

»Du bist als Ottos Lehnsmann an seine Befehle gebunden«, sagte er härter als nötig zu Christian. »Geh Randolf aus dem Weg, so gut es möglich ist. Deine Ehre liegt jetzt nicht darin, ihn zu töten, sondern den Eid zu halten, den du Otto gerade geschworen hast.«

Als Christian mit versteinerter Miene ging, hielt Raimund Lukas zurück. »Er ist drauf und dran, sich um Kopf und Kragen zu bringen. Du musst ihn daran hindern«, legte er dem jungen Ritter eindringlich nahe.

Der hob resignierend die Arme. »Ich weiß. Aber ich fürchte, es wäre leichter zu bewirken, dass es in der Hölle schneit.«

Im Gegensatz zu Hedwig verschwendete Markgraf Otto am nächsten Tag keinen Gedanken mehr daran, ob es in Christiansdorf ein erneutes Blutvergießen geben würde. Seine Befehle waren eindeutig, und er erwartete, dass sich seine Gefolgsleute daran hielten.

Außerdem beschäftigten ihn im Augenblick ganz andere Sorgen. Er musste dringend mit seinem Bruder reden. Deshalb suchte er ungeduldig nach einer Gelegenheit, die prachtvolle, riesige Halle verlassen zu können, in der der Kaiser Hof hielt. Doch Dietrich stand in unmittelbarer Nähe des Kaisers. Es blieb ihm also nichts anderes übrig, als sich zu gedulden, bis bei den Verhandlungen eine Pause eingelegt wurde.

Draußen stürmte und regnete es, der Wind blies feine Tropfen durch die großen Fensteröffnungen der Kaiserpfalz. Ottos Mantel war inzwischen auf einer Seite völlig durchnässt. Mit Bedauern wünschte er sich, die Versammlung wäre in den darunter liegenden Wintersaal verlegt worden, der nur kleine, verschließbare Fensteröffnungen hatte und durch ein ausgeklügeltes Lüftungssystem unter dem Boden sogar beheizt werden konnte.

Der Kaiser versuchte gerade, die Streitigkeiten zwischen Hedwigs Bruder Hermann von Weimar-Orlamünde und dem neuen Landgrafen von Thüringen zu schlichten. Der junge Ludwig war das genaue Gegenteil seines gleichnamigen Vaters, der einst den Beinamen »der Eiserne« getragen hatte, weil er nach anfangs milder, ja, schwacher Herrschaft mit strenger Hand für Frieden in seinem Land gesorgt hatte. Sein ältester Sohn wurde zwar von den Geistlichen für seine Frömmigkeit und vor allem seine Freigebigkeit gegenüber der Kirche gelobt – irgendwann werden sie ihm dafür noch den Beinamen »der Fromme« verleihen, dachte Otto grimmig bei sich –, doch gegenüber den weltlichen Fürsten scheute er keinen Streit. Kaum hatte er die Herrschaft übernommen, begann er eine offene Auseinandersetzung mit den Askaniern, vor allem mit Hermann um die Besitzungen Weimar und Orlamünde. Seit Anfang des Jahres ließ er die Burg

Weimar belagern. Den Berichten seines Schwagers zufolge hatte Ludwig dabei Unterstützung durch Heinrich den Löwen erhalten, kaum dass jener aus dem Heiligen Land zurückgekehrt war.

Der Herzog von Sachsen und Bayern stand dicht neben dem Thron und blickte kalt und stolz auf die Fürsten und Erzbischöfe herab, die sich in der Kaiserpfalz versammelt hatten. Sein schwarzes Haar bildete einen auffälligen Kontrast zu dem kostbaren weißen Pelz, mit dem sein Umhang verbrämt war, ein reich mit fremd wirkenden Goldstickereien verziertes Kleidungsstück – wohl als deutlicher Hinweis auf seine Pilgerfahrt nach Jerusalem gedacht, vielleicht eines der kostbaren Geschenke, die er von dort mitgebracht hatte und von denen die halbe Welt sprach. Dem Vernehmen nach sollte Heinrich im Sarazenenland sogar zwei riesenhafte Raubkatzen geschenkt bekommen haben, wie noch kein Christenmensch hier welche gesehen hatte.

Jetzt kann der Löwe hohnlachend zusehen, wie sich die Söhne seiner einst ärgsten Rivalen, Albrecht des Bären und Ludwig des Eisernen, gegenseitig bekriegen, dachte Otto grimmig. Doch weitaus mehr beunruhigte ihn der Gedanke, dass es wohl nur eine Frage der Zeit war, bis auch er sich wieder mit dem Braunschweiger und dazu noch mit dem Thüringer würde schlagen müssen. Er war heilfroh gewesen, die Rebellion der sächsischen Fürsten gegen ihren Herzog unbeschadet überstanden zu haben, da doch der Kaiser immer seine schützende Hand über den Löwen gehalten hatte. Otto kümmerte sich lieber um seine entlegene Markgrafschaft weit im Osten des Kaiserreichs, möglichst unbeobachtet und unbehelligt von den großen Streitigkeiten. Doch bestimmte Dinge konnte auch ein Meißner Markgraf nicht unwidersprochen hinnehmen. Und dazu gehörte zweifellos ein Herzog, der sich in Abwesenheit des Kaisers aufführte wie jener höchstpersönlich und immer wieder neue Machtproben anzettelte.

Die Verhandlungen waren ermüdend, ohne zu einem wirklichen Ergebnis zu führen. Auch der Kaiser – eine sonst so strahlende, faszinierende Erscheinung – wirkte unzufrieden. In Friedrichs goldroten Locken entdeckte Otto zum ersten Mal ein paar weiße Strähnen. Es war nicht schwer zu erraten, was den Rotbart verärgerte: Während er tatenlos zusehen musste, wie sich die oberitalienischen Städte zu einem mächtigen Bund gegen ihn zusammenschlossen, verfielen seine Fürsten immer wieder in neue Streitigkeiten untereinander, statt endlich ein geeinigtes Heer aufzustellen. Und zu alldem drängten ihn nun auch noch die Erzbischöfe von Köln und Magdeburg, sich nach fast zwanzigjähriger Fehde mit Papst Alexander auszusöhnen, was faktisch auf eine Unterwerfung hinauslief. Den ganzen Zorn des Kaisers darüber bekam Hedwigs Bruder zu spüren, obwohl er in Ottos Augen der Angegriffene und nicht der Angreifer war.

Endlich erhoben sich der Kaiser und seine Gemahlin Beatrix und beendeten damit für diesen Tag die Zusammenkunft.

Otto schob sich in Richtung seines Bruders und gab ihm ein Zeichen.

Dietrich nickte kurz zu ihm herüber, erwiderte die freundschaftliche Geste eines Edelmannes, verneigte sich nach ein paar höflichen Worten vor einem anderen und folgte seinem Bruder durch das Gewühl hinaus aus der prachtvollen Kaiserpfalz.

Solange sie lästige Mithörer in ihrer Umgebung wussten, gingen sie schweigsam durch den prasselnden Regen zu dem Quartier, in dem Otto und Hedwig mit ihrem Gefolge während des Hoftages untergebracht waren.

Während Otto sich missmutig ausmalte, wie Kälte und Nässe seinen Knochen in den nächsten Tagen wieder zu schaffen machen würden, flogen Dietrichs Gedanken zu Hedwig.

Er hatte einen unglaublichen Verrat an seinem Bruder begangen. Aber, bei Gott, er konnte kaum noch an etwas anderes als an sie denken. Seine Seele und sein Körper standen schon bei der Erinnerung an sie in Flammen.

Als der immer heftiger werdende Regen auch die letzten möglichen Zuhörer von der Straße getrieben hatte, hielt Otto nicht länger an sich.

»Ich begreife es nicht«, polterte er los. »Kaum ist der Löwe zurück, stiftet er schon wieder Unfrieden. Und trotzdem empfängt ihn der Kaiser wie einen lange vermissten Bruder oder Freund. Oder war das etwa nur Höflichkeit?«

Dietrich wurde aus seinen Gedanken gerissen und musste sich erst für die Antwort sammeln. »Nein, seine Freude ist echt. Ich habe es aus nächster Nähe erlebt.«

Dietrich zögerte einen Augenblick, sprach dann leise, aber mit fester Stimme weiter. »Der Kaiser irrt. Über kurz oder lang wird es zur Zerreißprobe kommen, wer der Mächtigste im Reich ist.«

Otto zog zweifelnd die Augenbrauen hoch und senkte nun selbst seine Stimme. Manchmal hatten auch die Wände Ohren. »Du glaubst wirklich, der Löwe würde es wagen, den Kaiser herauszufordern? Nach der Krone zu greifen?«

»Glaubst du das etwa nicht? War das nicht der Grund dafür, uns vor ein paar Jahren gemeinsam mit Dutzenden anderer Fürsten und Erzbischöfe gegen ihn zu stellen?«

Otto lachte trocken auf. »Nun ja … einer der Gründe. Der wichtigste Grund war doch wohl, dass wir uns in unserer eigenen Stellung bedroht fühlten. Eine Frage der Ehre. Und der Macht. Haben wir es nicht gerade eben wieder erlebt, als es um den jungen Thüringer ging, der frech Hermanns Burg belagert? Wer immer mit dem Löwen gemeinsame Sache macht, darf sich anscheinend alles herausnehmen. Eine Schande!«

Sie hatten das Quartier erreicht und schüttelten beim Eintreten die Regentropfen von den Umhängen. Otto ging kurz ans Feuer, um sich die Hände zu wärmen, scheuchte einen Bediensteten nach heißem Würzwein und ließ sich ächzend auf den Stuhl sinken.

Dietrich war enttäuscht und erleichtert zugleich, Hedwig nicht vorzufinden. Er fürchtete, ihr gefährliches Geheimnis durch einen unbedachten Blick zu verraten, wenn er ihr gegenüberstand.

Otto bedeutete ihm, sich zu setzen, aber Dietrich blieb lieber stehen.

»Ich habe mir von Randolf heute Morgen berichten lassen, was er im Heiligen Land erlebt hat, nachdem er sich dem Zug des Löwen angeschlossen hatte«, berichtete Otto, und seine Stimme war voller Grimm. »Der Braunschweiger wurde empfangen wie ein Kaiser, mit allem Prunk und ist aufs reichste beschenkt worden: vom König von Jerusalem, von Bohemund in Antiochia und vom Sultan von Ikonium.«

»Ja, und zuvor ganz besonders herzlich in Konstantinopel von Manuel Komnenos«, ergänzte Dietrich leise und bedeutungsschwer.

Otto erstarrte für einen Moment. Der skrupellose und durchtriebene Kaiser von Byzanz war, abgesehen von Papst Alexander, der bedeutendste Gegenspieler des Staufers Friedrich Barbarossa.

»Du glaubst, sie haben sich gegen unseren Kaiser verbündet?«, fragte er atemlos. Er hasste es, wenn sein Bruder besser informiert war, aber das war nur normal. Dietrich hielt sich viel öfter am Hof des Kaisers auf, hatte ihn auf seinen Feldzügen nach

Italien begleitet und übernahm in seinem Auftrag diplomatische Aufgaben.

Doch dass Randolf ihm nichts von Heinrichs Treffen mit Manuel erzählt hatte, machte Otto stutzig. War sein Ritter damals noch nicht mit dem Gefolge des Löwen gereist? Oder hatte er ihm das bewusst verschwiegen?

»Davon steht natürlich nichts in den geheimen Berichten, die wir erhalten haben«, meinte Dietrich. »Aber sie haben sich offenbar blendend verstanden.«

»Das riecht nach Krieg«, rief Otto.

Gelassen antwortete sein Bruder: »Der Kaiser sagt, eine Pilgerfahrt sei eine heilige Sache und läutere den Charakter.«

Otto prustete verächtlich. »Vielleicht bei einem einfachen Kaufmann oder Pfaffen, der etwas für sein Seelenheil tun will oder muss. Aber bei einem Mann, der vor allem seine eigenen Ländereien und seinen politischen Einfluss im Sinn hat?«

Dietrich lehnte sich gegen die Wand, verschränkte die Arme und betrachtete seinen Bruder wortlos, mit einem spöttischen Blitzen in den Augen.

»Was?«, brummte Otto, doch einen Augenblick später verstand er und verfluchte stumm den messerscharfen Verstand des Jüngeren. Hatte er nicht gestern erst selbst gegenüber Christian behauptet, die Pilgerfahrt habe Randolf geläutert und von allen Sünden befreit?

»Schon gut, ich weiß, was du mir sagen willst«, brummte er.

»Dann hab ein Auge auf Christians Dorf oder auch zwei«, warnte Dietrich.

Diener brachten Platten mit gebratenem Fleisch und stellten sie auf dem Tisch ab.

»Fragt meine Gemahlin, ob sie uns die Ehre erweist, mit uns zu speisen«, wies Otto an. »Sie ist nicht wohl«, erklärte er, zu Dietrich gewandt.

»Ein Fieber?«, fragte Dietrich besorgt, hin und her gerissen von dem Wunsch und der Sorge, Hedwig zu sehen.

»Sie ist gesegneten Leibes«, platzte Otto stolz heraus.

Im gleichen Augenblick trat Hedwig in die Kammer, sah Dietrich und stockte. Doch sofort hatte sie sich wieder in der Gewalt und begrüßte ihn, indem sie ihren Kopf neigte.

»Meinen Glückwunsch«, sagte Dietrich, griff nach ihrer Hand und beugte sich darüber. »Ich freue mich von Herzen mit Euch.«

Als er den Kopf wieder hob, blickte er ihr fest in die Augen. Alles wird gut, beschwor er sie stumm. Sosehr ihn die Nachricht auch getroffen hatte – es war natürlich am besten, wenn Hedwig keinen Zweifel daran haben musste, dass dieses Kind im Ehebett gezeugt worden war.

Doch Hedwig wirkte nicht nur bleich und elend. Aus ihren Augen sprach so viel Verzweiflung, dass er sie am liebsten in seine Arme gezogen und getröstet hätte.

»Sie macht sich Sorgen, weil die letzte Schwangerschaft so schwierig war. Aber ich habe sofort Messen für den glücklichen Verlauf lesen lassen«, erklärte Otto und tätschelte Hedwigs Hand. »Ich hoffe, es wird ein starker Sohn, ein kühner Recke wie unser Erstgeborener.«

So weit dies überhaupt möglich war, verdüsterte sich Hedwigs Gesicht noch mehr. »Bedenke deine Wünsche gut, mein Gemahl. Was ich hier von Albrecht höre, lässt mich zweifeln, ob er wirklich fähig ist, einmal die Herrschaft über die Mark Meißen zu übernehmen.«

»Was soll das, Weib?«, polterte Otto ungehalten. »Er ist über seine Jahre hinaus stark, geschickt mit dem Schwert und sich seiner künftigen Aufgabe bewusst. Jeder weiß, dass du deinen Jüngeren bevorzugst. Das trübt deinen Verstand.«

Zornesröte schoss in Hedwigs Gesicht, während sie nach Luft

schnappte und nach Worten suchte, um sie ihrem Mann entgegenzuschmettern.

Wie kann er sie nur so beleidigen?, dachte Dietrich, und sein schlechtes Gewissen gegenüber Otto schwand. Er löste sich von der Wand und ging ein paar Schritte auf seinen Bruder zu.

»Sie hat recht«, sagte er und blickte dem Älteren ernst in die Augen. »Du siehst deinen Erstgeborenen nur selten, und dir gegenüber benimmt er sich anders als sonst. Er verspricht zwar ein guter Kämpfer zu werden, aber er ist unbeherrscht, jähzornig und nutzt seine Position aus. Erst gestern habe ich gesehen, wie er einen Stallburschen wegen einer Belanglosigkeit bis aufs Blut auspeitschen ließ. Ganz abgesehen von der Heimtücke, mit der er immer wieder seinen Bruder drangsaliert, obwohl sich die beiden nun wirklich kaum begegnen.«

Otto blickte verächtlich von seiner Frau zu seinem Bruder. »Weibergeschwätz! Wer herrschen will, muss frühzeitig lernen, sich durchzusetzen und seine Macht zu gebrauchen.«

»Gebrauchen, nicht missbrauchen«, mahnte Dietrich. »Ich wünsche mir wie du, dass mein Neffe einmal stark und gerecht über die Mark Meißen herrscht. Aber sein derzeitiger Charakter lässt fürchten, dass ihm die dafür nötigen Tugenden noch fehlen.«

»Tugenden!«, ereiferte sich Otto. »Du tust so, als ob man ein Land beherrschen könnte, indem man nett zu den Bauern ist. Du solltest es doch besser wissen, Bruder. Dann lachen sie dich aus und betrügen dich um die Abgaben. Sie müssen ihren Fürsten fürchten, um zu gehorchen.«

»Aber nicht hassen. Worüber will jemand herrschen, der seine Bauern zu Tode schindet und sein Land verwüstet?«

»Albrecht ist nun mal kein Schwächling, Gott sei es gelobt. Alles andere wird sich schon auswachsen mit seiner Erziehung zum Ritter«, meinte Otto unwirsch.

»Ich hoffe, du behältst recht«, erwiderte Dietrich. »Und ich hoffe sehr, dein ältester Sohn ist einmal geduldig genug, um zu warten, bis er sein Erbe antreten kann.«

Die Rückkehr

Marthe hatte gewusst, dass dieser Tag kommen würde. Dennoch ließ der Anblick ihr Blut gefrieren.

»Was wollt Ihr?«, fuhr sie den Besucher an, der sich am Gesinde vorbei in ihre Halle gedrängt hatte und sie nun mit einem Lächeln ansah, das seine eiskalten blauen Augen nicht erreichte. Sofort schob sich Richard vor sie und legte die Hand an den Griff seines Schwertes.

»Welch unhöfliche Begrüßung für einen Pilgerfahrer, der von allen Sünden befreit ist«, protestierte der weißblonde Hüne und trat immer noch kalt lächelnd näher.

Richard zog sein Schwert.

Mit Not unterdrückte Marthe den Impuls, vor Randolf zurückzuweichen. Sie wollte von ihrer Angst nichts zeigen und schon gar nicht mit dem Rücken an der Wand stehen, wenn dieser Mann mit ihr in einem Raum war.

Herwarts Männer stürmten mit gezogenen Waffen herein.

Randolf ignorierte die Bewaffneten und hielt Marthe demonstrativ die leeren Handflächen entgegen. »Ich will nur meinen Antrittsbesuch machen. Auf gute Nachbarschaft anstoßen. Über alte Zeiten plaudern …«

»Braucht Ihr Hilfe, Herrin?«, fragte Herwart.

»Es ist gut. Ihr könnt alle gehen«, entgegnete Marthe.

Die Ankündigung Randolfs, über alte Zeiten reden zu wollen, hatte sie mehr als alles andere erschreckt. Niemand durfte erfahren, was Christians mächtiger Feind ihr vor Jahren angetan hatte.

»Bist du sicher?«, fragte Richard beunruhigt. Seine Befehle lauteten anders.

»Bitte, warte vor der Tür, bis ich dich rufe«, sagte sie rasch.

»Wir bleiben ganz in der Nähe, Herrin«, erklärte Herwart. Verunsichert zogen seine Leute ab, gefolgt von Richard, der misstrauisch zurückblickte und sich dann mit gezogenem Schwert hinter der Tür postierte.

»Herrin sagen sie zu dir?«, meinte der Weißblonde spöttisch, als sie allein waren. »Ich vergaß ... Durch eine Laune des Markgrafen bist du ja neuerdings eine Dame. Aber immer noch Manieren wie ein Bauernweib. Willst du nicht deinen Gast und künftigen Nachbarn mit einem Willkommenstrunk bewirten?« Ungeniert ging Randolf zum Tisch, griff nach dem Krug, der dort stand, und schenkte sich ein.

»Ihr seid hier nicht willkommen«, stieß Marthe hervor.

Der Hüne ignorierte ihre Antwort, nahm einen kräftigen Schluck und stellte den Becher ab.

»Das Bier ist schon immer gut gewesen in diesem Dorf. Einer seiner Vorzüge«, sagte er und machte zwei Schritte auf sie zu.

»Keinen Schritt näher«, warnte Marthe.

Kalt lächelnd blieb Randolf stehen und betrachtete sie. »Immer noch rank und schlank und schöner denn je«, sagte er. »Und immer noch so spröde.«

Ein Schauder lief Marthe über den Rücken, während in ihrer Erinnerung die furchtbaren Szenen aufflackerten, die gefolgt waren, wenn er sie einst so angesehen hatte. Ihr war, als müsste sie jede schreckliche Einzelheit noch einmal durchleben: Wie sein Gewicht ihr die Luft aus den Lungen presste, während sich spitze Steine in die bloße Haut ihres Rückens bohrten, den unbeschreiblichen Schmerz, als er in ihren Leib stieß, den grunzenden Laut, mit dem er sich in sie ergoss … Und wie er schließlich, als sie dachte, ihre Qual wäre endlich vorbei, seinen Kumpanen, die ihn mit höhnischen Rufen angefeuert hatten, zurief: »Jetzt könnt ihr sie haben.«

»Keine Angst, meine Schöne, ich werde dir nichts tun«, meinte der ungebetene Besucher. »Dir nicht und auch nicht Christian. Ich musste Otto einen Eid darauf leisten.«

Randolfs Blick nahm etwas Lauerndes an. »Es heißt, du hast einen Sohn geboren. Bist du sicher, dass es seiner ist und nicht meiner?«

»Christians Sohn kam neun Monate nach der Hochzeit zur Welt«, fauchte sie. »Aber ich wüsste nicht, was Euch das angeht.«

»So.« Randolf nahm einen tiefen Schluck und wischte sich mit dem Handrücken über den Mund. »Was ich wirklich gern wüsste: Macht es ihm nichts aus, dass ich dich vor ihm gehabt habe? Zerfrisst ihn der Gedanke nicht vor Eifersucht, wenn er bei dir liegt? Und sehnst du dich nicht manchmal nach der Leidenschaft, mit der ich dich genommen habe?«

»Leidenschaft?« Hass loderte in ihr auf, doch sie musste ihre Stimme dämpfen, damit niemand draußen die Worte hören konnte, die nun aus ihr herausbrachen. »Ihr habt mir das Kleid zerrissen und mich zu Boden gestoßen, Ihr habt mich gefesselt und Euch auf mich geworfen. Danach soll ich mich sehnen?«, zischte sie.

Sie zwang sich, tief Luft zu holen. »Auch wenn Euch dafür kein irdischer Richter verurteilt, Ihr werdet Eurer Strafe nicht entkommen.«

Randolf lächelte überlegen. »Du kannst mir nicht drohen. Wie du selbst erkannt hast, hätte mich kein Richter dafür verurteilt, dass ich mir für ein bisschen Spaß ein Bauernweib geholt hab. Du hast nicht sofort Klage erhoben, wie das Gesetz es fordert, also kannst du es jetzt auch nicht mehr tun.«

Sein Gesicht nahm nun jenen boshaften Ausdruck an, den sie nur zu gut kannte und den er bisher sorgsam unterdrückt hatte.

»Weißt du, Christian war wirklich sehr aufgebracht, als ich ihn in meinem Kerker besucht und erzählt habe, wie ich dich als Erster genommen habe. Wie du geschrien und geweint und um Gnade gebettelt hast. Sein Wutausbruch hat ihn fast das Leben gekostet.«

Marthe starrte ihn fassungslos an.

»Aber wie ich sehe, hat er dir verziehen. Oder sind deine Bälger doch nicht von ihm?«

»Verlasst auf der Stelle dieses Haus! Oder Christians Männer werfen Euch hinaus«, forderte sie entschlossen.

»Würden die sich mit mir anlegen?«, fragte Randolf höhnisch.

»Das würden sie. Ich muss es nur befehlen.«

Er hob beschwichtigend die Hand. »Ich bin gekommen, um dir ein Geschäft vorzuschlagen.«

»Mit Euch mache ich keine Geschäfte.«

»Doch, das wirst du. Warte ab, was ich zu sagen habe.«

Mit erzwungener Gelassenheit verschränkte Marthe die Arme vor der Brust. »Ich höre.«

Lässig setzte sich Randolf und streckte seine langen Beine aus. »Ich weiß, wie ihn der Gedanke zerreißt, dass ich dich gepflügt habe. Dabei legt er doch so viel Wert auf seine Ehre, nicht wahr? Und jetzt darf er sich nicht einmal an mir rächen für deine Schande, sonst würde er großen Ärger mit dem Markgrafen bekommen.«

Der Hüne legte eine kurze Pause ein.

Seine nächsten Worte fuhren durch sie hindurch wie ein Schwert.

»Was er noch nicht weiß, jedenfalls nicht von mir: Dass auch meine Freunde ihren Spaß mit dir hatten. Du hast es ihm doch nicht erzählt, oder?«

Schwach schüttelte Marthe den Kopf.

Sie wusste, dass Randolf vor Christian mit seiner Schandtat geprahlt hatte, als dieser vor ihm in Ketten hing. Doch sie hatte nie mit ihm über jenen furchtbaren Tag reden können, als die vier Ritter über sie hergefallen waren. Und auch nicht über die Tage, an denen sie ihre ungeheuerliche Tat wiederholt hatten.

»Wie ich schon dachte«, fuhr Randolf ungerührt fort. »Was glaubst du, wird geschehen, wenn er es erfährt? Er wird dich davonjagen. Kein Mann von Ehre erträgt es, zu wissen, dass sein Weib die Hure für jedermann gewesen ist.«

Es wird ihm das Herz brechen, dachte Marthe. Und dann wird er sein Schwert ziehen und sie alle vier niederstechen, ganz gleich, ob es ihn das Leben kostet, sein Dorf und seine Seele.

»Ich sehe, du verstehst«, sagte Randolf, stellte den Becher auf den Tisch und wischte sich die Hände an seinem kostbaren Bliaut ab.

»Kommen wir also zum Handel: Du sorgst dafür, dass mir Christian keine Schwierigkeiten bereitet, wenn ich hier die Burg bauen lasse. Dann sorge ich dafür, dass dein sündiges Vorleben unser kleines Geheimnis bleibt. Einverstanden?«

Marthe nickte stumm, während ihre Gedanken rasten.

»Ich wusste doch, dass wir uns einigen«, frohlockte Randolf, während er aufstand. »Also, dann – auf gute Nachbarschaft!«

Im Gehen wandte er sich noch einmal um. »Übrigens: Wenn du Christian von meinem Antrittsbesuch erzählst, richte ihm unbedingt von mir aus, dass ich dir nicht näher als zwanzig Schritte gekommen bin.«

Lachend stieß er die Tür auf, blieb vor Richard stehen und hob

die Hände. »Ruhig Blut, es ist nichts geschehen. Ein rein freund-
schaftlicher Besuch.«

Zwei Tage nach Randolfs Auftauchen kam Christian vom Hoftag zurück. Die Befehle des Markgrafen hatten ihn länger, als
ihm lieb war, in Goslar festgehalten, dann jedoch hatte er Lukas
und seinen Knappen in einem Gewaltritt nach Hause getrieben.
Gero würde derweil zusammen mit den Reisigen die Goslarer
Bergleute nach Christiansdorf führen.
Noch bevor Christian abgesattelt hatte, erfuhr er vom Auftauchen seines Feindes.
»Lasst uns allein«, befahl er mit versteinertem Gesicht, während er das Haus betrat. Als nur noch Marthe im Raum war,
packte er sie beim Arm. »Was ist in dich gefahren? Ich schicke
eigens Männer, um dich zu beschützen, und du setzt dich allein
diesem Ungeheuer aus! Reicht es denn nicht, was er dir schon
angetan hat?«
Die Heftigkeit seines Ausbruchs verstörte Marthe zutiefst.
Noch nie hatten sie so gestritten.
»Er hat gedroht, vor allen darüber zu sprechen. Das konnte ich
nicht zulassen«, verteidigte sie sich leise, während ihr Tränen in
die Augen stiegen. Womit Randolf noch gedroht hatte, verschwieg sie wohlweislich.
In Christians Gesichtsausdruck deutete nichts auf ein Einlenken hin. Sie wischte sich über die Augen und versuchte, ihre
Gefühle zu unterdrücken und ruhig zu sprechen. »Richard war
nur wenige Schritte entfernt. Er wäre sofort gekommen, wenn
Gefahr drohte. Denkst du, mir ist das leichtgefallen? Es geht
nicht nur um meinen Schutz, sondern auch um dich.«
»Ich kann auf mich selbst aufpassen«, brauste Christian auf und
stürmte nach draußen. Marthe hörte die Stalltür klappen und
wenig später einen Reiter davonpreschen. Wohin wollte Chris-

tian noch in der Dunkelheit? Hatte Randolf recht? Konnte Christian nicht länger mit dem Wissen leben, dass ein anderer seine Frau geschändet hatte? Widerte sie ihn an?

Würde er sie verlassen?

Verzweifelt ließ sie den Kopf auf die Arme sinken.

Wenn sie doch mit Josefa sprechen könnte! Die Alte war die Einzige, die vielleicht Rat wüsste. Aber sie war weit weg in Meißen und hatte bisher immer Christians Angebote abgelehnt, in sein Haus zu ziehen und dort ihren Lebensabend zu verbringen.

Das Knarzen der Tür ließ sie zusammenzucken.

»Kann ich reinkommen?«, fragte Lukas. Sie blinzelte, um die Tränen zurückzudrängen, und nickte.

»Er reitet wahrscheinlich nur ein Stück querfeldein, um den Kopf wieder freizubekommen«, sprach Lukas tröstend auf sie ein. »Das macht er doch immer, wenn ihn etwas beschäftigt.« Er stellte einen Becher Wein vor sie hin und schenkte sich dann selbst ein. »Hier, das wird dir guttun.«

»Ich vergesse meine Pflichten«, sagte sie beschämt, weil sie versäumt hatte, sich um Essen und Trinken für ihn zu kümmern.

»Schon gut«, meinte Lukas. Vorsichtig wischte er ihr eine Träne von den Wimpern. »Ich werde nachher Mechthild etwas von ihren Vorräten abschwatzen.« Für einen Moment blitzte das schelmische Lächeln in seinem Gesicht auf, das ihr von Anfang an bei ihm aufgefallen war und das sie nicht mehr gesehen hatte, seit Lukas mit der Nachricht von seiner Verlobung zurückgekommen war.

»Er wird sich schon wieder beruhigen.«

Marthe nickte, ohne von seinen Worten überzeugt zu sein.

Der junge Ritter wollte nach ihrer Hand greifen, hielt dann aber mitten in der Bewegung inne. Am liebsten hätte er sie an sich gezogen und getröstet, doch das wäre unschicklich gewesen. Er

114

durfte sich auch nicht anmerken lassen, was er nun wusste. Doch die schreckliche Vorstellung, wie sich Randolf mit seiner rohen Kraft auf Marthe warf und sie sich zu Willen zwang, ließ ihn nicht mehr los.

»Es wird für alle nicht leicht werden, wenn er auf Dauer wieder ins Dorf einzieht«, sagte er schließlich. »Aber Markgraf Otto hat Randolf und Christian gewichtige Garantien abverlangt, damit es diesmal ohne Blutvergießen abgeht.«

In knappen Worten berichtete er von den Befehlen des Markgrafen.

Marthe stockte der Atem, als sie hörte, wie viel auf dem Spiel stand. In ihren Gedanken sah sie bereits Christians Hand auf dem Richtblock liegen und ein Schwert niedersausen.

»Du traust Randolf?«

Lukas lachte kurz auf. »Natürlich nicht. Obwohl man meinen sollte, dass ewige Verdammnis selbst ihm nicht gleichgültig ist. Es sähe ihm ähnlich, nach einer Hintertür zu suchen. Aber er darf sich nichts zuschulden kommen lassen. Christian allerdings auch nicht. Wie es scheint, müssen wir uns wieder einmal zusammentun, um seinen Hals und seine Schwerthand zu retten. Abgemacht?«

»Abgemacht.« Nun war Marthe etwas leichter zumute. Doch sie fürchtete nach wie vor, was geschehen würde, wenn Christian zurückkam.

Und noch mehr, dass er nicht zurückkam.

Marthe lag schon lange schlaflos im Bett, als Christian endlich ihre Kammer betrat. Es musste tief in der Nacht sein. Im ganzen Haus herrschte Ruhe, so dass sie die nahenden Schritte und seinen leisen Wortwechsel mit Richard vor der Tür hören konnte.

Sie bewegte sich nicht, als er hereinkam. Er setzte sich aufs Bett, seufzte und drehte sich halb zu ihr um. »Ich weiß, dass du wach bist.«

Vorsichtig erhob sie sich. In dem Mondlicht, das durch das Fenster schien, konnte sie seine Konturen erkennen.

»Es tut mir leid«, sagte er schließlich.

Sie wusste nicht, was sie tun sollte, doch auch Christian schwieg und rieb sich mit den Händen müde über das Gesicht. Schließlich sagte er: »Ich wollte dich davor bewahren. Du solltest ihm nie wieder gegenübertreten müssen. Ich kann den Gedanken einfach nicht ertragen.«

Sie konnte nur erahnen, was es ihn kosten musste, nicht Genugtuung von Randolf fordern zu dürfen. Dennoch sagte sie: »Ich kann mich nicht für den Rest meines Lebens verstecken. Fortziehen kannst du nicht, weil du Markgraf Otto den Lehnseid geschworen hast. Und ich will auch nicht, dass wir seinetwegen alles aufgeben – unser Dorf, die Zukunft unserer Kinder.«

»Es zerreißt mich«, gestand er gequält. »Ich weiß nicht, wie ich das aushalten soll.«

Marthe blieb eine Weile stumm. Dann sagte sie: »Das ist ein Kampf, den du nicht mit dem Schwert führen kannst.«

Endlich drehte sich Christian ganz zu ihr um und sah sie an. »Glaubst du denn, dass wir diese Sache heil überstehen können?«

»Ich weiß es nicht. Aber wir müssen es versuchen. Es geht doch auch nicht nur um mich. Er soll nicht wieder Tod und Verderben ins Dorf bringen. Sind wir nicht alle damals aufgebrochen, um hier ein besseres Leben aufzubauen? Das soll er nicht zerstören dürfen.«

Sie rutschte zu ihm hinüber und schlang ihre Arme um seinen Hals. »Dafür musst du durchhalten.«

Diesmal nahm Christian sie mit einer Heftigkeit, die sie erschütterte. Danach lag sie noch lange wach.

Eine Woche später kam ein Bote ins Dorf und verlangte Christian zu sprechen. Der Ritter absolvierte gerade mit Lukas einen Schaukampf, um Jakob zu demonstrieren, wie viel dieser an Schnelligkeit noch zulegen musste, um in einem Gefecht zu bestehen.

Schwer atmend steckte Christian das Schwert in die Scheide, strich sich das Haar zurück und ging dem Boten entgegen. »Was gibt es?«

»Mein Herr, Ritter Randolf, sendet Euch Grüße«, entgegnete der Reiter. »Er lässt Euch ausrichten, dass er morgen mit den ersten Bauleuten hier eintreffen wird. Ihr seid eingeladen, beim Abmessen des Burglehens und der Grundmauern für den Bergfried dabei zu sein.«

»Wir werden sehen«, antwortete Christian und wies an, dem Boten, der einen halben Tag zu Pferd unterwegs gewesen sein musste, zu essen und zu trinken zu holen.

»Ich soll Euch ausdrücklich ausrichten, dass sich mein Herr strikt an die Befehle des Markgrafen halten wird«, fügte der Bote rasch hinzu, bevor er durstig das Bier hinunterstürzte, das ihm einer der Stallburschen brachte. »Zum Zeichen seines guten Willens wird ihn seine Gemahlin begleiten.«

»Sie ist willkommen«, erwiderte Christian, bevor er den Knappen zu sich rief, um dessen Ausbildung fortzusetzen.

Am Abend lud Christian Karl und Jonas zu sich ins Haus. Die beiden jungen Schmiede waren bei Randolfs letztem Besuch im Dorf auf dessen Befehl fast zu Tode geprügelt worden. Er wollte sichergehen, dass sie den nächsten Tag unbeschadet überstanden und sich nicht provozieren ließen.

Sie hatten sich kaum bei einem Krug Bier niedergesetzt, als eine Magd eintrat und meldete, zwei der Kaufleute aus dem Nicolai-Viertel wünschten Christian zu sprechen.

»Bitte sie herein«, meinte Christian, gespannt darauf, was sie wohl von ihm wollten.

»Meister Josef, Meister Anselm«, begrüßte er den Tuchhändler und den Gewandschneider, zwei der einflussreichsten und wohlhabendsten unter den Geschäftsleuten, die sich seit dem Aufkommen des Bergbaus in seinem Dorf niedergelassen hatten. Es waren hier genug Menschen durch das Silber zu Wohlstand gelangt, um ihnen ausreichend Aufträge einzubringen.

Er forderte die unerwarteten Gäste auf, Platz zu nehmen, ließ auch ihnen einen Becher Bier einschenken und wartete, dass sie ihr Anliegen vortrugen.

Seine Besucher sahen sich kurz an, starrten wie auf Kommando zu Jonas hinüber, dann schnell wieder ins Leere und schienen sich nicht entscheiden zu können, wer von ihnen als Erster sprechen würde.

Christian warf einen Seitenblick auf Marthe und wusste sofort, dass auch sie eine ziemlich genaue Vorstellung davon hatte, wohin diese Unterhaltung führen würde. Und es schien ihr ebenso wenig zu gefallen wie ihm.

Es verblüffte ihn immer wieder, wie schnell sich Neuigkeiten in seinem Dorf herumsprachen. Denn wenn ihn nicht alles täuschte, war dieser Besuch kein spontaner Einfall, sondern mit etlichen Gesprächen gründlich vorbereitet worden.

Der Tuchhändler, ein grauhaariger Mann, dessen behäbig wirkendes Gebaren täuschte, räusperte sich und stellte seinen Bierkrug ab.

»Wir danken Euch für den freundlichen Empfang, Herr«, sagte er und schien beim Sprechen sein Selbstbewusstsein wiederzuerlangen. »Wir kommen im Namen der Kaufleute aus dem Nicolai-Viertel.«

Er machte eine kurze Pause, aber Christian erwiderte bewusst nichts und ließ ihn schmoren.

Wieder räusperte sich Josef. »Uns ist zu Ohren gekommen, dass morgen der neue Vogt eintrifft, um mit dem Bau eines Bergfrieds zu beginnen«, sagte er und blickte erwartungsvoll auf Christian.

»Richtig«, entgegnete dieser. »Der Markgraf wünscht, dass hier eine Burg errichtet wird, um die Silberausbeute zu schützen und das Dorf gegen Überfälle zu verteidigen.«

»Wir Kaufleute fürchten, es könnte Ärger geben, Herr.«

»Weshalb?«, fragte Christian zurück, nicht ohne einen spöttischen Ton in seiner Stimme. »Es werden noch mehr Menschen hierherkommen, ins Burglehen werden sogar Ritter mit ihren Familien ziehen – wohlhabende Kundschaft für Euch. Ihr werdet Eure Geschäfte bald vergrößern müssen, um die Nachfrage nach guter Ware zu befriedigen.«

»Beten wir, dass es so eintrifft«, meinte der Gewandschneider. »Obwohl Ritter oft schwierige Kundschaft sind, sie zahlen nicht oder spät.« Im nächsten Augenblick besann er sich, wer sein Gastgeber war, und beeilte sich anzufügen: »Damit meinen wir natürlich nicht Euch und Eure Gefolgsleute. Mit Euch ist es stets ein Vergnügen, Geschäfte zu machen.«

Der Tuchhändler bemerkte, dass sein Mitstreiter drauf und dran war, sich zu vergaloppieren, und übernahm wieder das Wort. »Was uns hierherführt und mit Sorge erfüllt, Herr: Uns ist zu Ohren gekommen, dass dieser neue Vogt vor Jahren schon einmal hier war und es damals sogar Tote gab.«

»Ihr habt nichts zu befürchten«, entgegnete Christian ruhig. »Markgraf Otto hat ihn aufs Kreuz schwören lassen, dass sich so etwas nicht wiederholt. Vogt Randolf droht härteste Strafe, sollte er seinen Eid brechen.«

Ich wollte, ich könnte mir dessen so sicher sein, dachte er dabei bitter. Doch seine persönliche Rechnung mit Randolf ging die anderen nichts an.

Die beiden Besucher aus dem Kaufmannsviertel wechselten erneut einen Blick miteinander.

»Nun, Herr, wir wissen auch, dass es damals eine heftige Auseinandersetzung zwischen diesem Randolf und Meister Jonas, dem Schwarzschmied, gab«, fuhr Josef fort.

Jetzt kommen wir also zur Sache, dachte Christian grimmig. Oh, ihr Kleingläubigen!

»Wir halten es für besser, wenn ein anderer der Dorfschulze wäre, damit der Vogt nicht bei jeder Gelegenheit an diesen Streit erinnert wird und sein Zorn auf alle, die hier leben, von neuem aufflammt«, erklärte Josef salbungsvoll. Erleichtert, seine heikle Botschaft losgeworden zu sein, lehnte er sich zurück und wischte sich den Schweiß von der Stirn. Er und auch der Gewandschneider vermieden es strikt, zu Jonas zu blicken, der verächtlich auf die beiden herabsah.

»Und Ihr sprecht im Namen aller Kaufleute?«, fragte Christian kühl. »Dann habt Ihr sicher schon jemanden aus Euren Reihen vorzuschlagen?«

»Aber nein, Herr«, beeilte sich Josef wenig überzeugend zu versichern. »Wir glauben nur, ein gestandener Kaufmann mit einigem Vermögen hätte bei dem neuen Vogt ein besseres Ansehen.«

»Wen die Dorfbewohner als Fürsprecher haben wollen, ist ihre Entscheidung«, erklärte Christian knapp. »Ruft sie zusammen, beratet und wählt.«

Erleichtert standen Josef und Anselm auf und verbeugten sich, um zu gehen, doch Christian hielt sie zurück.

»Auf ein Wort noch.«

Fast erschrocken drehten sie sich in der Tür um.

»Wäre es nicht der bessere Weg, stattdessen um das Stadtrecht für Christiansdorf nachzusuchen? In den letzten Jahren haben etliche Ortschaften im Umkreis das Stadtrecht verliehen bekommen: Leipzig, Chemnitz, Zwickau, Altenburg … Es leben nun schon ein paar hundert Menschen hier, die dritte Kirche ist im Bau, bald bekommen wir sogar eine Burg. Als Stadtbürger hättet Ihr mehr Rechte gegenüber dem Burgvogt.«

»Aber wir müssten Wachdienste übernehmen, eine Stadtmauer errichten, Schöppen wählen …«, wandte Josef zögernd ein. »Eine Menge Verantwortung und zusätzlicher Arbeit. Ich weiß nicht, ob wir uns das leisten können, wo wir doch gerade erst angefangen haben, unsere Geschäfte einzurichten.«

Wieder wischte er sich den Schweiß von der Stirn. »Besser, wir versuchen es erst einmal so.«

»Wie Ihr wollt«, verabschiedete Christian die Besucher.

Dann drehte er sich um, tauschte einen grimmigen Blick mit Marthe, auf deren Gesicht er den gleichen Ausdruck von Abscheu über so viel Feigheit und Berechnung sah, der auch in ihm brodelte, und legte Jonas die Hand auf die Schulter.

»Vielleicht ist es ganz gut so. Ich weiß nicht, ob ich Randolf gelassen genug gegenübertreten könnte«, meinte der Schmied schließlich. »Und er wird nie etwas anderes in mir sehen als den Mann, der auf seinen Befehl hin fast zu Tode geprügelt wurde.«

»Nein«, widersprach Christian ruhig. »Du bist der Mann, der es gewagt hat, sich seiner Willkür zu widersetzen. Und sei dir sicher: Über kurz oder lang werden sich die anderen in der Not daran erinnern.«

Am nächsten Tag kam Randolf mit einer großen Gefolgschaft ins Dorf: Bauleute, Ritter, Reisige und eine kostbar gekleidete junge Frau auf einem Schimmel an seiner Seite.

Wie Pater Bartholomäus geraten hatte, erwartete Christian ihren Einzug ruhig an der Seite des Paters. Seinen Bewaffneten hatte er befohlen, sich abseits, aber in Bereitschaft zu halten.

Randolf zügelte seinen Hengst in drei Längen Abstand vor Christian und grüßte betont höflich. Dann stellte er ihm den

121

Baumeister vor, der ihn begleitete, und lud ihn ein, zu jener Stelle mitzukommen, die sie in den Planungen mit Markgraf Otto als bevorzugt für den Bau des Bergfrieds ausgewählt hatten. Es war ein kleines Felsplateau nordwestlich des Nicolai-Viertels, dessen hintere Seite von einem Bach umflossen wurde. Ohne Verzug bewegten sie sich dorthin.

Marthe war wohlweislich im Haus geblieben und beobachtete das Geschehen mit klopfendem Herzen durch das Fenster.

Zu ihrem Erstaunen sah sie, dass die fremde Frau auf ihr Anwesen zuhielt.

Bemüht, sich von ihrer Überraschung nichts anmerken zu lassen, ging Marthe hinunter in die Halle, um Randolfs Gemahlin zu begrüßen.

»Ihr seid die Dame Marthe, nicht wahr? Seid gegrüßt, meine Liebe, wir werden künftig Nachbarinnen sein«, begrüßte die hochgewachsene Schwarzhaarige sie mit strahlendem Lächeln und stellte sich als Richenza vor. Ihre Stimme erinnerte Marthe an ein Messer, das über einen Stein schabt.

Sie sieht aus wie Oda, war ihr nächster Gedanke – jene Spionin, die Otto vor Jahren in ihren Bann gezogen hatte.

Und sie spürte, dass sich hinter der freundlichen Fassade ihrer Besucherin Eiseskälte und Berechnung verbargen.

Höflich bot sie ihrem Gast einen Platz an, schenkte Wein ein und schickte die Magd in die Küche nach einem kleinen Imbiss.

»Bemüht Euch nicht«, meinte Richenza zuvorkommend. »Wir haben unterwegs Rast eingelegt. Ich wollte mich nur mit Euch bekannt machen und um gute Nachbarschaft bitten.«

Sie beugte sich verschwörerisch vor. »Die Situation ist nicht leicht für unsere Männer. Aber es steht viel auf dem Spiel – ihr Seelenheil und die Gunst des Markgrafen. Wir Frauen sollten dafür sorgen, dass sich die Gemüter nicht erhitzen und alles friedlich vonstatten geht. Ich weiß, dass Euer Mann in vielen Dingen auf Euch hört.«

»Werdet Ihr denn den Euren im Zaum halten können?«, erkundigte sich Marthe im gleichen Tonfall.

Richenza lächelte breit. »Ich tue mein Bestes.«

Die Magd brachte Brot und Fleisch. Während Richenza mit zierlicher Geste nach einem Hähnchenschenkel griff, musterte Marthe ihren Gast unauffällig.

Als sie erfahren hatte, dass Randolf noch vor seiner Sühnefahrt ins Heilige Land geheiratet hatte, empfand sie sofort Mitleid mit der unbekannten Braut. Sie selbst hatte die Rohheit des Hünen erleiden müssen. Und sie wusste auch, dass sich dessen erste Frau Luitgard nach nur wenigen Wochen Ehe den Meißner Burgberg hinabgestürzt hatte, um dem Grauen zu entgehen, das das Leben mit Randolf für sie bedeutete, obwohl ihr der Selbstmord ewige Verdammnis einbringen würde.

Aber bald erfuhr sie von Raimund, dass zumindest den Erzählungen der Leute nach Randolf diesmal eine ihm ebenbürtige Gemahlin gefunden hatte, die mit unnachgiebiger Härte seine Güter verwaltete und jede noch so kleine Verfehlung strengstens bestrafte.

Marthe wusste, dass viele Frauen, die in Gegenwart ihrer Ehemänner nur flüsterten und die Augen gesenkt hielten, energisch und mit größter Selbstverständlichkeit das Regime über Haus und Hof übernahmen, wenn die Männer auf einem Feldzug oder auf Reisen waren. Richenza jedoch schien sich auch von Randolfs furchterregender Präsenz nicht einschüchtern zu lassen.

Marthe fragte sich mit einem Schaudern, wie die beiden wohl im Bett miteinander auskamen.

Sie traute der Fremden ganz und gar nicht. Aber sie würde auf ihr Angebot eingehen. Vielleicht tat sich hier ein Weg auf.

Lärm von draußen ließ die Frauen aufhorchen. Sie wechselten einen besorgten Blick. Dann standen beide gleichzeitig auf und liefen hinaus, um zu sehen, was vor sich ging.

Der Anblick ließ Marthes Atem stocken. Christian hatte einen von Randolfs Männern überwältigt, hielt ihn mit der linken Hand an der Schulter gepackt, drückte ihm mit der rechten das Schwert in den Rücken und stieß ihn vor sich her. Ein ganzer Schwarm von Leuten lief ihnen nach: Schaulustige, aufgebrachte Dorfbewohner und grimmig blickende Reisige.

Die beiden Frauen folgten den Menschen, die zu der Stelle hinliefen, wo Randolf stand und beobachtete, wie der Baumeister einen großen Kreis absteckte, den Umriss des künftigen Bergfrieds.

Dort angelangt, stieß Christian seinen Gefangenen vor Randolf auf die Knie, während er ihn weiter an der Schulter gepackt hielt und die Schwertspitze nicht von seinem Rücken nahm.

»Einer von deinen Gefolgsleuten«, sagte er verächtlich. »Er wollte sich an einem der Mädchen von den Scheidebänken vergreifen.«

Randolfs Miene ließ nichts von seinen Gedanken erkennen. Marthe hielt den Atem an. Auch ohne hinzusehen, wusste sie, dass es Richenza ebenso erging.

»Ist das wahr?«, fragte Randolf den Reisigen, der vor ihm kniete.

Aus dem Kreis der Umstehenden zerrte ein älterer Mann ein verängstigtes Mädchen von kaum zwölf Jahren hervor, das krampfhaft den zerrissenen Ausschnitt seines Kleides zusammenhielt.

»Es war ein Scherz! Ich konnte doch nicht ahnen, dass sie keinen Spaß versteht und gleich loskreischt«, beteuerte der Übeltäter hastig.

»Steh auf«, forderte Randolf seinen Mann auf, der sich beeilte, dem Befehl nachzukommen, während Christian seinen eisernen Griff löste.

Randolf ging drei Schritte auf den Ertappten zu und schickte ihn mit einem gewaltigen Fausthieb zu Boden.

»Habe ich euch nicht befohlen, euch zu benehmen?«, brüllte der Hüne.

Als sein Knecht nicht reagierte, trat er ihm heftig in die Rippen. Der Übeltäter spuckte Blut und einen Zahn aus und keuchte: »Ja, Herr.«

»Steh auf, du Hundsfott«, brüllte Randolf. Kaum stand der andere, wurde er von neuem mit einem wuchtigen Hieb niedergestreckt.

Leidenschaftslos betrachtete der künftige Burgvogt den Mann, der sich zu seinen Füßen krümmte. »Du leistest ab sofort Dienst in den Ställen.« Dann schrie er erneut: »Hoch mit dir! Und geh mir aus den Augen.«

Mühsam stemmte sich der Geprügelte hoch. Niemand wagte es, ihm beim Aufstehen zu helfen. Er wollte sich abwenden und gehen, doch ein donnerndes »Halt!« ließ ihn zusammenzucken. Ängstlich drehte er sich zu seinem Dienstherrn um.

»Deine Waffen«, forderte dieser und streckte die Hand aus. »Als Stallbursche brauchst du keine mehr.«

Mit zittriger Bewegung händigte der Knecht den Dolch und das einfache Schwert aus und humpelte dann, so schnell er konnte, davon.

Randolf warf dem schluchzenden Mädchen eine Münze zu. »Als Wiedergutmachung.«

Ihr Vater griff nach dem Geld und verbeugte sich eilfertig.

»Ich hoffe, damit ist der Gerechtigkeit Genüge getan«, sagte Randolf und blickte in die Runde. Dann sah er zu Christian. »So etwas wird nicht wieder vorkommen.«

Marthe fand ihre Stieftöchter zutiefst verstört vor, als sie ins Haus zurückkehrte.

»Ich habe Angst«, stieß Johanna hervor, die sonst kaum aus der Fassung zu bringen war. Sie zitterte vor Anspannung.

Marthe zog sie an sich und streichelte dem Mädchen den Rücken. »Das musst du nicht«, sagte sie, so fest sie konnte.

»Ich kann nicht vergessen, was er Karl angetan hat«, meinte Johanna gequält. »Und Jonas. Ich muss immer noch davon träumen, wie seine Leute Berthas Mann aufgehängt haben und wie sein Dolch in die alte Mutter Grete fuhr ...«

Stumm drückte Marthe das Mädchen an sich. Konnte sie ihr guten Gewissens versprechen, dass sich so etwas nicht wiederholen würde?

»Selbst Ritter Christian konnte nichts gegen sie ausrichten«, wehklagte Johanna weiter. »Sie haben ihn gefangen genommen und fortgebracht. Und dann kamen sie wieder und sagten, er sei tot.«

»Aber das war gelogen. Er hat sich geopfert, um uns zu retten«, widersprach Marthe.

Zu ihrem Erstaunen war es Marie, die sich nun einmischte. »Und dann ist er zurückgekehrt und hat sie alle davongejagt. Er wird auch diesmal für Gerechtigkeit sorgen«, sagte sie nachdrücklich und blickte dabei Marthe an.

Die lächelte ihr dankbar zu. »Wir dürfen uns nur keine Angst einjagen lassen.«

Wenn schon die sonst so besonnene und mutige Johanna verzagte, wie sollte sie erst ihrem kleinen Sohn erklären, was im Dorf vor sich ging? Mit seinen drei Jahren war Thomas alt genug, um allerlei mitzubekommen und aufzuschnappen, aber zu klein, um vorsichtig zu sein.

Noch am gleichen Abend verließen Randolf und seine Frau das Dorf, nachdem sich Richenza mit überschwenglicher Höflichkeit von Marthe verabschiedet hatte. Marthe vermutete, dass die beiden im Nachbardorf übernachten würden, das einem von Randolfs Anhängern gehörte.

Die Einzelheiten von Christians erstem Sieg hatten längst die Runde gemacht und wurden von den neueren Dorfbewohnern mit spöttischer Freude und Häme gegenüber den Fremden aufgenommen.

Doch wer von den Christiansdorfern das Blutgericht miterlebt hatte, das der künftige Burgvogt hier vor ein paar Jahren abgehalten hatte, der atmete erleichtert auf und bekreuzigte sich, weil diesmal alles glimpflich verlaufen war. Bergmeister Hermann stiftete eine Kerze, und auch Pater Bartholomäus kniete vor dem Altar nieder und sprach ein Dankgebet, das aus tiefstem Herzen kam.

Die Bauleute begannen, in der Nähe der künftigen Burg Hütten zu errichten, in denen sie schlafen und ihr Werkzeug aufbewahren konnten. Ihr Meister kam zu Christian und bat ihn mit höflichen Worten, ihm eine Frau zu empfehlen, die seine Männer bekochen konnte. Christian schickte ihn zur Witwe Elsa, die resolut genug war, um mit einer Horde rauher Bauleute zurechtzukommen. Außerdem hatte sie den kleinen Peter, der ihr bei der Arbeit zur Hand gehen konnte. Die Witwe willigte sofort ein, der Zuverdienst war ihr hochwillkommen.

Währenddessen machte sich eine Gruppe Steinbrecher auf den Weg zu einer gut eine Meile entfernten Stelle, um dort geeignetes Material für den Bau des Bergfrieds zu gewinnen.

Nach ein paar Tagen begann Marthe, Hoffnung zu schöpfen, dass sie die neue Situation vielleicht doch heil überstehen konnten.

Genau in diesem Augenblick kam ein Bote mit der Nachricht, Markgraf Otto wünsche Christian und dessen Gemahlin unverzüglich in Meißen zu sehen.

Christian bemerkte, dass Marthe erbleichte und ihren Blick unwillkürlich auf seine rechte Hand richtete, als würde sie sie ein letztes Mal sehen.

»Randolf hat doch selbst zugegeben, dass sein Knecht Unrecht begangen hat«, rief sie, nachdem der Bote gegangen war. »Bei allen Heiligen, was hat er dem Markgrafen erzählt?«

Beschwichtigend legte ihr Christian den Arm auf die Schulter. »Vielleicht geht es um etwas ganz anderes. Und dich wollen sie vermutlich dort haben, damit du Hedwig bei ihrer Schwangerschaft beistehst.«

Marthe senkte den Kopf, um ihre Ängste zu verbergen. Es war immer schwierig, wenn nicht unmöglich, vorherzusagen, was Markgraf Otto plante. Würde er Christian bestrafen? Oder hatte er lediglich eine neue Order? Alles war möglich.

Christian schien ähnlich zu denken wie sie, auch wenn er es nicht aussprach. Er beschloss, ohne seinen Knappen mit Marthe nach Meißen zu reiten. Nur Lukas sollte sie begleiten, für den Fall, dass Marthe ohne ihn zurückkehren musste.

Und ihr entging auch nicht, dass er Richard und Gero auftrug, für die Sicherheit seiner Kinder zu sorgen, falls er nicht bald wiederkäme.

Josefas Prophezeiung

»Ruhig! Ruhig.« Christian hatte sich zurückfallen lassen und griff nach den Zügeln von Marthes Stute. Das Tier spürte sofort die kräftige Hand und den starken Willen des fremden Reiters und gehorchte.

»Sie merkt genau, wenn du mit den Gedanken ganz woanders

bist«, rügte Christian seine junge Frau. »Dann setzt sie ihren eigenen Kopf durch und macht, was sie will.« Er hatte darauf bestanden, dass sie reiten lernte, und war ihr dabei ein guter, wenn auch strenger Lehrer gewesen.

»Du hast gut reden«, sagte Marthe und stöhnte. »Du kannst ja auch richtig auf dem Pferd sitzen und nicht in diesem merkwürdigen Damensitz. Wie soll ich denn oben bleiben, wenn ich auf einer Seite hänge, und dabei auch noch die Gewalt über das Tier behalten?«

Christian lachte leise. »Du wirst es schon noch lernen.«

»Ja, Dame Marthe, sonst sehe ich den Tag kommen, an dem dich dein Sohn wegen deiner Ungeschicklichkeit auslacht«, rief Lukas mit kurzzeitig wiedererwachter Spottlust herüber.

Sie verdrehte die Augen. Die beiden waren praktisch auf dem Pferderücken aufgewachsen. Und wie sollte sie sich auf die Stute konzentrieren, wo ihr doch so viele Dinge durch den Kopf gingen? Je mehr sie sich Meißen näherten, umso düsterer wurden ihre Gedanken.

Als der Burgberg in Sicht kam, auf dem der Markgraf, der kaiserliche Burggraf und der Bischof ihren Sitz hatten, versuchte sie, sich Mut zu machen. Vielleicht war sie wirklich nur gerufen worden, um nach Hedwig zu sehen.

Sie sollte keine Kinder mehr bekommen, dachte Marthe. Die Markgräfin war nun dreißig Jahre – ein Alter, in dem die meisten Bäuerinnen schon ausgelaugt und zahnlos waren, wenn sie überhaupt so alt wurden.

Andererseits hatte Hedwigs Mutter Sophia elf Kinder zur Welt gebracht, die auch das Säuglingsalter überlebten. Und wie sollte Hedwig vermeiden, dass sie schwanger wurde? Bei Strafe ihres Untergangs durfte sie Otto nicht zurückweisen, wenn er sie nachts aufsuchte. Und obgleich Marthe als Kräuterkundige und Wehmutter Mittel und Wege kannte, eine Schwangerschaft zu verhindern – auf diese Art dafür zu sorgen, dass dem Markgrafen keine weiteren Erben geboren wurden, konnte für beide Frauen den Tod bedeuten.

Der Haushofmeister, der seine schmächtige Statur stets mit besonderer Herablassung wettmachen wollte, empfing sie gewohnt kühl auf dem Burgberg. Er schickte Marthe zu Hedwig, während er Christian aufforderte, sich unverzüglich in die Halle zu begeben, wo der Markgraf ihn bereits erwarte.

»Wir sehen uns beim Mahl«, sagte Christian leichthin.

Oder im Kerker, dachte Marthe bitter. Falls man mich überhaupt zu dir lässt, um deinen blutenden Armstumpf zu verbinden.

Ihr war, als hätte sie einen Eisklumpen im Bauch, während sie zu Hedwigs Kammer ging. Vor der Tür wurde sie von Susanne empfangen, einer von Hedwigs Mägden und Marthes Freundin seit ihrem ersten Tag auf dem Burgberg.

»Sie schläft, endlich einmal«, flüsterte die junge Frau mit den vielen Sommersprossen. »Es ist schon nicht mehr mitanzusehen. Sie isst kaum, schläft so gut wie gar nicht, und wenn sie spricht, hat man den Eindruck, sie sieht durch einen hindurch und ist mit den Gedanken ganz woanders. Dabei koche ich ihr immer dieses Gebräu gegen die Übelkeit, wie du es mir gezeigt hast.«

Wenn sie unter sich waren, sprachen Susanne und Marthe weiter wie Freundinnen, doch im Beisein anderer durfte sich eine Magd keine Vertraulichkeiten gegenüber einer Edelfreien erlauben. Also suchten sie sich einen entlegenen Platz, hockten sich auf die Treppe und redeten wie in vergangenen Tagen.

»Weißt du, was sie bedrückt?«

Susanne nickte. »Ihr Ältester, Albrecht. Er ist« – sie stockte und flüsterte nun – »ein Ungeheuer. Sie sieht ihn nicht oft, weil er als Knappe am Hof ihres Bruders lebt. Aber was ihr beim jüngsten Hoftag wieder zu Ohren kam …«

Susanne verzog das Gesicht voller Abscheu. »Gott schütze uns vor dem Tag, an dem er auf den Burgberg zurückkehrt. Ich denke manchmal, sie hat Angst, noch so eine Teufelsbrut in die Welt zu setzen.« Hastig schlug sie ein Kreuz.

Marthe spürte, dass Susanne etwas sagen wollte, sich dann aber im letzten Augenblick zurückhielt. Das ließ sie aufmerken. Wenn ihre geschwätzige Freundin etwas verschwieg, dann musste es ein wirklich gefährliches Geheimnis sein. Also fragte sie besser nicht danach. Sie war ohnehin schon in mehr Schwierigkeiten verwickelt, als gut sein konnte, und sie durften sich nicht sicher sein, dass es keinen Lauscher gab. Hier war man nie wirklich allein.

Wenig später wurden sie von einer Kammerfrau zur Markgräfin gerufen.

So froh Hedwig sonst über Marthes Kommen gewesen wäre, diesmal fürchtete sie die Begegnung mit der hellsichtigen jungen Frau. Würde sie ihr Geheimnis erraten? Doch Otto hatte befohlen, dass Marthe nach ihr sah, weil sie trotz ihres neuen Standes weiterhin als Wehmutter arbeitete und dabei den besten Ruf hatte.

Auf dem ganzen Burgberg wurde schon darüber gewispert und gerätselt, welche fürchterliche Sünde Markgraf Dietrich wohl begangen haben mochte, der vor zwei Tagen hier eingetroffen war, mit Verweis auf eine auferlegte Buße striktes Fasten einhielt und jede Nacht längere Zeit in der Kapelle zubrachte.

Und sie selbst fürchtete nichts mehr, als sich durch einen Blick zu verraten, wenn sie mit ihm in einem Raum war. Auf dem Burgberg konnten sie nie allein sein. Es kostete sie alle Kraft, an der Tafel neben ihm zu sitzen oder ihn anzusehen, ohne ihm in die Arme zu fallen und ihn zu küssen, ihn in ihr Bett zu ziehen und in die Welt hinauszuschreien, dass sie ihn mehr als alles sonst liebte.

Dietrich erging es nicht anders, das wusste sie. Nach außen hin höflicher Schwager, sagten ihr die Art, wie er zur Begrüßung ihre Hand berührte, die leidenschaftlichen Blicke, die er ihr schenkte, wenn er den Hofstaat in seinem Rücken und nicht vor sich hatte, dass er sie liebte und begehrte.

Aber was mochte in ihm vorgehen, wenn er ihren anschwellenden Leib sah? Musste sich ihm nicht das Bild aufdrängen, wie sein Bruder von ihr Besitz ergriff?

Wie lange konnte das noch gutgehen? Wie lange konnten sie ihr Geheimnis noch vor der Welt verbergen? Und vor allem – wann endlich konnten sie wieder ohne Zeugen zusammen sein?

Als wäre das nicht alles schon schlimm genug, strafte Gott sie für ihre furchtbare Sünde auch noch mit dieser schwierigen Schwangerschaft. Was wuchs da in ihrem Leib heran? Sie war verdammt, verdammt wegen eines einzigen Nachmittags des Glücks.

Vielleicht sollte sie das Gespräch mit der hellsichtigen Heilerin besser unter vier Augen führen.

»Lasst uns allein«, befahl sie den Frauen, die ihr in der Kemenate Gesellschaft leisten sollten und sofort gehorchten.

Hedwig nahm sich zusammen und schenkte Marthe ein hintergründiges Lächeln. »Mir ist zu Ohren gekommen, dass der erste Auftritt des künftigen Burgvogts in Ritter Christians Dorf zu Euren Gunsten ausgegangen ist.«

Ihre Worte ließen Marthe aufatmen. Das klang nicht danach, als wollte Otto ihrem Mann sein Vorgehen gegen Randolfs Knecht vorwerfen. Doch sie war erschrocken über Hedwigs Aussehen:

Das Gesicht der Markgräfin war schmal geworden, ihre Augen waren tief umschattet. Marthe spürte, dass der Kummer wie eine dunkle Wolke über Hedwig hing und sie niederdrückte. Und ein sicheres Gefühl sagte ihr, dass dieser Kummer nicht nur von der schwierigen Schwangerschaft herrührte.

»Erzählt mit alles – bis in die letzte Kleinigkeit«, meinte Hedwig in verschwörerischem Ton.

Sie ist also nicht bereit, gänzlich in ihrem Leid zu versinken, dachte Marthe erleichtert. Und ihr selbst blieb noch genug Zeit, um über das heikle Problem nachzudenken, wie sie weitere Schwangerschaften verhindern konnten. Zuerst einmal musste die Markgräfin diese überstehen.

Als Marthe zu Ende erzählt hatte, herrschte eine Weile Schweigen im Raum. Schließlich sagte Hedwig leise, fast flehend: »Ich brauche deine Hilfe. Der ganze Hofstaat zerreißt sich schon das Maul darüber, dass mir diese Schwangerschaft nicht bekommt. Und die meisten Klatschmäuler reiben sich die Hände, weil ich mich nun kaum noch um Ottos Angelegenheiten kümmern kann. Hilf mir, das zu überstehen! Hilf mir, dass ich weiter meine Aufgaben erfüllen kann!«

»Jeder andere würde Euch zuerst raten, Euch zu schonen …«, begann Marthe vorsichtig. Sie ahnte, dass Hedwig genau diesen Rat nicht annehmen würde, nicht annehmen konnte.

»Das Recht dazu ist einer Fürstin nicht gegeben«, hielt ihr Hedwig mit einer Spur früheren Stolzes entgegen. »Und im Moment werde ich mehr denn je gebraucht.«

Die Markgräfin starrte geradeaus, auf einen unbestimmten Punkt in der Ferne, und senkte die Stimme noch mehr. »Otto ist unleidlich durch sein Zahnweh und das Reißen in seinen Gliedern. Er trifft Entscheidungen aus einer Laune heraus, und aus einigen kann nur Unheil erwachsen. Nicht zuletzt, was Euer Dorf betrifft. Ihr wisst es genauso gut wie ich. Ich muss meinen Einfluss auf ihn zurückgewinnen, meine Kraft und meine Stärke.«

Und meinen Widerwillen gegen ihn verbergen, damit er nichts von meinen Gefühlen für Dietrich merkt, dachte sie verzweifelt.

Marthe bat um Erlaubnis, Hedwigs Puls zu fühlen, befragte sie nach allen möglichen Einzelheiten ihres Befindens.

»Ich kann Euch verschiedene Heiltränke zubereiten, gegen die Übelkeit und gegen die Schwermut, die auf Euch lastet«, sagte sie schließlich. »Etwas zur Stärkung und etwas für erholsamen Schlaf. Aber das allein wird nicht helfen.«

Sie lächelte der Markgräfin aufmunternd zu. »Lasst Euch ein warmes Bad richten, das bringt Farbe auf Eure Wangen, und ich kann Euch all die Verspannungen wegmassieren. Und Ihr solltet dieses tiefbraune Kleid ablegen, es lässt Euch müde aussehen. Tragt wieder kräftige Farben, rot und blau, die stehen Euch besser. Auch wenn das Euren Kummer nicht lindert – es hilft Euch, ihn vor den anderen zu verbergen. Sie dürfen Euch nicht für schwach halten.«

Nach einem tiefen Atemzug fuhr sie leiser fort: »Ich weiß, Ihr seid bedrückt. Aber vielleicht tröstet Euch dies: Ich bin sicher, Ihr werdet eine bildhübsche Tochter bekommen.«

Nach einem Moment des Schweigens sagte Hedwig tiefbewegt: »Aus Eurem Mund beruhigt mich das wirklich.«

Als Hedwig sie entließ, begab sich Marthe auf die Suche nach Christian. Sie ging die Treppe hinunter und warf von der Tür aus einen Blick in die prächtige Halle. Dort stand ihr Mann gemeinsam mit mehreren anderen Männern vor Otto, der auf seinem reichverzierten Stuhl saß. Sie schienen in aller Gelassenheit etwas zu bereden. Nichts deutete darauf hin, dass es Ärger gegeben hatte. Erleichtert stieß Marthe ein Dankgebet aus und ging Richtung Küche, um die Arzneien für Hedwig zuzubereiten.

Johanniskraut, überlegte sie. Melisse. Frauenmantel. Bibernelle. Was noch? Und in welchem Verhältnis?

Dass sie in Gedanken schon ganz bei der besten Medizin war, wurde ihr zum Verhängnis, als sie an einem schmalen Durchgang vorbeikam. Jemand packte sie grob von hinten, presste ihr eine riesige Hand auf den Mund und zerrte sie in den dunklen Gang. Der Unbekannte verfügte über Bärenkräfte, ihre verzweifelte Gegenwehr schien ihm nicht das Geringste auszumachen. Er hob sie einfach hoch und stieß sie in einen dunklen Raum. Als die Tür hinter ihr zuschlug, drückte er sie mit seinem schweren Körper gegen das Mauerwerk und setzte ihr einen Dolch an die Kehle. Sie fühlte die Klinge, roch seinen Schweiß und den Wein in seinem Atem.

Was will er? Marthes Gedanken rasten. Warum sagt oder tut er nichts?

Von draußen hörte sie sich rasch nähernde schwere Schritte. Doch als sich die Tür öffnete und zwei weitere Männer die Kammer betraten, von denen einer eine Fackel trug, die den winzigen Raum ausleuchtete, erlosch in ihr jede Hoffnung auf Rettung.

Sie war Gefangene jener drei Ritter, die sie zusammen mit Randolf wieder und wieder geschändet hatten.

»Beim ersten Laut schlitze ich dir die Kehle auf«, zischte der feiste Giselbert, ohne seine massige Hand von ihrem Mund zu nehmen. Die Körperkraft ihres Gegenübers ließ nicht die geringste Bewegung zu.

»Lass sie los«, meinte der hochgewachsene Ekkehart mit seiner wie stets undurchdringlichen Miene. »Sie wird still sein.«

Giselbert zögerte einen Moment, dann erlöste er sie von seiner schweren, verschwitzten Hand, während er sich weiter gegen ihren Körper presste und den Dolch an ihren Hals drückte. Gierig atmete sie die stickige Luft ein.

Elmar, der wie immer sein rötliches Haar sorgfältig frisiert und gelockt hatte, trat einen Schritt näher und sah auf sie herab. »Randolf weiß nichts hiervon. Seine Abmachung mit dem Markgrafen betrifft uns nicht, wir sind nicht daran gebunden«, sagte er mit der ihm eigenen Kaltblütigkeit. »Das ist eine Warnung. Sollte Randolf deinetwegen Schwierigkeiten bekommen, stechen wir dich ab. Und vorher deine Brut, vor deinen Augen.«

Er gab Giselbert ein Zeichen, sie loszulassen.

Marthe lehnte sich mit zittrigen Knien gegen die Wand. Ihre Kinder! Doch dann zwang sie sich zu Beherrschung. Thomas und Clara waren in Sicherheit und gut geschützt, dafür würden Christian und seine Freunde stets sorgen. Sie durfte keine Angst zeigen, sonst war sie verloren. Furchtlosigkeit war jetzt ihre einzige Waffe gegen diese drei Männer, die so viel größer und stärker als sie waren.

Mit einem Mal packte sie eine ungeheure Wut.

»Ich bin nicht mehr vierzehn und schutzlos«, fuhr sie Elmar an. »Wenn mir etwas zustößt, wird jeder wissen, wo die Schuldigen zu suchen sind. Markgraf Otto wird Nachforschungen anstellen. Und Christian wird mich rächen.«

»Nicht mehr schutzlos?«, höhnte Giselbert. »Das wollen wir erst einmal sehen.« Mit seinem massigen Unterleib stieß er anzüglich gegen ihren Körper und grinste. »Ich denke, du hast es nicht vergessen ...«

Ekkehart zog ihn von ihr weg. »Hör auf«, sagte er mit gleichgültiger Stimme. »Sie ist keine Magd mehr. Wenn ihr Kleid zerreißt und sie gefragt wird, was passiert ist, bekommen wir wirklich Ärger.«

Unwillig trat der Feiste einen Schritt zurück.

Elmar griff hart nach ihrem Kinn und musterte sie verächtlich. »Ein schwaches Weib gegen drei im Kampf bewährte Ritter. Was willst du denn tun?« Er drehte sich zu den anderen um. »Vielleicht sollten wir unserer Drohung etwas mehr Nachdruck verleihen.«

»Lass sie gehen«, meinte Ekkehart fast gelangweilt. »Sie weiß nun Bescheid. Du wirst schweigen?«

Sie nickte. Erhobenen Hauptes, wenn auch mit weichen Knien, trat sie aus der Kammer, nachdem ihr Ekkehart die Tür geöffnet hatte. Draußen atmete sie tief durch und lief davon, so schnell sie konnte.

Noch etwas, das sie Christian verschweigen musste. Langsam fragte sie sich, wie viele Geheimnisse ihre Liebe wohl vertrug.

Wie immer war der strenge Küchenmeister dabei, von seinem hohen Schemel in der Mitte der Küche aus eine ganze Heerschar von Helfern zu befehligen, die Gänse rupften, Fische ausnahmen, in großen Kesseln rührten oder Brote in dicke Scheiben aufschnitten, die als Unterlage für die Speisen dienten. Und wie immer wunderte sich Marthe darüber, dass jemand in diesem Amt so mager sein konnte.

Als der Küchenmeister sie erkannte, hielt er für einen Augenblick inne und verbeugte sich tief. Er hatte von ihrer ersten Begegnung an eine Schwäche für Marthe, weil sie Hedwigs zweitgeborenen Sohn Dietrich, der als kleiner Junge kränklich gewesen war, Arzneien zubereitet hatte, die schnell gute Wirkung zeigten. Natürlich war es äußerst ungewöhnlich – um nicht zu sagen unschicklich –, dass sich die Frau eines Ritters in die Küche verirrte. Aber auf dem Burgberg wusste so gut wie jeder, dass Marthe in der Heilkunst erfolgreicher war als der Medicus, der früher in Ottos Diensten gestanden hatte. Wenn sie jetzt hier auftauchte, konnte das nur bedeuten, dass sie etwas unternehmen würde, damit es der Markgräfin besserging, die unübersehbar unter ihrer Schwangerschaft litt. Eine Fürstin hatte zu strahlen.

Der Küchenmeister verlor deshalb kein Wort darüber, dass jetzt, so kurz vor dem Mahl, seine Leute alle Hände voll zu tun hatten. Er rief eine der Mägde herbei und befahl ihr, alles unverzüglich auszuführen, was Marthe anwies.

Denn eines hatte sich geändert im Vergleich zu Marthes erstem Erscheinen hier: Es war nun undenkbar, dass sie sich selbst ans Herdfeuer stellte. Also erklärte sie der rundlichen Magd, deren Gesicht in der Hitze der Küche glühte und deren Augen vom Rauch tränten, wie sie den Heiltrank zubereiten musste.

Während Marthe zusah, beruhigte sie sich, so gut es ging. Dabei fiel ihr auf, dass diesmal kein Fleisch auf Spießen briet wie sonst, sondern alles in großen Kesseln gesotten wurde. Wohl wegen Ottos Zahnweh. Da sich der Markgraf nicht entschließen konnte, den Bader kommen und den schlimmen Zahn ziehen zu lassen, musste alles Fleisch so weich gekocht werden, dass auch der Markgraf davon essen konnte.

Als die Medizin endlich fertig war, brachte Marthe die fertige Mixtur in Hedwigs Kammer. Dort wartete Susanne schon ungeduldig. »Du bist mit Ritter Christian an die hohe Tafel geladen«, sagte sie hastig. »Beeil dich, das Mahl wird gleich beginnen.«

Sie rückte den schmalen Reif gerade, an dem der zarte Schleier befestigt war, der Marthes Haar bedeckte, bürstete ein paar Staubkörnchen von dem grünen Kleid mit dem rostroten Besatz und schob sie die Treppe hinunter.

Hedwig und Otto standen an einem Ende der großen Halle, mit ihnen Christian, Lukas und ein dunkelhaariger Edelmann, der Marthe den Rücken zuwandte. Als sie sich auf ein Zeichen

Hedwigs der Gruppe näherte, drehte er sich zu ihr um und begrüßte sie mit einer vollendeten Verbeugung.

»Dame Marthe! Welche Freude, Euch wiederzusehen.«

Marthe sank auf die Knie. »Mein Herr. Meine Herrin. Markgraf Dietrich.«

»Erhebt Euch und seid unser Gast an der hohen Tafel«, gebot Otto.

Dietrich, der ihr am nächsten stand, half ihr auf und lächelte sie dabei ermutigend an.

»Eine Bitte an Euch und Euren Gemahl war einer der Gründe, weshalb wir Euch hergebeten haben«, sagte er.

Sein Lächeln erlosch, nun wurden seine Gesichtszüge ernst.

»Ich werde den Kaiser auf seinem nächsten Italienfeldzug begleiten. Aber ich kann meine Markgrafschaft nicht unbeaufsichtigt lassen. Es gibt neue Unruhen mit den slawischen Stämmen an den Grenzen, und Herzog Heinrich lässt wieder einmal nichts unversucht, sie gegen mich aufzuwiegeln. Mein Sohn wird vor der Zeit erwachsen werden müssen. Deshalb habe ich Euren Mann ersucht, ihn als Knappen bei sich aufzunehmen und einen guten Kämpfer aus ihm zu machen.«

Er rief seinen Sohn herbei, der mit ernster Miene abseits stand.

»Verneige dich vor der Dame deines künftigen Ritters«, forderte er Konrad auf.

Der Sechzehnjährige – das jüngere Abbild seines Vaters, schlank und schwarzhaarig – besann sich sofort und verbeugte sich ebenso vollendet wie zuvor Dietrich. »Dame Marthe, es wird mir eine Ehre sein, zu Eurem Haushalt zu gehören.«

»Die Ehre ist ganz auf unserer Seite«, versicherte sie.

Sie wechselte einen kurzen Blick mit Christian, der wohl ahnte, was sie dachte: Und deshalb war sie vor Angst fast gestorben! Wie herzlos von Otto, dem Boten nicht ein beruhigendes Wort zum Anlass seiner Order mitzugeben. Oder hatte der Markgraf sie bewusst dieser Ungewissheit ausgesetzt – als Warnung? Je länger sie darüber nachdachte, desto wahrscheinlicher erschien ihr das.

Markgraf Otto bedeutete ihnen mit einer Handbewegung, mit ihm zur hohen Tafel zu gehen. Nach ihnen nahm die gesamte Hofgesellschaft an den Tischen Platz, die in langen Reihen in der großen Halle aufgestellt waren. Ein Geistlicher, der ebenfalls an der hohen Tafel saß, sprach ein Tischgebet für alle. Dann trugen Diener und Mägde das Essen auf.

Der junge Konrad übernahm sofort seine Pflichten als Knappe Christians und legte ihm und Marthe unter den strengen Blicken seines Vaters mit geschickter Hand Fleischstücke vor.

Sie spürte, dass er verunsichert und zornig zugleich war. Wenn er von Ottos Hof, wo er bisher einem anderen Ritter als Knappe gedient hatte, zu Christian geschickt wurde, war das ein sicheres Zeichen dafür, dass sein Vater mit seinen Fortschritten nicht zufrieden war.

Nun bediente er sie und auch Lukas, der neben ihr saß – jene beiden, die ihn vor dreieinhalb Jahren aus tödlicher Gefahr gerettet hatten, als die Spionin des Löwen ihn als Geisel genommen hatte. Marthe ahnte, dass Konrad immer noch nicht überwunden hatte, vor den Augen des gesamten Hofes hilflos in der Gewalt einer Frau gestanden zu haben, die ihm einen vergifteten Dorn an die Schläfe hielt, auch wenn er damals erst dreizehn Jahre alt gewesen war.

Was mochte der Vorfall in ihm bewirkt haben?, grübelte sie, während sie dem Jungen ein aufmunterndes Lächeln schenkte, auf das er mit knappem, ernstem Nicken antwortete.

Scham vor der vermeintlichen Schande? Angst vor Wiederholung? Oder Leichtsinn, um seinen Mut nun bei der erstbesten Gelegenheit zu beweisen?

Der dunkle Schatten hinter Konrad – ein Spiel der flackernden

Kerzen, Erinnerung daran, dass er um Haaresbreite gestorben war, oder Zeichen für drohendes Unheil?

Markgraf Dietrich war ihrem Blick gefolgt und beugte sich ein wenig zu ihr hinüber. »Ich denke, die Anwesenheit meines Sohnes in Christiansdorf wird künftig dazu beitragen, möglicherweise unzutreffende Berichte über das Geschehen dort zu entkräften, wenn nicht gar zu verhindern«, sagte er im Plauderton.

»Danke für Euer Vertrauen und Euren Schutz«, antwortete sie aus ehrlichem Herzen.

Doch hinter Dietrichs gewohnt vollendeter Höflichkeit und seiner unverkennbaren Sympathie für Christian und sie fühlte Marthe mit ihren ausgeprägten feinen Sinnen, dass er voller Unruhe und Verzweiflung war – genauso wie Hedwig. Eine vage Ahnung überkam sie. Doch sie verbot sich, den Faden in Gedanken weiterzuspinnen. Wenn das stimmte, war Hedwig verloren, sollte je ein anderer Mensch davon erfahren.

Zum Glück fiel nicht auf, dass sie kaum etwas aß. Von einer Dame wurde erwartet, dass sie nur mit zierlich gespreizten Fingern ein paar winzige Bissen nahm.

Dies ist nicht meine Welt, dachte Marthe einmal mehr. Ich sollte dort unten sitzen, bei Susanne und den Mägden. Aber dann würde nichts und niemand sie auf Dauer vor Randolf und seinesgleichen schützen. Die Auszeichnung, dass sie an Markgraf Dietrichs Seite an der hohen Tafel sitzen durfte, machte klar, dass Christians Feinde nun nicht mehr so mit ihr umspringen konnten wie früher.

Dennoch hatte sie vor jeder Reise nach Meißen oder zu einem Hoftag den gleichen Alptraum: Sie ging durch ein Rudel reißender wilder Tiere, die sie nicht aus den Augen ließen. Und sie wusste, die Bestien würden sie sofort anspringen und in Stücke reißen, wenn sie auch nur ein Quentchen ihrer Angst zeigte.

Am nächsten Morgen brach Markgraf Dietrich mit seinem Gefolge auf, um zu seiner Burg Landsberg zurückzukehren.

Zuvor rief er seinen Sohn zu sich.

»Nutze die Zeit bei Ritter Christian«, ermahnte er Konrad. »Du kannst viel von ihm lernen, nicht nur den Umgang mit Schwert und Lanze.«

»Ja, Vater«, antwortete Konrad, während er den Blick gesenkt hielt.

Der halbe Hofstaat war angetreten, um den Markgrafen der Ostmark zu verabschieden. Als er mit seinen Leuten durch das Tor geritten war, wandte sich Konrad beinahe zaghaft an seinen neuen Herrn. »Werdet Ihr mir jetzt vor all den anderen Knappen nachweisen, wie viel mir noch fehlt zu einem guten Ritter?«, fragte er entmutigt.

Da Christian und seine Begleiter an diesem Tag noch nicht abreisen würden, denn die Markgräfin hatte Marthe erneut zu sich befohlen, war es naheliegend, dass Konrad wie üblich an den Waffenübungen der Knappen teilnahm – und das unter Christians strenger Leitung, der sich jedes Mal gemeinsam mit Lukas um die Knappen kümmerte, wenn er auf dem Burgberg war.

Christian ahnte, wie sehr der Gedanke Dietrichs Sohn zusetzte, öffentlich bloßgestellt zu werden. Und er kannte Konrads Schwachstelle im Kampf: Er war ausgeprägter Linkshänder. Das konnte einen Vorteil gegenüber dem Kontrahenten bringen, aber nur, wenn er das Schwert mit der Rechten genauso gut führte. Dies zu lernen würde Konrads vordringliche Aufgabe in der nächsten Zeit sein.

Beruhigend legte er seinem neuen Schützling die Hand auf die Schulter. »Wir reiten aus. Sattle dein Pferd.«

Jetzt, da Konrad sein Knappe war, stand ihm die vertrauliche Anrede anstelle des höflichen »Ihr« zu.

Erleichtert atmete der Junge auf und lief zu den Stallungen.

Sie ritten gemeinsam ein ganzes Stück hinaus aus der Stadt, dann in scharfem Galopp über eine weite Ebene und einen Hügel hinauf. Konrad war ein vorzüglicher Reiter; so manche Lektion zu Pferde hatte er schon als Kind gemeinsam mit seinem Vetter Dietrich bei Christian absolviert.

Auf dem Hügel hielt Christian an und gab Konrad ein Zeichen, sein Pferd neben den Grauschimmel zu lenken. In weitem Bogen wies er über den glitzernden breiten Fluss, die Wälder, die Weinberge und Felder. »Es ist ein schönes Land, über das dein Oheim herrscht. Reich an Wild und fruchtbarem Boden.«

»Aber arm an Menschen«, meinte Konrad, der von dem raschen Ritt wie befreit wirkte.

»Die Menschen sind der wahre Reichtum eines Landes«, fuhr Christian fort. »Sie säen und ackern, sie bringen die Früchte ein, die Gott über und unter der Erde wachsen lässt.«

»Wie das Silber in Eurem Dorf«, meinte Konrad.

»Ja. Schon dein Großvater, dessen Namen du trägst, hat deshalb Siedler ins Land geholt; genau wie dein Vater und dein Onkel.«

Konrad klopfte seinem Pferd beruhigend auf den Hals. Doch Christian erkannte, das war nur eine Geste, um zu überspielen, dass er etwas auf dem Herzen hatte.

»Frag, was dir auf der Zunge liegt«, ermunterte er Dietrichs Sohn.

»Es ist etwas heikel«, gestand Konrad mit betretener Miene.

»Wir sind hier ohne Zeugen, und ich bin immer für ein offenes Wort zu haben.«

Konrad zögerte einen Augenblick, dann sagte er mit gesenkter Stimme: »Mir scheint es nicht immer gerecht, wie mein Onkel Euch behandelt. Manchmal denke ich, Ihr würdet lieber in die Dienste meines Vaters treten.«

»Wer hat je behauptet, dass es auf Erden gerecht zuginge?«, entgegnete Christian mit bitterer Ironie. Dann wechselte er den Ton und wurde ernst. »Nun, es ist zweifellos eine Ehre für jeden Mann, in die Dienste deines Vaters zu treten. Doch ich bin durch einen Eid an deinen Onkel gebunden.«

»Aber er setzt diesen Randolf über Euch, der sich so ehrlos gegen Euch benommen hat. Wie könnt Ihr das ertragen?«, fragte Konrad beinahe heftig.

Christian sah seinem Schützling direkt in die Augen. »Wenn ich Markgraf Otto bitten würde, mich aus seinen Diensten zu entlassen, um mich – beispielsweise – deinem Vater anzuschließen, blieben die Menschen in meinem Dorf Randolfs Willkür ausgeliefert. Du hast gehört, wie er dort vor einigen Jahren gewütet hat. Ich hatte den Siedlern ein besseres Leben versprochen, wenn sie mit mir in das Land deines Oheims ziehen. Ein Versprechen, so gut wie ein Eid.«

Christian verzog einen Mundwinkel. »Und jetzt kommt der delikatere Teil. Lass mich mit einem Vergleich beginnen. Der Kaiser steht fest zu Herzog Heinrich, weil der sein Neffe und Kampfgefährte ist und ihm stets den größten Heerbann gestellt hat. Dennoch ist dein Vater überzeugt, dass der Kaiser dem Falschen sein Vertrauen schenkt und es über kurz oder lang zum Bruch zwischen beiden kommt. Ich habe geschworen, Randolf nicht eher zu töten, als Markgraf Otto es wünscht. Ich kenne ihn seit der Knappenzeit, seine Hinterlist und Rücksichtslosigkeit. Es ist nur eine Frage der Zeit, bis er auch vor deinem Onkel sein wahres Gesicht zeigt.«

Konrad betrachtete seinen neuen Dienstherrn mit leicht geneigtem Kopf. »Ihr seid also nicht nur ein gefährlicher Mann, sondern auch ein geduldiger. Ich verstehe.«

Dann ritten beide wieder an und galoppierten den Hügel hinab.

Nachdem Christian und Konrad wohlbehalten auf dem Burg-berg angekommen waren, übergab Christian seinen neuen Knappen Lukas' Fürsorge und suchte nach seiner Frau.

Sie hatten noch einen Gang vor, von dem hier niemand etwas wissen durfte. Gemeinsam nutzten sie die hereinbrechende Dämmerung für den Weg in eines der ärmsten Viertel Meißens.

»Ich habe euch schon erwartet«, meinte Josefa, als sie die win-zige Hütte betraten. Noch während Christian sich bückte, um unter dem niedrigen Türbalken hindurchzukommen, sah er, dass die weise alte Frau ihre wenigen Habseligkeiten zusam-mengepackt hatte.

Er wunderte sich kaum darüber. Sie hatten schon mehrfach mit Josefa darüber gesprochen, dass es Zeit wurde, sie nach Chris-tiansdorf zu holen. Und er kannte seine Ziehmutter schließlich lange genug, um zu wissen, dass ihre Vorahnungen verlässlicher waren als vieles, was andere über das berichteten, was bereits geschehen war.

»Man hört allerhand über euch in der Stadt«, meinte die Alte, während sie sich erschöpft setzte, dankbar dafür, dass Marthe es übernahm, jedem einen Becher Bier einzuschenken.

»Den Rest kann ich mir zusammenreimen.«

Sie wirkte müde, so müde, wie Marthe sie noch nie erlebt hatte. Trotz der schlohweißen Haare und des hohen Alters war ihr Josefa bisher immer voller Tat- und Willenskraft erschienen. Jetzt lehnte sich die weise Frau gegen die Wand ihrer Kate und schloss die Augen.

»Mir ist nicht mehr viel Zeit beschieden. Ich werde nicht mit euch kommen können«, sagte sie zu Christians Bestürzung. »Meine Sachen, meine Kräuter und Sämereien soll Marthe haben.«

Langsam hob Josefa die schweren Lider und blickte gedanken-versunken ins Leere.

Nach einem Moment der Stille richtete sie ihren schweren Blick auf Christian. »Ihr seid beide in Gefahr. Du« – nun sah sie zu Marthe – »noch mehr als er.«

Marthe fröstelte. Doch statt der bedrohlichen Szene mit Giselbert stand ihr auf einmal wieder der Alptraum aus dem Kerker vor Augen.

Josefa schien die stumme Frage ihrer Besucher zu ahnen. »Erinnerst du dich noch daran, was ich dir bei unserer ersten Begegnung sagte?«, fragte sie Marthe.

Die junge Hebamme musste nicht nachdenken. Zu stark hatten sich ihr jene furchtbaren Worte damals ins Gedächtnis eingebrannt. Von Feuern, die lodern würden, in denen die weisen Frauen und Wehmütter verbrannt würden, weil die Ärzte und die Kirche ihr Tun fürchteten und sie vernichten wollten.

»Der neue Bischof will beweisen, dass er mit aller Strenge gegen heidnischen Aberglauben und bösen Zauber vorgeht, um den wahren Glauben zu schützen. Zeiten des Umbruchs sind gefährlich. Sie bringen noch mehr Eiferer als sonst hervor.«

Die Alte machte eine lange Pause, das Sprechen fiel ihr immer schwerer.

Marthe wollte ihr etwas zu trinken geben, doch Josefa wehrte ab. »Du musst dich endlich wieder auf deine Gabe besinnen«, sagte sie eindringlich.

Marthe bekam ein schlechtes Gewissen. Mühevoll atmend sprach Josefa aus, was ihr selbst gerade durch den Kopf ging: »Du hast dich den ganzen Tag beschäftigt, dich mit Arbeit überladen, und es ist zweifellos ein gutes Werk, Menschen zu heilen. Aber du musst mehr davon deiner Nachfolgerin überlassen. Du brauchst jetzt alle Sinne und alle Kraft, um dich für das zu wappnen, was kommt … um rechtzeitig zu erkennen, was eure Gegner planen …«

Kraftlos sank Josefas Kopf auf die Brust. Sie rang nach Atem,

trank dankbar einen Schluck, den ihr Marthe einflößte, und
flüsterte dann: »Sohn, hol einen Priester, wenn sich einer findet,
der bereit ist, einer weisen Frau die Sterbesakramente zu gewähren.«
Christian wechselte bestürzt einen Blick mit Marthe, die stumm
nickte. Dann stand er auf. Doch bevor er gehen konnte, krallte
Josefa ihre Hand in seinen Ärmel und hielt ihn noch einmal
zurück.
»Nehmt euch in acht«, stieß sie hervor. »Jetzt kommt die Zeit
der Feigheit und der Lügen, die Zeit der Verräter ...«
Dann schloss sie ihre Augen.

Christian schickte Lukas am nächsten Morgen zurück ins Dorf,
damit sich seine Männer nicht länger um ihn und Marthe
sorgten. Er selbst ritt mit Konrad und Marthe erst zurück,
nachdem er für Josefas christliches Begräbnis gesorgt hatte.
Das Erste, was sie bei ihrer Ankunft erfuhren, war, dass die
Dorfbewohner anstelle von Jonas den Tuchhändler zu ihrem
Dorfschulzen gewählt hatten.

Die letzten glücklichen Tage

Es schien, als wollte die Sommersonne mit der jungen Braut um
die Wette strahlen.
Und Marthe fand, dass sie nach all den bedrohlichen Nachrichten und schlimmen Ereignissen der letzten Monate ruhig einmal wieder glückliche Gesichter in Christiansdorf gebrauchen
konnten.

Immerhin, die neuen Bergleute und Schmelzer aus dem Harz waren unter Geros Führung wohlbehalten eingetroffen und hatten bereits ihre Arbeit aufgenommen. Und auch die Ernte versprach trotz des langen Winters gut auszufallen, sollte nicht noch Dauerregen oder ein Unwetter die Saat zerstören, die bei dem günstigen Wetter der letzten Wochen kräftig herangewachsen war.

Manchmal schien es Marthe, als ob diese schönen Sommertage ein letztes Atemholen vor dem großen Übel waren, das auf sie zukommen sollte. Eine Gnadenfrist.

Doch sie verscheuchte den unheilvollen Gedanken. Den Tag von Karls Hochzeit wollte sie nicht durch Grübeleien verderben.

Das bevorstehende Fest hatte im Dorf als Gesprächsthema sogar die aufsehenerregende Neuigkeit verdrängt, dass nun der leibhaftige Sohn eines Markgrafen unter ihnen lebte und von Christian zum Ritter ausgebildet werden sollte.

Johanna und Marie hatten für die fünfzehnjährige Agnes, ihre künftige Schwägerin, einen Brautkranz aus leuchtenden Sommerblumen geflochten. Sie trug ein Kleid aus kornblumenblauem Tuch, das ihr Vater beim Gewandschneider hatte machen lassen. Der Obersteiger verdiente gut an der reichen Silberausbeute und konnte es sich leisten, bei den Handwerkern im Nicolai-Viertel eines in Auftrag zu geben, statt nur eine der Nachbarsfrauen zu bitten, etwas aus selbstgewebtem und waidgefärbten Stoff zurechtzuschneiden und zusammenzunähen.

Karl hatte für seine hübsche Braut einen silbernen Ring gefertigt, in den er ein verschlungenes Muster eingraviert hatte. Als Christian davon hörte, der von dem Geschick des jungen Schwarzschmieds für solch feine Arbeiten wusste, gab er bei ihm einen Kettenanhänger mit dem gleichen Muster in Auftrag und ließ ihn in dem Glauben, er wolle ihn für Marthe. Doch als

Karl und Agnes an diesem Morgen vor die Kirchentür getreten waren, damit Pater Bartholomäus sie vermählte, forderte Christian den Schmied auf, seiner jungen Braut das Schmuckstück anzulegen, das Marthe an einem schmalen Band befestigt hatte. Anschließend verkündete er vor dem versammelten Dorf, dass er dem Paar als Hochzeitsgeschenk das Land überließ, das einst Karls Vater – Marthes erstem Ehemann – gehört hatte.

Nun saßen sie an einer langen Tafel auf der Wiese vor Christians Haus und feierten mit dem halben Dorf.

Alle jene Siedler waren gekommen, die Christian vor sechs Jahren aus Franken gefolgt waren, um im Dunklen Wald Land urbar zu machen, viele Bergleute, dazu Handwerker und Kaufleute und alle, die sonst noch irgendwie mit dem Brautpaar oder seinen Eltern zu tun hatten.

Hiltrud hatte tagelang für das Fest gebraut und gebacken, ein paar Frauen, allen voran die Witwe Elsa, halfen ihr beim Kochen und Braten.

In der Mitte einer Festtafel saßen die Jungvermählten, neben ihnen auf einer Seite Christian und Marthe, Christians Ritter, seine Knappen Konrad und Jakob, die sich gut miteinander verstanden, Karls Schwestern sowie Jonas und Emma. Auf der anderen Seite hatten neben den Brauteltern der Pater, der Bergmeister und Meister Josef als neuer Dorfschulze Platz genommen. Für die anderen Gäste waren weitere Tische und Bänke aufgestellt. Zwei Spielleute, die Christian aus Meißen hatte kommen lassen, gaben Proben ihres Könnens, ohne in dem Trubel allzu viel Beachtung zu finden. Nur der Gaukler, der mit bunten Bällen jonglierte, war von Kindern umringt, unter ihnen auch Thomas und die kleine Clara, die nun sehr zur Zufriedenheit ihres Bruders laufen konnte und juchzend versuchte, einen der Bälle zu fangen.

»Die Eheprobe«, schrie Kuno übermütig, und die Hochzeitsgäste stimmten lautstark ein. Lächelnd füllte Marthe eine Schüssel und reichte den Brautleuten zwei Löffel.

»Nun löffelt die Suppe aus, die ihr euch eingebrockt habt«, zitierte sie die allbekannte Regel. »Wer den letzten Löffel voll erwischt, der hat in der Ehe das Sagen.«

Karl und Agnes tauschten einen verschmitzten Blick, dann begann jeder von ihnen hastig zu essen. Doch bevor sie auf den Grund kamen, zog Agnes die Schale an sich. Sie schob Karl zärtlich einen Löffel Suppe in den Mund, dann legte sie die Hände über die Schüssel. »Er hatte den letzten Bissen. Aber wir lassen noch etwas drin – man weiß ja nie«, erklärte sie. Die Gäste begannen zu johlen und zu protestieren.

»Das zählt nicht«, rief Kuno.

Jonas lachte. »Dann eben anders. Fang sie dir, Karl!«

Begeistert stimmten die Gäste in die Rufe ein und zogen das Brautpaar für das nächste Hochzeitsspiel von den Sitzen.

Agnes bekam zehn Schritte Vorsprung.

»Lauf, so schnell du kannst!«, feuerte Emma sie an. Agnes rannte los, aber es kostete Karl keine Mühe, sie einzuholen und seinen Fuß auf ihren zu stellen – zum Zeichen dafür, dass sie ihm von nun an untertan war. Unter dem Jubel der Dorfbewohner küsste Karl seine junge Frau und führte sie zurück zu ihrem Platz.

Marthe sah lächelnd zu Christian, der vermutlich gerade das Gleiche wie sie dachte. Sie freuten sich über das junge Glück – und sie hätten sich am liebsten davongestohlen, um in ihrer Kammer ihr eigenes zu genießen. Heimlich berührte Christian Marthes Hüfte, arbeitete sich unter dem Tisch zu ihren Schenkeln vor und streichelte sie. Genießerisch schloss Marthe für einen Moment die Augen.

»Ich würde dich am liebsten auf der Stelle nehmen. Wenn es sein muss, gleich hier auf dem Tisch«, flüsterte Christian ihr in der Gewissheit zu, dass ihn bei dem turbulenten Festtreiben niemand sonst hören konnte.

»Das gehört sich nun wirklich nicht für den Herrn des Dorfes«, rügte sie ihn leise, doch ihr sehnsüchtiges Lächeln sagte etwas anderes. »Ich verspreche, dass ich dich für deine Geduld belohne, wenn du bis zur Nacht wartest.«

»Die Liste meiner Wünsche wird lang sein«, raunte er ihr verschwörerisch zu.

»Ich werde sie alle getreulich erfüllen.«

Marthe schloss die Augen, und mit einem Mal stiegen Tränen in ihr auf. Wie lange noch mochte ihnen solches Glück vergönnt sein?

Die Spielleute begannen erneut, ihre Instrumente zu malträtieren. Nun wurden die Brautleute in einen großen Kreis gezerrt, und bald tanzten die meisten Dorfbewohner in einem wilden Reigen durcheinander.

Ausgelassene Bauerntänze standen einem Ritter und seiner Gemahlin natürlich nicht an, deshalb beschränkten sich Christian und Marthe darauf, den Tanzenden zuzuschauen und sich mit ihnen zu freuen. Erstaunt bemerkten sie, dass Kuno sich um Johanna bemühte, die ihr langes blondes Haar diesmal nicht zum Zopf geflochten hatte, sondern offen trug. Sie errötete, lächelte dem verwegenen Burschen, den sie schon seit ihrer Kindheit kannte, schüchtern zu und folgte ihm zum Tanz.

Bei Gott, sie wird bald zur Frau, dachte Marthe. Würde Christian zustimmen, wenn Kuno einmal um sie anhält? Johanna war ihre Stieftochter und Kuno ein angehender Soldat, der das Waffenhandwerk erst noch richtig lernen musste. Doch andererseits würden sie für das Mädchen bestimmt keine Verbindung mit einem Edelfreien verabreden können. Der Herkunft nach war sie eine Bauerntochter und auf dem Weg, auch eine recht gute Heilerin zu werden. Und Kuno war schon immer ebenso tapfer wie loyal gegenüber Christian gewesen.

Marthes Blick wanderte weiter zu Lukas, der zwei Plätze neben ihr saß. Der Blondschopf starrte finster vor sich hin, schien nichts von dem wahrzunehmen, was um ihn herum geschah, und war völlig in düstere Gedanken verstrickt.

Sie ahnte, was in ihm vorging. Christian hatte zugestimmt, Lukas' Braut für eine Weile ins Dorf einzuladen. Aber Lukas hatte sich geweigert, sie schon zu dieser Hochzeitsfeier zu holen, um sie nicht noch ausdrücklich an ihre bevorstehende unfreiwillige Verbindung zu erinnern.

Bald würde Pater Bartholomäus das Brautbett für Karl und Agnes segnen. Lukas fing Marthes Blick auf, erhob sich brüsk und ging in Richtung des Hurenhauses, das vor ein paar Wochen fertig geworden war.

Lukas hatte reichlich getrunken. Doch statt die finsteren Gedanken zu vertreiben, hatten der Wein und der Anblick des unverkennbar glücklichen jungen Hochzeitspaares nur bewirkt, dass ihm die Szenen nur noch deutlicher vor Augen standen, die er sich seit Monaten in seinen düstersten Stunden immer wieder ausgemalt hatte.

Karls junge Braut würde bestimmt nicht vorwurfsvoll aufschreien oder in Tränen ausbrechen, wenn sich ihr Mann heute Nacht zu ihr legte. Ihm war weder das schüchterne, aber glückliche Lächeln entgangen, das Agnes ihrem frischgebackenen Ehemann schenkte, noch der bewundernde Blick Johannas, als Kuno sie zum Tanz holte. Und auch nicht die verstohlenen Zärtlichkeiten, die Christian und Marthe austauschten.

Sicher, Ehe und Liebe waren zwei grundverschiedene Dinge, eine Heirat sollte die Eheleute zuallererst in Pflichterfüllung miteinander verbinden. Aber konnte er nicht wenigstens etwas

Freundlichkeit von der Braut erwarten, die ihm aufgezwungen wurde?

Heftiger denn je quälte ihn der Gedanke, wie er sie in der Hochzeitsnacht dazu bringen sollte, ihn freiwillig in sich aufzunehmen. Er wusste, dass die meisten Männer seines Standes keinen Gedanken daran verschwenden würden. Die Frau hatte im Brautbett gefälligst ihre Pflicht zu erfüllen – und wenn nicht bereitwillig, musste sie eben gezwungen werden. Doch genau das wollte er sich lieber nicht vorstellen.

Mit Geduld und zärtlichen Worten konnte er diese Frömmlerin nicht umstimmen, dessen war er sich sicher.

Sollte er ihren Beichtvater bitten, sie zu ermahnen, ihrem Vater und ihrem künftigen Mann Gehorsam zu erweisen, so wie schließlich auch er seinem Vater gehorchen musste?

Sollte er ihr Wein oder gar einen von Marthes Betäubungstränken einflößen, damit sie ihre Ängste und Vorurteile vergaß? Oder selbst trinken, bis ihm gleichgültig war, wer in seinem Bett lag?

Manchmal, in seinen düstersten Momenten, sah er sich in seiner Phantasie, wie er sie mit seiner überlegenen Kraft dazu zwang, ihre Schenkel zu spreizen, während sie schrie und um sich schlug, und er verabscheute sich dafür.

Jetzt konnte nur noch eine seine Dämonen vertreiben: Kathrein, eine üppige junge Hure mit blonden Locken und einem hübschen Lächeln, die ihn als Stammkunden empfing und zu mögen schien. Ihn und das Geld, mit dem er sie für ihre Dienste entlohnte.

Nach seiner Heirat würde ihm selbst der Trost in den Armen einer freundlichen Hure nicht mehr vergönnt sein. Denn so verständnisvoll Pater Bartholomäus auch in vielen Fragen war – wenn es um fleischliche Sünden ging, kannte er keine Nachsicht.

Das Hurenhaus lag am westlichen Rand des Ortes, praktischerweise gegenüber dem Wachturm. Lukas verlor sich bereits in der Vorstellung, wie Kathrein ihn in ihre Arme ziehen und mit leidenschaftlichen Küssen empfangen würde. Heute würde er nicht erst mit ihr im Badezuber die ausgefallenen Zärtlichkeiten austauschen, mit denen sie ihn verwöhnte. Er wollte sie jetzt gleich nehmen, ganz tief in sie stoßen und dabei alles vergessen.

Lukas hatte getrunken, aber er war auch ein Kämpfer mit einem gut ausgeprägten Instinkt für Gefahr. Irgendetwas stimmte da nicht … die auffällige Stille im Wachhaus …

Sicher, die meisten Männer waren auf der Hochzeit, aber einige mussten trotzdem dort sein.

Plötzlich hellwach und nüchtern, blieb er stehen und ließ seine Sinne spielen. Nichts regte sich, niemand schien ihn zu beobachten. Er trug kein Schwert bei sich, schließlich kam er von einer Hochzeitsfeier, also zog er seinen Dolch und lief zu den Ställen.

Der unverkennbare Geruch von Blut führte ihn hinter die Futterscheune. Dort fand er, wonach er gesucht und was er befürchtet hatte: zwei der Wachen, einer mit durchschnittener Kehle, den anderen hatte ein fachmännischer Dolchstoß in die rechte Niere getötet. Zwei junge Männer, die einen Augenblick der Unaufmerksamkeit mit dem Leben bezahlt hatten.

Vorsichtig spähte Lukas um die Ecke, ob jemand zu sehen war, dann lief er bis zum Wachhaus und riskierte einen Blick in eine der schmalen Fensterluken. Fremde waren dabei, das ganze Erdgeschoss zu durchwühlen. Er zählte ein Dutzend, zwei davon mager und zerlumpt, die anderen hingegen im Lederwams und gut bewaffnet, zwei trugen sogar einfache, kurze Kettenhemden. Einer von ihnen zischte den anderen zu, gefälligst leise zu sein, während er eine Falltür öffnete.

Lukas hörte Schritte von der Seite und wich zurück. An die Wand gepresst, wartete er, wer um die Ecke biegen würde.

Noch ehe der Unbekannte wusste, wie ihm geschah, wurde er von den Füßen gerissen und durch eine kräftige Hand am Schreien gehindert. Lukas' Gegner, ein vierschrötiger Mann, hatte das blanke Schwert in der Hand, doch noch bevor er reagieren konnte, stieß der Ritter ihm den Dolch in die Niere.

So leise wie möglich zog er den Leichnam zu den beiden anderen hinter die Futterscheune, wo ihn erst einmal keiner der Eindringlinge sehen konnte, die immer noch im Haus beschäftigt waren.

Einer weniger, dachte Lukas voll grimmiger Genugtuung darüber, dass der Angreifer auf die gleiche Art den Tod gefunden hatte wie eines seiner Opfer.

Er hatte genug gesehen und rannte zurück zur Hochzeitsgesellschaft.

Christian sah ihm gleich an, dass etwas nicht in Ordnung war.

»Eindringlinge im Dorf, zwei Wachen sind tot«, stieß Lukas hervor und stürmte ins Haus, um die Schwerter zu holen.

Christian stand sofort auf und brüllte: »Ruhe!«

Verwundert ließen die beiden Spielleute die kratzige Fidel und die Flöte sinken, die Tänzer hielten inne und starrten ihn an.

»Bewaffnete sind ins Dorf eingedrungen«, rief Christian, während er bereits sein Schwert gürtete, das Lukas gebracht hatte. Seine Ritter standen schon an seiner Seite und taten es ihm gleich, auch die Knappen warteten auf Befehle. Herwarts Männer hatten sich um ihren Hauptmann geschart.

»Nehmt die Frauen und Kinder in die Mitte«, befahl Christian den erschrockenen Hochzeitsgästen. Herwart schickte Leute aus, um alle schnell greifbaren Spieße und Äxte zu holen. Karl und Jonas verteilten die Waffen sofort unter den unbewaffneten

Männern, um sich dann selbst vor den Kreis der Frauen und Kinder zu stellen.

»Bleibt hier beieinander, dann wird euch nichts geschehen«, rief Christian den aufgescheuchten Dorfbewohnern zu.

Dann teilte er seine Bewaffneten auf. In jede Richtung sollte eine kleine Gruppe ausschwärmen und Ausschau halten, für den Fall, dass bereits Angreifer ins Dorf eingedrungen waren. Er selbst rief seine Ritter und die erfahrensten von Herwarts Männern zu sich, um das Wachhaus zu stürmen.

Als er sah, dass Konrad und Jakob ihm folgen wollten, drehte er sich noch einmal kurz um. »Ihr bleibt hier, das ist ein Befehl!«

»Aber, Herr ...«, begann Markgraf Dietrichs Sohn zu protestieren.

»Ihr seid noch keine Ritter. Ich bin vor euren Vätern für euch verantwortlich.«

»Sollen wir uns bei den Weibern und Kindern verkriechen?«, widersprach Konrad entrüstet, in dessen Augen wilde Entschlossenheit zu kämpfen aufblitzte.

»Ihr sollt sie beschützen! Auch mein Weib und meine Kinder. Wer nicht gehorcht, wird umgehend zu seinem Vater zurückgeschickt!« Dann stürmte Christian mit den Männern los.

Kurz vor dem Wachhaus befahl Christian seinen Gefolgsleuten zu warten und schlich selbst weiter. Er sah, dass die Einbrecher immer noch mit der Suche nach Silber beschäftigt waren und ihren einzigen Wachposten, den Lukas getötet hatte, nicht ersetzt hatten. Wahrscheinlich war ihnen sein Fehlen noch gar nicht aufgefallen.

Auf sein Zeichen hin versammelten sich seine Männer mit gezogenen Schwertern vor der Tür. »Ich will mindestens einen oder zwei Gefangene«, flüsterte Christian. »Das sind keine

Wilderer oder kleine Diebe, einige von ihnen sind ausgebildete Kämpfer. Ich will wissen, woher sie kommen.«

Er nickte den anderen kurz zu und trat die Tür auf.

Die Fremden fuhren hoch, einer stieß einen Fluch aus, doch sie griffen sofort nach den Waffen und lieferten Christian und seinen Leuten einen heftigen Kampf. In der Enge des Raumes war kaum Platz, um mit dem Schwert auszuholen, jeder musste aufpassen, nicht seine eigenen Leute zu verletzen.

Die Eindringlinge leisteten erbitterten Widerstand, denn sie hatten nichts zu verlieren.

Ein Blutschwall traf Christian und nahm ihm für einen Augenblick fast die Sicht. Neben ihm brüllte einer der Fremden auf, dem Lukas mit einem Hieb den Arm abgetrennt hatte, und stürzte zu Boden.

Einen von Christians Männern hatte ein Dolchstoß in den Rücken niedergestreckt, Gero war in eine Ecke getrieben worden und stand zwei Gegnern gegenüber, die auf ihn einhieben. Christian ließ den Gedanken fallen, Gefangene machen zu wollen, und arbeitete sich zu Gero durch. Dies war ein Kampf auf Leben und Tod, auf engstem Raum ausgefochten. Wichtiger war jetzt, dass niemand von den Fremden fliehen konnte.

Als der letzte Eindringling am Boden lag, atmete Christian schwer. Seine Blicke wanderten herum, er zählte. Einen von der Wachmannschaft, der während der Feier hiergeblieben war, hatten die Angreifer schon vorher überwältigt, einen weiteren hatte er im Kampf verloren. Ein noch junger Bursche presste stöhnend den Handballen auf eine klaffende Wunde am Oberschenkel, aber die anderen hielten sich auf den Beinen. Sie waren über und über mit Blut bespritzt, doch es war wohl zumeist das ihrer Gegner.

Einer der Fremden lebte noch. Er lag am Boden und stöhnte

qualvoll, aus seiner Brust sickerte Blut, aus einer tiefen Wunde quer über seinen Leib quollen die Eingeweide.

Christian trat zu ihm und setzte die Schwertspitze neben ihm auf den Boden. »Tu dir selbst einen Gefallen und sag, wer euch geschickt hat. Dann verschaffe ich dir einen schnellen Tod.«

Der Schwerverwundete starrte ihn ungläubig an.

»Sonst lasse ich dich hier liegen, damit du drei Tage voller Höllenqualen brauchst zum Verrecken«, drohte Christian, und es war keine leere Drohung. »Sind noch mehr von euch im Dorf?«

»Nein«, flüsterte der Schwerverletzte. Er war bereit zu sprechen, aber vor Schmerz brachte er kaum eine Silbe heraus. »... heute nicht so gut bewacht ...«, war alles, was Christian verstand, als er sich zu ihm hinabbeugte.

Christian begriff sofort die Tragweite dieser Worte. Es war nicht der erste Überfall, aber bisher hatten es die Diebe immer auf die Transporte abgesehen, mit denen sie das Silber nach Meißen schafften. Noch nie war solch ein Raubzug erfolgreich gewesen, denn natürlich ließ er die wertvollen Ladungen schwer bewachen und war jedes Mal selbst dabei.

Anscheinend hatten die Diebe nun ihre Taktik geändert und erfahren, dass heute im Dorf ein Fest stattfinden würde. Nur wussten sie nicht, dass Christian vorsichtshalber vor der Hochzeitsfeier alles Silber in Meißen abgeliefert hatte.

»Wer aus dem Dorf hat euch das verraten?«

Er bekam keine Antwort mehr. Blut rann dem Fremden aus dem Mundwinkel, dann brachen seine Augen.

Christian sammelte seine Männer. Dem Verletzten hatte inzwischen jemand einen Leinenstreifen über die Wunde geknotet. »Schafft ihn zu meiner Frau«, rief er. »Ist noch jemand verwundet?«

»Wie es aussieht, nicht ernsthaft«, rief Herwart zurück. Dann verdüsterte sich sein Gesicht. »Abgesehen davon, dass wir vier Mann verloren haben.« Wütend schlug er mit der Hand gegen einen Balken. »Und hab ich es diesen Burschen nicht immer wieder eingebleut ...!«

Zwei Männer stützten den Verletzten, die anderen säuberten ihre Klingen. Gemeinsam gingen sie zurück ins Dorf.

Christian war sich einigermaßen sicher, dass niemand von den Einbrechern hatte entkommen können. In den nächsten Tagen würden er und seine Leute die umliegenden Wälder durchstreifen müssen, ob sich dort ein Lager oder wenigstens ein Hinweis auf weitere Angreifer fand. Aber jetzt, im Dunkeln, hatte das keinen Sinn. Außerdem mussten die Verletzten versorgt werden. Und die Hochzeitsgäste ängstigten sich bestimmt immer noch, weil sie nicht wussten, was inzwischen geschehen war.

Von der aufgeschreckten Festgesellschaft erklangen erschrockene Rufe, als sich die blutbespritzten Kämpfer näherten.

Marthe lief schon herbei, schickte Johanna nach sauberem Leinen, ließ Wasser holen und machte sich daran, die Wunden zu untersuchen und zu verbinden.

»Wenn alles gut verheilt, wirst du dein Bein behalten«, versuchte sie den jungen Mann zu trösten, der besonders schwer verletzt war. Nur durch Ausbrennen schaffte sie es, die Blutung zum Stillstand zu bringen. Wir könnten wirklich einen Baderchirurgen im Dorf gebrauchen, dachte sie, als sie die Angst in den Augen ihres Patienten sah.

Währenddessen gab Christian Befehl, die Gefallenen aus dem Wachhaus zu holen.

Als die Toten aufgereiht nebeneinanderlagen, rief er Kuno und seinen Freund Bertram herbei und ging mit ihnen zu den Leichnamen der beiden jungen Wachen, die überrumpelt und getötet worden waren – ihre Freunde und Waffengefährten.

»Seht genau hin«, sagte er streng. Diese bittere Lektion konnte er ihnen nicht ersparen, denn sie waren für seine Begriffe immer noch zu leichtsinnig. Für sie waren die bevorstehenden Kämpfe nicht mehr als ein Abenteuer. »Das hättet auch ihr sein können. Einen einzigen Augenblick haben sie nicht aufgepasst und dafür mit dem Leben bezahlt.«

Die beiden Burschen schwiegen beklommen.

»Kuno, Bertram.«

»Ja, Herr.«

»Ihr gehört ab sofort zu meinem Haushalt und werdet mitüben, wenn ich die Knappen ausbilde.«

Verwundert sahen sich die Jungen angesichts dieser außergewöhnlichen Entscheidung an. Was hatte das zu bedeuten?

Aber Christian gab keine Erklärung ab. Wenn er den beiden sagte, dass er sich für sie ganz besonders verantwortlich fühlte, würde ihnen das nur zu Kopf steigen. Aber er wollte nicht, dass die zwei jungen Heißsporne eines Tages auch tot zu seinen Füßen lagen.

Das Hochzeitsfest hatte durch den Überfall ein jähes Ende gefunden. Die Gäste ließen es sich trotzdem nicht nehmen, das Brautpaar ins Bett zu führen, doch dann löste sich die Feier rasch auf.

Marthe war immer noch damit beschäftigt, Wunden auszuwaschen und Schafgarbe aufzulegen, damit sie nicht brandig wurden, als die kleine Anna vor ihr auftauchte, herumdruckste und schließlich damit herausrückte, dass ihr Bruder dringend mit der Herrin sprechen müsse.

»Schick ihn her«, meinte sie verwundert.

»Hast du dich geprügelt?«, fragte sie, als Peter vor ihr stand, denn sein Gesicht und sein Kittel waren blutverschmiert und seine Nase dick geschwollen. Sie tauchte ein Tuch in kaltes Wasser und wrang es aus. »Hier, leg das drauf.« Vorsichtig fühlte sie, ob die Nase gebrochen war, aber es sah nicht danach aus.

»Deshalb komme ich nicht«, flüsterte er und ließ die Hand mit dem nassen Tuch wieder sinken.

»Sondern?«

Er beugte sich zu ihr und sagte ganz leise: »Ich kenne einen von den Toten. Einen von denen, die das Silber stehlen wollten.«

Fragend sah Marthe ihn an und wartete, dass er weitersprach.

»Er hat zur Bande des Meisters gehört«, raunte der Junge mit gesenktem Blick und biss sich auf die Lippe.

Marthe sah, dass der Siebenjährige furchtbare Angst hatte.

»Sagt es bitte Ritter Christian. Aber meine Schwester soll nichts davon erfahren. Sonst weint sie nur wieder und träumt schlecht.«

»Ich sag ihr nichts«, versprach Marthe. »Aber pass auf, dass sie ihn nicht sieht, bevor er begraben wird. Und jetzt sag mir, worum du dich vorhin so mit Klaus geprügelt hast.«

Das war einer der Jungen aus Peters einstiger Diebesbande, der nach dem Gerichtstag im März freiwillig im Dorf geblieben war und nun an der Scheidebank arbeitete. Peter druckste herum.

»Weshalb?«, beharrte Marthe streng. »Wollte er stehlen?« Eine Hochzeitsfeier voller fröhlicher, abgelenkter Menschen war eine günstige Gelegenheit und große Verlockung für einen kleinen, aber erfahrenen Dieb.

»Er wird es nie wieder tun«, versicherte Peter eifrig. »Das haben wir unter uns Männern geregelt.«

Marthe verbarg sorgfältig ihre Belustigung.

Dann hielt sie Ausschau nach Christian, ging zu ihm und berichtete, was Peter über den Toten gesagt hatte.

In den nächsten Tagen durchsuchte Christian mit seinen Leuten gründlich die Waldgebiete rund um Christiansdorf und sämtliche ihm bekannten Verstecke, um die Bande ausfindig zu machen. Doch sie entdeckten nur einen verlassenen Lagerplatz. Entweder waren alle an dem Überfall Beteiligten nun tot, oder die anderen hatten irgendwie vom missglückten Ausgang erfahren und waren geflohen.

Nachdem sie vorerst einigermaßen sicher sein konnten, dass sich keine Bewaffneten oder Gesetzlosen in den Wäldern verborgen hielten, schickte Christian Lukas zu Markgraf Otto, um ihm von dem vereitelten Überfall zu berichten. Außerdem musste er in Meißen weitere Reisige für den Schutz des Dorfes in Dienst nehmen.

Auf dem Rückweg sollte Lukas dann endlich seine Braut zu ihrem Besuch in Christiansdorf abholen. Es gab keinen Vorwand mehr, die einmal ausgesprochene Einladung noch länger hinauszuzögern. Widerstrebend machte er sich auf den Weg.

Währenddessen ließ Christian die ohnehin schon strenge Ausbildung der Wachen und der Knappen weiter verschärfen. Gemeinsam mit Herwart trieb er die Burschen und Männer zu immer härteren Übungen, bis sie sich jeden Abend schweißüberströmt und erschöpft zu Boden sinken ließen.

Dass die Bande so gut informiert und ausgebildet gewesen war, sah Christian als klares Anzeichen dafür, dass sie mit weiteren Überfällen rechnen mussten. War der Bergfried erst einmal fertig, würde das Silber dort gut geschützt und unerreichbar für Diebe sein. Wer auch immer hinter der Sache steckte, würde die Zeit bis dahin nutzen wollen.

Das musste er verhindern – und auch, dass noch einmal so viele seiner Männer abgestochen wurden.

Lukas' Braut

Angesichts der bevorstehenden Ankunft von Lukas' Verlobter ließ Marthe das Haus putzen und alles für den Besuch vorbereiten.

Sie selbst ging zum Weinhändler ins Nicolai-Viertel, um zu Ehren des Gastes die Vorräte aufzustocken. Außerdem wollte sie den Spezereienhändler aufsuchen, um Gewürze einzukaufen.

Im künftigen Burglehen herrschte inzwischen reges Baugeschehen. Mehrere wohlhabende Ritter, die später auf der Burg Dienst tun würden, ließen schon für sich und ihre Familien Häuser bauen. Die ersten würden bald fertig sein. Für den Bergfried selbst waren fast zehn Fuß dicke Grundmauern tief ins Erdreich gegraben worden. Die massigen Mauern ragten nun schon einen Fuß hoch über die Erde. Wenn die Steinbrecher und Maurer dieses Tempo beibehielten, würde im kommenden Jahr der Turm als Kernstück der Burg fast fertig sein.

Und dann müssen wir Randolf und seine Kumpane auf Dauer hier erdulden und nicht nur ab und an für einen kurzen Kontrollbesuch, dachte Marthe beklommen.

Sie stutzte, als sie an einem Haus vorbeikam, das leer stand, seit vor ein paar Tagen sein Besitzer gestorben war, ein Gürtler ohne Eheweib und Kinder. Jetzt war ein alter Knecht damit beschäftigt, die Binsen herauszukehren, ein Schreiner besserte die Tür aus.

»Wer wird hier einziehen?«, erkundigte sich Marthe.

»Ein gelehrter Mann«, antwortete der Knecht, ohne in seiner Arbeit innezuhalten. »Ein Medicus.«

Hoffentlich kein solcher Stümper wie derjenige, den ich vor Jahren auf dem Burgberg erlebt habe, dachte Marthe bei sich. Der hätte mit seinen Aderlässen Hedwigs damals erst sechsjährigen Sohn Dietrich beinahe zu Tode gebracht.

Auch zusammen mit Johanna konnte sie bald nicht mehr alle Kranken behandeln, dafür wurde das Dorf allmählich zu groß. Und zum Bader gingen die Leute zumeist nur, um sich einen Zahn ziehen zu lassen, wenn sie es vor Schmerz nicht mehr aushielten. Abgesehen von der Kundschaft, die sich beim oder nach dem Bad mit einer seiner Mägde vergnügen wollte.

Marthe überkam ein beklemmendes Gefühl angesichts des Hauses, das für seinen neuen Bewohner hergerichtet wurde.

Die gelehrten Ärzte blickten zumeist überheblich auf die weisen Frauen herab, obwohl diese mit ihren einfachen Kräuterarzneien oft erfolgreicher als die Ärzte waren.

Josefas düstere Prophezeiung ging ihr durch den Kopf.

Dann bemerkte sie, dass jemand sie eindringlich anstarrte.

Sie drehte sich um – und starrte zurück.

War das möglich?

»Ludmillus?«, fragte sie unsicher. Der Mann vor ihr sah aus wie eine gealterte Ausgabe des begnadeten Spielmanns, den sie vor Jahren auf dem Weg hierher kennengelernt hatte. Doch statt der fröhlichen Ausstrahlung nahm sie bei ihrem Gegenüber nur dumpfe Verzweiflung wahr. Er war in Lumpen gehüllt und trug auch keine Laute bei sich. Wäre seine ganze Gauklertruppe mit ihrem bunten Wagen ins Dorf gekommen, hätte sie sicher sofort davon erfahren.

»Marthe?«, fragte ihr Gegenüber genauso unsicher.

»Ich bin's.«

»In diesem Aufputz? Was ist geschehen?«, fragte er verwundert.

»Eine lange Geschichte. Ritter Christian hat mich geheiratet, und der Markgraf hat uns beide zu Edelfreien gemacht.«

Für einen Moment sah sie so etwas wie freudiges Erstaunen in seinen Augen aufleuchten, doch sofort erlosch der Funke wieder. Er ließ sich auf die Knie fallen, senkte den Kopf und flüsterte: »Gott segne Euch, hohe Frau.«

Schnell lief sie zu ihm und zog ihn hoch. »Nicht doch, du sollst

164

nicht vor mir niederknien. Nicht nach allem, was wir dir verdanken.«

Ludmillus hatte einst mit einer wichtigen Nachricht dazu beigetragen, dass Christian von Randolfs falschen Anschuldigungen freigesprochen wurde, und das hätte der Spielmann beinahe mit seinem Leben bezahlt. Lukas – damals noch Knappe – schaffte es, ihn aus einem Hinterhalt von drei gedungenen Mördern zu befreien.

»Komm mit, du siehst so aus, als könntest du eine gute Mahlzeit vertragen«, meinte sie, verschob kurzentschlossen den Gang zum Weinhändler auf später und dirigierte Ludmillus zu ihrem Haus. »Das trifft sich wunderbar. Wir erwarten eine besonders vornehme Dame als Gast. Es wird sie vielleicht aufheitern, wenn du singst.«

Dabei war sie sich dessen nicht sicher. Wenn Lukas' Braut – er hatte ihr bis heute immer noch nicht einmal ihren Namen genannt – wirklich so fromm war, dann betrachtete sie Tanz und fröhlichen Gesang vielleicht als Blendwerk des Teufels, wie es die meisten Geistlichen taten.

»Ich singe nicht mehr«, antwortete Ludmillus tonlos. »Ich bin hier, um mich bei den Christiansdorfer Bergleuten zu verdingen. Es heißt überall, das sei der sicherste Weg, um zu Reichtum zu kommen. Und nennt mich Till. Das ist mein wahrer Name.«

Marthe wollte verwundert etwas entgegnen, aber sie schwieg. Sie spürte so viel Düsternis in Ludmillus' Worten, dass er sicherlich nicht auf der Straße darüber sprechen wollte.

Im Haus angekommen, sorgte sie dafür, dass der Spielmann eine warme Mahlzeit und etwas zu trinken bekam. Dann setzte sie sich ihm gegenüber.

Den Mengen nach, die Ludmillus – oder Till, sie würde einige Zeit brauchen, um sich an den Namen zu gewöhnen – in sich hineinschaufelte, musste seine letzte Mahlzeit länger zurückliegen. Dennoch aß er nicht etwa mit Genuss, sondern schien kaum wahrzunehmen, was er tat.

»Wenn du willst, rede ich mit dem Bergmeister, dass er dir eine Arbeit zuweist«, sagte Marthe schließlich.

»Das wäre sehr gütig.«

Ihr Blick richtete sich unwillkürlich auf seine langen, schlanken Finger, die so geschickt die Laute zum Klingen gebracht hatten.

»Aber es ist harte, schwere Arbeit. Und niemand kann so wunderbar singen und spielen wie du. Christian würde dich bestimmt gut dafür entlohnen.«

Ludmillus folgte ihrem Blick. Er legte den Löffel beiseite, hob seine Hände, spreizte die Finger und betrachtete sie, als würde er sie zum ersten Mal sehen. Dann ließ er die Hände abrupt auf den Tisch sinken.

»Was nützen mir geschickte Hände, wenn ich damit meine Familie nicht schützen kann?« Er stieß den Atem aus und blickte dann Marthe mit Augen an, in denen jede Hoffnung erloschen war.

»Meine Frau und meine Tochter sind tot. Hilarius auch. Er wollte sie verteidigen. Und niemand wird die Mörder bestrafen, denn die haben nur ein paar Spielleute erschlagen. Sündige, lasterhafte, unehrlich geborene Spielleute.«

Er beugte sich vor, und Schmerz und Hass flackerten über sein Gesicht. »Ich kann diese Art von Leben nicht mehr führen. Es hat allen, die ich liebte, den Tod gebracht. Wenn ich in die Minen gehe, wird man mich irgendwann vielleicht als ehrlichen Mann ansehen ... Wenn ich ehrlich verdientes Silber und eine feste Wohnstatt habe, wird vielleicht niemand nach meiner Herkunft fragen.«

Erschüttert erinnerte sich Marthe an die schöne rothaarige junge Frau und ihre kleine Tochter, an Hilarius, den lustigen Flötenspieler, der so begabt im Verseschmieden war. Sie wollte fragen, was geschehen war, aber sie spürte, dass Ludmillus jetzt nicht mehr darüber sagen würde. Es gab keine Worte, mit denen sie ihn trösten konnte.

»Bleib erst einmal hier«, schlug sie schließlich vor, da ihr Gegenüber beharrlich schwieg und wieder vor sich hin starrte. »Ein Platz zum Schlafen für dich findet sich.«

Als sie sah, dass Ludmillus' Gesicht abweisend wurde, fügte sie schnell an: »Du musst nicht singen.«

Aber es würde deiner Seele guttun, dachte sie. Selbst wenn es die traurigsten Lieder wären, die sie je gehört hatte.

Ludmillus war als der Sänger berühmt geworden, der die Weinenden zum Lachen und die Lachenden zum Weinen brachte. Jetzt schien jegliches Lachen in ihm erstorben zu sein.

Der Spielmann bat um Erlaubnis, sich in den Ställen einen Schlafplatz suchen zu dürfen, und machte sich dann auf den Weg dahin.

Als Christian kam, berichtete sie ihm von der überraschenden Begegnung.

»Wir können ihn nicht in die Gruben schicken«, pflichtete er ihr bei und stand auf, um den Gast in seinem Strohlager aufzusuchen.

Ludmillus hatte nicht geschlafen. In finstere Tagträume versunken, fuhr er verstört hoch. Als er Christian erkannte, sank er auch vor ihm auf die Knie und neigte den Kopf.

»Edler Herr.«

Christian setzte sich auf einen der Strohballen und bedeutete dem Spielmann, es sich ebenfalls bequem zu machen.

»Meine Frau sagt, du suchst eine gut bezahlte Arbeit und eine Unterkunft«, meinte er leichthin. »Ich hätte einen besseren Vorschlag für dich als die Arbeit in den Gruben.«

»Ich sagte Eurer Gemahlin bereits, dass ich nicht mehr singe und spiele, Herr«, antwortete Ludmillus leise mit versteinertem Gesicht.

»Davon rede ich auch nicht«, erwiderte Christian ungerührt. »Ich brauche allmählich jemanden, der die Listen führt. Du hast doch lesen und schreiben gelernt, nicht wahr?«

Bei einer ihrer früheren Begegnungen hatte der Spielmann erzählt, dass er einst die Sieben freien Künste studiert hatte, bevor er als Vagant durch das Land zog und freche Lieder sang.

»Nimmst du an?«

Zögernd sah Ludmillus hoch und schlug in die Hand ein, die Christian ihm reichte.

»Abgemacht«, sagte der Herr des Dorfes. »Lass dir ein paar ordentliche Sachen geben und eine Schlafstatt zeigen. Morgen trittst du deinen Dienst an.«

Zwei Tage später traf Lukas mit seiner Braut und ihren Begleitern ein. Seine Miene war wie versteinert und erweckte bei Marthe den Eindruck, er habe sich diesen gequält höflichen Ausdruck für die Dauer der Reise ins Gesicht gemeißelt und nur mit größter Mühe die Beherrschung behalten.

Mit ausgesuchter Höflichkeit half er seiner Braut vom Pferd und stellte sie vor. »Dame Marthe, Ritter Christian, dies ist die Dame Sigrun, meine Braut.«

Die junge Frau zwängte das gleiche künstliche Lächeln wie Lukas auf ihr blasses, schmales Gesicht, als sie den Willkommenspokal von Marthe entgegennahm und vorsichtig daraus trank.

Marthe hatte bereits auf einen Blick erfasst, dass hier wohl alle gutgemeinten Versuche vergeblich sein würden.

Ließ man außer Acht, wie bleich und erschöpft von der Reise Sigrun war, wäre sie hübsch zu nennen. Doch unübersehbar gab sie sich die größte Mühe, das zu verbergen. Sie trug ein dunkelgraues Kleid aus gutem Tuch, aber völlig schmucklos und entgegen der Mode so geschnitten, dass es nichts von ihrer Figur zu erkennen gab. Dies war bestimmt keine Trauerkleidung nach dem Tod ihres Bruders, sondern ein Ersatz für das Gewand der Nonnen. Sigruns braunes Haar war unbedeckt, wie es einer Jungfrau zukam, doch so straff geflochten und zum Knoten aufgesteckt, dass auch der lange Ritt nicht die kleinste Strähne hatte lösen können. Ihre Augen glänzten fiebrig oder müde, ihr Gesicht wirkte überanstrengt und dadurch viel älter als die siebzehn Jahre, die sie war.

Mit ihr waren ein dürrer Beichtvater mit finsterer Miene, eine ältere Witwe als Gesellschafterin und zwei Mägde gekommen. Die neuen Reisigen aus Meißen hatte Lukas schon zu Herwart geschickt.

Christian bat die Gäste ins Haus und ließ ihnen ihre Quartiere zeigen. »Erholt Euch von der Reise. Danach erwarten wir Euch zum Mahl«, sagte er so höflich er konnte.

Seit er Sigrun gesehen hatte, bedauerte er Lukas aus tiefstem Herzen. Er bezweifelte, dass Marthe hier etwas ausrichten konnte – nicht einmal mit allem Feingefühl der Welt.

»Pass auf, was du sagst, sie trägt jedes Wort zu ihrem Beichtvater«, raunte Lukas Marthe zu. An seinem eindringlichen Blick erkannte sie, dass dies eine ernsthafte Warnung war. »Zwei Tage unterwegs mit ihr, und nun weiß ich, sie ist noch schlimmer als in meinen schlimmsten Träumen. Nimm dich ja in Acht.«

Der Beichtvater, der als Pater Sebastian vorgestellt worden war, kam als Erster wieder hinunter in die Halle und musterte alles mit durchdringendem Blick, als suche er nach etwas, an dem er Anstoß nehmen konnte.

Nach einem Moment eisernen Schweigens bot ihm Christian einen Platz an und ließ ihm einen Becher Wein bringen.

»Nur Dünnbier und Brot«, forderte der Pater und hob die Stimme. »Völlerei ist eine Todsünde. Habt Ihr das etwa vergessen?«

Christian behielt seine Gesichtszüge vollkommen unter Kontrolle und schickte die Magd nach Bier.

Während der Geistliche mit kräftigen Zügen trank – der Ritt musste ihn durstig gemacht haben –, kamen Sigrun und ihre Begleiterin herunter.

Die junge Frau sah für Marthes geschultes Auge nicht nur erschöpft, sondern beunruhigend krank aus.

»Fühlt Ihr Euch nicht wohl?«, erkundigte sie sich besorgt. »Ihr wirkt fiebrig. Soll ich Euch dagegen und gegen den Husten einen Trank geben?«

»Sie braucht keine heidnischen Zauber, wie ihn die alten Kräuterweiber anwenden«, antwortete der Pater scharf. »Wenn sie krank ist, wird der Herr sie heilen. Oder vertraut Ihr etwa nicht auf die Kraft der Gebete?«

Christian stand mit einer schroffen Bewegung auf, stellte sich hinter Marthe und legte ihr demonstrativ die Hände auf die Schulter.

»Meine Gemahlin verwendet keinen heidnischen Zauber, sondern die gleichen Kräuter und Heilpflanzen, die auch die Mönche in den Klostergärten anbauen«, sagte er scharf. »Pater Bartholomäus wird Euch das jederzeit bestätigen.«

Das Essen verlief schweigend. Anschließend verkündeten die Gäste mit eisigen Mienen, sich nach einem Gebet schlafen legen zu wollen.

Als die Neuankömmlinge gegangen waren, atmeten Christian und Marthe tief durch und wechselten einen Blick.

Lukas war zutiefst verzweifelt.

»Ich hätte sie nie hierherbringen dürfen«, sagte er. »Dass es schwierig wird, hatte ich ja befürchtet, aber dass sie und dieser Sebastian so schlimm sind, weiß ich erst seit der Reise. Am liebsten wäre ich unterwegs umgekehrt – aber mit welcher Begründung?« Gequält sah er Marthe an. »Ich bringe dich in Gefahr. Verzeih mir!«

Lukas stand langsam auf, kniete vor Christian nieder und senkte den Kopf. »Wenn du mich aus deinen Diensten entlassen willst … vielleicht ist das die beste Lösung. Dann kannst du sie nach Hause schicken.«

Rasch zog Christian seinen jüngeren Freund auf die Füße. »Das schlag dir aus dem Kopf. Du hast schon als Knappe dein Leben für mich riskiert, da werde ich dich nicht bei der ersten Schwierigkeit davonjagen wie einen Hund.«

Er drückte ihn auf die Bank und gab ihm einen Becher Wein in die Hand. »Viel schlimmer ist, wenn ich mir ausmale, was dir mit diesem Eiszapfen bevorsteht. Gibt es wirklich keinen Weg, die Hochzeit zu verhindern?«

Resigniert schüttelte Lukas den Kopf. »Der Wille des Vaters ist Gesetz. So ist Gottes Ordnung.«

»Wie konnte dein Vater das nur tun? Er muss sie doch kennen, wenn sie die Tochter eures Nachbarn ist«, fragte Marthe bedrückt.

Christian, der Lukas' Vater bei mehreren Gelegenheiten kennengelernt hatte, wusste, dass der nicht nur durchtrieben, sondern auch skrupellos war und weder auf eine Frau noch auf seinen Sohn irgendwelche Rücksichten nehmen würde.

Lukas aber lachte bitter auf. »Sie ist eine gute Partie. Und mein Vater meint, ich soll mich nicht um Weiberlaunen scheren, sie hat gefälligst zu gehorchen. Sich ein Weib nachts im Bett zu unterwerfen, sei der beste Weg, um es auch tags zu Gehorsam zu bringen, noch sicherer als Prügel.«

Er senkte den Kopf und sagte leise: »So hat er es mit meiner

171

Mutter gehalten. Ich kann mich kaum noch an sie erinnern. Aber ich weiß, sie ist stets nur wie ein Schatten durch das Haus gehuscht und hat selten je etwas gesagt. Er brauchte nur die Stimme heben oder sie scharf ansehen, und sie ist vor Angst zusammengezuckt. Sie muss ihn verabscheut haben, aber sie hat ihm sieben Kinder geboren. Wenn sie schwanger war, hatte sie wohl wenigstens Ruhe vor ihm.«

Wieder lachte er bitter auf. »So habe ich mir meine Ehe eigentlich nicht vorgestellt.«

Marthe gab sich wirklich alle Mühe, freundlich zu Sigrun zu sein. Am nächsten Tag lud sie Lukas' künftige Frau nach dem Frühmahl zu einem Spaziergang über die Obstwiesen ein und ging danach mit ihr in die Kirche. Sigrun hielt beim Gehen den Rücken stocksteif. Marthe fragte sich, ob dies ihre besondere Art war, ihre vornehme Erziehung und ihre Verachtung gegenüber den vergleichsweise ungezwungenen Verhältnissen in Christians Haushalt zu zeigen.

Als sie beide vorm Altar niederknieten und nach dem Gebet aufstanden, verzerrte Sigrun das Gesicht vor Schmerz.

Ihre abweisende Miene hielt Marthe davon ab, sie danach zu fragen. Aber in einem Haushalt mit so vielen Menschen lässt sich nur sehr schwer etwas geheim halten. Es dauerte nicht lange, bis Marthe vom Gewisper der Mägde darüber erfuhr, dass das Unterkleid der fremden Jungfrau voller blutiger Streifen sei. Weitere Nachfragen brachten bald die Wahrheit zutage: Obwohl Sigrun auch zu Hause die meiste Zeit betend in der Kapelle verbrachte, oft die halbe Nacht lang mit ausgebreiteten Armen auf dem kalten Boden vor dem Altar lag, fastete und alle Gebote aufs strengste einhielt, befahl ihr der Beichtvater häufig, sich zur Strafe für ihre Sünden von ihm geißeln zu lassen. Gehorsam ließ sie ihn dann in ihre Kammer, nachdem sie alle anderen weggeschickt hatte, kniete vor ihm nieder, nur mit einem Unterhemd bekleidet und einer Kerze in der Hand, wie er es befahl, und erduldete, dass er sie blutig schlug. So auch in der vergangenen Nacht.

Marthe war entsetzt. Zugleich wurde ihr bewusst, wie viel Glück sie mit Pater Bartholomäus hatten, den Christian nicht zufällig gebeten hatte, ihm in sein Dorf zu folgen. Bartholomäus forderte natürlich auch unerschütterlichen Glauben an die Allmacht Gottes, aber gegenüber den lässlichen Sünden, die jeder dann und wann beging, zeigte er zumeist Verständnis und verhängte als Buße zehn Vaterunser oder Ave-Marias.

Sie glaubte einfach nicht, dass dieses zutiefst fromme Mädchen Sünden begangen haben könnte, die eine dermaßen harte Bestrafung erforderten. Zum ersten Mal verspürte sie Mitleid mit der jungen Fremden.

»Wollt Ihr mit mir meinen Kräutergarten anschauen?«, fragte sie Sigrun. »Er ist genauso angelegt wie die Klostergärten.«

Sigrun folgte ihr stumm. Doch als sie zwischen den Hochbeeten entlangging und die ihr aus ihrem Kloster vertraute Reihenfolge der Heilpflanzen wiederfand, entdeckte Marthe die erste Gefühlsregung bei ihr.

Mit verträumter Miene schritt die junge Braut an den Beeten entlang und wusste stets schon vorher, welche Pflanze als Nächste kommen würde. Marthe hatte dieses System eingeführt, nachdem ihr Pater Bartholomäus davon erzählt hatte. Die Hochbeete mit hölzernen Rahmen, deren Boden zum Schutz gegen Mäuse mit Steinen gefüllt waren, standen in einer festgelegten Anordnung. So konnte der im Kloster für die Krankenpflege verantwortliche Bruder auch einen Gehilfen dorthin schicken, der sich nicht genau mit den Pflanzen auskannte, und einfach sagen: Hol mir etwas vom zweiten Beet links. Das fand Marthe sehr einleuchtend und praktisch und hatte es sofort umgesetzt.

Sie lud Sigrun ein, sich auf eine Bank aus Weidengeflecht zu setzen, die um den Stamm eines Apfelbaumes gebaut war, und überlegte, mit welchen Worten sie das heikle Gespräch beginnen konnte.

Doch ihr fiel nichts Geeignetes ein, und so fragte sie schließlich ganz direkt: »Glaubt Ihr wirklich, derart schwere Sünden begangen zu haben, dass Ihr so viel Buße tun müsst?«

»Jeder Mensch sündigt pausenlos, schon in seinen Gedanken. Und Frauen sind die Sünde selbst seit Evas Zeiten«, wies Sigrun sie streng zurecht, bevor ein Hustenanfall sie schüttelte. »Wenn ich jetzt schon büße für all die furchtbaren und unaussprechlichen Dinge, die ich künftig im Ehebett zu erdulden habe, hat der Allmächtige vielleicht doch noch Erbarmen mit meiner Seele, auch wenn ich meine Jungfräulichkeit opfern muss.«

»Aber ist es nicht die gottgewollte Aufgabe der Frauen, Kinder zu gebären?«, meinte Marthe vorsichtig.

Sigrun sah sie mit einer Mischung aus Hass und Hochmut an. »Das sagt Ihr nur, um Euer eigenes sündhaftes Tun zu rechtfertigen. Denkt Ihr denn, ich merke nicht, wie Ihr es genießt, statt es in Demut zu erdulden? Denkt Ihr, ich sehe nicht, wie Ihr Euren Gemahl anblickt, wie Ihr ihn zu verführen sucht mit Eurer Schamlosigkeit?«

Sie hatten beide Lukas nicht kommen hören. Wie aus dem Nichts stand er plötzlich vor ihnen, hochaufgerichtet und mit so furchteinflößender Miene, wie Marthe ihn noch nie erlebt hatte.

»Ich dulde nicht, dass Ihr Eure Gastgeberin und meine Herrin beleidigt«, fuhr er Sigrun in beißender Strenge an. »Ihr habt mir als meine Gemahlin zu gehorchen, also beginnt schon einmal damit und gewöhnt Euch daran. Die Dame Marthe ist eine fromme Christin, die in wahrlich bewundernswertem Maße Barmherzigkeit und Milde gegenüber anderen Menschen walten lässt – sogar Euch gegenüber.«

Er sah seine Braut so finster an, dass sie schwieg und gehorsam den Blick senkte. Dann machte er kehrt und stapfte zurück zum Haus.

Marthe hastete ihm nach, um ihn in das einzuweihen, was sie gerade von den Mägden erfahren hatte. Lukas war für einen Moment fassungslos, doch dann wurde er wütend.

Weil Marthe ahnte, was er vorhatte, hielt sie ihn am Arm fest. »Sieh dich vor! Du darfst einen Mann Gottes nicht angreifen.«

»Dieser lüsterne alte Bock«, fauchte Lukas und griff nach seinem Schwert.

»Lukas! Um der Liebe Christi willen«, rief Marthe.

»Was soll's«, meinte Lukas und löste sich mit Leichtigkeit aus ihrem Griff. »Ich bin sowieso schon in schlechter Stimmung.«

Marthe biss sich auf die Fingerknöchel und stürzte ihm nach, in der unsinnigen Hoffnung, Unheil zu vermeiden. Sie konnte nicht einmal Christian oder einen seiner Freunde herbeirufen, damit sie Lukas aufhielten, denn die übten mit den Knappen auf Herwarts Kampfwiese am Dorfausgang den Umgang mit der Lanze.

Doch sie hatte Lukas unterschätzt, weil er in ihrer Gegenwart zumeist gut gelaunt war. Jetzt lernte sie ihn von einer neuen Seite kennen.

Lukas trat vor den Pater, zog sein Schwert und fuhr lässig mit einem schmalen Schleifstein an der Klinge entlang.

Der Beichtvater zuckte zusammen. Dann sammelte er seinen ganzen Mut, stand auf und fragte drohend: »Ihr tretet einem Mann Gottes mit der Waffe gegenüber?«

»Nicht doch, ich plaudere mit Euch, während ich ein paar Scharten auswetze«, erwiderte Lukas beiläufig.

Er ließ das Schwert sinken, blickte Sebastian direkt in die Augen und sagte in scharfem Ton: »Ab sofort werdet Ihr darauf verzichten, meine künftige Gemahlin im Unterhemd vor Euch knien zu lassen und zu züchtigen.«

»Sie kniet nicht vor mir, sie kniet vor Gott, mein Sohn«, fuhr ihn der Beichtvater an, genauso laut wie Lukas eben.

Doch der junge Ritter ließ sich nicht beeindrucken. »Vor Gott kniet sie in der Kirche, am Altar. Lasst sie den Rosenkranz beten und Kerzen stiften, wenn sie sündigt. Und denkt als ihr Beichtvater und Erzieher gefälligst daran, sie nicht nur Gehorsam vor Gott zu lehren, sondern auch vor ihrem künftigen Ehemann.«

In einem Tonfall, der seine Wirkung nicht verfehlen konnte, weil er seines Vaters würdig gewesen wäre, befahl er: »Ich wünsche, dass mir meine Braut am Tag der Hochzeit keusch und unversehrt übergeben wird. Und ich dulde nicht, dass ein Mann sie mit unbedeckten Armen in einem dünnen Unterkleid sieht. Auch nicht ein Mann Gottes.«

Ohne eine Antwort abzuwarten, machte er kehrt und ging.

Danach wurde die seit der Ankunft der Reisegesellschaft ohnehin schon unterkühlte Stimmung im Haus geradezu eisig. Wer immer konnte, flüchtete, sobald auch nur einer der unbeliebten Gäste zu nahen drohte.

Auch Marthe gab auf und rief nach Johanna, um mit ihr Kranke zu besuchen. Sie durfte gar nicht daran denken, wie Lukas' Leben an der Seite dieser Frau aussehen würde. Selten hatte sie jemanden so bedauert.

»Wir reisen morgen früh ab«, verkündete Sebastian zur Erleichterung aller am Abend.

Doch als Sigrun am nächsten Morgen die Treppe herunterkam, erkannte Marthe schon von weitem, dass sie hohes Fieber hatte.

Auf der vorletzten Stufe sackte die junge Frau zusammen und wäre gestürzt, hätte Christian nicht schnell reagiert und sie aufgefangen.

»Ihr seid krank«, sagte Marthe und lief zu ihr. Der trockene Husten und der unnatürliche Glanz in den Augen ihrer Besucherin hatten sie schon von Anfang an beunruhigt, doch jegliche Frage nach ihrem Befinden war abgewürgt worden.

Jetzt, von nahem, erkannte sie in Sigruns Gesicht und hinter den Ohren die ersten verräterischen roten Punkte.

Marthe zuckte zusammen und sah zu Christian. Nach einem Augenblick der Stille sagte sie: »Bringt sie in ihre Kammer und lasst niemanden hinein. Schafft die Kinder aus dem Haus, sie sollen in der Küche schlafen. Niemand darf mehr aus dem Ort hinaus oder herein. Wir haben die Masern im Dorf.«

Die Masernepidemie hielt Christiansdorf sechs Wochen im Würgegriff. Marthe war Tag und Nacht unterwegs, um nach den Kranken zu sehen. Doch kaum hatte einer die Fieberkrise überstanden, wurden drei neue Fälle gemeldet. Innerhalb einer Woche starben zehn Menschen, unter ihnen die Witwe Elsa.

Von den Leprösen abgesehen, die außerhalb des Ortes bleiben mussten und im Frühjahr weitergezogen waren, war dies das erste Mal, dass sie eine so ansteckende Seuche im Dorf hatten. Im Gegensatz zu den meisten anderen Krankheiten waren diesmal die Erwachsenen noch schlimmer betroffen als die Kinder.

Zeitweise waren so viele Menschen krank, dass Bergmeister Hermann sogar ein paar Frauen in die Gruben schicken musste. Damit die Förderung nie stockte, hatte Markgraf Otto gleich zu Beginn des Bergbaus in Christiansdorf bestimmt, dass eine Grube an einen anderen Eigner fiel, wenn dort drei Tage hintereinander nicht gearbeitet wurde.

Die Bauern hingegen hatten Not, die Ernte einzubringen.

Viele Kranke durchlitten nicht nur den Ausschlag und das Fieber, sondern gefährliche Krämpfe und Erbrechen. Eines der Kinder verlor das Gehör, ein anderes hatte nach dem Abklingen des Fiebers den Verstand eingebüßt.

Unter den Schwerkranken war auch Pater Bartholomäus. Sein Zustand wollte und wollte sich nicht bessern, trotz allem, was Marthe unternahm. Der Pater war alt, sein Körper wehrte sich nicht gegen die Krankheit.

Christian war in Sorge um seine Frau, weil sie ständig in Kontakt mit den Kranken war, doch sie beruhigte ihn, so gut sie konnte. »Ich hatte die Masern schon. Und meine Lehrmeisterin war sich sicher, dass jeder sie nur ein Mal bekommt. Ich weiß nicht, warum, aber es ist so.«

Weil Johanna die Masern noch nicht gehabt hatte, nahm Marthe sie diesmal nicht mit zu den Krankenbesuchen. Sie ließ sie große Mengen Akeleitinktur und geschnittenen Meisterwurz in Wein ansetzen, die sie im Dorf verteilte, und gab den Familienangehörigen genaue Anweisungen für die Pflege.

Doch besonders schlimm getroffen hatte es Sigrun. Sie war durch das viele Fasten, Wachen und die Züchtigungen so geschwächt, dass Marthe bald befürchtete, sie könnte sie nicht durchbringen.

Christian führte einen harten Disput mit Sebastian, damit dieser zuließ, dass Marthe die Kranke behandelte.

Weil sich der Beichtvater hinter frommen Argumenten verschanzte, rief Christian seinen neuen Schreiber dazu, in Gedanken froh darüber, dass Gott ihm ausgerechnet jetzt jemanden ins Haus gesandt hatte, der in theologischen Streitgesprächen geübt war. Till, wie er nun gerufen wurde, lieferte sich ein fulminantes Wortgefecht mit dem starrköpfigen Beichtvater darüber, der gefährlichen Krankheit nicht nur Gebete entgegenzusetzen. Dabei blitzten seine Augen kurz vor Lebenslust auf.

Als Sebastian immer noch nicht nachgeben wollte, hatte Christian schließlich genug vom Reden, schob den Beichtvater einfach beiseite und drohte, ihn mit gezücktem Schwert bis zu Sigruns Vater zu treiben, sollte er die Behandlung von dessen Tochter behindern.

»Geht in die Kirche und tragt endlich Euren Teil dazu bei, damit es ihr bessergeht«, fuhr er ihn an, und Sebastian beeilte sich, der Aufforderung nachzukommen.

Das Fieber schüttelte und quälte den ausgemergelten Mädchenkörper. Marthe kümmerte sich selbst um Sigrun, legte ihr kalte Tücher auf und sprach tröstende Worte, wenn sie aus Fieberträumen hochfuhr.

Sie mochte sie nicht leiden, sie nahm ihr übel, dass sie mit ihrer Frömmelei und ihrem Hass Lukas das Leben vergällen würde, doch nun war sie krank und brauchte Hilfe. Und dass sie die Seuche erst ins Dorf gebracht hatte, durfte sie ihr nicht vorwerfen, obwohl sie wusste, dass mancher dies heimlich tat.

Wie durch ein Wunder war in ihrem Haushalt niemand ernstlich erkrankt, auch die Kinder nicht und keiner von den Knappen.

Doch als Sigruns erste Krise überwunden war und Marthe versuchte, der Kranken etwas Suppe einzuflößen, kehrte das Fieber mit verzehrender Macht zurück.

»Sie hat einfach keine Kraft mehr«, sagte sie beim Essen erschöpft zu Christian, während Lukas mit unergründlicher Miene vor sich hin starrte.

»Du aber auch nicht, wenn du so weitermachst«, stellte Christian fest und befahl: »Du gehst jetzt ins Bett und schläfst dich gründlich aus, am besten bis morgen Mittag. So lange können sich ihre Begleiter um sie kümmern. Sie hat schließlich genug Leute mitgebracht.«

Marthe widersprach nicht. Er hatte recht. Und sie hatte einen guten Grund, sich zu schonen: Sie glaubte, dass sie wieder schwanger war.

So folgte sie widerspruchslos der Aufforderung und schlief tatsächlich bis in den nächsten Tag hinein. Jeder hielt sich an den Befehl des Hausherrn, sie nicht zu stören und auf keinen Fall zu wecken – nicht nur aus Gehorsam, sondern auch aus Sorge um die junge Herrin. Die Mägde musterten sie schon seit Tagen mit besorgten Blicken, und die Köchin versuchte immerzu, ihr ein paar Leckerbissen zusätzlich aufzuschwatzen, weil sie so mager geworden sei.

Eine schimpfende Männerstimme und das Gezeter einer aufgebrachten Gans weckten Marthe am nächsten Tag. Dem lautstarken Treiben auf dem Hof nach musste wohl die bösartige älteste Gans den Knechten wieder einmal das Leben schwermachen. Nur weil sie die meisten Eier legte, war das tückische Biest bisher vor dem Kochtopf verschont geblieben.

Durch die Fensterluke sah Marthe, dass die Sonne schon hoch am Himmel stand. Ein ungewohnter Anblick, während sie noch im Bett lag und in das grelle Licht blinzelte. Doch sie genoss den Moment der Stille und die köstliche Einsamkeit nach Wochen gehetzter Geschäftigkeit, bevor sie aufstand und sich bereitmachte für das Tagwerk.

In der Halle standen die Mägde, starrten sie an und verstummten, als sie die Treppe herunterkam.

»Was ist los?«, wollte sie wissen, während schlimme Ängste sie überfielen. Waren die Kinder doch noch krank geworden? Oder einer von den Knappen? Großer Gott, was sollten sie Markgraf Dietrich sagen, wenn seinem einzigen Erben etwas zustieß, während er in ihrer Obhut war?

»Ein Medicus ist zu der Kranken gekommen«, erklärte Mechthild unwirsch, als die anderen weiter beharrlich schwiegen. »Ihr Beichtvater hat ihn geholt. Wir sollten Euch ja nicht stören.«

»Ist er noch bei ihr?«, wollte Marthe wissen. Vielleicht wusste der fremde Arzt ja ein besseres Mittel, um Sigrun wieder auf die Beine zu bringen.

Als Mechthild nickte, ging Marthe zu der Kammer, in der die Kranke untergebracht war, klopfte an und trat ein.

Der Anblick ließ sie bereits in der Tür erstarren: Eine schwarzgewandete Gestalt stand mit dem Rücken zu ihr und wickelte gerade eine blutverschmierte Klinge in ein fleckiges Tuch. Aus Sigruns Unterarmen tropfte Blut auf den Boden.

»Habt Ihr nicht erkannt, dass sie viel zu schwach ist, um auch noch einen Aderlass zu überstehen?«, rief sie dem Fremden fassungslos zu.

Doch als er sich umdrehte, sah sie, dass es kein Fremder war. Es war genau jener Medicus, mit dem sie vor Jahren schon auf dem Burgberg aneinandergeraten war, als sie noch eine einfache Wehmutter gewesen war und den jüngeren Sohn von Markgraf Otto geheilt hatte.

»Ihr?«, stieß sie aus. »Ihr seid der neue Medicus im Nicolai-Viertel?«

Doch ihr Gegenüber war von der Begegnung keineswegs überrascht.

»Genau der«, gab er hasserfüllt zur Antwort. »Nachdem Ihr mich vom Burgberg vertrieben habt, musste ich mir schließlich eine neue Stelle suchen.« Seine Augen wurden zu schmalen Schlitzen. »Und was böte sich besser an als Euer eigenes Revier?«

Plötzlich stand Christian neben Marthe. »Ihr stoßt in meinem Haus keine Drohungen aus«, sagte er in unmissverständlichem Befehlston. »Ihr werdet dieses Haus sofort verlassen und nie wieder betreten.«

»Ah, der kühne Ritter, der mich mit dem Schwert von meinem Patienten verjagt hat, damit ein kleines Kräuterweiblein seine Unwissenheit demonstrieren durfte ...«

Der Medicus raffte seine Instrumente zusammen und ging zur Tür. Vor Christian blieb er stehen. »Diesmal werdet Ihr mich nicht vertreiben. Hier werde ich ausreichend Kundschaft haben, nicht nur einen törichten Markgrafen, der auf die Launen seines Weibes hört.«

Und schon rauschte er hinaus.

Kaum war die Seuche endlich abgeflaut, erhielt Christian Order aus Meißen. Er sollte sich mit seinen Rittern dort einfinden, um Markgraf Otto zum nächsten Hoftag des Kaisers zu begleiten.

Lukas war froh, seiner Braut entrinnen zu können, die zwar einigermaßen genesen, doch noch viel zu schwach war, um die Heimreise anzutreten.

Christian aber traf sofort eine unumstößliche Entscheidung. Während seiner Abwesenheit sollte Marthe mit den Kindern auf dem Besitz seines Freundes Raimund unterkommen.

»Ich lasse dich und die Kinder auf keinen Fall allein hier, so lange dieser eifernde Beichtvater noch im Dorf ist, wir nicht wissen, ob ein neuer Überfall bevorsteht und ob Randolf bald wieder aufkreuzt«, erklärte er.

Marthe gab ihm diesmal ohne einen einzigen Einwand recht, obwohl es ihr zuwider war, aus dem eigenen Dorf fliehen zu müssen. Doch von allen hier war sie ohne Christian wahrscheinlich am meisten in Gefahr.

Also packte sie ihre Sachen, überließ Sigrun der Obhut ihrer Begleiter und freute sich auf das Wiedersehen mit Raimunds junger Frau Elisabeth.

ZWEITER TEIL

Spurlos verschwunden

Angeklagt

Ein plötzliches Frösteln ließ Marthe von ihrer Näharbeit aufblicken.

In der Tür zu Raimunds Halle stand ein Geistlicher in tiefschwarzer Kutte und mit einem großen, mit Edelsteinen geschmückten goldenen Kreuz auf der Brust. Seine Züge erinnerten sie an einen Raubvogel. Obwohl in der Halle mehr als ein Dutzend Menschen waren, fixierte er sofort Marthe mit stechendem Blick.

Eiseskälte durchfuhr sie, denn einen Moment lang sah sie einen schwarzen Schatten um ihn wabern.

»Ich suche eine gewisse Marthe«, schnarrte der Geistliche mit lauter Stimme, während er sie nicht aus den Augen ließ.

Leugnen hatte keinen Sinn. Er wusste, wo sie war – woher? –, und er wusste, wer sie war.

Bedächtig legte sie das Kinderhemdchen beiseite, das sie gerade ausgebessert hatte, und erhob sich. »Das bin ich.«

»Du kommst mit mir nach Meißen.«

»Weshalb, Ehrwürdiger?«, mischte sich Elisabeth höflich ein.

»Sie ist guter Hoffnung und sollte weite Reisen meiden.«

Sofort richtete der Raubvogelartige seinen Blick auf Marthes noch kaum gewölbten Leib. So etwas wie Bedauern zog für einen Moment über sein Gesicht. Dabei war Marthe sicher, dass ihm Mitleid fremd war.

»Sie muss sich vor einem Kirchengericht verantworten.«

Obwohl die Antwort für Marthe nicht überraschend kam, war ihr, als ob eine eisige Hand ihr Herz zusammenpresste.

»Was wirft man ihr vor?«, fragte Elisabeth mit etwas schärferer Stimme.

»Das geht dich nichts an, Weib«, wies der Geistliche Raimunds Frau schroff zurecht. »Misch dich nicht in Dinge ein, von denen du nichts verstehst.«

»Sie ist eine Dame von Stand und frommen Glaubens«, widersprach Elisabeth.

»Das wird das Kirchengericht untersuchen. Willst du etwa Zweifel an der Gerechtigkeit seines Urteils äußern?« Die Stimme des Fremden war nun schneidend scharf, in seinen Augen lauerte Bosheit.

Marthe beschwor Elisabeth mit einem Blick, zu schweigen. Ihre Freundin sollte nicht mit ihr ins Verderben gezogen werden.

»Natürlich nicht, Ehrwürdiger«, antwortete Elisabeth leise.

Mit einer Kopfbewegung befahl der Geistliche zwei Bewaffnete zu sich, die mit ihm gekommen waren und hinter ihm standen.

»Bindet der Hexe die Hände. Und passt gut auf, dass sie nicht entwischen kann!«

An diesen Worten erkannte Marthe, dass ihr Tod schon beschlossen war. Während die Männer ihre Handgelenke fest zusammenschnürten, verstand sie nun auch den Ausdruck des Bedauerns, den sie vorhin auf dem Raubvogelgesicht erkannt hatte. Das war kein Mitleid mit ihr oder dem ungeborenen Kind, sondern Enttäuschung darüber, dass er wegen ihrer Schwangerschaft nicht jede Folter anwenden durfte und sie nicht sofort hingerichtet werden konnte, sondern erst nach der Geburt des Kindes.

Mit einem letzten stummen Blick sah sie zu der totenblass gewordenen Elisabeth, bevor die Bewaffneten sie hinausstießen. Von keinem Ritter hätte Raimunds Frau einen solchen Bruch des Hausrechts hinnehmen müssen. Doch einem Geistlichen durfte sie nicht in den Arm fallen.

Marthe wusste, Elisabeth würde tun, was sie konnte, um Christian zu alarmieren und Hilfe zu holen. Aber es gab nichts, was sie gegen ein Kirchengericht tun konnte, das sein Urteil bereits gefällt hatte.

Die Männer befahlen ihr, auf einen Karren zu steigen, und banden sie dort fest. Marthe betete, dass ihre Kinder nicht mitansehen mussten, wie man sie fortschaffte. Aber Raimunds Frau hatte geistesgegenwärtig dafür gesorgt, dass ihre und Marthes Kinder, die draußen miteinander gespielt hatten, schnell hinters Haus geführt worden waren und nicht ins Blickfeld der Häscher gerieten.

Während der ganzen Reise erhielt Marthe weder Essen noch Trinken, nicht einmal einen Schluck Wasser in der sengenden Augusthitze. Niemand sprach ein Wort zu ihr.

Auch die Nacht musste sie in Fesseln auf dem Karren zubringen, unablässig bewacht von jeweils zwei Männern, unter deren Augen sie sogar ihre Notdurft verrichten musste. Sie verging beinahe vor Scham und hoffte, dass ihr Kleid und die Dunkelheit das meiste verbargen.

Durstig, hungrig, staubig und von Sorgen zermürbt, erreichte sie Meißen am Nachmittag des nächsten Tages. Ihre Bewacher führten sie zum Bischofspalast. Doch sie wurde nicht in einen Saal vor das Gericht geschafft, wie sie geglaubt hatte, sondern in den Kerker.

Wenn sie bis eben noch ein winziges Fünkchen Hoffnung hatte, in der Dunkelheit des Verlieses erlosch es. Als die Wachen sie hineinstießen, sah sie im Schein der Fackel fauliges Stroh und Ketten, die an den Wänden und von der Decke hingen.

Die Männer stießen sie gefesselt auf das modrige, stinkende Stroh. Dann verriegelten sie die Tür und ließen Marthe allein in der Dunkelheit zurück.

Jetzt erst erlaubte sie sich zu weinen – vor Erschöpfung, Angst und aus Sorge um ihr ungeborenes Kind. Bald wurde ihr Schluchzen so heftig, dass sie glaubte, nie wieder aufhören können zu weinen. In ihrem namenlosen Entsetzen überhörte sie die Schritte, die sich näherten, und das Quietschen des Riegels. Erst der grelle Fackelschein ließ sie aufmerken. Sie blinzelte mit verquollenen Augen gegen das Licht und hörte wieder die schnarrende Stimme.

»Nehmt ihr die Fesseln ab, steckt die Fackel in die Halterung und lasst uns allein«, befahl der Raubvogelgesichtige. »Aber wartet vor der Tür.«

Einer der Männer kam auf sie zu und löste den Strick von ihren Handgelenken, die angeschwollen waren und vor Schmerz pulsierten. Dann hörte sie ein ehrerbietiges: »Wie Ihr wünscht«, sich entfernende Schritte und das Knarren der sich schließenden Tür.

Mit dem Ärmel ihres Kleides versuchte sie, die Tränen abzuwischen.

Doch der Geistliche war schneller. Schon stand er vor ihr, hob ihr Kinn und betrachtete lauernd ihr Gesicht.

»Tränen? Ha! Hexen können nicht weinen.«

Noch ehe Marthe etwas sagen konnte, befahl er: »Steh auf!«

Wankend kam Marthe hoch, während sie einen stechenden Blick auf sich gerichtet wusste.

Mit bebenden Fingern zog der Raubvogelgesichtige die Kette

mit dem Silberkreuz unter ihrem Kleid hervor, die Christian ihr geschenkt hatte.

»Mich täuschst du nicht.« Mit einem Ruck riss er die Kette von ihrem Hals und warf sie zu Boden.

»Zieh dich aus!«

Entsetzt starrte Marthe ihn an.

»Hast du nicht gehört? Zieh dich aus!«

»Wie könnt Ihr das von mir verlangen?«, keuchte sie.

»Du widersetzt dich?«

Der Triumph in der Stimme war unüberhörbar. Der Schwarzgewandete ging zur Tür und rief die zwei Bewaffneten herein.

»Zieht ihr die Kleider aus«, befahl er. »Ich muss ihren Körper nach Hexenmalen absuchen.«

Einen einzigen Schritt konnte Marthe vor den Männern zurückweichen, die sich ihr grinsend näherten, dann stieß sie mit dem Rücken an die Kerkermauer.

Sie schrie gellend, während ihr die beiden den Reif mit dem Schleier vom Kopf rissen und das Kleid zerfetzten. Entsetzen und Abscheu vor der groben Berührung vermischten sich mit der Erinnerung daran, wie Randolf und seine Kumpane sie einst überwältigt hatten. Trotz der Dunkelheit erkannte sie die gleiche Lüsternheit auf den Gesichtern der Wachen, fühlte rauhe, gierige Hände auf ihren Brüsten und Schenkeln.

»Lasst ab von ihr«, befahl die schnarrende Stimme. Die Wachen gehorchten, traten einen Schritt zurück und glotzten auf die nackte junge Frau vor ihnen, die vergeblich versuchte, ihre Blöße zu bedecken.

Kleid und Unterkleid lagen zerrissen auf dem Kerkerboden. Obwohl das Raubvogelgesicht sie vorerst von den Händen der Männer befreit hatte, verspürte Marthe kaum Erleichterung. Sie ahnte, seine Absichten waren perfider als die rohe Gier seiner Wachen.

»Kettet sie an, damit ich sie untersuchen kann.«

Der Jüngere der beiden Wachen schob sie mit dem Gewicht seines Körpers an die Wand, hob ihre Hände und schloss sie über ihrem Kopf in schartige Schellen. Dabei rieb er sein hart gewordenes Glied an ihrem nackten Leib, bevor er unwillig zurücktrat. Dann schickte der Mann in der schwarzen Kutte die Wachen wieder hinaus.

Voller Angst wartete Marthe, was nun geschehen würde. Schon mehrfach hatten Männer ihr Gewalt angetan oder antun wollen, bevor sie Christians Frau wurde, aber noch vor keinem hatte sie sich so gefürchtet wie vor diesem. Mit seinem tiefschwarzen Gewand und dem Schatten, der ihn umgab, war er für sie wie ein Abgesandter der Hölle.

Seine Augen funkelten, als er die dürren Finger nach ihr ausstreckte. Sie zuckte zurück, aber die Ketten ließen kaum Spielraum. Gequält stöhnte sie auf, als seine Finger wie Spinnenbeine über ihren Körper glitten und Stellen berührten, die nur Christian sehen durfte.

Als die fremden Finger an den Innenseiten ihrer Schenkel hochkrochen, schrie sie vor Scham und Entsetzen.

»Ja, kreisch nur, Hexe«, raunte ihr eine bebende Stimme zu.

Da erst wurde ihr bewusst, dass der Raubvogelgesichtige nicht nach Hexenmalen suchte. Sie sah die Ausbeulung unter seiner Kutte und die Gier auf seinem Gesicht.

»Welche Sünde ladet Ihr auf Euch, Ihr, ein Mann Gottes!«, schrie sie ihm fassungslos entgegen.

Wie ertappt fuhr er zurück, aber nur kurz. Ein böses Lächeln zog über sein Gesicht und ein Ausdruck gewaltiger Freude. Mit irgendetwas hatte sie ihm gerade einen großen Gefallen getan. Im nächsten Augenblick wurde klar, worauf er sich freute.

Er hatte plötzlich eine Rute in der Hand, prüfte ihre Biegsamkeit und ließ sie mit einem scharfen, zischenden Geräusch durch die Luft sausen. Dann trat er einen Schritt zurück und musterte sie mit halb zugekniffenen Augen.

»Welch teuflisches Blendwerk – die Verderbtheit der Weiber mit ihrem sündigen Fleisch. Empfange die Strafe für deine Widersetzlichkeit, Hexe. Oder gestehe!«

»Ich bin keine Hexe!«, schrie sie.

Dabei wusste sie, dass den anderen ihre Antwort nicht interessierte. Sie hatte in seinen Augen das gleiche kranke Verlangen erkannt, das sie schon einmal gesehen hatte: bei Oswald, einem Reisigen aus ihrem Heimatdorf, der sie lange verfolgt hatte. Er war der Schrecken aller Dorfbewohner gewesen, weil er widerwärtige Lust dabei empfand, andere bis aufs Blut auszupeitschen. Vor ihm hatten Christian und Lukas sie im letzten Augenblick gerettet und ihn getötet. Doch diesmal würde niemand kommen, um sie zu retten. Nicht einmal ihre Schmerzensschreie würden durch die dicken Kerkermauern dringen.

»Du trägst ein Kind, also darf ich dich nur an Haut und Haar bestrafen«, hörte sie das Raubvogelgesicht schnarren. »Aber auch mit der Rute kann ich dir Gehorsam beibringen. Los, dreh dich um.«

Sie presste das Gesicht an das rauhe Mauerwerk, als sie das Stroh rascheln hörte, weil ihr Peiniger einen Schritt zurücktrat, um auszuholen. Sie konnte ihn nicht sehen, aber sie wusste, dass er den ersten Schlag mit Absicht hinauszögerte, um sich an ihrer Angst zu weiden.

Die Wucht des Hiebes zerfetzte ihre Haut vom Schulterblatt bis zur Hüfte. Sie schrie markerschütternd und spürte Blut über ihren Rücken rinnen.

Der Raubvogelgesichtige keuchte und holte wieder aus, wieder und wieder, während sie bereits ohnmächtig in den Ketten hing.

Erst als sein Rausch vorbei war und er sich Erleichterung verschafft hatte, rief er die Wachen herein.

»Kettet sie los«, befahl er. »Sie muss morgen vor Gericht noch auf eigenen Füßen stehen können.«

Mürrisch löste der Jüngere die Schellen und ließ die Bewusstlose zu Boden fallen. Der Pfaffe hatte wieder einmal seine Pläne für die Nacht durchkreuzt. Mit diesem blutenden, halbtoten Stück Fleisch war nichts mehr anzufangen. Dann fiel sein Blick auf den Reif mit dem Schleier auf dem Boden. Rasch hob er ihn auf und steckte ihn unter sein Hemd. Wenigstens würde ihm das ein paar Münzen einbringen.

»Los, aufstehen!« Harte Tritte rissen Marthe aus der Bewusstlosigkeit. Noch ehe sie sich klar darüber werden konnte, wo sie war, fuhren brennender Schmerz und eisige Kälte durch ihren Körper.

Sie hob den Kopf und blinzelte gegen die jähe Helligkeit. Als sich ihre Augen an das Licht der Fackel gewöhnt hatten, sah sie Abscheu und Erschrecken auf dem Gesicht des Mannes, der sie gestern noch lüstern angeglotzt hatte. Das verriet ihr etwas über ihr Aussehen. Mit der Hand strich sie über die schmerzende linke Gesichtshälfte. Sie musste darauf gestürzt sein, als die Männer sie losgebunden hatten. Die Wange war dick geschwollen und wahrscheinlich blau und rot angelaufen.

»Wird's bald! Oder brauchst du noch mehr Hiebe?«

Unter Schmerzen quälte sie sich hoch und wurde sich erst dabei bewusst, dass sie nackt war. Für den Versuch, ihre Brüste und ihre Scham mit den Händen zu bedecken, erntete sie hämisches Grinsen bei den Wachen. Einer warf ihr einen Stofffetzen zu.

»Zieh das an.«

Mit bebenden Händen entfaltete sie das grobgewebte Stück

Leinen; ein Büßerhemd, das weder ihre Waden noch ihre Arme bedecken würde.

Jetzt erst begriff sie bis ins letzte, warum Christian immer wieder darauf bestanden hatte, dass sie Kleider in Farben und Zuschnitten trug, die den einfachen Leuten verwehrt blieben.

Das Kirchengericht würde sie nicht als Dame von Stand behandeln, sondern nach dem Eindruck, den ihr jetziger Zustand hinterließ, so wie es das Raubvogelgesicht gewollt hatte: halb nackt in einem Büßergewand, mit Stroh im unbedeckten, ungekämmten Haar, barfuß, schmutzig, zerschunden, vor Durst, Hunger und Schmerz kaum fähig zu stehen.

Mühsam zog sie sich das Hemd über den Kopf. Bei jeder Bewegung brachen kaum verkrustete Wunden auf ihrem Rücken auf und begannen erneut zu bluten.

Die Männer legten ihr Ketten um die Handgelenke und führten sie durch die Kellergewölbe, dann eine Treppe hinauf und durch den halben Bischofspalast, bis sie vor einer großen Tür haltmachten und ihr befahlen, stehen zu bleiben. Eine der Wachen ging durch die Tür. Danach verstrich scheinbar endlos viel Zeit, ohne dass jemand kam und Marthe hereinbefahl. Sie begriff, das war ein weiteres Mittel, sie zu zermürben.

Sie schwankte und glaubte schon, keinen Augenblick länger stehen zu können, als sich die große Tür endlich öffnete und sie mit einem Wink aufgefordert wurde, einzutreten.

Der Saal war hoch und düster. An der Stirnseite saßen auf einem langen, hohen Podest sechs kirchliche Würdenträger in pechschwarzen Roben und mit großen Kreuzen auf der Brust, die auf sie herabstarrten, ohne dass sie die Gesichter richtig erkennen konnte. Aber sie war sicher, dass sie außer dem Raubvogelartigen keinen von ihnen kannte. In der Mitte stand ein kostbar verzierter Stuhl, auf dem niemand saß. Linker Hand wartete an einem Pult ein Schreiber, der sorgsam vermied, sie anzusehen und auf sein Pergament starrte, ansonsten war der riesige Saal leer.

Unter den gnadenlosen Blicken von sechs Augenpaaren trat sie zögernd näher, bis die bekannte Stimme schnarrte: »Auf die Knie, Sünderin!«

Sie gehorchte sofort, erleichtert, nicht länger stehen zu müssen. Sie wollte nicht ohnmächtig vor ihren Richtern zusammenbrechen.

Der Mann, der links neben dem leeren Stuhl saß, richtete das Wort an sie. »Du bist Marthe, eine Wehmutter und Kräuterfrau unbekannter Herkunft, die jetzt in Christiansdorf lebt?«

Sie wollte antworten, aber nach drei Tagen ohne Wasser war ihr Mund so ausgedörrt, dass sie selbst mit aller Anstrengung nur ein Krächzen herausbrachte.

»Da, hört: Nicht einmal ihre Stimme ist menschlich«, schnarrte das Raubvogelgesicht.

Der Fragesteller musterte sie mit unergründlichem Blick. »Ihre Lippen sind aufgesprungen. Kann es sein, dass man vergessen hat, ihr zu trinken zu geben? Hol einen Becher Wasser«, befahl er dem Schreiber, der sofort loseilte.

Marthe glaubte, noch nie etwas so Köstliches getrunken zu haben wie das schale, lauwarme Wasser, das der Schreiber ihr brachte. Es kostete sie alle Beherrschung, in kleinen Schlucken zu trinken, damit sie nicht alles wieder herauswürgen musste.

Dann stellte sie den Becher auf den Boden, richtete ihren Blick auf den Mann links des leeren Stuhles und sagte: »Ich danke Euch, Ehrwürdiger.«

»Du sprichst nur, wenn du gefragt wirst!«, fuhr ein anderer sie an.

Der Fragesteller hob Einhalt gebietend die Hand und wiederholte seine Frage: »Du bist Marthe, eine Wehmutter und Kräuterfrau unbekannter Herkunft, die jetzt in Christiansdorf lebt?«

»Dies und das Eheweib des Ritters Christian von Christiansdorf, durch Gnade von Markgraf Otto in den Stand einer Edelfreien erhoben«, antwortete Marthe, so fest sie konnte.

Die Antwort sorgte für Raunen unter den Männern auf dem Podest.

»Wenn sie edelfrei ist, wieso ist sie dann in diesem Zustand?«, fragte der Mann unwirsch, der das Verhör führte.

Wer ist er?, dachte Marthe. Niemand hatte es für nötig gehalten, ihr Namen und Rang der Männer zu nennen, die über ihr Leben oder ihren Tod entscheiden würden. Aber der neue Bischof war nicht unter ihnen. Sicher war der leere Stuhl in der Mitte für ihn bestimmt. Ob sie ohne ihn ein Urteil fällen würden?

»Sie ist nur ein einfaches Bauernweib, das durch eine Laune des Markgrafen erhöht wurde. Vielleicht hat sie ihn sogar mit teuflischen Kräften dazu gebracht«, antwortete das Raubvogelgesicht abfällig. »Und müssen wir nicht ohne Ansehen von Rang und Namen das Böse aufspüren? Außerdem hat sie sich widersetzt, als ich sie nach Hexenmalen absuchen wollte. Sie musste erst zu Gehorsam gezwungen werden.«

»Hat sie Hexenmale?«, wollte der Fragesteller wissen.

»Ja, ein feuerrotes Mal in Form eines Pferdefußes«, schnarrte der andere.

Marthe schnappte nach Luft.

»Wo?«

»Über ihrer linken Brust.«

»Ich will es sehen.«

»Ich habe kein solches Mal«, rief Marthe.

»Da seht ihr – sie widersetzt sich schon wieder«, geiferte das Raubvogelgesicht. Mit wütenden Schritten durchquerte er den

Raum und zerriss das Büßerhemd, so dass Marthes Brust halb entblößt wurde.

»Es ist verschwunden«, rief er mit geheucheltem Staunen. »Bei Gott! Ich habe es gestern noch klar und deutlich gesehen. Sie muss mit wahrhaft teuflischen Mächten im Bunde stehen.«

»Ich habe nie solch ein Mal gehabt«, wiederholte Marthe, so laut sie konnte, während sie krampfhaft die Stoffhälften zusammenhielt, um ihre Brust zu bedecken. »Er lügt! Und gestern hat er sich mir unkeusch genähert!«

Das Raubvogelgesicht reckte die Hände zum Himmel. »O Herr! Befreie uns von dieser Sendbotin des Bösen«, deklamierte er. Dann wandte er sich an die anderen Männer: »Ihr hört es selbst – sie ist von Dämonen besessen. Nur eine Besessene kann etwas derart Abwegiges äußern. Bringt sie zum Schweigen! Verschließt ihr den Mund, bevor sie noch mehr Blendwerk vor diesem ehrwürdigen Gericht ausbreiten kann.«

Doch der Fragesteller ignorierte den Vorschlag.

»Gehst du regelmäßig zur Messe und zur Beichte?«, fragte er Marthe, deren Knie inzwischen so sehr schmerzten, dass sie kaum noch wusste, wie sie in der befohlenen Haltung ausharren sollte.

»Selbstverständlich.«

»Du weißt, welch schwere Vorwürfe gegen dich erhoben worden sind?«

Marthe schüttelte den Kopf.

»Der Ankläger behauptet, du seist mit dem Bösen im Bunde, um Todgeweihte mit heidnischen Sprüchen und Mitteln zu retten. Dagegen sollst du durch Zauber die Heilung anderer verhindert haben.«

»Das ist nicht wahr. Wer ist dieser Ankläger? Ich habe ein Recht, das zu erfahren.«

»Ruf ihn herein«, befahl der Fragesteller dem Schreiber.

Der eilte erneut hinaus und kehrte diesmal schnell zurück. In seiner Begleitung kam der Medicus.

Mit zufriedenem, ja, glücklichem Lächeln genoss der Gelehrte den Anblick, den Marthe bot: in Ketten, halb entblößt und zerschunden auf dem Boden kniend. Dann bekreuzigte er sich rasch und verneigte sich ehrerbietig vor den Geistlichen.

»Ihr steht zu Eurer Anklage, dass dieses Weib ihren Ruf als Wehmutter und Heilerin missbraucht, um Teufelswerk zu vollbringen?«, fragte der Mann links des leeren Stuhles.

»Selbstverständlich, Eminenz.«

Der Fragesteller überging die schmeichelnde Anrede.

»Und Ihr seid Euch bewusst, dass eine falsche Anklage Euch die Strafe eintragen würde, die über dieses Weib verhängt wird, wenn sich Euer Vorwurf bestätigt?«

»Selbstverständlich. Ich habe die Heilkunst an der berühmten Universität Bologna studiert und kann behaupten, in diesen Dingen aufs beste bewandert zu sein. Wie Ihr vielleicht wisst, hat uns in Christiansdorf eine Masernepidemie heimgesucht. Jeder Gelehrte weiß, dass dagegen nur Beten und Aderlass helfen, damit die üblen Körpersäfte entweichen können. Doch diese anerkannten Methoden hat das Weib da abgelehnt und verhöhnt. Trotzdem haben schon für tot Erklärte überlebt, nachdem sie sie behandelt hat. Das lässt sich nur mit teuflischem Beistand erklären.«

»Ich gebe auch zu bedenken, dass der Herr diese Seuche über das Dorf gebracht hat, um die Sünder zu strafen und dem gottlosen Treiben Einhalt zu gebieten. Aber sie hat versucht, Seinen Willen zu durchkreuzen«, schnarrte das Raubvogelgesicht.

»Kann es nicht sein, dass ihre Heilmethoden vielleicht einfach besser waren?«, fragte eine zweifelnde Stimme von links.

»Wo denkt Ihr hin?«, fuhr der Medicus auf. »Dieses Weib ist völlig unwissend in medizinischen Dingen. Das musste ich schon vor Jahren erleben. Ich sah sie den jungen Markgrafen mit Erdbeeren füttern. Dabei weiß jeder gebildete Mensch, dass rohes Obst ungesund ist. Und wenn überhaupt, dann sollten hohe Herren nur Obst essen, das auf Bäumen gedeiht, während alles, was am Boden wächst, bestenfalls für das einfache Volk geeignet ist. Sie hat mich mehrfach daran gehindert, dem zweiten Sohn des Markgrafen die von allen medizinischen Autoritäten anerkannten Heilmethoden gegen die Fallsucht zuteil werden zu lassen, wie Blutegel und das Blut eines Gehenkten. Stattdessen habe ich selbst gesehen und gehört, wie sie geheimnisvolle Sprüche gemurmelt hat.«

»Er lügt! Gebete habe ich gesprochen, Gebete um Gottes Hilfe bei der Heilung des jungen Dietrich«, rief Marthe.

»Die Hexe beschmutzt den Namen des Herrn, indem sie ihn ausspricht«, kreischte das Raubvogelgesicht.

Wieder hob der Fragesteller Einhalt gebietend die Hand. »Keine voreilige Verurteilung. Die Angelegenheit ist zu schwerwiegend, um nicht gründlichst untersucht zu werden.«

Er wandte sich erneut an den Medicus.

»Wenn ich mich recht entsinne und wenn dies Ritter Christians Eheweib ist, dann habt Ihr einst Eure Position auf dem Burgberg durch diese Frau verloren, nicht wahr?«, fragte er zu Marthes Erstaunen.

Der Medicus erbleichte. »Aber das ist viele Jahre her. Inzwischen habe ich längst eine neue angesehene Stellung.«

»In Christiansdorf, wie ich hörte. Also dort, wo Ihr wieder in Konkurrenz zu diesem Weib arbeitet. Seid Ihr bereit zu schwören, dass Eure Anklage nicht durch Neid und Rachsucht verursacht ist? Jetzt ist Eure letzte Gelegenheit, die Klage zurückzunehmen. Dann werdet Ihr als Verleumder nur die Zunge verlieren.«

Der Medicus warf sich zu Boden. »Ich schwöre, all mein Bemühen ist lediglich darauf gerichtet, uns vor dem Einfluss des Bösen zu schützen. Warum sonst hätte ich ausgerechnet nach Christiansdorf ziehen sollen, wenn nicht dazu, um dieser gefährlichen Hexe das Handwerk zu legen?«

Nun richtete der Fragesteller das Wort wieder an Marthe.

»Der Ankläger ist ein angesehener, gelehrter Mann. Hast du Zeugen, die für die Ehrbarkeit und Frömmigkeit deines Tuns sprechen können? Keine Bauernweiber, deren Bälger du von der Krätze oder vom Rotz befreit hast, sondern Männer der Kirche und Menschen von edlem Geblüt?«

»Pater Bartholomäus aus Christiansdorf, Markgraf Otto und Markgräfin Hedwig«, antwortete Marthe ohne Zögern.

Andere Namen wollte sie nicht nennen, um niemanden in Schwierigkeiten zu bringen. Der Markgraf und seine Gemahlin waren wohl mächtig genug, damit ihre Meinungen von einem Kirchengericht akzeptiert wurden. Aber würden sie auch zu ihren Gunsten aussagen?

»Ein neues teuflisches Ablenkungsmanöver«, mischte sich das Raubvogelgesicht ein. »Der Pater ist vor einer Woche gestorben, der Markgraf und seine Gemahlin sind unterwegs zum Hoftag des Kaisers und kommen nicht so bald zurück.«

Pater Bartholomäus ist tot?, dachte Marthe mit einem jähen Anflug von Trauer und einer neuen Welle Hoffnungslosigkeit. Also würde niemand für sie sprechen.

Der Fragesteller blickte unzufrieden um sich. »Das bringt uns in eine schwierige Lage. Sollen wir in dieser dringlichen Angelegenheit wirklich wochenlang warten, bis wir ein Urteil fällen können?«

»Dafür ist das Weib viel zu gefährlich. Ich schlage ein Gottesurteil vor«, schnarrte das Raubvogelgesicht eifrig. »Unterziehen wir sie der Probe auf dem kalten Wasser, das bringt am schnellsten Klarheit.«

Marthe sank in sich zusammen. Sie hatte keine Ahnung, warum dieser Mann ihren Tod wollte.

Die anderen Arten des Gottesurteils gewährten den Delinquenten ein paar Tage Aufschub und eine geringe Überlebenschance. Sie mussten ein glühendes Stück Eisen tragen, in siedendes Wasser oder Öl greifen oder über glühende Kohlen laufen. Verheilten die furchtbaren Wunden sauber, was selten genug geschah, galt das Opfer als unschuldig und war frei, wenn auch verkrüppelt für den kurzen Rest seines Lebens. Brandige oder eitrige Wunden wurden als Schuldbeweis gewertet und führten zur Verurteilung.

Doch die Wasserprobe im Fluss brachte auf jeden Fall den Tod. Wer nicht unterging, wurde als Hexe hingerichtet, weil das reine Wasser Hexen nicht aufnahm. Zu versinken galt hingegen als Unschuldsbeweis. Doch üblicherweise weigerten sich die Büttel, das unglückliche Opfer aus dem Wasser zu ziehen, bevor es ertrunken war.

Sie hatte einmal selbst ein solches Gottesurteil mitansehen müssen. Eine junge Frau war von der Nachbarin angeklagt worden, ihren Mann behext und ihren Kühen die Milch weggezaubert zu haben. Verzweifelt hatte sie immer wieder ihre Unschuld beteuert, ehe sie von der Brücke gestoßen wurde. Dann hatten ein paar Männer sie so lange mit Stangen unter Wasser gedrückt, bis sie tot war.

Hin- und hergerissen zwischen maßlosem Grauen und Hoffnung wartete Marthe, wie der Fragesteller entscheiden würde. Bisher hatte er versucht, ihr mehr Gerechtigkeit zuteil werden zu lassen, als sie erwartet hatte.

»So sei es«, sagte er schließlich nach einem Moment lähmender Stille.

Marthe schloss die Augen.

»Steh auf«, befahl eine harte Stimme.

Sie wankte, ihre Beine verweigerten den Dienst.

Der Frageisteller ließ den Schreiber die Wachen holen, die vor der Tür gewartet hatten. »Schafft sie zum Fluss.«

Die Männer zerrten sie hoch. Marthe spürte die triumphierenden Blicke des Raubvogelgesichts und des Medicus auf ihrem Rücken, als die Wachen sie mit derbem Griff hinausführten.

Nach drei Schritten durchzuckte ein schneidender Schmerz ihren Unterleib. Sie krümmte sich. Ihr Kind! Verlor sie ihr Kind? Sollte das Ungeborene noch vor ihr sterben?

Aber war es nicht gleichgültig, ob jetzt oder beim nächsten Glockenläuten?

Wenn ich ertrunken bin, wird wenigstens niemand Christian oder meinen Kindern Hexerei vorwerfen können. Das war der einzige Gedanke, an den sie sich jetzt noch klammern konnte.

Die Kunde vom bevorstehenden Gottesurteil lockte unzählige Schaulustige an. So folgte eine lärmende Menschenmenge der denkwürdigen Prozession: sechs Kanoniker und eine halbnackte junge Frau mit geschwollenem Gesicht und in zerfetztem, blutigem Büßerhemd, die sich kaum auf den Beinen halten konnte. Ihnen voran ging ein Ausrufer, der Platz für die ehrenwerten Kirchenmänner forderte und nicht müde wurde, hinzuzufügen, dass sogleich am Fluss eine Sünderin auf Hexenkräfte geprüft werden sollte. Bis sie die Elbe erreichten, hatte sich bereits eine riesige Menschenmenge zusammengefunden.

Am Ufer angelangt, rief das Raubvogelgesicht die Fähre herbei. Während der Fährmann auf sie zuhielt, band jemand Marthe ein Seil eng um den Leib. Verzweifelt hielt sie Ausschau nach einem bekannten Gesicht unter den lärmenden Zuschauern.

Aber so, wie sie zugerichtet war, würde niemand in ihr die Frau von Ritter Christian erkennen.

»Gestehst du dein teuflisches Blendwerk?«, geiferte das Raubvogelgesicht.

»Bei Gott und allen Heiligen, ich bin unschuldig«, rief Marthe und begann verzweifelt zu beten.

Doch sie hatte kaum zu sprechen begonnen, als ein Stoß sie zu Boden schickte. Auf Befehl des Mannes, der sie befragt hatte, nahmen die Wachen ihr die Ketten ab und bogen ihren Körper so, dass sie Hand- und Fußgelenke zusammenbinden konnten.

»Herr im Himmel, wir bitten dich um Antwort. Ist dieses Weib eine Hexe oder ein unschuldiges Wesen?«, rief der Fragesteller laut.

Marthe, die nun fast völlig bewegungsunfähig war, wurde roh angepackt und auf die Fähre geworfen. Ihr Herz krampfte sich vor Furcht zusammen, während sie immer leiser und schneller ihr Gebet zu Ende sprach.

Und Herr, erbarme dich meines geliebten Mannes und meiner unschuldigen Kinder, fügte sie stumm hinzu.

Unter dem Johlen der Menschenmenge legte der Fährmann ab.

Der Fragesteller und ein hochgewachsener, hagerer Soldat, dessen Gesicht Marthe nicht sehen konnte, standen links und rechts von ihr auf der Fähre.

»Halt an, hier ist es tief genug«, befahl der Geistliche. »Übergib sie dem Wasser.«

»Erlaubt, dass ich zuvor noch einmal überprüfe, ob die Knoten fest sitzen«, hörte sie eine Stimme, die ihr merkwürdig bekannt vorkam.

Als sie sah, welches Gesicht dazugehörte, zuckte sie zusammen, obwohl sie bis eben noch geglaubt hatte, dass sie so wenige Augenblicke vor dem Tod nichts mehr erschrecken konnte als der Tod selbst.

In der Kleidung eines Wachsoldaten beugte sich Randolfs Freund Ekkehart über sie und zurrte den Strick fest, der um ihren Leib gebunden war.

Warum wollte Randolf sie ausgerechnet auf diese Weise töten?

»Hol tief Luft«, raunte ihr Ekkehart zu.

Tränen quollen aus Marthes Augen. In den letzten Augenblicken ihres Lebens musste sie sich noch von dem Mann verhöhnen lassen, der ihr Gewalt angetan hatte.

Sie schloss die Augen und betete stumm ein letztes Mal.

Dann wurde sie hochgehoben und mit Schwung ins Wasser geworfen.

Sie sank wie ein Stein in die Tiefe, bis ein schmerzhafter Ruck des Seils ihren Fall aufhielt.

Obwohl sich jeder Teil ihres Körpers gegen das Sterben wehren wollte, machte die Art der Fesselung so gut wie jede Bewegung unmöglich. Sie riss die Augen auf und sah über sich noch einmal das Funkeln des Sonnenlichts, das durch das Wasser drang. Solang es ging, hielt sie den Atem an, doch irgendwann musste sie wieder nach Luft schnappen. Wasser strömte nun in ihre Lungen. Nicht einmal ein letztes, verzweifeltes Aufbäumen ihres zu Regungslosigkeit verurteilten Körpers war ihr vergönnt, ehe vollkommene Schwärze sie umfing.

Ein harter Tritt auf den Brustkorb presste Marthe das Wasser aus den Lungen und holte sie ins Leben zurück. Sie zuckte, würgte und spie Wasser, bis sie endlich frei atmen konnte und wieder kraftlos zu Boden sank. Erst dabei wurde ihr bewusst, dass jemand sie aus dem Fluss gezogen und den Riemen um Hände und Füße durchgeschnitten haben musste.

Ein kräftiger Ruck ging durch die Holzbalken, auf denen sie lag. Die Fähre, dämmerte ihr. Sie musste wieder am Ufer angelangt sein.

Jemand zog sie auf die Füße – Ekkehart, in dessen Gesicht sie so etwas wie Besorgnis sah. Fürchtete er Randolfs Zorn, weil sie immer noch am Leben war? Oder war Ekkehart der Erste, dem sie auf dem Vorhof zur Hölle begegnete?

Allmählich wurde das dumpfe Dröhnen in ihren Ohren zum Toben der vielen Menschen, die das Schauspiel mitverfolgt hatten.

Der Geistliche, der sie befragt hatte, hob die Hand und brachte damit die Menge zum Schweigen.

Noch bevor er etwas sagen konnte, ertönte die schnarrende Stimme. »Das reine Wasser hat sie wieder ausgestoßen. Sie ist eine Hexe!«

Ängstliche Stimmen, Wutschreie und Rufe »Tötet sie!« klangen durcheinander.

Wieder hob der Fragesteller die Hand, bis es ruhig wurde.

»Sie war vollständig untergetaucht. Das Wasser hat sie nicht abgestoßen. Sie ist nur noch am Leben, weil dieser Mann sie kurz vor dem Ertrinken wieder hochgezogen hat.«

»Ja, sie ist unschuldig! Lasst sie frei«, rief eine Frau aus der Menge. Beifällige Rufe kamen auf, immer mehr Stimmen forderten: »Lasst sie frei!«

Der Raubvogelgesichtige drängte sich vor und wies anklagend auf Ekkehart. »Dieser Tölpel hat einen Fehler gemacht. Er hat sie zu früh aus dem Wasser geholt.«

»Sie war schon so gut wie tot und bewegte sich nicht mehr, als ich sie hochzog«, rechtfertigte sich der falsche Soldat.

»Vielleicht ist sie unschuldig, vielleicht aber hat Gott so entschieden, weil er nicht sie, sondern die unschuldige Seele ihres ungeborenen Kindes retten wollte«, überlegte der Fragesteller laut. »Eine schwierige Entscheidung …«

Von den Schaulustigen erklangen erneut laute Rufe, mit denen manche Marthes Tod, andere ihre Freilassung forderten.

Marthe selbst stand tropfnass und vor Kälte schlotternd in dem Getöse, unfähig, einen klaren Gedanken zu fassen.

»Wir warten mit dem endgültigen Urteil, bis der ehrwürdige Bischof zurück ist. Er in seiner Weisheit wird Rat wissen. Bis dahin bringt sie wieder ins Verlies. Und lasst uns am Abend beten, dass Gott uns die Antwort aufzeigt.«

»Ich kann sie erneut peinlich befragen«, ertönte die Schnarrstimme eifrig. »Vielleicht gesteht sie dann endlich.«

»Einverstanden. Gehen wir zurück.«

Als zu Marthes Verstand vordrang, was ihr erneut bevorstand, schwankte sie und sackte zu Boden. Kräftige Arme hoben sie auf. Der Schmerz von den Wunden auf ihrem Rücken riss sie für einen Moment aus dem Dämmerzustand. Über sich sah sie verschwommen Ekkeharts Gesicht. Dann schlug sie die Augen wieder zu. Sie war viel zu schwach, um sich dagegen zu wehren, dass der Verhasste sie trug, ganz gleich, wohin.

Eine Hand rüttelte vorsichtig an ihrer Schulter. »Wach auf. Du musst mit mir kommen«, sagte Ekkehart leise zu ihr, der merkwürdigerweise immer noch die Kleidung eines Wachsoldaten trug.

Verwirrt sah sie erst ihn an, dann die Wände ihres Verlieses, die Ketten, in denen sie ausgepeitscht worden war.

»Wohin? Will das Raubvogelgesicht mich nicht hier gleich zu Tode foltern?«

»Das will er, und er wird bald kommen. Also beeil dich! Ich schaffe dich raus aus diesem Loch.«

»Zu Randolf?«

»Nein, der weiß nichts davon. Komm, uns bleibt nur wenig Zeit.«

»Aber warum …?«

»Ich stehe in deiner Schuld. Du hast mir das Leben gerettet, als ich verwundet war«, sagte Ekkehart kurz angebunden, während er ihr aufhalf.

Erinnerungen an jenen Zwischenfall blitzten in ihr auf ... der Jagdunfall ... damals, als sie noch unglücklich mit dem alten Wiprecht verheiratet war. Markgraf Otto hatte eine Jagd zum Vorwand genommen, um die ersten Silberproben in Christiansdorf in Augenschein zu nehmen. Dabei hatte ein aufgestöberter Bär Ekkehart angefallen und mit den Krallen seine Brust tief aufgerissen. Ein Ritter aus Ottos Gefolge hatte ihr damals befohlen, den Schwerverwundeten am Leben zu erhalten, wenn sie selbst nicht sterben wollte.

»Und die Wachen?«

»Sind abgelenkt.«

Sie ging vorsichtig zwei Schritte, dann zwang ein schneidender Schmerz im Unterleib sie in die Knie.

»Was ist?«, raunte der Ritter ungeduldig.

»Mein Kind ... Ich verliere mein Kind«, stöhnte Marthe.

Kurz entschlossen hob Ekkehart sie hoch und legte sie sich über die Schulter. »Ein Grund mehr, schleunigst zu verschwinden.«

Sorgfältig verriegelte er die Tür von außen, damit ihr Fehlen nicht sofort bemerkt wurde, dann eilte er mit seiner Last durch den Gang. Aus einem Raum kurz vor der Treppe hörte Marthe das lustvolle Stöhnen einer Frau und ein paar johlende Männerstimmen.

Sie verlor jedes Gefühl dafür, wo sie sich befanden und wohin Ekkehart sie trug. Es war ihr auch gleichgültig. Sie schloss die Augen und sank wieder in erlösende Bewusstlosigkeit.

Ein neuerlicher schneidender Schmerz brachte sie zu sich. In einen Umhang aus gutem, schwerem Tuch gehüllt, saß sie auf einem Pferd und wurde von starken Armen gehalten.

Links und rechts des schmalen Pfades war dichter Wald zu sehen.

»Was ist los? Brauchst du eine Rast?«, hörte sie direkt hinter sich Ekkeharts Stimme.

»Ich verliere mein Kind.«

Ekkehart brachte sein Pferd zum Stehen, saß ab und trug sie zu einer Stelle, wo der Waldboden weich und voller Moos war und niemand sie vom Weg aus sehen konnte.

Er flößte ihr Wein ein und bot ein Stück kaltes Fleisch an.

»Was kann ich tun?«, fragte er beunruhigt.

Sie krümmte sich vor Schmerz und spürte Blut ihre Beine hinabrinnen, noch bevor sie den größer werdenden roten Fleck auf ihrem dünnen, halb zerrissenen Büßerhemd sah.

»Nichts«, schluchzte sie. »Es ist zu spät.«

Ekkehart schlug seinen Umhang fester um sie. »Ich kann dich hier nicht liegen lassen, sonst verblutest du. Noch ein paar Meilen, dann hole ich Hilfe.«

Nur vage Schemen und Stimmen drangen in Marthes Bewusstsein, während sie in einer merkwürdigen Traumwelt gefangen zu sein schien.

Sie fühlte, wie sie auf ein weiches Lager gebettet wurde, hörte die besänftigende Stimme einer alten Frau, spürte geschickte Hände, die sie wuschen, die verkrusteten Wunden auf ihrem Rücken aufweichten und kühle Umschläge um ihren Kopf wickelten, der vor Hitze zu zerspringen schien. Manchmal wurde sie behutsam aufgesetzt, und jemand flößte ihr etwas zu trinken ein, verdünnten Wein oder Sude, deren Gerüche ihr sonderbar vertraut vorkamen.

Einmal glaubte sie Ekkeharts Stimme zu hören, der streng befahl: »Du wirst niemandem etwas davon erzählen!«

»Selbstverständlich, Herr.« Das musste die Alte sein.

Später – sie wusste nicht, wie viel Zeit vergangen war, vielleicht waren es Tage oder gar Wochen – hörte sie Ekkehart fragen: »Wird sie überleben?«

Die Alte antwortete: »Unwahrscheinlich. Ihr seht doch, was sie durchgemacht hat, das arme Ding. Das allein könnte so ein zartes Wesen schon unter die Erde bringen. Aber jetzt hat sie auch noch das Fieber, das die Mütter im Kindbett tötet.«

Ohne jede Spur

Aus Rücksicht auf Hedwigs Zustand war Otto mit seinem Gefolge diesmal sehr zeitig zum Hoftag aufgebrochen. So mussten sie nicht zu lange Wegstrecken zurücklegen und konnten zwischendurch auch einen Rasttag einlegen – wie jetzt im Kloster Chemnitz, dessen Vogt Markgraf Otto war.

Der Infirmarius bemühte sich nach besten Kräften um Hedwig. Doch der Markgraf war hin und her gerissen, ob er noch einen Tag ausharren sollte, bis es seiner Frau wieder besserging, sie zurück nach Meißen schicken oder gar vorübergehend im Kloster lassen sollte.

Der Kaiser hatte seine Fürsten nach Hermsdorf in Thüringen gerufen. Das war längst nicht so weit entfernt wie Mainz oder Worms. Deshalb hatte auch Hedwig gehofft, dass sie die Strecke bewältigen konnte, denn bei diesem Hoftag würden Entscheidungen getroffen werden, die ihre Familie in besonderem Maß berührten. Ihr Bruder Hermann und der junge Landgraf von Thüringen führten mittlerweile einen offenen Krieg gegeneinander. Und es galt, das Verhältnis zu Böhmen zu klären, was sie nun unmittelbar anging, denn einer der Söhne des einstigen Böhmenkönigs Sobeslaw war inzwischen mit ihrer erst vierjährigen Tochter Sophia verheiratet. Ulrich, ihr Schwiegersohn, der nun in Meißen im Exil lebte, reiste mit ihnen. Sein ältester Bruder war Gefangener des jetzigen böhmischen Königs, der ohne Zustimmung der Böhmen und des Kaisers von seinem Vater die Krone bekommen hatte. Der Kaiser aber wollte die Unterstützung der Böhmen, der Ungarn und der Polen für seinen bevorstehenden Italienfeldzug und schien nicht abgeneigt, Ulrich zum neuen böhmischen Herrscher zu erklären.

Nicht schlecht, dachte Otto anerkennend, als er sich erinnerte, dass es einst Hedwigs Idee gewesen war, die kleine Sophia mit Ulrich zu verloben. Hauptsache, seine Gemahlin fühlte sich bald wieder kräftig genug, um die Reise fortzusetzen und den Hoftag nicht zu verpassen.

Christian leitete während des Aufenthaltes in Chemnitz wie üblich gemeinsam mit Arnulf die Waffenübungen der Knappen von Markgraf Ottos Rittern.

Gerade führte er mit Lukas ein gewagtes Manöver vor, durch das man den Gegner besiegen konnte, wenn die Schwertklingen aneinander bis zu den Parierstangen geglitten waren.

»Ihr müsst blitzschnell sein«, schärfte Christian den Jungen ein, als er aus dem Augenwinkel einen Reiter in hohem Tempo auf sie zukommen sah.

Bald war der Reiter dicht genug heran, dass er ihn als einen Mann aus Raimunds Gefolge erkannte. Die Hast, mit der er sich näherte, und der düstere Ausdruck auf seinem Gesicht ließen Christian sofort Schlimmes befürchten.

Herr im Himmel, lass Marthe und den Kindern nichts geschehen sein!, war alles, was er jetzt noch denken konnte.

»Haltet ein und wartet«, rief er den Burschen zu, die verwun-

209

dert die Schwerter sinken ließen. Zwar rissen sich alle Knappen um Übungsstunden bei Christian und Lukas, doch die beiden Ritter waren für ihre Strenge bekannt. Nichts außer einer dringenden Order des Markgrafen hätte sie zu einer Unterbrechung des Unterrichts veranlassen können.

Christian und sein Freund waren indessen schon auf dem Weg zu dem staubbedeckten Reiter, der sein Pferd zügelte und absprang.

»Eure Frau, Christian … Man hat sie verhaftet und nach Meißen gebracht. Sie soll wegen Hexerei vor ein Kirchengericht«, stieß der Bote schwer atmend hervor.

Christian fühlte den Boden unter seinen Füßen wanken.

Lukas trat einen Schritt näher, legte ihm eine bleischwere Hand auf die Schulter und fragte den Boten: »Wann? Und was wirft man ihr vor?«

»Vor drei Tagen. Sie haben sie schon in der Halle in Fesseln gelegt.«

Dieser Satz machte Christians letzte Hoffnung zunichte. Wenn Marthe trotz ihres Standes in Ketten fortgeführt wurde, war ihr Tod beschlossene Sache.

»Mehr wissen wir nicht«, fuhr der Bote hastig fort. »Elisabeth hat einen Mann hinterhergeschickt, der beobachten soll, wohin man sie bringt und was geschieht. Ich selbst bin in ihrem Auftrag zu Euch geritten, so schnell ich konnte. Aber ich musste Euch erst suchen …«

Schuldbewusst kniete der Bote nieder und senkte das Haupt.

»Meine Kinder?«, fragte Christian und wagte kaum zu atmen, während er auf die Antwort wartete.

»Wohlauf in Elisabeths Obhut. Nach ihnen hat niemand gefragt.«

Wortlos drehte sich Christian um und stürmte davon.

Lukas drückte dem Boten schnell ein Silberstück in die Hand

und ließ ihn aufstehen. »Du hast dein Bestes getan. Für die schlimme Nachricht kannst du nichts.«

Dann hastete er Christian nach.

»Zum Markgrafen«, sagte Christian in einem Ton, der keinen Widerspruch zuließ, und war schon an den Wachen vorbei. In der Kammer des Gästehauses, die für den Vogt reserviert war, sank er vor Otto und Hedwig auf ein Knie. Die beiden starrten verwundert auf ihn und auf Lukas, der Christian gefolgt war und nun neben ihm niederkniete.

»Ich muss Euch bitten, mich zu beurlauben. Meine Frau ist als Hexe verleumdet worden und wurde nach Meißen verschleppt, vor ein Kirchengericht.«

»Allmächtiger!«, stieß Hedwig erschüttert aus.

»Woher wisst Ihr davon? Ist die Kunde zuverlässig?«, fragte Otto.

»Ein Bote Raimunds hat sie überbracht. Er musste mitansehen, wie man meine Frau vor drei Tagen in Ketten weggeschafft hat.«

Hedwig wurde noch eine Spur bleicher. »Dann steht es noch schlimmer, als so schon zu fürchten ist …«, sagte sie und biss sich auf die Lippe.

»Wisst Ihr, wann der Prozess stattfinden soll?«, drängte Otto.

»Nein. Aber wer weiß, was sie ihr bis dahin antun … Sie trägt ein Kind unterm Herzen«, brachte Christian verzweifelt hervor.

»Selbstverständlich, Christian. Reitet los und seht, was Ihr für Euer Weib tun könnt«, meinte der Markgraf ungewohnt verständnisvoll. »Aber seid vorsichtig. Ihr wisst, mit der Kirche legt sich niemand ungestraft an.«

Christian wollte aufstehen und davonstürmen, doch Hedwig hielt ihn mit einer Handbewegung zurück.

»Wir sollten ihm einen Brief an Bischof Martin mitgeben, dass wir die junge Frau als gottesfürchtig kennen und keiner bösen Tat für fähig halten«, sagte sie zu Otto. Der nickte knapp.

»Lasst Eure Pferde satteln und packt Eure Sachen«, wandte sich Hedwig an Christian und Lukas. »Noch ehe Ihr reisefertig seid, wird der Brief geschrieben sein.«

Christian und Lukas verneigten sich und verließen die Kammer.

Draußen rief Christian Konrad und Jakob zu sich, die mit fragender Miene in der Nähe warteten.

»Ich muss fort«, sagte er nur knapp. »Richard und Gero werden sich um eure Ausbildung kümmern, bis ich zurück bin.«

»Was ist passiert?«, fragte Markgraf Dietrichs Sohn besorgt, der begriff, dass etwas außerordentlich Ernsthaftes geschehen sein musste.

Christian wollte das Unfassbare nicht aussprechen, doch er war seinem Schützling wohl eine Antwort schuldig. »Meine Frau ist der Hexerei angeklagt worden«, erklärte er.

Der Junge schrak zusammen. »Aber sie ist unschuldig. Sie werden ihr doch nichts antun!«, stieß er aufgeregt aus.

»Das haben sie bereits«, antwortete Christian düster. Dann liefen er und Lukas zur Pferdekoppel.

»Findest du es nicht etwas gewagt, wenn wir uns beim Bischof für Christians Weib verbürgen?«, fragte Otto leise, als seine beiden Ritter den Raum verlassen hatten.

Hedwig fuhr auf. »Das habe ich nicht gehört, Otto von Wettin! Wir stehen tief in der Schuld dieser jungen Frau, die einst mir und deinem Sohn das Leben gerettet hat. Wir müssen ihr helfen. Wer ist mächtig genug dazu außer dir? Bischof Martin darf deine Meinung nicht übergehen. Und du weißt, wie oft Marthe und auch Christian Opfer von Verleumdungen gewesen sind.«

Otto wirkte für einen Moment verlegen, denn einer solchen Verleumdung – Christian habe ein Verhältnis mit der Markgräfin – war er einst selbst aufgesessen.

»Außerdem will ich sie zur Entbindung bei mir haben«, fuhr Hedwig mit wiedererwachter Streitlust fort. Verzweiflung über ihre unglückliche, unerfüllbare Liebe, Sorge und das schlechte Gewissen gegenüber ihrem Mann hatten sie verstummen lassen. Doch nun musste sie handeln. Sie wollte und konnte Christians junge Frau, der sie sich verbunden fühlte, nicht dem ihr zugedachten Schicksal überlassen.

Als Otto immer noch nicht reagierte, brachte sie ein Argument vor, das ihn erwartungsgemäß bewog, einzulenken. »Wir können nicht hinnehmen, dass eine Dame von Stand wie ein Bauernweib, eine Magd oder eine Hure in Fesseln fortgezerrt wird. Das sollte sich nicht einmal die Kirche herausnehmen dürfen. Als Nächstes schleifen sie gar noch mich in Ketten in ihre Verliese. Du *musst* handeln.«

»Recht hast du«, stimmte er nun zu. »Aber was soll ich tun? Ich kann diesen Hoftag nicht versäumen.«

»Danach wird es zu spät sein. Wer weiß, was die Ärmste in den letzten drei Tagen schon erdulden musste ...«

Hedwigs Gedanken waren wie ein Strudel, der sie aus wochenlanger Lethargie riss. »Lass mich zurück nach Meißen reisen. Wir wissen doch beide, dass du nie rechtzeitig zum Hoftag kommst, wenn ich bei euch bleibe. Ich werde beim Bischof vorsprechen. Und gib mir ein paar deiner besten Männer mit, damit sie herausfinden, wer die junge Frau fälschlich angeklagt hat.«

Zu Hedwigs Überraschung war Otto einverstanden.

»Wann brichst du auf?«

»Heute noch. Mein Fehlen kannst du mit meiner Schwangerschaft entschuldigen. Vielleicht ist das sogar besser für dich und

Ulrich, solange meine Brüder noch nicht wieder beim Kaiser in Gnade sind.«

Und Dietrich wird mich nicht vermissen, dachte Hedwig, denn diesmal nimmt er nicht am Hoftag teil.

Als sie reisefertig waren und Christian Ottos Brief an den Bischof sorgfältig verstaut hatte, drehte er sich zu Lukas um. Die beiden hatten seit der Ankunft des Boten in ihrer Fassungslosigkeit noch kein Wort miteinander gewechselt.

Christian packte den Freund bei den Armen.

»Ich weiß, du willst mit mir reiten und würdest alles tun, um Marthe zu retten«, sagte er gequält. »Aber ich muss dich um einen anderen Freundesdienst bitten. Bring meine Kinder in Sicherheit.«

»Glaubst du denn, das sind sie bei Elisabeth nicht?«

»Dachten wir nicht auch, Marthe wäre dort geschützt? Nimm wenigstens diese Sorge von mir.«

»Gut«, meinte Lukas widerstrebend. »Nur, wo sind sie sicher, wenn der lange Arm der Kirche nach ihnen greift? Bei meinem Vater würde sie niemand vermuten. Aber dorthin könnte ich sie nie bringen. Nicht nach dem, was wir mit diesem Sebastian erlebt haben.«

Er sah Christian an, sein Blick war verstört.

»Du denkst doch auch, dass er sie angezeigt hat? Dass ich die Schuld an alldem habe, weil ich ihn in dein Haus brachte? Dass Marthe vielleicht meinetwegen sterben muss?«

Lukas ließ sich auf die Knie fallen. »Ich kann nicht leben mit dieser Schuld.« Er schnallte sein Schwert ab und warf es zu Boden. »Wenn es so ist, töte mich, tu mir den Gefallen.«

»Steh auf«, sagte Christian mit brüchiger Stimme. »Wir wissen noch nicht, was geschehen ist und wer ihr das angetan hat. Ich brauche jetzt deine Hilfe. Bring die Kinder zu Markgraf Dietrich. Erkläre ihm, was geschehen ist. Wenn überhaupt irgendwo, dann sind sie jetzt bei ihm am sichersten.«

»Ich reite, so schnell ich kann«, versicherte Lukas.

Dann preschten sie los, jeder in eine andere Richtung.

Bevor Christian den Meißner Burgberg hinauftritt, lenkte er seinen Grauschimmel zum Richtplatz. Seine Augen brannten, er wurde zwischen Hoffnung und tiefster Verzweiflung hin und her gerissen, als er vergeblich nach Marthe oder einem Hinweis darauf suchte, dass sie hier getötet worden war.

Er wendete sein Pferd Richtung Stadt und rief die erstbeste Frau zu sich, die ihm begegnete. »Sag, ist hier in den letzten Tagen eine Frau als Hexe hingerichtet worden?«

Die Frau, der Kleidung nach eine Magd, antwortete bereitwillig, offenkundig froh, etwas Klatsch loszuwerden. Vielleicht würde der edle Herr sie sogar für ihre Auskünfte belohnen.

»Hingerichtet – nein, das gab es schon ewig nicht mehr. Aber vor drei Tagen haben sie die Wasserprobe mit einer Frau gemacht, um zu prüfen, ob sie eine Zaunreiterin ist.«

Christians Herzschlag schien plötzlich auszusetzen.

»Wie sah sie aus?«

»Noch jung, zierlich, rotbraunes Haar … Ihr Gesicht war ja kaum zu erkennen, so grün und blau geschlagen war sie. Das Büßergewand hing nur noch in Fetzen an ihr und war auf dem Rücken ganz blutig … Das arme Ding«, fügte sie schnell hinzu, als sie das Entsetzen auf dem Gesicht des Ritters sah.

Was haben sie dir angetan, Liebste!, dachte Christian, während er alle Hoffnungen begrub. Niemand überlebte die Wasserprobe.

»Wo finde ich ihren Leichnam?«, fragte er tonlos. »Oder wurde sie schon begraben?« Gott, lass sie jetzt nicht sagen, dass ihre Asche in alle Winde verstreut ist, flehte er in Gedanken.

»Nein, nein, Herr, sie ist nicht tot«, erzählte die Magd aufgeregt. »Sie versank im Fluss, wie es bei einer wahren Christin geschieht. Doch als die Männer sie herauszogen, ist sie wieder zum Leben erwacht. Ein Wunder! Da waren wir Frauen uns einig. Das Kirchengericht hat dann gestritten, ob das nun ein Zeichen für ihre Unschuld war oder Gott nur die Seele ihres ungeborenen Kindes retten wollte. Deshalb haben sie sie wieder in den Bischofspalast gebracht. Bischof Martin selbst soll nun entscheiden.«

Christian warf der Frau ein Geldstück zu und gab seinem Grauschimmel das Zeichen zum Galopp.

»Wie es heißt, ist der Bischof wegen dieser Sache gestern vorzeitig von einer Reise zurückgekehrt«, rief ihm die Frau nach.

Christians Gedanken rasten. Vielleicht lebte Marthe doch noch! Aber in welchem Zustand? Und was taten sie ihr gerade in diesem Moment Furchtbares an?

Oder hatte der Bischof gestern gleich nach seiner Ankunft ihren Tod befohlen? Wenn nicht, dann konnte er es jeden Augenblick tun.

Zum ersten Mal nahm er keine Rücksicht auf sein Pferd, sondern trieb Drago in höchstem Tempo den Burgberg hinauf. Die Menschen drückten sich ängstlich an die Mauern der Häuser und bekreuzigten sich, als sie einen Reiter wie von Teufeln gehetzt durch die gewundenen Gassen preschen sahen.

Christian ließ Drago gesattelt und schweißbedeckt einfach auf dem Hof stehen und stürmte in den Bischofspalast.

»Ich muss sofort den Bischof sprechen«, rief er den Männern zu, die die Tür zum Audienzsaal bewachten. Als sie keine Anstalten machten, den Weg freizugeben, besann er sich und fügte etwas gemessener an: »Ich bringe eine dringende Botschaft des Markgrafen.«

Einer der Wachen verschwand hinter der Tür. Eine Ewig-

216

keit schien zu vergehen, bis er zurückkam und Christian einließ.

Mit großen Schritten durchquerte der Ritter den Saal, sank in gebührendem Abstand vor dem Bischof auf ein Knie und neigte den Kopf.

»Entfernt Euch«, ertönte die kühle Stimme des Bischofs.

Verzweifelt sah Christian auf. Doch dann merkte er, dass nicht er gemeint war, sondern die anderen im Saal Anwesenden, die nun eilig hinausgingen.

Als der Letzte die Tür hinter sich geschlossen hatte, betrachtete der Bischof – deutlich jünger als sein verstorbener Vorgänger und als ehrgeizig und eiskalt berechnend bekannt – wortlos den vor ihm Knienden.

»Ihr seid Christian von Christiansdorf, nicht wahr?«, sagte er schließlich. »Ich habe Euch schon erwartet.«

»Ehrwürdigster Bischof!« In seiner Verzweiflung wusste Christian nicht, wie er am klügsten vorgehen sollte, doch er konnte seine Worte weder abwägen noch zurückhalten. »In Euren Verliesen wird meine Frau unter falscher Anklage gefangen gehalten. Ich weiß nicht, wer sie verleumdet hat, aber ich weiß eines: Sie ist unschuldig. Ich flehe Euch an, bei Gott und allen Heiligen, lasst sie frei.«

»Habt Ihr nicht meinen Wachen gegenüber behauptet, Ihr hättet einen Brief des Markgrafen für mich?«, fragte der Bischof scharf. »Wie wollt Ihr Gnade finden für Euer Weib, wenn Ihr Euch selbst Zutritt mit einer dreisten Lüge verschafft?«

Hastig zog Christian Ottos Schreiben hervor, während er in Gedanken Hedwig für ihre Umsicht dankte.

Der Bischof bedeutete ihm mit einer Handbewegung, aufzustehen und das Pergament auszuhändigen. Nachdem Christian das Schriftstück übergeben hatte, kniete er erneut nieder und wartete, während Bischof Martin sich in das Schreiben vertiefte.

Herr im Himmel, lass sie noch am Leben sein, betete Christian stumm, während er auf das Muster des Steinfußbodens starrte.

»So.« Mehr sagte der Bischof nicht, nachdem er gelesen hatte.

Christian hob den Blick und versuchte im Gesicht des Klerikers eine Antwort auf die Frage zu finden, die ihn beinahe zerriss.

»Ich muss zugeben, Euer Eheweib hat uns vor einige Rätsel gestellt«, sagte Martin schließlich. »Erst konnten sich die besten kirchlichen Autoritäten der Diözese nicht einigen, ob der Ausgang der Wasserprobe nun als Beweis ihrer Schuld oder Beweis ihrer Unschuld zu werten ist.«

Der Bischof machte eine Pause und beobachtete genau Christians Gesicht.

»Und dann ist sie aus einer verschlossenen Kerkerzelle spurlos verschwunden.«

»Verschwunden? Wie das?«

»Ich hoffte, Ihr könntet mir das sagen«, entgegnete der Bischof kühl und erhob sich von seinem Stuhl. »Begleitet mich.«

Während zwei Männer mit Fackeln vorangingen, stiegen der Bischof und Christian hinab in die Kellergewölbe. Auf Martins Zeichen hin schlossen sich ihnen dort zwei Männer aus der Wachstube an.

Christian hielt es für durchaus möglich, dass man nun auch ihn einsperren würde. Aber dann wäre der Bischof wohl kaum mitgegangen, sondern hätte einfach seinen Wachen den Befehl gegeben, ihn in den Kerker zu werfen.

Er wurde zu einer Tür am Ende des schmalen, finsteren Ganges geführt.

»Seht den Riegel. Er war vorgeschoben, als Euer Weib auf unerklärliche Weise aus diesem Raum verschwand.«

Christian warf wie befohlen einen Blick auf den Riegel, dann betrat er das Verlies. Der Anblick erschütterte ihn bis ins Mark.

Es war ein Kerker wie andere auch, in denen er selbst schon gefangen war. Aber der Gedanke, dass Marthe hier eingesperrt und nach den Worten der Magd sogar gefoltert worden war, raubte ihm den Verstand.

Er erkannte etwas auf dem Boden und stürzte hin, um es aufzuheben: Fetzen von dem grünen Kleid, das sie so gern getragen hatte. Für einen Moment drückte er sein Gesicht in den zart bestickten Stoff, dann schrie er auf wie ein waidwundes Tier: »Was habt ihr mit ihr gemacht!? Was habt ihr mit ihr gemacht!?«

Rasend vor Zorn wollte er sich auf den Nächstbesten stürzen. Doch die Wachen warfen sich ihm in den Weg. Christian hätte wohl zwei oder drei überwinden können, aber irgendein letzter Rest von Vernunft machte ihm bewusst, dass er dabei war, einen Mann der Kirche anzufallen, noch dazu einen Bischof.

Während die Wachen seine Arme umklammerten, sank er auf die Knie. »Vergebt mir, ehrwürdiger Bischof.«

Der Bischof bedeutete seinen Männern, den Ritter loszulassen.

»Nun, genau das wollte ich sehen«, sagte er gelassen. »Euer Entsetzen scheint echt. Ich muss sagen, ich kannte Euren Ruf und hatte Euch dringend in Verdacht, auf irgendeine gewagte Weise Euer Weib aus dem Kerker geholt zu haben. Doch Ihr scheint tatsächlich nicht zu wissen, wo sie steckt.«

»Wie soll sie aus einem bewachten Verlies verschwunden sein? Jemand hat sie totgeschlagen und irgendwo verscharrt«, schrie Christian. »Jemand, der ihren Tod von Anfang an gewollt hat!«

»Mäßigt Euch, Ritter, oder ich lasse Euch sofort hinauswerfen. Dann finden wir nie heraus, wo Euer Weib ist«, wies ihn der Bischof scharf zurecht.

»Ich will wissen, wer der Ankläger war«, forderte Christian.

»Das zu erfahren steht Euch nicht zu, sondern nur der Angeklagten«, antwortete Martin. »Aber seid versichert, dass es ein angesehener Mann war.«

Abrupt drehte sich der Bischof um und ging wieder zur Treppe. »Folgt mir nach oben«, befahl er Christian.

Von durcheinanderwirbelnden Gedanken und Gefühlen halb betäubt, ging der Ritter ihm nach.

»Wie gesagt, Euer Weib stellt uns vor ein Problem«, nahm Bischof Martin den Gesprächsfaden wieder auf, als sie wieder in dem prunkvollen Saal waren. »Wir müssen herausfinden, wie sie entkommen ist. Dabei zähle ich auf Eure Hilfe.«

Christian antwortete nicht.

Er hatte nicht vor, Marthe auszuliefern, sollte sie noch leben und er sie finden, nur damit der Bischof sie doch noch töten lassen konnte.

»Wenn es keine Erklärung dafür gibt und wir niemanden finden, der sie heimlich an den Wachen vorbei hinausgebracht hat«, fuhr Bischof Martin fort, als würde er das Ausbleiben einer Antwort nicht bemerken, »dann bleiben nur zwei Möglichkeiten. Entweder ist sie tatsächlich eine Hexe und mit Hilfe des Bösen entkommen. Aber Ihr und selbst der Markgraf und seine Gemahlin versichern mir, sie sei nicht mit teuflischen Mächten im Bunde. Demnach bliebe nur noch als Erklärung, dass sie göttlichen Beistand hatte. Dann ist sie vielleicht sogar eine Heilige.«

Der Bischof fixierte Christian scharf. »Findet sie und findet heraus, was geschehen ist, damit wir diese merkwürdige Angelegenheit zu einem Ende bringen können.«

Damit war Christian entlassen.

Doch bevor er die Tür erreichte, rief der Bischof ihn noch einmal zurück. »Und findet sie schnell. Bevor es jemand tut, der nicht glaubt, dass sie eine Heilige ist.«

Christians Suche

»Nichts!«, stieß Christian hervor und hieb verzweifelt auf den Tisch. »Vier Wochen lang haben wir überall gesucht und Leute befragt, aber niemand weiß etwas über ihren Verbleib.«

Er hatte sich mit seinen Freunden, die sich an der Suche beteiligt hatten, für diesen Nachmittag in einem der Ritterquartiere auf dem Meißner Burgberg verabredet. Jeder in der Runde wirkte ernst und besorgt, Lukas geradezu verzweifelt, aber Christian war kaum noch wiederzuerkennen. Hohlwangig, mit tiefen Schatten unter den Augen, hatte er Mühe, seine Stimme zu beherrschen.

»Wenn keiner von euch oder ein anderer unserer Freunde ihr heimlich zur Flucht verholfen hat – wer hätte es sonst tun sollen? Und wenn es einen unbekannten Retter gab, warum haben wir keine Nachricht von ihm erhalten?«

»Vielleicht ist ihr allein die Flucht gelungen und sie versteckt sich irgendwo«, warf Raimund ein. »In euer Dorf kann sie nicht, dort würde man sie zuerst suchen.«

»Sie ist jetzt seit vier Wochen verschwunden«, antwortete Christian dumpf. »Ich habe Dutzende Leute gefragt, die bei der Wasserprobe dabei waren. Schon auf dem Weg zum Fluss konnte sie sich kaum auf den Beinen halten …«

Mit einem Mal schrie er: »Sie haben sie gefoltert! Dann haben sie sie ertränkt! Sie war praktisch schon tot, als sie sie aus dem Wasser zogen, und ist nur durch eine glückliche Gottesfügung wieder zum Leben erwacht. Und als ob das nicht schon gereicht hätte, hat einer von diesen frommen Mördern sofort angekündigt, sie weiter zu martern. Das konnte sie nicht überleben.«

»Sei vorsichtig«, warnte Raimund leise. »Sonst klagen sie dich auch noch an. Denk an deine Kinder.«

Christian schien seine Worte nicht gehört zu haben. Stöhnend barg er das Gesicht in seinen Händen.

»Es gibt keine andere Erklärung. Sie ist tot. Sie haben sie und unser ungeborenes Kind zu Tode gemartert, und ihr Mörder hat sie irgendwo heimlich verscharrt, um nicht wegen seines Übereifers Ärger zu bekommen.«

Niemand sagte ein Wort oder rührte sich. Nur Raimund legte tröstend seine Hand auf Christians Schulter.

Schließlich sah Christian hoch, das Gesicht von Hass verzerrt.

»Ich werde jeden Stein in der Mark Meißen umdrehen, bis ich ihr Grab gefunden habe. Und ihren Mörder.«

»Komm zu dir, Mann«, beschwor ihn Raimund und drückte seine Hand fester auf Christians Schulter, um zu verhindern, dass sein Freund aufsprang und den erstbesten Geistlichen niederstach, der ihm in den Weg kam. »Du kannst kein Kirchengericht verklagen oder gegen einen Mann Gottes das Schwert ziehen. Du musst dich damit abfinden, so schwer es auch ist. Lasst uns in der Kirche Kerzen für Marthe anzünden und Gebete für ihr Seelenheil sprechen. Das ist alles, was wir jetzt noch tun können.«

»Wir haben sie alle geliebt. Sie war ein guter Mensch«, sagte Gero leise.

»Redet nicht von ihr, als wäre sie tot!«, fuhr Lukas auf. »Das kann und will ich nicht glauben!«

»Du hast nicht gesehen, was ich gesehen habe«, hielt Christian ihm mit ungewohnter Heftigkeit vor. Dann barg er wieder sein Gesicht in den Händen.

»Es gibt nicht einmal ein Grab, an dem ich um sie trauern kann. Ich weiß nicht, ob sie in geweihtem Boden liegt. Wahrscheinlich ist sie zerstückelt und verbrannt und ihre Asche in alle Winde verstreut«, sagte er dumpf.

Niemand erwiderte etwas, denn jeder wusste, was das bedeutete: ewige Verdammnis.

Zögerndes Klopfen unterbrach die Stille. Ein Page trat ein und sagte: »Ritter Christian? Der Markgraf und seine Gemahlin bitten Euch zu sich.«

Langsam stand Christian auf und folgte dem Jungen mit schleppendem Schritt.

Ein gebrochener Mann, dachte Lukas. Und ich bin an allem schuld. Damit kann ich nicht leben.

Otto wird mich auffordern, endlich meinen Dienst wieder aufzunehmen, überlegte Christian verbittert, während er den Palas betrat. Der Markgraf war tags zuvor vom Hoftag zurückgekehrt, während Hedwig schon seit vier Wochen wieder hier war. Weder sie noch einer der Männer, die in ihrem und Ottos Auftrag Nachforschungen anstellten, hatten einen Hinweis über Marthes Schicksal finden können. Das wusste er bereits von Hedwig.

Doch als er die Mischung aus Erschrecken und Betroffenheit im Gesicht der Markgräfin sah, machte er sich innerlich auf eine Todesnachricht gefasst. Er ahnte nicht, dass es sein eigenes Aussehen war, das Hedwig so erschütterte. Selbst Otto starrte ihn an wie einen Geist und räusperte sich kurz, um seine Beklommenheit abzuschütteln.

»Gibt es Neuigkeiten, Christian?«, fragte Hedwig sanft.

Ich dachte, Ihr habt welche für mich, dachte Christian verstört.

»Nein«, antwortete er dann.

Hedwig und Otto sahen ihn unverwandt an. Doch da sie offenkundig nichts sagen wollten, sprach er stockend weiter. »Ich habe überall gesucht, Tag und Nacht. Nichts. Keine Spur. Der einzige Hinweis, den wir gefunden haben, ist ihr Schleier, den eine Händlerfrau von einem Unbekannten gekauft hat. Es gibt nur eine Erklärung: Sie ist tot, und jemand hat ihren Leichnam versteckt, um kein Aufsehen zu erregen.«

Kaum merklich nickte Hedwig. »Ja, das glauben wir auch. Es tut uns leid, Christian. Wir trauern mit Euch um Eure Frau und Euer ungeborenes Kind und werden für ihr Seelenheil beten.«

Die Markgräfin sprach mit bedachter Stimme weiter. »Ihr sollt wissen, ich hatte eine lange Unterredung mit Bischof Martin. Er ist zu dem Schluss gekommen, dass der Ausgang des Gottesurteils als Beweis für die Unschuld Eurer Frau zu werten ist. Das heißt, sollte sie doch noch auftauchen, hat sie nichts zu befürchten. Solltet Ihr ihren Leichnam finden, wird ihr ein christliches Begräbnis zuteil. Das ist alles, was ich Euch an Trost spenden kann.«

»Danke, Herrin«, murmelte Christian mit gesenktem Blick.

Mit seiner kräftigen Stimme mischte sich nun auch Otto wieder in das Gespräch ein. »Das heißt auch, Eure Kinder sind außer Gefahr. Ihr könnt sie zu Euch holen. Und Ihr solltet Euren Dienst bald wieder aufnehmen. Das wird Euch von dem Kummer ablenken.«

Fast freundlich fuhr Otto fort: »Ich weiß, Christian, Euer Schmerz ist groß. Doch sollte irgendwann Euer Auge auf eine der Jungfrauen meiner Mark fallen, die Euch trösten und Euren Kindern eine gute Mutter sein könnte, lasst es mich wissen. Ich werde bei ihrem Vater ein gewichtiges Wort für Euch einlegen. Ihr solltet nicht zu lange allein bleiben.«

Fassungslos starrte Christian den Markgrafen an.

Alles in ihm drängte danach, herauszuschreien, dass er keine andere Frau als Marthe wollte, dass er sie zurückhaben wollte oder im Elend versinken würde. Aber ein Teil seines Verstandes sagte ihm, dass Otto dieses Angebot tatsächlich für den besten Trost hielt.

»Wenn Ihr es befehlt, nehme ich meinen Dienst wieder auf«, brachte er schließlich hervor.

»Wartet«, mischte sich Hedwig ein. »Es gibt noch etwas, das Ihr erfahren sollt.«

Was kommt jetzt noch?, fragte sich Christian.

»Ich weiß, wer der Ankläger gegen Eure Frau war.«

Zornig griff Christian nach seinem Schwert.

Hedwig hob die Hand. »Ich verstehe Euren Zorn und den Wunsch nach Rache. Aber wenn Ihr ihn jetzt tötet, bereut Ihr das vielleicht an dem Tag, wo Ihr das öffentliche Eingeständnis seiner Lügen braucht.«

»Ich bitte Euch, nennt mir den Namen«, sagte Christian gepresst.

»Es war der Medicus, der einst in unseren Diensten stand und jetzt in Eurem Dorf lebt.«

Hastig kniete Christian vor dem Markgrafen nieder. »Mein Fürst, bitte gewährt mir noch drei Tage, bis ich Euch wieder ganz zur Verfügung stehe.«

Hedwig und Otto wechselten besorgte Blicke.

»Einverstanden. Aber tut nichts Unüberlegtes«, brummte der Markgraf schließlich.

Mit riesigen Schritten stürmte Christian in den Raum, in dem seine Freunde warteten. »Komm«, rief er Lukas zu. »Wir reiten nach Hause.«

Die anderen schauten sich verwundert an, bis er ihnen kurz zurief, was er gerade erfahren hatte, aber Lukas war schon aufgesprungen und griff nach seinem Schwertgurt.

Sie ritten fast die ganze Nacht durch und erreichten Christiansdorf am Morgen.

Sofort umringten Dutzende Menschen sie, die sich hoffnungsvoll, besorgt oder ängstlich erkundigten, ob es Nachricht von Marthe gab. Auch hier hatten viele Ausschau nach einem Lebenszeichen von ihr gehalten. Vergeblich.

Sein »Nein« schien die meisten aufrichtig zu bekümmern.

Johanna weinte, während Kuno, der finster blickte, ihr tröstend seinen Arm um die Schultern legte. Marie schluchzte auf, und Peter, der seit dem Tod der Witwe Elsa als Stallbursche bei Christian arbeitete, sah ihn vorwurfsvoll an, schniefte und wischte sich die Nase am Ärmel ab.

Doch Christian und Lukas hielten sich nicht mit den Beileidsbekundungen auf. Sie versorgten die Pferde, ließen sich etwas zu trinken bringen und begaben sich danach sofort zum Haus des Medicus.

Dessen Miene erstarrte, als er erkannte, wer vor ihm stand.

Doch der Gelehrte fasste sich schnell und fragte eifrig: »Wie kann ich Euch helfen?«

»Ich habe Schmerzen. Große Schmerzen«, antwortete Christian grimmig.

»Wo genau? Was fehlt Euch?«

»Mir fehlt meine Frau, du Bastard!«, schrie Christian, zog sein Schwert und setzte es dem Medicus auf die Brust. »Und es würde meine Schmerzen beträchtlich lindern, dich so leiden zu sehen, wie sie durch deine Schuld leiden musste.«

Jede Farbe wich aus dem Gesicht des Medicus. »Ihr irrt Euch. Wirklich! Ich habe mit dem Verschwinden Eurer Frau nicht das Geringste zu tun.«

»Spar dir deinen Atem, du Missgeburt. Du wirst ihn brauchen«, fuhr Lukas ihn an, während er den Gelehrten fesselte und vor sich herstieß.

Unter den verwunderten Blicken der Dorfbewohner befestigte Christian das Ende des Stricks, mit dem die Hände des Medicus zusammengebunden waren, an seinem Sattel.

»Er hat Eure Herrin Marthe verleumdet und der Hexerei beschuldigt. Seinetwegen ist sie verschwunden«, rief Christian den Dorfbewohnern zu, die inzwischen zusammengelaufen waren.

Wehklagen und Verwünschungen gegen den Gelehrten wurden laut. Marthe war beliebt gewesen, und auch wer ihr übel gesinnt war wie Griseldis, der überlegte nun, wie sie im Dorf ohne Heilkundige auskommen sollten und dass Marthe doch der eiskalten Fremden, die bald auf der Burg herrschen würde, vorzuziehen war.

Ohne ein weiteres Wort ritt Christian los und ließ den winselnden Medicus hinter sich herrennen, gefolgt von dem nicht minder grimmig blickenden Lukas auf seinem Braunen.

Sie legten keine einzige Rast ein, aber mehrfach musste Christian das Tempo mindern, weil der Medicus nicht mithalten konnte. Er wollte den Verleumder nicht totschleifen, er sollte auf eigenen Füßen auf dem Burgberg ankommen, damit Christian seine Rache vollenden konnte.

Als klar wurde, dass sie die Stadt vor der Nacht nicht mehr erreichen konnten, suchten sie sich im Wald einen Platz für ein Lager. Lukas fesselte den Medicus an einen Baum. Als der wieder anfing, seine Unschuld zu beteuern, setzte er ihm seinen Dolch an die Kehle. »Noch ein Wort, du räudiges Stück Dreck, und ich steche dich auf der Stelle ab. Aber zuerst schneide ich dir deine verleumderische Zunge heraus.«

Der Medicus verstummte augenblicklich.

Am nächsten Morgen ließ sich Christian erneut bei Bischof Martin anmelden. Diesmal wurde er sofort vorgelassen.

»Christian von Christiansdorf. Ihr habt Neuigkeiten für mich?«, fragte der Bischof und beugte sich gespannt vor.

»Nein, ehrwürdiger Bischof. Ich bin gekommen, um Anklage gegen den Mann zu erheben, der mein Eheweib aus niederen Gründen fälschlich der Hexerei bezichtigt hat. Und um zu fordern, dass er sich einem Gottesurteil unterzieht«, antwortete Christian laut.

Seine Ankündigung sorgte für vielstimmiges Raunen und erstaunte Blicke im Saal.

Der Bischof runzelte die Stirn. »Ist Euch dieser Mann bekannt?«

»Er steht draußen, bewacht von einem meiner Ritter.«

»Führt ihn herein.«

Angewidert blickte der Bischof auf den Mann im Gelehrtengewand, der sich sofort vor ihm zu Boden warf, um ihm die Füße zu küssen. Mit einem Tritt schob er ihn von sich weg.

»Der Medicus«, konstatierte der Bischof. »Ich habe Eure Aussage gelesen. Doch der Ausgang der Wasserprobe und einige andere ... Umstände haben zweifelsfrei gezeigt, dass die Frau, die Ihr der Hexerei angeklagt habt, sich nichts dergleichen zuschulden kommen ließ. Könnt Ihr etwas zu Eurer Verteidigung vorbringen?«

»Sind wir nicht alle verpflichtet, das Böse zu entlarven, in welcher harmlos erscheinenden Form es sich auch verbergen sollte?«, eiferte sich der Medicus.

»Habt Ihr das von Euch beschuldigte Weib fliegen sehen?«

»Ja«, rief der Medicus, froh, nach einem rettenden Strohhalm greifen zu können. »Mehrfach bei Vollmond.«

»Damit ist er als Meineidiger überführt«, verkündete der Bischof hart, während der Gelehrte erschocken auffuhr. »Es ist eine von der Kirche anerkannte Tatsache, dass Hexen nicht fliegen können. Und wenn er wirklich auf der Universität von Bologna war, wie er behauptet, müsste er das wissen. Die Verbreitung solcher Ammenmärchen sollte verboten werden.«

Der Bischof wandte sich an Christian. »Da der Mann erwiesenermaßen Euer Weib fälschlich beschuldigt hat, wird er zu der Strafe verurteilt, die auf Hexerei steht. Doch Ihr sagt, Ihr wünscht ein Gottesurteil. Seid Ihr Euch dessen sicher? Soll er sich ebenfalls der Wasserprobe unterziehen?«

In den Moment atemloser Stille im Saal hinein sagte Christian: »Nein, Eminenz. Ich will die Feuerprobe.«

Es dauerte eine Weile, bis alle Vorbereitungen getroffen und die Kohlen durchgeglüht waren, die einige Knechte auf dem Marktplatz von Meißen ausgebreitet hatten.

In Erwartung des Spektakels hatte sich eine riesige Menschenmenge versammelt, die mit wohligem Grausen auf das rotglühende Feld sah, das gut zwanzig Schritte maß und über das der Delinquent laufen musste.

Noch wusste niemand von den Schaulustigen, wer sich heute der Feuerprobe unterziehen musste und warum, aber die wildesten Vermutungen wurden ausgetauscht.

Christian und Lukas standen nebeneinander, wechselten ab und zu einen düsteren Blick und waren ansonsten in ihre Gedanken vertieft, die sich nicht wesentlich voneinander unterscheiden mochten.

Endlich kündigten laute Rufe das Nahen des Bischofs an.

Ehrerbietig kniete die Menge nieder, bis er das Zeichen gab, sich zu erheben.

»Dieser Mann« – Bischof Martin wies auf den gefesselten Medicus, der sich wand und um Gnade bettelte – »hat wissentlich falsch ausgesagt und eine Unschuldige der Hexerei angeklagt: die Dame Marthe, die vor vier Wochen die Wasserprobe bestand.«

Die Ankündigung führte zu einem regelrechten Aufruhr in der Menge, doch der Bischof hob die Hand, um die Menschen zum Schweigen zu bringen.

»Neid und Hass haben ihn zum Lügner und Verleumder gemacht. Das verlangt nach harter Strafe, um jedermann von einem ähnlichen Verbrechen abzuhalten. Der Ehemann der unschuldig Angeklagten, Ritter Christian im Dienste von Markgraf Otto, hat jedoch den Wunsch geäußert, den Verleumder der Feuerprobe zu unterziehen. Seine Bitte sei gewährt.«

Der Bischof gab den Wachen ein Zeichen. Sie führten den sich heftig sträubenden Medicus an den Rand des glühenden Feldes und forderten ihn auf, die Schuhe auszuziehen.

Widerstrebend gehorchte der Gelehrte, während ihm ein paar Zuschauer mit höhnischen Rufen vorschlugen, ihnen sein kostbares Schuhwerk zu hinterlassen oder sein Gewand gleich auch noch abzulegen.

Zitternd richtete sich der Medicus auf, bekreuzigte sich und lüpfte unter dem Gelächter der Schaulustigen seine schwarze Robe, damit der Saum nicht Feuer fing. Dann stießen ihn die Wachen auf die glühenden Kohlen.

Ein markdurchdringender Schrei folgte seinem ersten Schritt. Brüllend wollte er wieder auf die kühle Erde flüchten, doch die Wachen trieben ihn mit ihren Spießen unerbittlich vorwärts.

Der Medicus sprang panisch von einem Bein aufs andere, seine Schmerzensschreie übertönten selbst das Grölen der Zuschauer. Schließlich schien er zu begreifen, dass er mit großen Schritten die glühende Fläche überqueren musste, wenn er seiner Qual ein Ende bereiten wollte. Doch als er die Hälfte der Strecke geschafft hatte, trat Christian mit einem einzigen Schritt aus der Menge an das Ende des Kohlenfeldes, verschränkte die Arme und starrte mit unbewegtem Gesicht auf den Medicus. Der fuhr entsetzt zurück, stolperte und fiel der Länge nach in die Glut. Seine Kleider fingen sofort Feuer. Das Fauchen der hoch lodernden Flammen mischte sich mit den Schmerzensschreien des Mannes, bis der Medicus verstummte und nur noch das Knistern und Zischen des Feuers zu hören war.

Die meisten der Zuschauer bekreuzigten sich, einige wisperten, ganz deutlich den Geruch von Schwefel wahrgenommen zu haben.

Mit unbeweglicher Miene warteten Christian und Lukas, bis von dem Verleumder nur noch ein verkohltes Stück Fleisch übrig war. Dann verließen sie gemeinsam den Platz.

Eingeschlossen

Zeitlos und ziellos trieb Marthe durch eine eigentümliche Traumwelt. Sie sah nichts von ihrer Umgebung und spürte nichts außer ihrem Körper, der manchmal vor Hitze zu brennen schien und dann wieder von eisigen Schauern geschüttelt wurde.

Gelegentlich drangen Wortfetzen an ihr Ohr, ohne dass sie mit dem etwas anfangen konnte, was gesprochen wurde. Aber mit der Zeit gewöhnte sie sich an zwei Stimmen: die brüchige Stimme einer alten Frau und eine befehlsgewohnte Männerstimme, die ihr aus einer längst vergangenen Zeit vage bekannt vorkam. Doch sie konnte nicht herausfinden, zu wem sie gehörte. Sie wollte es auch nicht. Denken strengte an. Und sie war müde, zum Sterben müde.

Manchmal erkannte sie auch Gerüche, ohne sie benennen zu können, durchdringende oder beruhigende Aromen.

Sie öffnete nie die Augen, weil sie das viel zu viel Kraft gekostet hätte. Durch die geschlossenen Lider nahm sie den Wechsel vom Licht des Tages und der Dunkelheit der Nacht wahr, wenn ihr Bewusstsein gelegentlich von tiefem Schlaf in jenen merkwürdigen Zustand wechselte, in dem sie trieb.

Doch diesmal verstand sie die Bedeutung der Worte, die neben ihr gesprochen, fast gefaucht wurden.

»Ich tue, was ich kann.«

Das war die Stimme der Alten.

Mit einer winzigen Bewegung – erstaunlich, dass sie dazu fähig war – ertasteten ihre Hände die Unterlage, auf die sie gebettet war: glattes, feingewebtes Leinen. Ihre Handrücken spürten weiches Fell, mit dem sie zugedeckt war.

Plötzlich war ihr Verlangen übergroß, zu sehen, wo sie war. Zum ersten Mal fühlte sie sich stark genug, die Augen zu öffnen.

»Ein Wunder! Rasch, hol den Herrn, sie kommt zu sich!«

Sie sah über sich das Gesicht der alten Frau, das ihr in verschwommenen Träumen erschienen war. Besorgt blickende Augen in einem runzligen Gesicht mit einer scharf gebogenen Nase, aus denen nun Erleichterung und Freude leuchteten.

Schmale und überraschend kräftige Hände halfen ihr auf, die Alte setzte ihr einen Becher an die Lippen. »Trinkt das, meine Liebe, trinkt. Es wird Euch guttun. Wir haben uns große Sorgen um Euch gemacht.«

Verwirrt nahm Marthe einen Schluck, dann noch einen. Es war erfrischend kühler, mit Wasser verdünnter Wein.

Sie bemerkte, dass sie ein prachtvoll besticktes Unterkleid aus feinstem Leinen trug.

Dann hörte sie harte Männerschritte eine Treppe heraufkommen. Schwungvoll wurde die Tür aufgestoßen, und Ekkehart trat auf sie zu.

Marthe zuckte zurück. Der Becher entglitt ihren Händen und fiel zu Boden. Sie kauerte sich zusammen und zog sich das Fell bis über die Schultern.

Mit einem Mal war ihr wieder bewusst geworden, was geschehen war. Die Verhaftung. Die Folter. Das Verhör, die Wasserprobe. Und ihr Kind. Sie hatte ihr Kind verloren.

Warum hatte Ekkehart sie aus dem Kerker geholt?

Was hatte er mit ihr vor?

Den hochgewachsenen Ritter mit dem kantigen Gesicht schien ihr Erschrecken zu beschämen.

»Hab keine Angst«, sagte er hastig. »Du warst sehr krank, wir hatten dich schon fast aufgegeben. Aber die alte Hilda hat sich diesmal wirklich selbst übertroffen. Du wirst anständig belohnt«, sagte er zu der Alten, die mit einem listigen, zahnlosen Lächeln und einer stummen Verneigung dankte. Zum Glück hatte sie sich geirrt, was das Kindbettfieber betraf.

»Nun sieh zu, dass sie wieder zu Kräften kommt«, fuhr Ekkehart die Frau an.

Er öffnete eine große Truhe, die an der Wand stand, durchwühlte sie und holte schließlich ein prächtig gearbeitetes Kleid hervor, rot mit blauem Besatz und üppigen Stickereien. Er streckte es Marthe entgegen. »Das kannst du anziehen, wenn du dich kräftig genug fühlst, um aufzustehen.«

Auf Marthes fragenden Blick antwortete er: »Es hat einmal meiner Frau gehört.«

Ekkehart legte das Kleid über die Truhe und sagte nach einem Moment des Schweigens: »Sie starb bei der Geburt unseres ersten Kindes. Das Kind mit ihr.«

»Das tut mir leid«, meinte Marthe. Sie hatte den Anflug von Trauer auf seinem Gesicht erkannt. »Gott erbarme sich ihrer unschuldigen Seelen.«

Abrupt drehte sich Ekkehart um und stürmte aus dem Raum.

»Wartet einen Moment, ich hole Euch etwas zu essen«, murmelte die Alte, huschte davon und kam wenig später mit einem Stück weißen Brotes wieder, das sie in Milch tauchte und Marthe damit fütterte wie ein kleines Kind. Die aß nicht mehr als zwei oder drei Bissen, dann lehnte sie sich müde zurück und schloss die Augen.

Kurz nachdem die Alte gegangen war, hörte sie erneut Männerschritte auf der Treppe und Ekkeharts Stimme, der befahl: »Du
haftest mit deinem Kopf dafür, dass sie den Raum nicht verlässt
und niemand außer der Alten zu ihr geht.«

»Ja, Herr«, antwortete eine rauhe Männerstimme.

Marthe zog das Fell über sich.

Sie war eine Gefangene.

Am nächsten Tag versorgte die Alte sie mit Suppe, hellem Brot
und gutem, verdünnten Wein. Vorsichtig kostete Marthe von
allem. Als sie merkte, dass ihr Magen die Nahrung annahm,
überkam sie der Hunger, und sie griff beherzt zu.

»Das ist ein gutes Zeichen«, frohlockte die Alte, die sie nicht
aus den Augen ließ. Von der Wache vor der Tür sah und hörte
Marthe nichts.

»Jetzt versucht aufzustehen«, meinte Hilda. Vorsichtig setzte
Marthe sich auf und kam auf wackligen Beinen zu stehen.

»Gut. Das wird schon noch mit der Zeit. Nun zieht das hier an.
Unser Herr wünscht Euch zu sprechen.«

Mit geschickten Händen half die Alte Marthe in das prächtige
rotblaue Kleid, kämmte ihr Haar, musterte sie mit zufriedenem
Blick und verschwand dann.

Immer noch schwach und mit hämmerndem Herzen, setzte
sich Marthe auf die steinerne Sitzbank am schmalen Fenster.
Was würde Ekkehart von ihr wollen? Und wo war sie überhaupt?

Der Blick aus der nur handbreiten Fensterluke bestätigte ihr,
was sie nach Form und Ausstattung des Raumes schon vermutet hatte: Sie war in der oberen Wohnkammer eines Bergfrieds
untergebracht. Markgraf Otto hatte Ekkehart mehrere Ortschaften in der Nähe von Christiansdorf überlassen, aber keine
davon besaß einen Bergfried. Vielleicht war sie auf Ekkeharts

Stammsitz. Sie wusste, dass er zu den vermögendsten unter den Meißner Rittern zählte und eigene Güter besaß, wie auch Randolf und seine anderen beiden Kumpane. Schon seit der Knappenzeit hatten sie sich deshalb zusammengefunden und verächtlich auf diejenigen herabgesehen, die nicht über rühmliche Ahnentafeln und eigene Lehen verfügten.

Der schmale Ausschnitt der Landschaft, den sie sehen konnte, verriet durch nichts, wo sie war. Aber viel Zeit musste vergangen sein, seit sie krank hier lag. Das Laub hatte sich schon bunt gefärbt, jeder Windstoß blies Blätter von den Ästen.

Einer plötzlichen Eingebung folgend, stand sie auf, öffnete mit aller Kraft den schweren Deckel der Truhe, aus der Ekkehart das Kleid geholt hatte, und durchsuchte sie. Vielleicht würde sie hier etwas finden, das ihr als Waffe dienen konnte. Doch bevor sie sich durch die oberen Lagen Stoff gearbeitet hatte, hörte sie erneut schwere Schritte die Treppe heraufpoltern. Rasch schlug sie den Deckel der Truhe zu, setzte sich wieder auf die steinerne Fensterbank, legte die Hände in den Schoß und starrte zur Tür.

Zu ihrer Überraschung klopfte Ekkehart an, ehe er das Zimmer betrat – als ob es nicht seine Räume waren und sie nicht seine Gefangene.

Auf seinem strengen Gesicht zeigte sich fast so etwas wie ein Lächeln, als er mit großen Schritten auf sie zuging und nach ihrer Hand griff.

»Schön zu sehen, dass es dir bessergeht.«

Hastig entzog sie ihm ihre Hand und senkte den Blick.

»Ich muss Euch für meine Rettung danken«, sagte sie steif.

Er erwiderte nichts, aber sie spürte seine Blicke auf ihr Gesicht gerichtet.

»Warum habt Ihr das getan? Was habt Ihr mit mir vor?«, fragte sie schließlich in die Stille hinein.

»Ich habe doch schon gesagt, ich stehe in deiner Schuld.«

»Ihr habt mich dreimal vor dem Tod bewahrt. Als Ihr mich aus dem Wasser gezogen habt, als Ihr mich aus dem Kerker befreit habt und als Ihr die weise Frau geholt habt. Somit stehe ich in Eurer Schuld.«

Sie hob den Kopf und sah ihm direkt in die Augen. »Also, was verlangt Ihr?«

»Nichts.« Die Frage schien ihm Unbehagen zu bereiten.

»Dann kann ich jetzt gehen, nach Hause zu meinem Mann?«

Nach einem Moment quälender Stille sagte Ekkehart: »Ich fürchte, das wird nicht möglich sein.«

»Wollt Ihr Lösegeld für mich?«, fragte sie scharf. »Schickt einen Boten zu Christian. Ich bin sicher, Ihr werdet Euch schon mit ihm einigen.«

Ekkehart hob abwehrend die Hände. »Nein. Du verstehst nicht – du wirst immer noch als Hexe gesucht. Wenn jemand erfährt, dass du lebst und wo du bist, werden sie dich sofort holen und wieder einkerkern.«

Er sah sie eindringlich an, während er sprach. »Ich wollte dich nicht allein lassen, solange du im Fieber lagst. Jetzt kann ich nach Meißen reiten und mich umhören. Erst wenn sicher ist, dass du von jedem Verdacht freigesprochen bist, kannst du hier weg. In Christiansdorf werden sie zuerst nach dir suchen, aber bei mir wird dich niemand vermuten.«

Er lächelte kurz, ein ungewohnter Anblick. »Ich bin gespannt, wie sie inzwischen in Meißen dein Verschwinden erklären. Die Wachen werden nicht zugeben, dass sie von einer Hure abgelenkt waren. Und die Hure ist nicht mehr aufzufinden, der habe ich weit weg ein Auskommen verschafft.«

»Ihr habt meinetwegen ein großes Wagnis auf Euch genommen. Weshalb?«, wiederholte Marthe ihre Frage.

Ekkehart zögerte einen Moment mit der Antwort.

»Ich habe dir Unrecht zugefügt ... und will es wiedergutmachen«, sagte er schließlich. »Kannst du dir vorstellen, mir zu vergeben?«

Sie konnte doch nicht wissen, wie sich das für einen Mann anfühlte. Damals, als sie wehrlos vor ihm auf dem Boden lag, als er mitansah, wie Randolf und seine Freunde sie nahmen. Es war wie ein Rausch für ihn gewesen, er musste sie auch haben. Anfangs war sie für ihn nur eine der zahllosen Mägde und Hörigen, die sich ihm hingeben mussten, mal mehr, mal weniger freiwillig. Doch auf der Reise zum Hoftag in Würzburg hatte er sie heimlich beobachtet. Als Randolf sie unter falschem Vorwand zu sich befohlen hatte, war er schon ganz besessen von ihr. Und später hatte er von fern gesehen, welche Innigkeit sie mit Christian verband. Er wünschte sich nichts mehr, als dass sie ihn einmal so ansah wie Christian.

»Ich habe dich nie geschlagen wie die anderen«, sagte er, als sie immer noch schwieg. »Ich wollte, dass du dich mir aus freien Stücken hingibst.«

Marthe fuhr zurück. »Das habe ich nicht getan, und das werde ich nie tun«, brachte sie angewidert hervor. »Ihr habt mir Gewalt angetan – vor den Augen Eurer Freunde!«

Nur mit Mühe fand sie angesichts seines ungeheuerlichen Ansinnens ihre Beherrschung wieder. Sie musste sich überwinden, die nächsten Worte auszusprechen.

»Ich bin Euch zu Dank verpflichtet für meine Rettung. Wenn Ihr meint, Euch stünde das als Belohnung zu – nun, Ihr habt mich so oft mit roher Kraft gezwungen, Euch zu Willen zu sein ... Ich kann Euch nicht daran hindern, es wieder zu tun.«

Sie strich sich müde über die Augen. »Lasst mich zu meinem Gemahl ... oder lasst mich sterben.«

Mit versteinertem Gesicht drehte sich Ekkehart um und ging

hinaus. Sie hörte, wie er draußen schroff den Befehl an den unbekannten Bewacher erneuerte, sie auf keinen Fall durch die Tür zu lassen. Wenig später sah sie ihn auf einem kostbaren Fuchshengst in wildem Galopp den Burghof verlassen. Was hat er vor?, dachte sie besorgt.

Das aufwühlende Gespräch hatte sie alle Kraft gekostet.

Sie wollte wieder ins Bett, doch Lärm auf dem Burghof hielt sie davon ab. Sie sah aus dem Fenster und erstarrte. Ekkehart konnte nicht weit gekommen sein, er kehrte bereits zurück. Und bei ihm waren ein Hüne mit weißblondem Haar, eine schwarzhaarige junge Frau, der feiste Giselbert und der eitle, rothaarige Elmar.

Ekkehart hatte die letzte Hütte am Dorfrand noch gar nicht erreicht, als ihm seine drei Waffengefährten entgegenritten und Randolfs Frau mit ihnen.

In Gedanken verwünschte er den Umstand, dass sie ihn ausgerechnet jetzt besuchen wollten. Andererseits konnte er Gott preisen, dass sie sich gerade noch begegnet waren. Nicht auszudenken, sie würden im Bergfried auf ihn warten und dort durch irgendeinen unglücklichen Zufall von Marthe erfahren und sie finden.

Vielleicht brachten die vier ja sogar Nachrichten, die seine Reise nach Meißen überflüssig machen würden.

Sorgfältig verbarg er seine Gedanken, was ihm nicht schwerfiel.

»Seid willkommen! Ein guter Tag für ein paar Becher in eurer Gesellschaft.«

Seine Freunde antworteten ihm mit lautem Johlen.

Richenzas Lächeln aber jagte ihm einen Schauer über den Rücken. Er verstand nicht, was den sonst so berechnenden Randolf an dieser Frau fesselte. Sie war eine Schönheit, zweifellos. Aber wäre er selbst mit ihr verheiratet, er würde ihr nie den

Rücken kehren und sich angewöhnen, mit einem Dolch unter dem Kissen zu schlafen, würde er dies nicht längst tun.

Wie hat sie es geschafft, dass Randolf ihr aus der Hand frisst, wo er doch sonst für seine Rücksichtslosigkeit gegenüber Frauen bekannt und gefürchtet ist?, grübelte Ekkehart. Ob sie irgendeinen Bann gesprochen hatte, um ihn an sich zu binden? Er hatte sich bisher immer für einen wirklich hartgesottenen Kerl gehalten, aber die Gegenwart dieser Frau ließ ihn jedes Mal frösteln.

Er wendete den Fuchs. Auch seine Begleiter gaben den Pferden die Sporen, mit der Aussicht auf heißen Würzwein und ein gutes Mahl. Es war kalt geworden. Der Winter würde wohl früh hereinbrechen dieses Jahr.

Hoffentlich verriet niemand vom Gesinde etwas durch eine unbedachte Bemerkung, dachte Ekkehart. Er hatte zwar streng befohlen, zu schweigen, und die Leute fürchteten ihn viel zu sehr, um gegen seine Anweisungen zu verstoßen, trotzdem war die Ankunft einer unbekannten jungen Frau, die er in seiner Kammer versteckte und bewachen ließ, etwas, das die Klatschsucht beflügeln musste. Seine nächste Sorge war, Marthe könnte in Angst und Schrecken geraten, wenn sie erfuhr, wer zu ihm kam. Aber sie war sicher noch zu schwach, um etwas so Törichtes wie einen Fluchtversuch zu unternehmen, der sie geradewegs in Randolfs Hände treiben würde.

Die Mischung von Stolz und Hoffnungslosigkeit in ihrem Gesicht bei dem Gespräch gerade eben hatte ihn tiefer aufgewühlt, als er noch vor ein paar Tagen zugegeben hätte.

Als sie sich dem Bergfried näherten, rannten die Stallknechte sofort herbei, um den Gästen die Pferde abzunehmen. Ekkehart half Richenza beim Absitzen und bot ihr seinen Arm, um sie in die Halle zu führen.

»Welche Neuigkeiten haben euch bei diesem Wetter aus dem

Haus getrieben?«, fragte er, als es sich alle bequem gemacht hatten und Mägde zu ihnen huschten, um Wein einzuschenken.

Bevor Randolf antworten konnte, hob Ekkehart die Hand. »Warte noch einen Moment. Ich will dem Koch ein paar besondere Anweisungen geben. Was mögt Ihr am liebsten, meine Schöne?«, wandte er sich an Richenza, in der Hoffnung, dass sich niemand von seinen Gästen fragte, warum er den Koch nicht einfach zu sich beorderte, um seine Befehle zu erteilen.

»Christians Kopf auf einem silbernen Teller«, meinte sie, und die anderen lachten.

»Ich fürchte, daraus wird heute nichts«, erwiderte Ekkehart und verzog sein Gesicht zu einem zynischen Grinsen.

Richenza machte einen Schmollmund. »Nun, dann vielleicht fürs Erste ein paar Vögelchen. Und danach« – sie sah ihn mit einem Augenaufschlag an, der einen weniger abgebrühten Mann zum Schmelzen gebracht hätte – »soll Euer vorzüglicher Koch mich überraschen.«

Ekkehart erwiderte ihr falsches Lächeln. »Dann ist es wirklich besser, ich bespreche mich kurz mit ihm ohne Eure angenehme Gesellschaft. Entschuldigt mich.«

Wie er erhofft und erwartet hatte, war die alte Hilda in der Küche dabei, irgendein streng riechendes Gebräu zusammenzurühren. Die weise Frau stammte aus einem Nachbardorf, blieb aber auf seinen Befehl hin so lange hier, wie sie sich um Marthe zu kümmern hatte.

Er winkte sie zu sich. »Du gehst sofort hoch und sagst ihr, dass sie jetzt auf keinen Fall aus der Kemenate kommen darf, sofern ihr das Leben lieb ist. Wenn sie dort bleibt, hat sie nichts zu befürchten. Sag Rufus, er soll niemanden außer dir hineinlassen, wenn er den Tag überleben will.«

Die Alte nickte, goss ihr Gebräu in einen Becher und wollte

sich davonmachen. Doch Ekkehart fiel noch etwas ein. »Und dann mische einen starken Schlaftrunk.«

Wieder nickte die Alte und huschte los.

Der Küchenmeister, zu dessen hervorstechenden Eigenschaften gehörte, dass er es stets schaffte, in Windeseile ein paar Köstlichkeiten zu zaubern, die den ersten Hunger von überraschend eingetroffenen Gästen stillten, war inzwischen schon ohne Befehl dabei, Richenzas Wunsch zu erfüllen. Als Ekkehart die Küche betrat, hatte er bereits zwei Dutzend von den Singvögeln, die er in einem Käfig hielt, den Hals umgedreht, bestrich sie mit Honig und briet sie zu zarten Häppchen.

Ekkehart wusste, dass sein Koch von den Stallburschen sofort Bescheid bekommen wollte, wenn hohe Gäste eintrafen, und sich die Vorlieben eines jeden merkte, ohne auch nur ein einziges Mal zu vergessen, welches Gericht bei welchem Gast am meisten Anklang gefunden hatte.

»Für den Hauptgang lass dir etwas Besonderes einfallen«, wies er deshalb einfach nur an.

»Wildbret? Vielleicht ein Gericht aus Rebhühnern?«, überlegte der Koch laut, während er die gebratenen Vögel kunstvoll auf einer Platte um eine Schale mit Soße aus Kräutern in Essig anordnete.

Ja, dachte der Koch. Rebhühner waren eine gute Idee. Sie standen in dem Ruf, die Manneskraft zu stärken. Dieses schamlose Weib würde die Anspielung verstehen und zufrieden sein – und wenn sie es war, dann waren die Männer es auch.

»Wenn Ihr erlaubt, bringe ich die Vorspeise gleich selbst in die Halle, Herr.«

Ekkehart nickte zustimmend und ging voran.

Richenzas Augen leuchteten auf, als sie sah, dass ihr Wunsch so schnell erfüllt wurde. Der Küchenmeister verneigte sich tief und bot ihr die Köstlichkeiten zuerst an.

Richenza griff nach dem ersten Happen, kaute mit genießerisch geschlossenen Augen und leckte sich geziert die Finger ab. Dann drehte sie sich zu Randolf um und zog wieder einen Schmollmund. »Mein Lieber, kannst du uns diesen Koch nicht entführen? Im Vergleich dazu« – schon griff sie nach dem nächsten Bissen – »bekommen wir bei uns wirklich nur Bauernfraß vorgesetzt.«

»Du übertreibst«, meinte Randolf mit säuerlicher Miene, doch dann lenkte er ein. »Aber wenn du willst, lasse ich nach einem besseren Küchenmeister suchen.«

»Das solltest du«, gurrte Richenza und blickte triumphierend in die Runde. »Wo ich doch für deinen nächsten Stammhalter mitessen muss.«

Grinsend nahm Randolf die lautstarken Glückwünsche und das Schulterklopfen seiner Freunde entgegen.

»Seht ihn euch an – so viel Männlichkeit«, schnurrte Richenza, während sie über Randolfs kräftige Arme strich. »Manchmal denke ich, er könnte mich schon mit einem Blick schwängern.«

Sie zog die Augenbrauen hoch. »Nicht, dass ich mich mit einem Blick zufriedengeben würde …«

Sie redet wie eine Hure zu ihrem Freier und nicht wie eine Dame von Stand zu ihrem Gemahl, dachte Ekkehart angewidert. Doch bei seinen Freunden lösten Richenzas Worte Gelächter aus.

»Randolf, du bist zu beneiden«, prustete Giselbert. »Vielleicht kannst du mit unserem wortkargen Gastgeber ein Tauschgeschäft arrangieren: seinen vortrefflichen Küchenmeister gegen dein unübertreffliches Weib.«

»Du solltest dir wirklich wieder ein Weib nehmen, Ekkehart«, stimmte Randolf zu. »Wenn auch nicht gerade meines!«

Die anderen lachten über seine gespielte Drohung.

»Lange genug warst du allein. Und ich kann dir versichern, die Ehe hat viele Freuden zu bieten, falls du das vergessen haben solltest.«

Ekkehart winkte ab. »Es hat sich nur noch nicht wieder ergeben. Auf das Wohl deiner Söhne – auf den, den du schon hast, und auf den, den dir deine Frau bald gebären wird.«

Er hob seinen Becher, und die anderen taten es ihm gleich.

»Wir sind nicht nur deshalb gekommen«, sagte Randolf, nachdem er einen kräftigen Schluck genommen hatte. Er stellte den Becher ab, streckte seine Beine aus und beugte sich vor.

»Es gibt Ärger – und alles schon wieder wegen Christian und seinem Weib.« Wütend ließ der Hüne die massige Hand auf den Tisch krachen. »Hätten wir sie damals bloß abgestochen, als sie noch eine einfache Bauernschlampe war! Kein Hahn hätte nach ihr gekräht. Sie war doch schon halb tot, nachdem wir mit ihr fertig waren …«

»Warte«, fiel ihm Richenza ins Wort, während ihre Augen ganz schmal wurden. »Verstehe ich das richtig: Ihr habt sie euch geholt, bevor sie Christians Frau wurde? Ihr vier? Alle vier?«

»Es war eine Warnung«, rechtfertigte sich Randolf. »Sie hat einen unserer Freunde beim Markgrafen angeschwärzt, als er der schönen Hedwig einen Becher Gift bringen ließ.«

Richenza blickte stumm von einem zum anderen. Dann bog sie den Kopf zurück und lachte lauthals.

»Das gefällt mir! Ihr habt euch dieses kleine Ding gegriffen und ihr richtig Angst eingejagt. Das zu wissen, versüßt mir doch den Aufenthalt in Christiansdorf ganz erheblich.«

Sie hielt für einen Moment inne. »Weiß Christian davon?«

Als Randolf nickte, verschwand das Lachen schlagartig aus ihrem Gesicht. »Du Narr!«, zischte sie. »Hast du etwa vor ihm damit geprahlt?«

Das Schweigen war ihr Antwort genug.

»Und nachdem er das weiß, glaubst du, ihr könntet in einem Dorf miteinander auskommen?«, fuhr sie ihren Mann an.

»So redest du nicht mit mir«, brüllte Randolf und packte sie hart am Arm.

Richenza ignorierte seinen derben Griff und richtete ihren Blick auf Ekkehart, der sich an der Unterhaltung nicht beteiligt hatte und mit verschränkten Armen neben ihnen stand. »Ich fürchte, nun wird noch heikler, worüber wir reden müssen. Wir sollten es nicht in der Halle tun.«

»Habt einen Augenblick Geduld, ich lasse die Kemenate sofort herrichten«, sagte er und eilte mit großen Schritten zur Treppe. Als er die Kammer betrat, zuckte Marthe erneut zusammen. Kreidebleich hockte sie immer noch auf der steinernen Bank am Fenster.

»Du hast gesehen, wer gerade eingetroffen ist?«, fragte er.

Sie nickte stumm.

»Sie werden gleich hierherkommen, aber sie dürfen dich nicht finden. Du musst in eine andere Kammer.«

Als Marthe beim Aufstehen wankte, nahm Ekkehart sie rasch auf seine Arme, trug sie die Treppe hoch in eine der kleineren Gästekammern und legte sie dort aufs Bett.

»Hilda wird gleich kommen, und einer meiner Männer wird dafür sorgen, dass niemand sonst zu dir gelangt«, sagte er. »Aber bleib unbedingt hier.«

Eilig ging er hinaus, um die Wache herzubeordern und eine der Mägde anzuweisen, alle Spuren zu beseitigen, die darauf hinwiesen, dass eine Frau in der Kemenate gewohnt hatte.

Hellwach und unter der Decke zusammengekauert, wartete Marthe, was geschehen würde. Alles in ihr drängte danach, zu fliehen. Aber sie würde nicht weit kommen. Sie war noch viel zu schwach, um mehr als zehn Schritte laufen zu können, vor der Tür stand ein Soldat, und Ekkehart hatte recht – die Gefahr war zu groß, dass Randolf und seine Kumpane sie entdeckten.

Es dauerte nicht lange, bis die alte Hilda kam und Marthe einen großen Becher reichte. »Trinkt das, meine Teure.«

Ein kaum spürbarer, bekannter Duft verriet Marthe sofort, was in den Wein gemischt war. Sie stieß den Becher zurück.

»Nein. Ich will wach bleiben.«

Energisch drückte ihr die Alte den Becher wieder in die Hand. »Mein Herr wünscht, dass Ihr dies hier trinkt. Er ist in Sorge, dass Ihr Euch zu sehr aufregt. Und Ihr braucht Schlaf, Ihr seid noch sehr krank.«

»Nein.«

Bekümmert schüttelte die Alte den Kopf und stellte den Becher widerstrebend ab. »Der Herr wird zornig sein. Er ist ein harter Mann und fordert unbedingten Gehorsam.«

Sie musterte Marthe nachdenklich. »Aber so, wie er Euch behandelt, wird er wohl nicht wollen, dass ich Rufus hole, damit der Euch festhält und den Trank einflößt.«

Rufus war wohl der Bewacher vor der Tür.

»Er hat Euch heimlich hierhergebracht, sorgt sich um Euch, damit Ihr gesund werdet, er lässt Euch bewachen und gab Euch das Lieblingskleid seiner Frau«, murmelte die Alte. »Will er um Euch freien gegen den Widerstand Eures Vaters?«

Aber wer hat sie dann so zugerichtet?, überlegte Hilda, nicht zum ersten Mal. Und war das Kind, das sie verloren hat, etwa Ekkeharts? Das würde erklären, warum sich ihr sonst so strenger und finsterer Herr dermaßen um die hübsche junge Frau bemühte. Aber warum war sie dann so abweisend? Oder war sie eine junge Witwe, die den Tod ihres Mannes nicht wahrhaben wollte? In den Fieberträumen hatte die Fremde immer wieder einen Namen gerufen.

»Ich bin verheiratet«, entgegnete Marthe knapp.

Hilda brummte unwillig. Vielleicht doch eine junge Witwe, die es nicht wahrhaben wollte. Denn wenn die Fremde einen Gemahl hatte, wo blieb der dann? Ihr Herr war keiner, der jemandem einfach nur aus Gefallen einen Dienst erwies. Und dies hier schien angesichts der vielen Vorsichtsmaßnahmen eine besonders heikle Sache zu sein.

»Dieser Haushalt könnte dringend wieder eine Frau gebrauchen«, sagte sie vorsichtig. »Und mein Herr auch.«

»Haben er und seine verstorbene Frau sich sehr geliebt?«, wollte Marthe wissen. Es ging sie zwar nichts an, aber die Alte hielt sich ja auch nicht zurück mit ihren neugierigen Fragen.

»Anfangs nicht«, meinte Hilda und verfiel in einen Plauderton. »Sie war noch sehr jung, sah Euch ein bisschen ähnlich. Sie hat sich fast zu Tode geängstigt vor ihm. Er ist ja auch furchteinflößend – so groß, so stark und streng. Aber als das Kind unterwegs war, haben sich beide gefreut. Dann konnte sie es nicht zur Welt bringen. Es war zu groß, der Kopf steckte fest. Sie litt drei Tage furchtbare Qualen, die Arme. Und ich konnte einfach nichts tun. Wir haben hier alle sehr um sie getrauert.«

»Wann ist sie gestorben?«, fragte Marthe.

»Vor einem Jahr. Sie war eine gute Frau, sanft und mildtätig. Aber Ihr werdet ihm doch nicht verraten, dass ich Euch das erzählt habe?« Hilda fuhr erschrocken auf. »Er spricht nie über sie, hat auch um keine andere angehalten. Deshalb dachte ich, Ihr würdet vielleicht unsere neue Herrin.«

»Ich sagte doch schon, ich habe einen Mann. Dein Herr hat mich aus großer Gefahr gerettet.«

Marthe war selbst überrascht von ihren Worten. Glaubte sie inzwischen an Ekkeharts Uneigennützigkeit? Nach allem, was er ihr angetan hatte? Er war sogar dabei gewesen, als Giselbert sie vor ein paar Wochen auf dem Burgberg bedroht hatte. Aber er hatte dafür gesorgt, dass sie unbehelligt gehen durfte. Was sollte das alles nur bedeuten?

»Lass uns eine Vereinbarung treffen«, sagte sie zu der Alten. »Ich verrate ihm nicht, was du mir erzählt hast, und du sagst ihm nicht, dass ich das hier nicht getrunken habe.«

Sie gähnte, obwohl sie hellwach war. »Ich bin so müde, dass ich auch ohne das schlafen werde.«

»Abgemacht.«

Marthe ahnte, dass die Alte sich nicht täuschen ließ. Und wenn schon. Zum ersten Mal war sie froh über die Wache vor ihrer Tür. Irgendetwas ließ sie tatsächlich glauben, Ekkehart wollte nicht, dass Randolf sie jetzt entdeckte. Aber weshalb nur?

Ekkehart bat seine Gäste nach oben in die Wohnkammer. Nichts mehr verriet etwas von Marthes Anwesenheit in den letzten Wochen. Auf dem Tisch standen Wein und ein Teller mit Süßspeisen, die der Koch hatte bringen lassen.

Verzückt griff Richenza danach, noch bevor sie sich einen Platz suchte. Dann setzte sie eine gleichgültige Miene auf, lehnte sich zurück und ließ die Männer reden. Doch Ekkehart war sich sicher, dass sie sich trotz Randolfs Drohung sofort einmischen würde, wenn sie es für nötig hielt.

Zu seinem Erstaunen sah er, dass auch Elmar und Giselbert die Schwarzhaarige mit bewundernden, ja, gierigen Blicken anstarrten.

»Erzähle«, forderte er Randolf auf.

»Wie gesagt, es geht um dieses Weib«, knurrte der Hüne. »So erbaulich es ist, Christian mit finsterer Miene umherstolpern und sie suchen zu sehen – auf dem Burgberg hat jemand das Gerücht aufgebracht, wir hätten mit ihrem Verschwinden zu tun. Wenn Otto das als Feindseligkeit gegen Christian wertet, weißt du, was auf dem Spiel steht. Verdammt!«

Er hielt es nicht für nötig, sich für den Fluch bei der Dame zu entschuldigen, und die war auch nicht im Geringsten zusammengezuckt.

Kaltblütig wie eine Schlange, dachte Ekkehart.

»Hast du mit ihrem Verschwinden zu tun?«, wollte er wissen.

»Nein. Mit dem Markgrafen käme ich schon klar, aber mit Gott? Würdest du dir ewige Verdammnis einhandeln wollen? Obwohl die Idee brillant ist. Sie hätte von mir kommen sollen. Diesen dummen Medicus als Ankläger vorzuschicken, der das ganze Risiko auf sich nimmt ... Keine Spur hätte zu mir geführt. Und sie wäre als Hexe verbrannt oder in irgendeinem finsteren Verlies für immer zum Schweigen gebracht worden. Ist sie ja wohl auch, wie es aussieht.«

Grimmig blickte Randolf hoch. »Ich hätte mir nie träumen lassen, dass ich mir mal wünsche, sie würde wieder auftauchen.«

»Wirklich niemand hat etwas gehört, wo sie stecken könnte oder was mit ihr passiert ist?«, fragte Ekkehart so unbeteiligt wie nur möglich.

»Nein.«

»Sie suchen also immer noch nach ihr?«

»Bischof Martin nur noch, um eine Erklärung für ihr Verschwinden zu bekommen. Den Vorwurf der Hexerei hat er fallen lassen.«

Ekkehart verbarg seine Empfindungen, während sich Elmar nun voller Häme einmischte. »Das wäre auch zu schön gewesen. Nach ihr hätten wir vielleicht auch noch ihre Hexenbrut beseitigen lassen können. Dann müsste sich Randolf um Christian überhaupt keine Sorgen mehr machen. Der ist jetzt schon so gut wie erledigt. Und alles wegen eines Weibes.«

»Sei vorsichtig«, gab Giselbert zu bedenken, der sich mit einem Mal sichtlich unwohl fühlte. »Wenn sie wirklich eine Hexe war, weiß man nicht, ob sie uns nicht doch noch aus der Hölle heimsucht.«

»Unsinn«, ging Randolf dazwischen. »Überleg doch, wie wir mit ihr umgesprungen sind. Wäre sie eine Hexe, hätte sie das verhindert oder sich längst gerächt. Aber wie es aussieht, greift sie jetzt noch aus dem Grab nach mir.«

»Vielleicht lebt sie noch«, warf Ekkehart ein. »Vielleicht hat Christian sie da rausgeholt und hält sie irgendwo versteckt.«

Randolf schüttelte ungeduldig den Kopf. »Wenn du ihn gesehen hättest in letzter Zeit, würdest du das nicht glauben. Mir soll es nur recht sein. Ich bin es sowieso leid, in seiner Gegenwart den Geläuterten zu spielen. Aber irgendwer hat der schönen Hedwig zugeraunt, ich könnte mit alldem zu tun haben.«

»Lass uns zusammen nach Meißen reiten und einen Reinigungseid schwören«, bot Ekkehart an.

Dann allerdings musste er zusehen, wie er Marthe vor der Abreise unauffällig aus dem Haus bekam. Aber wenn er seinem Freund helfen wollte, musste er sie sowieso herausgeben, ob er nun wollte oder nicht. Randolf war sein Waffengefährte seit der Knappenzeit, das war er ihm einfach schuldig.

Randolf klopfte ihm auf die Schulter. »Danke, mein Freund. Es ist wirklich ein Hohn. Da ist Christian durch das bedauerliche Ableben seiner Hure außer Gefecht gesetzt – und statt dass mir das einen Vorteil verschafft, setzt mir Hedwig wieder zu. Alles Übel dieser Welt kommt von den Weibern.«

»Nun, dann will ich noch ein bisschen mehr Unheil stiften«, mischte sich auf einmal Richenza ein. »Ich sollte mich wohl etwas enger mit der Markgräfin anfreunden.«

Als die Männer sie fragend anstarrten, erklärte sie ungeduldig: »Hedwig hat ein dunkles Geheimnis, das spüre ich genau. Es wäre wohl nützlich, zu wissen, was es ist.«

Dann richtete sie einen scharfen Blick auf ihren Mann. »Und du solltest dir etwas einfallen lassen für den Tag, an dem Christian seine Suche aufgibt und seine Aufmerksamkeit wieder dir zuwendet.«

Für die Nacht überließ Ekkehart wie üblich seine Kammer Randolf und seiner Frau. Giselbert und Elmar hatten sich wie jedes Mal zwei junge Mägde ausgesucht, um sich mit ihnen in ein gemeinsames Zimmer zurückzuziehen.

Nachdem er sicher war, dass alle in ihren Betten beschäftigt waren, ging er zu der Kammer, in der er gewöhnlich schlief, wenn Randolf und Richenza ihn besuchten, und in der er nun Marthe versteckt hatte. Er schickte die Wache weg und trat leise ein.

Marthe fuhr hoch und blickte ihn erschrocken an.

»Ich werde heute Nacht hierbleiben«, sagte er.

Der hasserfüllte Blick, den er dafür erntete, traf den Kern seiner Selbstachtung. »Hier an der Tür. Ich werde bei dir wachen«, fügte er unwirsch hinzu.

Er sah das Misstrauen in ihren Zügen, zog seinen Dolch und ging zwei Schritte auf sie zu. Noch ehe sie etwas sagen oder tun konnte, warf er ihr den Dolch aufs Bett.

»Du kannst ihn haben. Damit du mir glaubst, dass du mich nicht fürchten musst«, erklärte er.

Doch als sie danach greifen wollte, packte er ihre Hand und hielt sie fest, so dass sie über der Klinge verharrte. »Schwöre, dass du die Waffe nicht gegen dich selbst richtest.«

Marthes Erschrecken wich Verwunderung. »Ich schwöre es.«

»Gut.« Ekkehart ließ sie los und sah zu, wie sie nach dem Dolch griff und ihre Hand mit der Waffe unter der Decke verschwinden ließ.

Marthe ließ sich zurück auf das Laken sinken. Sie gab sich keiner Täuschung hin. Auch mit dem Dolch würde sie Ekkehart kaum besiegen können. Er war fast zwei Köpfe größer als sie und seit zwanzig Jahren für den Kampf ausgebildet. Er würde jede ihrer Bewegungen schon vorher erahnen und sie mühelos überwältigen.

Vielleicht wollte er sie nur in Sicherheit wiegen. Es wäre trotz der Waffe besser, wenn sie es schaffen würde, in dieser Nacht wach zu bleiben.

»Nun schlaf endlich«, knurrte Ekkehart, rückte eine Bank an die Tür und richtete sich dort zum Schlafen ein.

Zum Teufel mit der Ritterlichkeit. Solange er mit ihr allein gewesen war, hatte sie in ihm Gefühle geweckt, die ihm sonst fremd waren. Doch in Randolfs Gegenwart gewann sein altes Ich wieder die Oberhand.

Er hatte gehofft, irgendwann würde sie zutraulich werden. Aber da hatte er sich wohl getäuscht. Solange Christian lebte, würde sie sich ihm nie freiwillig hingeben.

Nicht, bevor sie Witwe war. Aber das ließ sich bestimmt einrichten, auch ohne dass sein Freund Schwierigkeiten bekam.

Schmerzliches Wiedersehen

Die Bewohner von Christiansdorf hatten bisher nie Anlass, ihren Herrn wirklich zu fürchten, sofern sie sich nichts zuschulden kommen ließen. Doch seit dem Verschwinden seiner jungen Frau, die man mittlerweile für tot halten musste, machten die meisten lieber einen Bogen um ihn. Er jagte ihnen Angst ein.

Christian hatte sich einen kurzen Bart stehen lassen und wirkte mit den dunklen Haaren und seiner finsteren Miene noch furchteinflößender als sonst schon. Am schlimmsten aber war die Düsternis in seinen Augen – als weilten seine Gedanken in den Abgründen der Hölle.

Die Ritter seines Haushaltes führten sich kaum anders auf. Insbesondere der junge Herr Lukas, der früher gern eine spöttische Bemerkung gemacht hatte, war kaum noch wiederzuerkennen.

Und aller Vernunft zum Trotz schien Ritter Christian sich nicht damit abfinden zu wollen, dass seine Frau tot war.

Nicht, dass die Dorfbewohner nicht um sie getrauert hätten. Außerdem: Wer sollte ihnen nun helfen, wenn jemand fieberte oder eine Frau in die Wochen kam? Ihre Stieftochter, die sie angelernt hatte, war doch noch viel zu jung, um allein damit fertigzuwerden.

Zu allem Unglück war auch noch Pater Bartholomäus gestorben. Er hätte dem Herrn der Dorfes ins Gewissen reden können, damit der seine sinnlose Suche aufgab, sich mit dem Unvermeidlichen abfand und eine Messe für das Seelenheil seiner toten Frau lesen ließ.

So redeten die Dorfbewohner, wenn auch nicht ohne Bedauern. Manches von Herzen kommende Gebet wurde für die Seele der unglücklichen jungen Frau gesprochen, die neben ihren Stieftöchtern und ihrem untröstlichen Mann auch zwei kleine Kinder zurückgelassen hatte, kleine arme Würmchen.

Möge Gott sich ihrer erbarmen, aber auch dafür sorgen, dass unser Herr wieder zur Vernunft kommt, dachten viele Christiansdorfer. Und wenn er sich eine neue Frau nimmt, dann hoffentlich eine, die wenigstens halb so gütig und mildtätig wie die arme Marthe ist.

Wieder einmal kehrte Christian von einer ergebnislosen Suche zurück.

Lukas, der einen harten Tag lang Konrad und seinen Bruder

Jakob den Umgang mit der Lanze hatte üben lassen, lief ihm entgegen und nahm ihm den Grauschimmel ab, doch er fragte nicht mehr, ob die Reise einen Anhaltspunkt gebracht hatte. Die Antwort konnte er auf Christians Gesicht ablesen.

Lukas war, als ob sich ihm ein Dolch ins Herz bohrte. Er trauerte um Marthe kaum weniger als Christian, er vermisste sie so sehr, dass es wehtat und er kaum noch Schlaf fand. Denn er fühlte sich nach wie vor schuldig an dem, was geschehen war, auch wenn sie nun wussten, dass der Medicus sie angeklagt hatte.

Wir haben sie nicht genug beschützt, warf er sich wohl zum tausendsten Mal vor, obwohl ihm klar war, dass Christian dieser Vorwurf noch viel mehr quälen musste.

Schweigend gingen sie zum Haus, gefolgt von den Knappen, die nur einen Blick austauschten und ebenfalls schwiegen. Den ganzen Nachmittag hatte es wie aus Kannen gegossen, die Männer waren durchnässt, aus ihren Haaren tropfte das Wasser.

Die Köchin lief herbei, um heißen, gewürzten Wein zu bringen. Gedankenversunken nahm Christian ihn entgegen, nickte ihr kurz zu und lehnte sich an die Wand neben der Feuerstelle in der Halle.

Johanna und Marie kamen, um ihn zu begrüßen. Auch sie wagten schon längst nicht mehr zu fragen, ob er auf eine Spur von ihrer Stiefmutter gestoßen war. Johanna biss sich auf die Lippen, Marie stiegen Tränen in die Augen. »Eure Kinder schlafen schon, Herr«, brachte sie gerade noch hervor, ehe sie sich weinend wegdrehte und davonlief.

Christian nahm die Auskunft mit gemischten Gefühlen auf. Die Kinder boten ihm den einzigen Trost. Er sehnte sich danach, sie an sich zu drücken, ihren Duft und ihre samtweiche Haut zu spüren. Doch was sollte er seinem Sohn auf dessen immer drängender werdende Fragen antworten? »Mutter kommt nicht wieder. Sie ist tot«, hatte Thomas ihm beim letzten Mal vorgehalten und ihn dabei zornig angefunkelt. »Das sagen alle im Dorf.«

Und obwohl sich Christian weigerte, dies zu glauben, wusste er nicht, wie er das einem Dreieinhalbjährigen klarmachen sollte.

»Woher haben sie gewusst, dass Marthe bei Elisabeth war?« Damit sprach er nach einer Weile des Schweigens das aus, was ihn seit seinem letzten Gespräch mit Raimund beschäftigte.

Lukas, der selbst in finstere Gedanken versunken war, blickte auf. »Was?«

»Woher haben sie gewusst, wo sie war?«, wiederholte Christian. »Darüber grüble ich die ganze Zeit. Nach dem, was Elisabeth berichtet hat, müssen sie geradewegs zur ihr geritten sein, als sie sie hier nicht vorfanden. Wer hat ihnen verraten, wo sie steckt? Niemand außer uns wusste es.«

Die kleine Anna, die in die Halle gekommen war und einen Arm voll Feuerholz brachte, hob den Kopf und öffnete den Mund. Dann warf sie das Holz zu Boden und rannte in die Küche. Wenig später trat Mechthild in die Halle und schob Anna vor sich her.

»Verzeiht, Herr, die Kleine hier hat Euch etwas zu sagen«, verkündete sie den erstaunten Rittern und schubste Anna nach vorn.

Die sah stumm von Lukas zu Christian und zurück, dann kniete sie nieder und senkte den Blick.

»Hast du etwas angestellt? Oder dein Bruder?«, fragte Christian ungeduldig.

Anna blickte gequält auf. »Nein, Herr«, flüsterte sie. »Aber … es war die edle Dame, die den Fremden gesagt hat, wohin Ihr die Herrin geschickt habt …« Ängstlich sah sie zu Lukas. »Eure Braut.«

Lukas fuhr zusammen. »Das weißt du ganz genau?«, drängte er. »Hast du es selbst gehört?«

Anna nickte.

»Woher wusste sie das?«, fragte Lukas Christian. »Sie muss uns belauscht haben.«

Er hieb so wütend mit der Faust gegen die Wand, dass ihn ein flammender Schmerz durchfuhr. »Dieses Miststück! Dieses gottverdammte frömmlerische Miststück«, schrie er.

Schon stürzte er zur Tür, drehte sich aber vor dem Hinausgehen noch einmal kurz zu Christian um. »Kannst du mich für zwei Tage entbehren?«

»Wohin willst du noch mitten in der Nacht?«, rief Christian und lief dem Freund nach.

Doch Lukas war schon auf dem Weg zu den Ställen, schnappte sich einen Sattel und ging zu seinem Braunen.

»Halt mich nicht auf«, knurrte er ungewohnt schroff. »Es sei denn, du befiehlst mir als mein Dienstherr, zu bleiben. Dann muss ich dich bitten, mich aus deinen Diensten zu entlassen.«

»Soll ich nicht besser mitkommen?«, drängte Christian.

»Das muss ich selbst klären«, gab Lukas grimmig zur Antwort und saß auf.

Christian war versucht, dem jüngeren Freund nachzureiten, um ihn davon abzuhalten, eine unwiderrufliche Dummheit zu begehen. Aber er kannte Lukas gut genug, um zu wissen, dass der jetzt allein ausführen wollte und musste, was er vorhatte.

Er schickte Konrad und Jakob in die Küche, damit sie sich dort etwas zu essen geben lassen und ihre Kleider am Herdfeuer trocknen konnten.

Nach einer Weile stummen Brütens allein in der Halle ließ er Till kommen, seinen Schreiber, den einstigen Spielmann, um ihm einen Brief an Markgraf Dietrich zu diktieren. Ottos Bruder wollte regelmäßig über die Fortschritte seines Sohnes informiert werden – und auch darüber, ob es Neuigkeiten über Marthes Verbleib gab, der er freundlich gesonnen war.

»… kann ich Euch mitteilen, dass Euer Sohn inzwischen an Geschick im Umgang mit dem Schwert und mit der Lanze gewonnen hat. Seine größte Schwierigkeit liegt nicht mehr im Umgang mit den Waffen, sondern darin, sein Temperament zu beherrschen und seine Kräfte richtig einzuschätzen. Aber ich bin zuversichtlich, dass er auch dies mit der Zeit meistern wird«, diktierte Christian. Flüchtig überlegte er, ob er diesen Satz ruhigen Gewissens stehenlassen konnte. Er wusste wohl, dass Konrad und Jakob hinter seinem Rücken stöhnten, da sie ihn scheinbar nie zufriedenstellen konnten. Aber darauf wollte er keine Rücksicht nehmen. Wenn die beiden nicht den Ernst eines jeden Übungskampfes begriffen, würden sie ihre Schwertleite nicht lange überleben. Sie konnten froh sein, dass er ihnen seine Lektionen nicht einprügelte wie andere Schwertmeister.

Er machte eine Pause, um sich zu vergewissern, dass Till, den er in Gedanken immer noch Ludmillus nannte, mit dem Schreiben nachkam, und um sich selbst für den nächsten Satz zu wappnen.

»Da Ihr so gütig wart, Euch nach dem Schicksal meiner geliebten Frau zu erkundigen, muss ich Euch voller Trauer mitteilen, dass wir trotz aller Suche nach wie vor keinen Hinweis haben – weder auf ihren Verbleib, falls sie noch lebt, noch auf ihr Grab …«

Er verstummte, denn er hatte seine Stimme nicht mehr in der Gewalt.

Eine Zeitlang war nur das Kratzen der Feder auf dem Pergament zu hören.

Als Till fertig war, legte sich das Schweigen wie eine dunkle Wolke über den Raum.

»Wenigstens könnt Ihr Euch damit trösten, dass Ihr alles getan habt, sie zu schützen. Und Ihr habt sie gerächt«, sagte der Schreiber schließlich dumpf.

»Hätte ich sie ausreichend beschützt, dann wäre sie noch hier bei mir und den Kindern«, antwortete Christian verbittert.

»Meine Frau und meine Tochter wurden einfach so von einer Meute erschlagen«, begann Till stockend zu erzählen. »Während ich vor einem hohen Herrn auf seiner Burg sang und spielte, sind sie über sie hergefallen. Hilarius konnte sie nicht retten, obwohl er es versucht hat. Als ich zurückkam, lagen sie alle drei dort in ihrem Blut …«

Noch nie zuvor hatte der einstige Spielmann mit Christian über den Tod seiner Familie gesprochen.

Sie saßen stumm beieinander. Zwei Männer, die ihre Frauen verloren hatten und nicht wussten, wie sie nun weiterleben sollten.

Voller Zorn ritt Lukas durch die Nacht. Er kannte den Weg, und der helle Mond warf genug Licht.

Vom Regen durchnässt und unverändert zornig erreichte er am Morgen das Gut seines Vaters, warf einem Stallburschen die Zügel seines Braunen zu, ignorierte die Begrüßung des Gesindes und stürmte in die Halle, wo der Herr des Hauses gerade mit einigen seiner Vertrauten beim Frühmahl saß.

Mit großen Schritten durcheilte Lukas den Raum und kniete vor seinem Vater nieder, der die buschigen weißen Augenbrauen grimmig zusammenzog und ihn verwundert ansah, ohne ein Wort zu sagen.

»Mein Herr und Vater, ich muss Euch bitten, mich zu Dame Sigrun und ihrem Vater zu begleiten.«

»Was soll das schon wieder?«, knurrte der Ritter, der hinter seinem Rücken wegen seiner Durchtriebenheit und seines weißen Haares nur »der Silberfuchs« genannt wurde. Natürlich wusste er davon; weshalb sollte ihm auf seinen eigenen Ländereien etwas entgehen? Er war sogar sehr zufrieden mit dieser Bezeichnung, die jeden davor warnte, ihn wegen seines Alters nicht ernst zu nehmen oder gar hintergehen zu wollen.

»Erst sträubst du dich wie eine verängstigte Jungfrau gegen diese Verbindung, die wir dringend brauchen, und nun kannst du es nicht erwarten, sie zu sehen? Hast es wohl eilig, die Stute zu besteigen?«

Der Alte stieß ein meckerndes Lachen aus, und seine Tischgenossen taten es ihm gleich.

Lukas ließ sich nicht beirren. »Ich bitte Euch in aller Ergebenheit darum. Um meiner Ehre als Ritter willen«, beharrte er mit versteinertem Gesicht.

Es war wohl eher Neugier als Duldsamkeit, die den alten Fuchs bewog, den Befehl zu geben, sein Pferd zu satteln.

Während sie nebeneinander herritten, musterte er misstrauisch die finstere Miene seines Sohnes. Was mochte der Narr wieder ausgeheckt haben? Immerhin wollte er nun freiwillig zu seiner Zukünftigen, das war schon viel wert. Vielleicht musste er ins Feld und wollte zuvor noch sein Wort einlösen und mit dieser Sigrun vor die Kirchentür treten. Oder, so dachte der Alte, ihn juckt der Schwanz und er hat kein Geld für eine Hure. Wie er seinen Dummkopf von Sohn kannte, nahm der die Ritterehre viel zu ernst, um die Mägde seines Dienstherrn zu schwängern.

Nun ja, wenn dadurch die Hochzeit schneller zustande kam, sollte es ihm recht sein. Seinetwegen heute noch. Er war gespannt darauf zu sehen, ob sein Ältester Manns genug war, der zimperlichen Nachbarstochter im Bett Gehorsam beizubringen.

Nach einem schweigsamen Ritt erreichten sie den Wohnsitz des Nachbarn.

»Bitte den Herrn des Hauses und die Jungfrau Sigrun hierher«, wies der Silberfuchs einen Knecht an, der sich verneigte und sofort verschwand.

Augenblicke später erschien Sigruns Vater Bruno, ebenso grau-haarig wie sein Nachbar, aber nicht sehnig und dürr wie jener, sondern stämmig und wohlgenährt.

Die beiden alten Männer schlugen sich zur Begrüßung gegen-seitig auf die Schulter. Der Hausherr bot ihnen Platz an und ließ Wein, Brot und Schinken bringen.

Kurz darauf trat Sigrun in die Halle, blass, mit krampfhaft er-hobenem Haupt und verkniffenem Gesicht.

»Ihr wünscht mich zu sehen, Herr Vater?«

»Nicht ich, sondern dein künftiger Gemahl«, sagte ihr Vater, mit vollen Backen kauend. »Also, Lukas, spannt uns nicht län-ger auf die Folter. Was zieht Euch auf einmal zu Eurer Braut?«

Lukas, der keinen Bissen gegessen, sondern nur einen Becher Wein hinuntergestürzt hatte, stand auf und betrachtete seine Verlobte mit halb zusammengekniffenen Augen.

»Stimmt es, dass Ihr den Häschern der Kirche den Aufenthalts-ort der Dame Marthe verraten habt?«

Sigrun zuckte zusammen. Doch dann reckte sie ihr Kinn vor und sagte trotzig: »Was meint Ihr mit Häschern? Hätte ich etwa einen Geistlichen belügen sollen?«

»Ihr habt ein Geheimnis preisgegeben, das Ihr erlauscht habt, elende Schnüfflerin!«, warf Lukas ihr an den Kopf. Bevor er weiterreden konnte, fiel Sigruns Vater ihm wütend ins Wort.

»Junger Mann, ich dulde nicht, dass meine Tochter in meiner Halle beleidigt wird. Wartet, bis sie Euer Weib ist, dann könnt Ihr mit ihr nach Belieben verfahren. Bis dahin werdet Ihr die Regeln der Höflichkeit befolgen.«

Lukas verneigte sich knapp in Brunos Richtung, doch dann fuhr er unvermindert in seiner Anklage fort. »Ich beschuldige Eure Tochter, die Gemahlin meines Dienstherrn verraten zu haben. Nach allem, was wir wissen, ist sie tot. Sie und ihr un-geborenes Kind.«

Nun richtete er das Wort wieder in aller Schärfe an Sigrun: »Die Dame Marthe hat Euch freundlich aufgenommen, sie hat Euer Leben gerettet, als Ihr auf den Tod krank wart. Und Ihr habt sie ausgeliefert an Männer, von denen Ihr wusstet, dass sie sie ermorden wollten.«

Mit jäh aufbrandendem Zorn wandte sich Bruno an seine Tochter: »Ist das wahr?«

Wieder zuckte Sigrun zusammen, doch dann hob sie ihr Kinn noch ein bisschen höher. »Wie könnte ich Männer der heiligen Mutter Kirche belügen? Sie wollten wissen, wo sie ist, und ich musste es ihnen sagen. Wenn sie vor ein Kirchengericht gestellt wurde, wird das schon herausgefunden haben, ob sie nun eine Hexe war oder nicht.«

»Die Probe bewies ihre Unschuld«, hielt Lukas ihr mit immer lauter werdender Stimme vor. »Doch Euretwegen musste sie Fürchterliches erdulden. Sie haben sie gefoltert und fast ersäuft wie eine junge Katze! Nach dem, was wir erfahren mussten, hat sie die Folter nicht überlebt. Könnt Ihr damit leben, Frömmlerin?«

Sigrun öffnete den Mund, um etwas zu erwidern, doch bevor sie dazu kam, donnerte ihr Vater: »Schweig!«

Er rieb sich mit den schwieligen Händen übers Gesicht, sah erst zu Lukas' Vater und dann zu seiner ältesten Tochter. »Mit einem erlauschten Geheimnis den Gastgeber verraten! Und noch dazu eine Dame, in deren Schuld du standest. Noch nie hat jemand solche Schande über dieses Haus gebracht.« Dann brüllte er sie an: »Geh mir aus den Augen, ehe ich dich zum Krüppel schlage!«

Sigrun duckte sich, als wollte sie einen Schlag abwehren, und ging mit zögernden Schritten rückwärts aus der Halle.

So konnte Lukas ihr ins Gesicht blicken, als er ihr seine nächsten Worte entgegenschleuderte. »Ich muss damit leben, dass ich mit Euch das Verderben in das Haus meines Dienstherrn geholt habe. Aber ihr müsst damit leben, den Tod einer Unschuldigen auf Euch geladen zu haben. Nun habt Ihr tatsächlich etwas, wofür Ihr Buße tun könnt. Am besten in einem Schweigeorden. Dann richtet Ihr wenigstens kein Unheil mehr an.«

Nach seinen letzten, vor Hass triefenden Worten drehte sich Sigrun um und rannte heulend hinaus.

Während sich die beiden alten Männer schweigend anblickten, kniete Lukas erneut vor ihnen nieder.

»Vater, Herr Bruno. Ihr habt mir den Eid abgepresst, Sigrun zur Frau zu nehmen. Und weil ein Sohn seinem Vater Gehorsam schuldet, hatte ich mich damit abgefunden, mein Leben an der Seite eines Weibes zu verbringen, das ich verabscheue.«

Er ignorierte die entrüsteten Einwürfe der beiden alten Männer.

»Ich habe noch einen anderen Eid abgelegt, vor Jahren schon, freiwillig und aus ehrlichem Herzen: Meinen Herrn und die Seinen zu schützen. Wie kann ich hinnehmen, dass meine Braut seiner Gemahlin den Tod gebracht hat? Ganz gleich, wie Ihr mich bestraft – ich werde beim Bischof um Erlaubnis ersuchen, das Verlöbnis aufzukündigen.«

Der Silberfuchs fuhr auf. Seine buschigen Augenbrauen zitterten, als er seinen Sohn anschrie: »Ich dulde nicht, dass du ihr Vergehen – so ehrlos es auch ist – zum Vorwand nimmst, um dich vor dieser Hochzeit zu drücken. Das Wort eines Vaters ist Gesetz. Entweder du heiratest sie, oder du wirst enterbt.«

»Lieber ohne Land als ohne Ehre«, entgegnete Lukas kühl, nickte den beiden Alten knapp zu und ging.

»Du bist nicht mehr mein Sohn«, rief ihm sein Vater wutentbrannt nach.

Lukas drehte sich noch einmal kurz um und warf einen letzten, unergründlichen Blick auf seinen Vater. »Dann soll es so sein.«

Lukas fielen vor Müdigkeit fast die Augen zu, als er am Nachmittag wieder in Christiansdorf ankam. Nur grimmige Entschlossenheit hielt ihn wach.

»Ich habe keine Familie mehr, keinen Namen und keinen Erbanspruch.« Das war alles, was er bei seiner Ankunft erklärte.

»Und keine Braut«, mutmaßte Christian.

Lukas zuckte nur gleichgültig die Schultern. »Ich schätze, nun werde ich mir nie einen Knappen leisten können. Behältst du mich trotzdem in deinen Diensten?«

Christian überging die Frage. »Komm herein und lass dir etwas zu essen geben. Du siehst aus, als würdest du gleich aus den Stiefeln kippen.«

Sie hatten die Halle kaum betreten, als ihnen Peter aufgeregt nachgerannt kam.

»Mein Herr Christian, mein Herr Christian!«, stieß er atemlos hervor.

Als sich der so Gerufene ihm zuwendete, stürzte der Junge auf ihn zu und verfing sich in seiner Hast beinahe in den Binsen, die den Boden bedeckten.

»Da draußen ... im Wäldchen ... wo ich immer die Schweine zur Mast hintreibe ... ein fremder Ritter ... und er sagt, er hat Neuigkeiten von Dame Marthe für Euch«, brachte der Junge zwischen den Atemstößen hervor.

Christian und Lukas fuhren gleichzeitig auf. Lukas taumelte, Christian wurde kreidebleich.

Er packte den Jungen bei den schmalen Schultern. »Was genau sagte er?«, fragte er heftig. »Und warum ist er nicht mit dir gekommen?«

»Er sagt, er sei heimlich hier. Ihr sollt zu ihm kommen, allein. Und ich soll niemandem sonst etwas erzählen.«

Misstrauisch blickte der Junge auf Lukas. Gerade ging ihm

262

auf, dass er diese Anweisung des fremden Ritters missachtet hatte.

»Klingt gewaltig nach einer Falle«, knurrte Lukas.

»Wie sah er aus? Hast du ihn im Dorf schon einmal gesehen?«, fragte Christian unbeirrt weiter.

»Nein, noch nie.« Peter suchte nach einer passenden Beschreibung. »Groß. Stark. Vielleicht so alt wie Ihr.«

Vom Alter abgesehen, passt die Beschreibung so ziemlich auf jeden Ritter, dachte Christian grimmig. Weil sich die Adligen besser und vor allem von Fleisch ernährten und von jungen Jahren an jeden Tag den Umgang mit schweren Waffen übten, waren die meisten von ihnen nicht nur stärker, sondern auch größer als einfache Bauern.

»Sein Pferd?«

»Ein Fuchs. Ohne Blesse.«

Auch das war kein Anhaltspunkt.

Christian gürtete sein Schwert und eilte zum Stall. Lukas lief ihm nach. »Ich komme mit. Irgendwer will dich in einen Hinterhalt locken.«

Christian drehte sich kurz zu ihm um, während er den Grauschimmel sattelte. »Nein. Die Bedingungen waren eindeutig. Und wenn es ein Hinterhalt ist, dann ist es besser, sie erwischen nur einen statt zwei. Bleib hier und kümmere dich mit Gero und Richard um den nächsten Silbertransport.«

Er sah dem Freund hart in die Augen. »Das ist ein Befehl. Wenn du in meinen Diensten bleiben willst, halte dich daran.«

»Wenn du für immer verschwindest, werden wir nie erfahren, was geschehen ist«, widersprach der Jüngere heftig.

»Darauf lasse ich es ankommen. Lieber sterbe ich, als eine Chance zu vertun, Marthe wiederzufinden.«

Er schwang sich in den Sattel und preschte los.

Lukas biss sich auf die Lippen, dann winkte er Peter heran.

»Bist du mutig genug für ein kleines Abenteuer?«

Der Junge grinste ihn an und entblößte dabei zwei Zahnlücken. »Klar doch.«

»Schleich hinterher und versteck dich hinter einem Baum, damit du beobachten kannst, was geschieht.«

Peter wollte schon losstürzen, aber Lukas griff nach seiner Schulter und hielt ihn kurz zurück. »Sei vorsichtig! Niemand darf dich sehen, auch dein Herr nicht. Und du musst genauso unbemerkt wieder zurückkommen.«

Peter nickte und rannte los.

Lukas hingegen blieb bei den Ställen und sah ihm nach, hin und her gerissen zwischen Hoffnung und Sorge. Er würde sich nicht von der Stelle rühren, bis er wusste, was da gespielt wurde.

Über die Bodensenken zogen kräftige Nebelschwaden und verliehen dem Landstrich etwas Unheimliches. Doch Christian ignorierte das. Alles ihn ihm drängte danach, etwas von Marthe zu hören. Er wollte die Hoffnung nicht aufgeben. Und wenn er wieder enttäuscht werden sollte, kümmerte ihn der Tod nicht mehr.

In dem Wäldchen, in das die Schweine zur Mast getrieben wurden, herrschte nur noch Dämmerlicht. So erkannte er erst auf wenige Längen Entfernung, wer ihn erwartete.

Bei Ekkeharts Anblick zog er mit einer schnellen Bewegung sein Schwert, denn nun war er sicher, dass ihn ein Hinterhalt erwartete. Er wollte sein Leben so teuer wie möglich verkaufen.

Doch Ekkehart hob beschwichtigend eine Hand, ohne nach seiner Waffe zu greifen. »Ich bin allein. Ich bringe Nachricht von deiner Frau.«

Christian starrte ihn aus trockenen Augen an, bis ins Tiefste getroffen. Würde er nun erfahren, wo Marthes Leichnam begraben war?

Er senkte sein Schwert und ritt näher heran, bis ihre Pferde dicht beieinanderstanden.

Ekkehart führte ein zweites gesatteltes Pferd, einen unauffälligen Braunen.

»Sie lebt.«

Chrisian glaubte, sein Herzschlag würde für einen Augenblick aussetzen. »Wo?«, fragte er atemlos.

»In meiner Obhut.«

»Du hältst sie gefangen?«, fuhr Christian auf und hob erneut das Schwert.

»Sie ist mein Gast.«

In knappen Worten berichtete Ekkehart dem misstrauisch lauschenden Christian. »Ich durfte dir nicht früher Nachricht geben. Ihr Leben hing davon ab, dass du sie glaubwürdig suchst. Erst jetzt habe ich erfahren, dass die Anklage gegen sie fallengelassen wurde.«

»Warum solltest du das tun? Was versprichst du dir davon? Oder Randolf?«

»Ich bin Randolf keine Rechenschaft schuldig, wenn ich eine alte Schuld einlöse«, entgegnete Ekkehart scharf. »Deine Frau hat mir einst das Leben gerettet, als mich ein Bär bei der Hatz nahe deinem Dorf verletzt hatte.«

»Dann stehe ich in deiner Schuld«, brachte Christian mühsam hervor. »Kann ich zu ihr? Kann ich sie sehen?«

»Ja. Aber sie ist sehr krank.«

Wohlweislich verschwieg Ekkehart, dass sich Marthes Zustand wieder bedrohlich verschlimmert hatte, nachdem Randolf auf seine Burg gekommen war und sie sich nachts mit aller Kraft wachgehalten hatte, während er in ihrer Kammer schlief.

»Die erfahrenste weise Frau aus meinen Ländereien hat sie gepflegt. Doch sie sagt, Marthe hat keinen Lebenswillen mehr. Sie meint, vielleicht würde es ihr helfen, dich zu sehen.«

»Reiten wir zu ihr?«, drängte Christian.

»Nicht mit deinem Grauschimmel. Bring ihn zurück und nimm den Braunen hier. Ich will nicht, dass jemand am Pferd erkennt, wer bei mir ist.«

Er drückte Christian die Zügel des zweiten Pferdes in die Hand. »Ich warte hier.«

Als Christian wendete, rief Ekkehart ihm nach: »Niemand darf erfahren, dass ich in die Sache verwickelt bin. Auch niemand von deinen Leuten. Also denk dir eine gute Erklärung dafür aus, wieso sie auf einmal wieder auftaucht und wie sie aus dem Kerker verschwunden ist.«

»Du hast mein Wort, wenn du mich wirklich zu ihr führst«, erklärte Christian, der immer noch Mühe hatte, an dieses wahrhaftige Wunder zu glauben.

Doch was Ekkehart über die weise Frau gesagt hatte, machte für ihn die Sache ein Stück wahrscheinlicher. Es erinnerte ihn an die Zeit, als sein Freund Raimund auf den Tod krank in Christiansdorf lag und Marthe sich am Ende ihrer Kunst sah. Damals hatte sie gedrängt, Raimunds Frau Elisabeth zu holen, der er sehr zugetan war, damit sie seine Seele zurückrief, die sich davonstehlen wollte.

So etwas hätte sich Ekkehart bestimmt nicht ausdenken können, dachte er. Allmählich erfüllte Hoffnung sein Herz, doch gleichzeitig wagte er nicht, zu viel davon zuzulassen.

Was haben sie ihr angetan? Und würde er noch rechtzeitig kommen, wenn sie wirklich im Sterben lag?

»Sie lebt«, sagte er Lukas nur, während er ihm seinen Grauschimmel übergab und sich gleich darauf auf den Braunen schwang. »Ich hole sie.«

»Der Herr sei gepriesen! Soll ich mit dir kommen?«

»Nein. Und vorerst zu keinem ein Wort«, befahl Christian und galoppierte davon.

Als sie nach einem schweigsamen Ritt Ekkeharts Stammsitz erreichten, führte Randolfs Freund Christian zu dessen Erstaunen in den Wohnturm und zu einer bewachten Tür.

»Du kannst gehen«, wies er die Wache an, stieß die Tür auf und ließ Christian eintreten, ohne ihm zu folgen.

Bis eben noch hatte Christian nicht ausgeschlossen, dass dies eine Falle oder ein grausamer Scherz war. Aber da lag sie, totenbleich auf einem Bett, in ein kostbares rotblaues Kleid gehüllt. Er wollte zu ihr stürzen, doch eine alte Frau trat ihm in den Weg.

Keine Magd würde es wagen, einen Edelmann aufzuhalten, und niemand würde sich in diesem Augenblick zwischen ihn und seine Frau stellen können. Doch er erkannte eine weise Frau, wenn sie vor ihm stand. Schließlich hatte ihn eine aufgezogen, und mit einer war er verheiratet.

»Ihr seid derjenige, dessen Namen sie immer wieder im Fieber gerufen hat«, sagte die Alte. Es war keine Frage, sondern eine Feststellung.

Christian nickte stumm.

»Ihr müsst Geduld mit ihr haben«, mahnte sie. »Euer Weib hat Schweres durchlitten. Manches habe ich lindern können. Und die meisten Narben auf ihrem Rücken werden mit der Zeit verheilen.«

Christian zuckte bei den letzten Worten zusammen. Doch er starrte weiter auf die weise Frau, die ihm immer noch nicht den Weg freigeben wollte, sondern nun noch düsterer blickte und die brüchige Stimme senkte.

»Ihr Lebenswille erlischt. Lasst sie nie allein. Wenn sie Kinder hat, legt sie zur ihr. Vielleicht hält sie das auf Erden. In solch einer Lage ist die Liebe einer Mutter zu ihren Kindern vielleicht die mächtigste, die einzige Kraft, die noch helfen kann.«

Endlich trat die Alte beiseite und ließ ihn zu Marthe.

Sie schlief, und er war erschrocken, wie bleich und abgemagert sie war, trotz der offensichtlich guten Pflege, die ihr zuteil geworden war.

Ganz vorsichtig strich er mit den Fingerspitzen über ihr Gesicht. Sie öffnete die Augen und drehte matt den Kopf zu ihm. Als sie ihn erkannte, leuchteten ihre Augen auf.

Er griff nach ihrer Hand und presste sie an seine Wange. Nur ihre Totenblässe hielt ihn davon ab, sie an sich zu reißen. »Du lebst!«

Das Leuchten in ihren Augen erlosch. »Ich habe unser Kind verloren.«

Sorgfältig verbarg er seine Trauer. »Aber du bist am Leben ... Wir werden noch mehr Kinder haben, später.«

Sie schloss die Augen, eine Träne rann aus ihrem Augenwinkel. »Nimmst du mich mit nach Hause?«

»Fühlst du dich stark genug für den Ritt?«

Er hatte Ekkehart nicht gefragt, ob der sie gehen lassen würde. Aber wenn nicht, würde er keinen Moment zögern, sich den Weg mit dem Schwert freizukämpfen.

»Nimm mich mit«, bat Marthe leise, ohne zu zögern.

Er half ihr vorsichtig auf. »Gibt es hier etwas, um dein Haar zu bedecken?«

Die Alte reichte ihm ein Tuch aus feinstem Linnen. Christian wartete, bis Marthe fertig zurechtgemacht war, dann hob er sie hoch und trug sie auf seinen Armen nach draußen.

Vor der Tür wartete Ekkehart, der sie für den Moment der Begegnung allein gelassen hatte. Dafür war er ihm nachträglich dankbar.

»Ich nehme sie mit«, sagte er in einem Ton, der weder Frage noch Bitte war, sondern eine Feststellung und keinen Zweifel zuließ.

»Sei vorsichtig, sie ist noch sehr schwach. Ich hole ihr einen Umhang. Es ist kalt.«

Christian war mehr als erstaunt über so viel Fürsorge. Was mochte in Ekkehart vor sich gehen? Doch das würde er später klären. Jetzt wollte er nichts weiter als seine Frau, seine endlich wiedergefundene Geliebte, nach Hause bringen.

»Ich weiß nicht, warum du das getan hast. Aber ich danke dir«, sagte er zu Ekkehart.

»Sagen wir einfach, es war an der Zeit, einmal etwas Gutes zu tun«, erwiderte Ekkehart mürrisch. Schon im Gehen, um Anweisungen an seine Bediensteten zu geben, sagte er: »Randolf hat nichts mit der Anklage zu tun. Ich will, dass du das weißt.«

Christian nickte ihm zu. Dann trug er seine Frau vorsichtig nach unten und nahm sie zu sich aufs Pferd.

Marthe lehnte sich an seine Schulter und schloss die Augen. Er würde sie nach Hause bringen.

Die Heimkehr

Lukas hielt sich strikt an Christians Anweisung und sagte niemandem etwas von der rätselhaften Botschaft und Marthes möglicher Heimkehr, so schwer es ihm auch fiel angesichts der Trauernden um sich herum. Die Geschichte von dem geheimnisvollen Fremden machte ihn misstrauisch und besorgt.

Als bald nach Christians Aufbruch Peter zurückgerannt kam und berichtete, wurde ihm noch beklommener zumute. Der geschickte kleine Dieb hatte sich nahe genug an die beiden Ritter im Wäldchen herangeschlichen, um den letzten Teil ihrer Unterhaltung mitzubekommen

»Er hat wirklich von Randolf gesprochen?«, fragte Lukas heftig und packte den mageren Jungen erneut an der Schulter.

»Ja, Herr«, bestätigte Peter erschrocken.

Lukas lockerte seinen Griff und ließ sich genau das Aussehen des Fremden und seines Pferdes beschreiben.

Beim siebten Kreis der Hölle! Das klang nach Ekkehart. Und er durfte Christian nicht nachreiten! Sicher, sein Ungehorsam würde keine Rolle mehr spielen, wenn er durch sein Eingreifen Christian aus einer Falle befreien konnte. Es wäre nicht das erste Mal gewesen. Aber Christian wusste mehr als er. Wenn er bereit war, Ekkehart allein zu folgen, musste es irgendetwas geben, das ihn überzeugt hatte.

Oder war es wieder wie in alten Zeiten, als Christian der Tod nicht kümmerte?

Er kann gut selbst auf sich aufpassen, versuchte sich Lukas zu beruhigen. Er lobte Peter für den geschickt erfüllten Auftrag und schwor sich, bis zum nächsten Mittag zu warten und keinen Augenblick länger. Sollte Christian bis dahin nicht zurück sein, würde er aufbrechen und ihn suchen, ganz gleich, wie seine Befehle lauteten.

Lukas war nach der durchwachten Nacht todmüde, doch zugleich aufgewühlt durch das bei seinem Vater Erlebte und vor Sorge um Marthe und Christian.

Er holte sich von Mechthild Brot und Käse und erteilte der Köchin zu ihrer Verwunderung die Order, ein Huhn zu schlachten und davon eine kräftige Suppe zu kochen. Mit einem merkwürdigen Gesichtsausdruck rief Mechthild nach einem der Stallburschen, damit der ihr ein Huhn fing und schlachtete. Während sie es rupfte, schimpfte sie kopfschüttelnd über die merkwürdigen Zeiten vor sich hin, die angebrochen sein mussten, wenn sich jetzt schon die jungen Ritter in ihre Küchenangelegenheiten einmischten.

Lukas dachte nicht daran, eine Erklärung zu geben. Marthe ließ fast jedes Mal Hühnerbrühe kochen, wenn sie einen Kranken aufzupäppeln hatte, darüber hatte er sogar schon ein paarmal gespottet. Falls es stimmte, was Peter erlauscht hatte, brauchte Marthe die beste Pflege, wenn Christian sie tatsächlich heimbrachte.

Er rief die Knappen, die dabei waren, die Kettenpanzer der Ritter mit Sand vom Rost zu befreien. Sie mit Schwertübungen bis zur völligen Erschöpfung zu treiben, würde der beste Weg sein, seiner Unruhe irgendwie Herr zu werden.

Konrad und Jakob wechselten einen vielsagenden Blick, als sie aufstanden und zu ihm gingen. Jetzt waren sie zwar von einer verhassten, eintönigen Arbeit befreit, aber Lukas' Gesicht verhieß nichts Gutes.

»Wetten, dass wir gleich die Heldengeschichte aus uralter Zeit vorgehalten bekommen, wie mein Bruderherz kaum älter war als wir jetzt und als Knappe gegen deinen Vater angetreten ist?«, raunte Jakob Konrad zu, während sie Lukas folgten.

»Wer von uns beiden soll denn dagegenhalten?«, meinte Konrad grinsend und stieß mit der Fußspitze lässig einen Stein beiseite.

Sie hätten beide die Wette verloren, denn Lukas fand, die Geschichte wurde in diesem Haushalt schon viel zu oft erzählt.

Wenig später wünschten sich die Knappen, Lukas würde ihnen die Episode erneut vorhalten, denn was nun geschah, war noch demütigender für die beiden Siebzehnjährigen.

Der Ältere ließ die Knappen mit stumpfen Übungsschwertern gegeneinander antreten. Nachdem Jakob einen Sturz mit dem Handgelenk abgefangen hatte, bekamen sie einen zornigen Vortrag über die grundlegenden Anfängerweisheiten im Schwertkampf: sich im Fallen nie mit der Hand abzustützen, auch nicht das Rückgrat oder den Kopf auf den Boden schlagen lassen, sondern sich immer seitlich abrollen, damit man schnell und unverletzt wieder auf die Füße kam. Danach ließ Lukas sie doch tatsächlich nichts weiter tun, als das Fallen zu üben.

»Wir müssen nun ausbaden, dass er auf sein Erbe verzichtet hat«, murrte Jakob halblaut, als sein Bruder sie endlich entließ und zum Essen schickte. »Aber bald bin ich der Erbe und er der Habenichts.«

Zu seinem Pech hatte Lukas diese Worte mitbekommen. Er packte seinen Bruder an der Schulter, drehte ihn zu sich um und verpasste ihm eine so wuchtige Maulschelle, dass der Jüngere stürzte.

»Hirn hättest du nötiger als Land«, hielt er Jakob verächtlich vor.

Nach dem Essen setzte sich Lukas ungeachtet der hereingebrochenen Kälte neben den Pferdestall und wartete. Hier würde er es als Erster hören, wenn jemand kam. Müde und voller unruhiger Gedanken lehnte er sich gegen die hölzerne Wand. Bald forderte die durchwachte Nacht ihren Tribut. Er schlief ein und wurde von wirren Träumen gequält.

Doch seine Reflexe waren so gut ausgebildet, dass er aus dem Schlaf auffuhr, als von weitem Pferdegetrappel zu hören war. Mit einem Mal hellwach, stand er auf und hielt Ausschau. Im hellen Mondlicht sah er bald seine Hoffnung bestätigt: Es war Christian auf dem fremden Pferd, in seinen Armen hielt er eine reglose, schmale Gestalt.

Gütiger Gott im Himmel, lass sie nicht tot sein, betete er stumm.

Doch als Christian den Braunen zum Stehen brachte und ihm vorsichtig die reglose Marthe in die Arme gab, damit er absitzen konnte, sah er, dass ihre Lider flatterten.

»Der Herr sei gepriesen«, stieß Lukas erleichtert aus und verspürte auf einmal ein ungewohntes Brennen in den Augen.

»Sie ist auf den Tod krank«, sagte Christian mit brüchiger Stimme und nahm Lukas seine schmale Last wieder ab.

»Ich habe Mechthild schon Krankenkost vorbereiten lassen«, berichtete Lukas und erntete dafür einen skeptischen Blick von Christian.

»Sie hat sich auch mächtig darüber gewundert«, ergänzte er eilig.

Sie gingen ins Haus, wo alle bereits schliefen, brachten Marthe nach oben und beschlossen, Johanna aufzuwecken.

Christian wünschte sich Josefa mit ihrer Erfahrung her, aber die weise Frau war tot. Es gab keinen Medicus mehr im Dorf, auf dessen fragwürdige Methoden er ohnehin verzichtet hätte, und niemanden sonst, der sich – von Marthe abgesehen – auch nur annähernd so gut aufs Heilen verstand wie ihre Stieftochter.

Johanna riss die müden Augen auf, als sie sah, wen Christian auf seinen Armen trug, und brach vor Erleichterung in Tränen aus.

Doch schnell besann sie sich auf ihre Pflichten. Sie half Christian, der Kranken das kostbare Kleid auszuziehen und sie auf das Bett zu legen, fühlte ihre Stirn und ihren Puls. »Nur ein leichtes Fieber. Ich denke, sie ist vor allem völlig erschöpft. Lasst sie schlafen. Falls das Fieber steigt, ruft mich.«

Christian schickte Johanna wieder ins Bett. Dabei hatte er Mühe, seine Gesichtszüge unter Kontrolle zu halten. Beim Auskleiden hatte er die tiefen Wunden bemerkt, mit denen sich die Peitschenhiebe in Marthes Rücken gegraben hatten. Selbst nach so vielen Wochen waren sie noch zu sehen.

Bevor er sich zu seiner Frau setzte, um über ihren Schlaf zu wachen, schwor er sich, denjenigen zu töten, der ihr das angetan hatte. Ganz gleich, wer es war. Selbst wenn er dafür in die Hölle fahren musste.

Die Nachricht von Marthes geheimnisvoller Rückkehr versetzte am nächsten Morgen erst den ganzen Haushalt, dann das halbe Dorf in Aufregung. Immer mehr Menschen versammelten sich vor dem Haus des Dorfherrn, um nachzufragen, ob das Gerücht denn wahr sei, sanken auf die Knie und sprachen ein Dankgebet, als sie die Bestätigung hörten.

Im Haus wich die erste Freude jedoch bald allgemeiner Besorgnis über Marthes Zustand. Wenn sie für ein paar Momente aufwachte, blickte sie wie eine Fremde um sich, war nur mit Mühe zu bewegen, ein paar Bissen zu sich zu nehmen, und sprach kein Wort. Johanna beriet sich mit Emma und ein paar älteren, lebenserfahrenen Frauen. Sie rang das Fieber nieder und befolgte den Rat der alten Hilda, den ihr Christian übermittelt hatte. Sie ließen Marthe nie allein und brachten ihre Kinder zu ihr, sooft es zu verantworten war. Doch nicht einmal Thomas' Lebhaftigkeit und die unbeholfenen Umarmungen der kleinen Clara schafften es, der Kranken mehr als ein müdes, stummes Lächeln zu entlocken.

»Sie spricht immer noch kein Wort?«, fragte Lukas, als Christian einmal aus der Kammer kam, nachdem er Marthe in tiefem Schlaf wusste.

Der schüttelte besorgt den Kopf. »Das ist keine Krankheit oder einfache Schwermut«, sagte er dumpf. »Ich weiß nicht, was sie alles mit ihr angestellt haben. Aber ich fürchte, sie haben sie zerstört. Gebrochen.«

»Das kann ich nicht glauben«, widersprach Lukas heftig, während sie in die Halle gingen. »Sie hat sich nie unterkriegen lassen. Nie, seit ich sie kenne.«

In der Halle warteten Richard und Gero. »Ich kann jetzt nicht hier weg«, sagte Christian zu ihnen. »Wir warten mit dem Silbertransport, solange es geht, bevor der erste Schnee fällt. Kann einer von euch zum Markgrafen reiten und ihm die Lage schildern? Ich hoffe, er ist einverstanden und geduldig genug, noch ein paar Tage zu warten.«

»Lass mich reiten«, bot Lukas an. »Ich muss ohnehin zum Bischof, um ihn zu ersuchen, mich vom Ehegelöbnis zu entbinden. Aber was soll ich sagen, wenn er oder Otto fragen, wie du sie gefunden hast?«

»Dass ein zufällig auftauchender Retter ihr ohne unser Wissen geholfen hat und ich schwören musste, keine Einzelheiten darüber zu erzählen.«

Die drei Freunde wussten inzwischen von Ekkeharts Eingreifen, hatten aber wie Christian keine andere Erklärung dafür als den Wunsch Ekkeharts, Randolf Schwierigkeiten zu ersparen. Sie würden schweigen.

Lukas' Neuigkeiten wurden von Otto und Hedwig mit Erleichterung aufgenommen, wenngleich sich Otto verärgert zeigte, dass ihm das Rätsel um Marthes geheimnisvolles Verschwinden und Wiederauftauchen nicht enthüllt werden sollte. Er gewährte Christian Aufschub bis einen Tag nach Martini, das Silber nach Meißen zu eskortieren.

Direkt vom Palas des Markgrafen aus ging Lukas zum benachbarten Bischofspalas und ersuchte um eine Audienz bei Bischof Martin.

Er musste nicht lange warten, bis er empfangen wurde. Als Lukas niedergekniet war und sein Anliegen vorgebracht hatte, musterte ihn der hagere Bischof mit kühlen Blicken, hinter denen Lukas große Neugier erahnte.

»Ein Eheversprechen gilt wie die Ehe als heiliges Bündnis und kann nicht einfach so aus einer Laune heraus gelöst werden, mein Sohn«, hielt er dem jungen Ritter unwirsch vor. »Es sei denn, du kannst zu enge Blutsverwandtschaft nachweisen, aber das trifft in diesem Fall wohl nicht zu. Zumal« – jetzt nahm seine Stimme etwas Lauerndes an – »das Weib deines Dienstherrn inzwischen wieder aufgetaucht ist und du deiner Braut nicht mehr ihren Tod anlasten kannst.«

Lukas hatte Mühe, sich seine Verblüffung nicht anmerken zu lassen. Der Bischof musste einen eifrigen Spion in Ottos Halle haben, wenn er jetzt schon davon wusste. Er hatte seit seiner Ankunft mit niemandem sonst auf dem Burgberg darüber gesprochen. Und die Unterredung mit dem Markgrafen lag kaum länger zurück als die Zeit, die man zu Pferd für eine Wegstrecke von einer Meile brauchte.

Interessant.

»Für ein einziges Weib hat Christians Frau wirklich eine Menge Aufsehen erregt und Scherereien bereitet«, fuhr der Bischof ungeduldig fort. »Jetzt soll ich ihretwegen auch noch befürworten, dass du ein Verlöbnis aufkündigst und dich damit ausdrücklich dem Wunsch deines Vaters widersetzt. Und du glaubst, das sei gottgefällig, mein Sohn?«

Wenn er mich nicht von der Verräterin befreit, fliehe ich nach Schwaben oder Burgund und verdinge mich dort unter falschem Namen als Mietkämpfer, dachte Lukas finster.

Stattdessen sagte er: »Meine Braut ist sehr fromm und wollte ihr Leben Gott weihen. Das ist ihre wahre Berufung. Wenn Ihr sie ihrem Wunsch entsprechend wieder in ihr Kloster lasst, ist Gott bestimmt besser gedient.«

Der Bischof strich sich über das glatte Kinn. »Mir liegt ein Schreiben ihrer Äbtissin mit ähnlichem Inhalt vor«, sagte er scheinbar nachdenklich. »Deshalb bin ich nicht abgeneigt, dein Anliegen zu befürworten. Zumal es ein erpresstes Eheversprechen war. Doch für eine Entscheidung muss ich mehr wissen.«

Er beugte sich vor und wirkte nun wie ein Habicht, der sich im nächsten Augenblick auf seine Beute stürzt. »Wie ist sie aus dem Verlies entkommen?«

Lukas begriff sofort, dass er um den Preis dieses Verrats die Zustimmung des Bischofs bekommen würde. Und einen Bischof zu belügen war eine Sache, für die ihm kein Priester so schnell Absolution erteilen würde. Doch er hatte geschworen zu schweigen. Ekkehart war ihm gleichgültig, aber niemand wusste, ob Bischof Martin aus dem Wissen um die Einzelheiten nicht doch noch einen Strick für Marthe drehen würde.

»Ich kann es Euch nicht sagen, Eminenz.« Das ist keine Lüge, dachte Lukas bei sich und hoffte, dass dem Bischof die Doppelbödigkeit seiner Worte entging. »Die Dame Marthe hat die Sprache verloren. Sie ist sehr krank und hat seit ihrer wundersamen Rückkehr kein Wort gesprochen.«

Sichtlich missgestimmt lehnte sich der Bischof zurück. »Dann werden wir uns gedulden müssen, bis sie genesen ist. Diese Sache muss aufgeklärt werden. Ich rechne auf deine Mitwirkung, mein Sohn. Da du mir vorerst in dieser Sache nicht dienlich sein kannst, wirst du an das Kloster deiner ehemaligen Braut zwanzig Mark Silber zahlen – zusätzlich zur Mitgift ihres Vaters als Buße. Und weitere zwanzig für alle Unkosten, die entstehen, um die Erlaubnis einzuholen, von der ich nicht garantieren kann, dass du sie bekommst. Es wird auch einige Zeit dauern.«

Vierzig Mark Silber!, dachte Lukas erschrocken. Die konnte er im Leben nicht aufbringen. Nicht einmal Raimund, der wohlhabendste unter seinen Freunden, verfügte über so viel bares Geld. Doch er nickte.

Er würde Geld leihen und Christian bitten müssen, im Frühjahr zu ein paar Turnieren reisen zu dürfen, möglichst weit weg von hier. Denn nun konnte er sich die edle Geste nicht mehr leisten, dem Besiegten Ausrüstung und Pferd zu lassen, die dem Sieger als Preis zustanden.

»Außerdem erwarte ich einen weiteren Dienst von dir«, fuhr der Bischof ungerührt fort.

Lukas verneigte sich knapp und wartete.

»Nach dem Ableben von Pater Bartholomäus – Gott sei seiner frommen Seele gnädig – bekommt dein Dorf einen neuen Priester. Begleite ihn dorthin, wenn du zurückreitest.«

Der Bischof befahl einem seiner Bediensteten, den neuen Pfarrer von Christiansdorf zu holen. Als Lukas sah, wer nun mit unverhohlen triumphierender Miene in den Saal kam, fühlte er sich wie vom Blitz getroffen.

Einen Tag später als erwartet kehrte Lukas zurück und wurde zum Erstaunen aller von einem Mann auf einem Maultier begleitet. Als die beiden nahe genug heran waren, damit er den Begleiter erkennen konnte, gefroren Christians Gesichtszüge. Es war kein anderer als Sebastian.

Lukas' finstere Miene verhieß nichts Gutes.

Seine schlechten Ahnungen bestätigten sich, als Lukas Sebastian zu ihm führte und beim Absteigen erklärte: »Der neue Pfarrer von Christiansdorf. Der Bischof hat ihn gestern berufen und mich beauftragt, ihn hierher zu geleiten.«

Nach einem Augenblick eisigen Schweigens sagte Christian: »Meinen Glückwunsch, Pater, zu dem neuen Amt.«

Er befahl einer Magd, den Ankömmlingen einen Willkommenstrunk zu bringen. »Nur Dünnbier. Wir wollen doch nicht der Sünde der Völlerei frönen«, wies er an.

Ritt ihn der Teufel, dass er sich das nicht verkneifen konnte? Der Mann konnte ihnen allen gefährlich werden!

»Wollt Ihr mich nicht in Euer Haus bitten, Christian?«, fragte der neue Dorfpfarrer mit lauerndem Blick. »Wie mir unser ehrwürdiger Bischof sagte, ist Euer Weib sehr krank. Ihr fehlt geistlicher Beistand, um zu gesunden. Und wenn es wirklich so schlecht um sie steht, sollte sie unverzüglich die Beichte ablegen.«

Bei den nächsten Worten wechselte Sebastian von geheuchelter Sorge wieder zu seinem harten, selbstgefälligen Ton. »Ihr Lebenswandel ist nicht gottgefällig. Wenn sie in Gottes Augen Gnade finden will, soll sie Kinder gebären und spinnen und sich um den Haushalt kümmern, statt als Wehmutter umzugehen. Das tut kein ehrbares Weib. Kein Wunder, dass der Allmächtige sie straft.«

Christians Hand fuhr unwillkürlich an den Dolch. Im gleichen Augenblick fühlte er eine schwere Hand auf seiner Schulter, die sich hart in seine Muskeln grub.

»Nicht!«, flüsterte ihm Lukas warnend zu, der schon einen Tag lang Zeit gehabt hatte, sich über die neue Lage den Kopf zu zerbrechen. »Du reißt uns alle ins Verderben – und Marthe auch.«

Christian zwang sich, ruhig zu antworten. »Meine Frau ist schwer krank. Vorerst wird sie nicht beichten können. Sie ist kaum bei Bewusstsein und hat die Sprache verloren. Wenn Ihr ihr beistehen wollt, Pater, so sprecht ein Gebet für Ihre Genesung in der Kirche. Dafür werde ich Euch danken.«

Er drehte sich kurz um und winkte Peter herbei. »Der Junge wird Euch zum Pfarrhaus begleiten und Euer Maultier versorgen.«

Peter griff nach den Zügeln des Reittieres. Er fing einen warnenden Blick von Christian auf und nickte ihm kaum merklich zu, dass er verstanden hatte.

Was dachte der Herr nur von ihm? Natürlich würde er vorsichtig sein und dem neuen Pater nichts verraten. Schließlich hatten der und diese hochnäsige Dame Sigrun Schuld an dem, was seiner Herrin widerfahren war.

»Ich sehe Euch morgen beim Gottesdienst«, sagte der Pater im Gehen streng zu Christian. »Euch und Eure Gemahlin, hoffe ich.«

Solange Sebastian noch in der Nähe war, herrschte tiefes Schweigen. Dann gab Christian seinen Rittern ein Zeichen, und sie gingen ins Haus.

Mechthild brachte Wein. »Es ist Euch doch recht, auch wenn Ihr dafür die Sünde der Völlerei beichten müsst?«, fragte sie bissig. Niemand lachte, auch die finstere Miene der Köchin hellte sich bei ihren eigenen Worten nicht auf.

Ihnen allen war klar, dass soeben Zeiten angebrochen waren, in denen sie im Beisein anderer jedes Wort sorgfältig abwägen mussten.

»Das war fast das Erste, was ich in Meißen erfahren habe – dass uns der Bischof diesen Eiferer ins Nest setzt«, begann Lukas seinen Bericht. »Sigrun ist wieder im Kloster, dieser Sebastian hat seine Stellung verloren und sprach beim Bischof vor, ob der ihm nicht Bartholomäus' Pfarre zuteilen würde.«

»Als Lohn für seine Berichte von den sündigen, ketzerischen Verhältnissen hier«, mutmaßte Christian voller Bitterkeit.

»Ich bin sicher, als Erstes soll er für den Bischof herausfinden, wie Marthe wieder hierhergekommen ist«, berichtete Lukas weiter.

»Versteh mich nicht falsch«, fügte er nach einer kurzen Pause vorsichtig hinzu. »Ich glaube, unter diesen Umständen ist es ganz gut, dass Marthe vorerst verstummt ist.« Er sah seinem Freund aufmerksam ins Gesicht, während er fortfuhr. »Ich denke, wir sollten es vorerst dabei belassen, jedenfalls nach außen hin. Selbst wenn sie wieder anfängt zu sprechen.«

Christian hob langsam den Kopf. »Ja.«

Er hatte gerade nicht nur ähnlich, sondern weitergedacht. Solange Marthe nach der Fehlgeburt noch nicht wieder eingesegnet war, durfte sie keine Kirche betreten. Aber was würde Sebastian dafür verlangen? Wenn er diesen Eiferer zu Marthe ließ, würde er ihr jedes Wort im Mund herumdrehen, um aus ihr eine Hexe und vom wahren Glauben Abgefallene zu machen. Es wäre ihr Todesurteil. Denn wer als rückfällig vor ein Kirchengericht kam, landete unweigerlich auf dem Scheiterhaufen.

Er musste verhindern, dass Mathe je vor Sebastian die Beichte ablegte. Also blieb nur ein Weg: schnellstens eine Kapelle zu bauen und einen Kaplan in seinen Haushalt zu holen. Aber bald würden die ersten Bodenfröste einsetzen und die Bauarbeiten verhindern. Und wo sollte er in der gebotenen Eile einen Geistlichen finden, der ähnlich tolerant und trotzdem gottesfürchtig wie Bartholomäus war?

Er sollte Marthe jetzt nicht verlassen, sie brauchte ihn. Aber er musste nach Meißen, um Ottos Silber hinzuschaffen und einen Kaplan ausfindig zu machen. Bis er einen gewonnen hatte, da gab er Lukas recht, war es wohl das Beste, wenn Marthe offiziell als verstummt galt.

Gott würde ihm diese Lüge verzeihen, falls es eine sein sollte.

»Der Markgraf und die Dame Hedwig senden Genesungswünsche«, berichtete Lukas weiter. »Aber länger als bis einen Tag nach Martini will Otto auf das Silber nicht warten. Wenn Marthe bis dahin wieder gesund ist, sollt ihr die hohen Feiertage auf dem Burgberg verbringen. Hedwig wird bald ihr Kind zur Welt bringen, und sie wäre erleichtert, wenn es Marthe bis dahin gut genug geht, damit sie ihr als Wehmutter beistehen kann.«

Christian stützte seinen Kopf in die Hände und überlegte.

Seine Freunde warteten, was er sagen würde.

»Gut«, meinte er schließlich. »Zuerst spreche ich mit dem Baumeister. Als Dank für die Rettung meiner Frau will ich hier eine Kapelle errichten lassen.«

Die anderen sahen sich kurz an und verstanden sofort.

»Kluge Idee«, meinte Gero.

Richard grinste. »Und so fromm ...«

»Genau«, stimmte Christian zu. »Und weil es ein frommes Werk ist, können seine Leute die Arbeit vielleicht schon diesen Sonntag beginnen, falls ich Steine bekomme. So kann sich Randolf nicht beschweren, dass ich den Bau des Bergfrieds behindere. Ein paar Leute aus dem Dorf werden sicher helfen. Vielleicht schaffen wir es noch vor dem Frost.«

Nun sah Christian zu Gero. »Kannst du übermorgen Till nach Meißen begleiten?«

Sein Ritter starrte ihn verblüfft an. »Ja, natürlich. Wozu?«

»Ich brauche Geld für die Kapelle. Alles, was ich habe, geht für die Wachen und ihre Ausrüstung drauf. Er soll in meinem Auftrag Geld leihen. Und vor allem einen guten Kaplan ausfindig machen. Er hat studiert, er weiß, worauf es ankommt. Vielleicht kennt er sogar noch jemanden durch seine alten Verbindungen.«

Immerhin – es gab erste Anzeichen einer Besserung. Die eifrigen Bemühungen Johannas, der Köchin und ihrer vielen Helfer trugen dazu bei, dass Marthe wenigstens rein äußerlich gesundete. Sie holte wieder an Gewicht auf und wirkte bald nicht mehr so abgemagert, dass man um sie fürchten musste.

Doch ihre Augen waren erloschen. Wie seelenlos blickte sie um sich, anscheinend, ohne etwas richtig wahrzunehmen. Wer mit ihr sprach, bekam keine Antwort.

Nachts lag Christian mit brennenden Augen neben seiner Frau und wagte nicht, sie zu berühren. Was haben sie ihr angetan, dachte er immer wieder, schmiedete Rachepläne und verzweifelte, weil er nicht wusste, wie er Marthe helfen konnte. Er hätte seine Stellung und seinen gesamten Besitz auf der Stelle hergegeben, wenn er dafür seine Frau wiederbekommen hätte, so wie sie vorher war.

Den Mitgliedern seines Haushaltes verbot er strikt, in Marthes Gegenwart zu erwähnen, wer der neue Dorfpfarrer war. Darüber geriet er mit Lukas in heftigen Streit.

»Du hilfst ihr nicht, indem du sie verzärtelst«, warf ihm sein einstiger Knappe vor. »Sie muss es erfahren, sie muss sich darauf einstellen können.«

»Schau sie dir doch einmal an«, entgegnete Christian aufgebracht. »Sie ist nicht mehr sie selbst, sie ist doch mehr tot als lebendig. Da soll ich ihr sagen, dass vor dem Tor schon der Nächste lauert, der sie auf den Scheiterhaufen bringen will?!«

»Ja, um sie zu schützen!«, rief Lukas, nun nicht minder erregt. »Sie ist eine Kämpfernatur, sie hat immer gekämpft. Vielleicht braucht sie ja gerade das, um aus ihrer Starre zu erwachen. Lass nicht zu, dass die sie kleinkriegen!«

»Erzähl du mir nicht, was für meine Frau das Beste ist«, fuhr Christian auf. »Was weißt du schon! Du kennst sie nicht!«

Lukas biss sich auf die Lippe, um eine Entgegnung zurückzuhalten. Ich kenne sie vielleicht besser als du, wenn auch nicht im biblischen Sinn, dachte er verbittert. Ich habe sie schon geliebt, da hast du sie noch nicht einmal als Frau wahrgenommen.

Mit einem Ruck stand er auf und ging ohne ein Wort nach draußen.

Lange blieb Christian allein, in düstere Gedanken versunken. Er bemerkte nicht, dass Till schon vor einiger Zeit den Raum betreten hatte, um sich nach den Einzelheiten seines Auftrages zu erkundigen, und dabei die letzten Worte des Streites mit Lukas mitbekommen hatte. Nachdenklich blieb der einstige Spielmann in der Tür stehen und focht in seinem Inneren einen Kampf aus. Schließlich drehte er sich um und ging genauso unbemerkt, wie er gekommen war, nach oben in die Kammer, in der Marthe von ihrer Stieftochter gepflegt wurde.

Als Christian endlich aufstand, um nach seiner Frau zu sehen, vernahm er schon auf der Treppe unerwartete Töne. Verwundert öffnete er die Tür und erfasste mit einem Blick das Bild. Auf dem Fußboden hockte Till, der Spielmann, der keiner mehr sein wollte, und summte eine herzergreifende Melodie. Er hielt dabei die Augen geschlossen und hatte die Knie mit seinen Armen umfasst. Christian kannte das Lied. Ludmillus hatte es früher oft gespielt, eine Weise von einem Recken, der viele Gefahren besteht, um einen Schatz zu finden, aber bei der Rückkehr erfahren muss, dass seine einzige Liebe gestorben war.

Marthe hatte sich aus eigener Kraft aufgesetzt und starrte den Spielmann an. Tränen standen in ihren Augen, aber zum ersten Mal seit ihrer Heimkehr zeigte sich wieder eine Regung auf ihrem Gesicht. Dankbar griff Christian nach ihrer Hand und presste sie auf sein Herz.

Es roch nach Schnee.

Christian konnte mit dem letzten Silbertransport vor Einbruch des Winters nicht mehr bis zum Ablauf der Frist warten, die ihm der Markgraf eingeräumt hatte, sonst würden die Wege unpassierbar sein. Also befahl er schweren Herzens, alles für den Aufbruch am nächsten Morgen vorzubereiten, hin und her gerissen zwischen seiner Dienstpflicht und der Sorge um Marthe. Er wollte sie nicht allein lassen.

»Morgen früh muss ich fort, das Silber nach Meißen eskortieren«, sagte er am Abend vor der Abreise zu ihr.

Jäh schlang sie ihre Arme um seinen Hals und presste sich an ihn. »Lass mich nicht allein«, flüsterte sie. »Bitte!«

So überrascht und froh Christian über ihre ersten Worte war, so wuchs sein schlechtes Gewissen nur noch mehr. Er würde alles für sie tun, aber ausgerechnet diese Bitte konnte er ihr nicht erfüllen. Wenn der Anteil des Markgrafen an der Ausbeute der letzten Monate unterwegs geraubt wurde, weil er nicht gut genug für die Sicherheit des Transportes gesorgt hatte, würde Otto für ihn und seine Leute keine Gnade kennen.

Vorsichtig küsste er ihre Wange, strich sanft über ihr Haar und hielt sie fest.

»Willst du mir endlich erzählen, was sie dir angetan haben?«, fragte er leise. Josefa hatte immer gesagt, dass Reden Kummer lindern konnte.

Marthe erstarrte einen Moment, dann schüttelte sie den Kopf.

Sie vermochte es nicht. Als sie bei Ekkehart gewesen war, hatte sie noch sprechen können, weil sie sich in Gefahr glaubte, sich verteidigen musste. Aber nun …

Sie konnte das Grauen nicht noch einmal durchleben.

Endlich war sie unter Freunden, sie wurde beschützt, endlich durfte sie ihrem Schmerz nachgeben. Und der Angst, dass es keine Sicherheit mehr für sie gab, keinen wirklichen Schutz. Nicht vor dem Raubvogelgesicht und seinesgleichen.

Mit vierzehn Jahren hatte sie geglaubt, hilflos die Brutalität Randolfs und seiner Spießgesellen ertragen zu müssen, wäre das Furchtbarste an Ausgeliefertsein, das ihr widerfahren könnte. Doch was sie jetzt durchlitten hatte, war noch schlimmer.

In Randolfs Gewalt wusste sie, dass es ein Verbrechen war und gesühnt werden würde, was er ihr antat – wenn nicht auf Erden, so doch am Tag des Jüngsten Gerichts.

Aber das Kirchengericht hatte sie zertreten wollen wie einen Wurm, es hatte befunden, dass es ein gutes und notwendiges

Werk war, sie zu töten. Dabei war sie doch immer bemüht gewesen, ein gottgefälliges Leben zu führen und anderen Menschen zu helfen.

Auch wenn sie vorerst gerettet war, konnten sie jeden Tag wiederkommen. Und nichts und niemand vermochte sie dann vor dem Scheiterhaufen zu bewahren – weder Christians Stellung noch sein Schwert, nicht einmal der Markgraf oder Hedwig.

Sie würde ihre Arbeit aufgeben müssen. Sie durfte nicht mehr heilen. Und Johanna auch nicht. Ihrer Stieftochter sollte nicht das Gleiche wiederfahren wie ihr.

Josefas Warnung schwebte als unheilvolle Drohung über ihr, bis sie endlich in einen unruhigen, immer wieder von Alpträumen durchbrochenen Schlaf fiel.

Christian hielt sie fest und wachte über sie.

Im Morgengrauen wollte er leise aufstehen, um seine kranke Frau nicht zu wecken. Er würde Johanna bitten, bei ihr zu bleiben. Doch er hatte sich kaum aufgesetzt, als Marthe ihn auf eine Weise ansah, die ihm beinahe das Herz aus dem Leib riss.

Wider Erwarten bat sie ihn nicht, bei ihr zu bleiben. Sie starrte ihn an, öffnete leicht den Mund, als wollte sie etwas sagen, schloss ihn wieder und schien in sich hineinzulauschen.

Schließlich sah sie mit verhangenem, abwesendem Blick wieder zu ihm auf. »Jemand lauert euch auf ... auf halbem Weg ... Männer werden sterben ...«

Christian erstarrte mitten in der Bewegung.

Nur zweimal hatte Marthe solche unheilvollen Voraussagen gemacht – damals, als sie mit dem Siedlerzug in ihr neues Dorf unterwegs waren. Und beide Ahnungen hatten sich erfüllt.

Nicht einen Lidschlag lang glaubte er, dass sie das nur sagte, um ihn bei sich zu halten. Das war nicht ihre Art.

Hastig schüttelte er seine Beklommenheit ab. »Ich werde aufpassen. Mit mir reiten meine besten Männer.«

Er beugte sich über sie und küsste ihre Stirn. »Morgen Abend bin ich zurück. Du hast mein Wort.«

Er zwang sich zu einem Lächeln, rief nach Johanna und ging hinaus.

Als er vors Haus trat, um nach den Pferden zu sehen, entdeckte er einen blutrot verfärbten Himmel. Mit einem Schaudern rief er sich Marthes gerade erst gehörten Worte ins Gedächtnis. Er sprach ein stummes Gebet und ging weiter.

Bei den Ställen wartete Lukas mit ungewohnt ernster Miene auf ihn. Bevor Christian etwas sagen konnte, begann der Jüngere zu sprechen. »Verzeih mir. Ich habe nicht das Recht, dir zu sagen, was das Beste für deine Frau ist.«

Christian schüttelte den Kopf. »Du musst dich nicht entschuldigen. Vielleicht hast du sogar recht.«

Die halbe Nacht lang hatte er darüber nachgegrübelt.

Er legte Lukas die Hand auf die Schulter und zog ihn etwas näher zu sich heran, damit niemand hörte, was er sagte. »Schau den Himmel an.«

»Blutrot. Ein Zeichen?«

»Vielleicht.« Christian berichtete von Marthes Vorahnung.

Lukas bekreuzigte sich schaudernd. »Sagst du es den Männern?«

»Nur, dass ich einen Hinweis auf einen bevorstehenden Überfall bekommen habe.«

»Gut«, meinte Lukas. »Gerade jetzt darf niemand erfahren, dass sie diese Gabe hat, sonst zerren sie sie wieder vors Kirchengericht. Und noch einmal kommt sie nicht davon.«

Unmittelbar vor dem Aufbruch der schwerbewaffneten Eskorte rief Christian Konrad und Jakob zu sich. Erwartungsvoll stellten sich die beiden Knappen vor ihm auf, denn sie hofften, diesmal mit ihm reiten zu dürfen.

»Ich habe hier einen wichtigen Auftrag für euch«, sagte er und ignorierte die Enttäuschung auf ihren Gesichtern.

»Einen wirklich wichtigen Auftrag«, sagte er scharf, »für den es womöglich mehr Mut braucht als für den Schutz des Silbers.«

Diese Ankündigung weckte unverhohlene Neugier bei den angehenden Rittern.

»Ihr könnt Euch voll und ganz auf uns verlassen, Herr«, sagte Konrad, bemüht, seine Stimme etwas tiefer als sonst klingen zu lassen.

»Das muss ich auch. Ihr sollt dafür sorgen, dass der neue Pater auf keinen Fall« – er blickte Konrad in die Augen, während er wiederholte –, »auf keinen Fall in die Nähe meiner Frau kommt, geschweige denn mit ihr sprechen kann.«

Die beiden begriffen sofort und nickten.

»Ich weiß, es ist ein heikler Auftrag. Aber ihr könnt euch auf mich berufen. Sagt, ich hätte es befohlen. Ich werde jede Strafe auf mich nehmen, ihr habt mein Wort.«

Er legte jedem eine Hand auf die Schulter. »Ich denke nicht, dass es so weit kommt. Postiert euch in der Halle. Wenn er zu ihr will, dann sagt, sie schläft und ich hätte befohlen, sie unter keinen Umständen zu wecken.«

Diesen Auftrag würden die beiden Knappen sogar besser erfüllen können als ein paar Wachen. Konrad beherrschte als Sohn eines Markgrafen das herrschaftliche Gebaren, um selbst einem Priester Paroli zu bieten. Und Christian hoffte, dass sich auch Jakob für solche Situationen genug von seinem unerbittlichen Vater abgeschaut hatte.

Wie Christian es vorausgesehen hatte, kam Pater Sebastian zum Herrenhaus, kaum dass die bewaffnete Eskorte mit dem Silber außer Sichtweite war.

»Führ mich zu der Kranken, ich will mit ihr beten«, befahl er Marie, die ihm, Clara auf dem Arm, als Erste über den Weg lief. Das Mädchen erschrak und sah sich hilfesuchend nach Konrad und Jakob um. Die waren schon Schulter an Schulter nebeneinandergetreten und versperrten den Zugang zu der Treppe, die nach oben in die Kemenate führt.

»Die Dame des Hauses ist sehr krank und schläft, Pater. Unser Herr hat angeordnet, dass niemand sie stören darf«, sagte Konrad höflich.

»Ich störe nicht, mein Sohn, sondern ich kümmere mich um ihr Seelenheil«, erwiderte der Pater salbungsvoll. »Sie ist eine verirrte Seele und braucht geistlichen Beistand.«

»Verzeiht, Pater, aber wir haben den ausdrücklichen Befehl, niemanden zu ihr zu lassen, wer immer es auch sei«, erwiderte der Sohn von Markgraf Dietrich immer noch höflich, aber entschieden.

»Ich empfange meine Befehle von einem höheren Herrn, also gehorcht gefälligst«, fuhr Sebastian ihn an.

Konrad und Jakob wechselten einen kurzen Blick, dann rückten sie noch eine Handbreit zusammen, fest entschlossen, ihm den Zugang zu verwehren.

»Es tut mir leid, Pater, aber das müsst Ihr mit unserem Dienstherrn persönlich besprechen«, sagte Konrad in einem Tonfall, den er sich von seinem Vater abgeschaut hatte, wenn dieser jemanden höflich, aber mit aller Autorität und endgültig in die Schranken wies. »So Gott will, kommt er morgen zurück. Ihr könnt gern in der Halle auf ihn warten.«

Sebastian wollte auffahren, doch er sah, dass Konrad wie zufällig die Hand am Griff seines Dolches hatte und dass auch

Jakob bewaffnet war. Sie würden es zwar nicht wagen, die Waffe gegen einen Mann Gottes zu richten, aber einfach beiseiteschieben konnte er sie auch nicht. Er überschlug seine Chancen, an den beiden entschlossen wirkenden, hochgewachsenen und in täglichen Übungskämpfen ausgebildeten Knappen vorbeizukommen, und erkannte, dass er für diesmal verloren hatte.

Er konnte ihnen mit Exkommunikation drohen. Aber er wusste, einer der Aufsässigen war der Neffe des Markgrafen, der andere entstammte ebenfalls einem alteingesessenen, angesehenen Geschlecht. Um schon in den ersten Tagen in seiner Pfarre eine solche Machtprobe zu wagen, für die er die uneingeschränkte Rückendeckung des Bischofs brauchte, war seine Position noch nicht sicher genug.

Im Augenblick konnte er wohl nur noch für seinen würdevollen Abgang sorgen. Abrechnen mit diesen beiden aufrührerischen Burschen würde er später.

Bedauerlich, dass er jetzt nicht zu diesem Weib kam, um es in seiner ganzen Verderbtheit zu überführen. Aber das war nur eine Frage der Zeit.

Mit einem verächtlichen Blick machte er kehrt und verließ die Halle.

Jakob stieß den Atem aus, den er angehalten hatte, Konrad grinste ihn verschwörerisch an. Dann setzten sich beide wieder in die Halle und sonnten sich in der ungeteilten Bewunderung, mit der Marie und die inzwischen dazugekommene Johanna sie anstrahlten. Bis ein entsetzter Schrei aus der Kemenate sie zusammenfahren ließ. Sie sprangen auf, rannten gemeinsam hoch und traten fast die Tür zur Kammer ein. Dort saß Marthe mit schreckgeweiteten Augen. Im gleichen Moment fing in der Halle Clara an zu weinen.

Bluttag

Christian und Gero führten die Kolonne an, Lukas und Richard sicherten das Ende. Sie hatten mehr Geleitschutz als sonst mitgenommen: zwei Dutzend Männer unter Herwarts Kommando. Christian hatte die besten Kämpfer ausgewählt. Er vertraute auf Marthes Ahnung und ging davon aus, dass das Dorf nicht gefährdet war, weil der Angriff dem Silbertransport galt. Deshalb hatte er auch entgegen seinen ursprünglichen Plänen Kuno und Bertram im Ort zurückgelassen und ihnen übertragen, gemeinsam mit zwei älteren Reisigen und den Knappen dort für Ruhe und Sicherheit zu sorgen. Die beiden brauchten noch mindestens ein Jahr, bis er sie in einen richtigen Kampf schicken konnte und sie eine Chance hatten, zu überleben. Da die Burschen nichts von Marthes Warnung wussten, hatte sein neuer Auftrag sie mit Stolz erfüllt.

Nach einem kurzen und sehr eindringlichen Gespräch unter vier Augen war diesmal auch Bergmeister Hermann im Dorf geblieben. Christian hatte ihm klargemacht, dass er ernstzunehmende Hinweise auf einen bevorstehenden Überfall habe und er deshalb nur im Kampf ausgebildete Männer mitnehmen würde, weil er für das Überleben der anderen nicht garantieren könne.

Der besorgte Bergmeister hatte sich den Schweiß von der Stirn gewischt und ihm und seinen Männern Gottes Segen für eine glückliche Heimkehr gewünscht.

Ein Drittel der Wegstrecke lag bereits ohne Zwischenfall hinter ihnen. Plötzlich richteten sich Christians Nackenhärchen auf. Im nächsten Augenblick erklang von hinten der Ruf eines Eichelhähers, das Warnsignal, das er Lukas schon in dessen Knappenzeit beigebracht hatte.

Er zog seine Waffe, drehte sich um und rief zu Herwarts Leuten: »Schwerter! Schilde!«

Herwart hatte bereits das Schwert in der Hand und ließ seine Leute um die Kisten mit dem Silber zusammenrücken, als ein Pfeilhagel auf sie niederging. Mehrere Männer stürzten getroffen zu Boden.

Christian lenkte mehrere Pfeile mit einer geschickten Drehung des Schildes ab, bis etwas so heftig gegen den lederüberzogenen hölzernen Schild prallte, dass er wankte und der Schild zerbrach. Armbrüste, dachte Christian beinahe ungläubig. Sie setzen Armbrüste gegen uns ein, geächtete und verbotene Waffen!

Zwei Pferde stürzten verletzt zu Boden, schlugen laut wiehernd mit den Beinen und stifteten noch mehr Verwirrung.

Fast im gleichen Moment kamen von allen Seiten mit wildem Gebrüll Bewaffnete aus dem Unterholz gestürmt.

In der kurzen Zeitspanne, bis sie die Kolonne erreichten, konnte Christian das gleiche Muster wie bei dem Angriff während Karls Hochzeit erkennen: gut ausgerüstete Männer, die offenkundig mit ihren Waffen umzugehen wussten, und zwischendrin ein paar zerlumpte Gestalten mit Messern und Keulen, in die Nägel eingeschlagen waren.

Die Fremden hatten ihn sofort als Anführer ausgemacht. Gleich vier von ihnen stürzten sich auf Christian. Noch war er im Vorteil, weil er zu Pferde saß, doch die Angreifer wussten das auch. Während Christian den Ersten mit einem gewaltigen Hieb zu Boden streckte und einen weiteren außer Gefecht setzte, kaum dass er in Reichweite war, duckte sich der Dritte und hieb mit einer Keule auf Dragos rechte Vorderhand. Der Hengst wieherte grauenvoll und stürzte. Hastig sprang Christian ab, um nicht unter seinem Pferd begraben zu werden und um außer Reichweite der Hufe zu gelangen. Mit einem wütenden Schrei versenkte er sein Schwert in der Brust des Mannes, der sein Pferd verwundet hatte, riss es wieder heraus und stieß es dem Nächsten in den Hals. Der röchelte und fiel zu Boden.

Für einen Augenblick stand Christian frei und sah sich schnell um, wer von seinen Männern am dringendsten Hilfe brauchte.

Er schlug sich zu Lukas durch, der von mehreren Angreifern umringt war, machte den Ersten davon mit einem mächtigen Streich, der ihm den Schwertarm abtrennte, kampfunfähig, und hieb dann, Rücken an Rücken mit Lukas, auf die immer wieder neu anstürmenden Gegner ein.

Als das Kampfgetümmel allmählich erstarb, sah Christian aus dem Augenwinkel eine Bewegung im Dickicht. Ohne zu zögern, setzte er nach. Als sich der Fliehende kurz nach seinem Verfolger umdrehte, kam Christian sein Gesicht vage bekannt vor – kein Mann, sondern ein magerer junger Bursche. Er hieb mit der flachen Seite seines Schwertes auf den Unterschenkel des Jungen. Der Knochen brach mit einem Knacken, der Bursche stürzte schreiend zu Boden und umklammerte sein Bein. Dann sah er ängstlich zu Christian auf und erwartete den Todesstreich. Doch der Ritter lief bereits zurück zu seinen Kampfgefährten.

Der Junge würde nicht verbluten, aber auch nicht weit kommen, wenn er noch fliehen wollte. Um ihn konnte er sich kümmern, wenn keiner seiner Männer mehr Hilfe brauchte.

Schließlich war der Kampf vorbei.

Die Kisten mit den Silberkuchen, wie die Schmelzer die handtellergroßen runden Barren nannten, die sie aus dem Erz gewannen, waren unversehrt. Doch das galt nicht für alle seine Männer und Pferde.

Christian schickte jemanden aus, um den Burschen mit dem

gebrochenen Bein herbeizuholen, damit er ihn befragen konnte. Dann ging er zu Herwart, um sich einen Überblick über die Zahl der Toten und die Schwere der Verletzungen zu verschaffen.

Herwart gab Befehl, die toten Wegelagerer auf einen Haufen zu stapeln und eine Grube auszuheben. Sie mussten sie unter die Erde bringen, damit ihre Geister nicht umgingen.

Richard blutete heftig am linken Oberarm. Ein Armbrustbolzen hatte sein Kettenhemd glatt durchschossen. »Zum Glück nicht der Schwertarm«, meinte er mit zusammengebissenen Zähnen, während ihm jemand einen straffen Verband anlegte, um die Blutung zum Stillstand zu bringen. Christian hatte schon vor Monaten darauf bestanden, dass seine Männer von Marthe lernten, Kampfverletzungen wenigstens notdürftig zu behandeln und im Notfall als Feldscher einzuspringen. Ein Vorrat an Verbänden und Heilmitteln gehörte stets zu ihrem Gepäck.

Einen seiner Männer hatte ein Pfeil direkt ins Auge getroffen. Er hatte seinen letzten Atemzug bereits getan, als Christian zu ihm kam. Ein anderer lag stöhnend am Boden. Lukas kniete an seiner Seite. Ein Blick sagte Christian, dass der Mann nicht mehr zu retten war. Ein Streitkolben hatte die rechte Schläfe und das halbe Gesicht zerschmettert. Christian hockte sich zu ihm und griff nach der Hand des jungen Mannes.

»Mir ist so kalt«, sagte der Bursche zähneklappernd, während er die Hand des Ritters umklammerte. In seinen Augen stand die Angst vor dem Sterben.

»Du hast mutig gekämpft«, sagte Christian leise. »Gott wird es dir lohnen.« Der tödlich Getroffene atmete krampfhaft, bis ein Zittern durch seinen Körper ging und er erschlaffte. Seine glasigen Augen waren starr auf Christian gerichtet.

Der schlug ein Kreuz und stand auf.

Herwart trat neben ihn. »Wir haben drei Pferde verloren, Herr. Und ...« Mit dem Kopf wies er auf Drago, der sich immer noch am Boden wälzte und nicht hochkam.

Mit düsterer Miene griff Christian nach seinem Dolch und ging zu dem Grauschimmel, der ihm viele Jahre lang treu gedient hatte und bald sein Gnadenbrot bekommen sollte. Die Vorderhand war unverkennbar gebrochen.

Beruhigend sprach er auf den Hengst ein, während er sich ihm näherte. Er kniete sich hinter den Kopf des Tieres und hielt ihn fest. Als er zögerte, fiel ein Schatten auf ihn.

»Soll ich es für dich tun?«, fragte Lukas leise, der zu ihm getreten war.

Wortlos schüttelte Christian den Kopf. So bitter ihn diese Pflicht auch ankam, es war sein Hengst, er musste es selbst zu Ende bringen.

Mit einer entschlossenen Bewegung zog er die Klinge durch Dragos Kehle. Das Tier bäumte sich auf und schlug mit den Beinen heftig aus, aber der Todesschrei erstickte in Blut.

Von düsteren Gedanken erfüllt, wartete Christian, bis alles Leben aus seinem vierbeinigen Gefährten geflossen war.

Dann stieß er den Dolch in den Boden, um ihn zu säubern, und stand auf. Wie durch einen Schleier sah er, dass seine Männer auf ihn gewartet hatten.

Unterdessen war der junge Wegelagerer mit dem verletzten Bein herbeigeschafft worden.

Herwart räusperte sich. »Es waren fünf Dutzend Mann. Der hier ist als Einziger noch am Leben. Was sollen wir mit ihm machen?«

Sechzig Mann, dachte Christian. Eine halbe Armee. Wo kam die her, mitten im Wald? Wer hat sie befehligt, und vor allem: Wer hat sie ausgeschickt?

Christian trat näher an den Gefangenen. Der Bursche musste

große Schmerzen haben, starrte ihn aber mit unverhülltem Hass an.

Ja, jetzt erkannte er ihn. »Du warst einer von den Burschen, die im Frühjahr mit Melchior fortgegangen sind«, stellte er fest. »Wärst du nicht besser dran gewesen, im Dorf zu bleiben und es mit ehrlicher Arbeit zu versuchen?«

Als der Junge verbissen schwieg, fragte er härter: »Wer versorgt euch mit Waffen und Informationen? Von wem habt ihr die Armbrüste? Wer hat euch geschickt?«

»Ich halte meinem Meister die Treue. Ihr seid verflucht, Ihr und Euer Weib!«, schrie ihm der Bursche entgegen, vor Schmerz fast von Sinnen.

»Fesselt ihn; wir übergeben ihn den Leuten des Markgrafen. Die werden ihn schon zum Sprechen bringen, ehe sie ihn rädern«, befahl Christian Herwart.

Falls überhaupt möglich, erbleichte der verwahrloste Bursche noch mehr. »Mein Meister wird mich rächen! Ihr seid verflucht!«, schrie er wieder.

Wütend rammte Herwart ihm die Faust an die Schläfe, so dass er zusammensackte. »Das werden wir noch sehen«, brummte er grimmig.

Auf sein Zeichen hin legten zwei seiner Leute den bewusstlosen Gefangenen quer über einen Sattel, wobei sie wenig zartfühlend mit ihm umgingen.

»Nehmt vorerst mein Pferd«, sagte Herwart zu Christian. »Tut mir leid um Euren wunderbaren Drago.« Ohne eine Antwort abzuwarten, stapfte der Hauptmann der Wache davon, verteilte seine Leute auf die verbliebenen Pferde und ordnete die Kolonne neu. Sie mussten sich beeilen, wenn sie Meißen mit ihrer kostbaren Fracht bei Tageslicht erreichen wollten. Inzwischen hatte es auch noch zu schneien begonnen.

Über dem Grab der Wegelagerer ließ er Steine aufbauen.

Die eigenen Toten nahmen sie mit, damit sie ein christliches Begräbnis bekamen.

Angesichts von so viel Blut und Tod quälte Christian ein weiterer, schrecklicher Gedanke. Er hatte vor dem Aufbruch gebetet, wie alle seine Männer. Aber hätte er nicht mit ihnen zum Gottesdienst gehen müssen, wenn er wusste, dass ein Kampf bevorstand? Wann waren die Toten das letzte Mal zur Beichte gewesen?

Das Leben unter der geistigen Vorherrschaft von Sebastian brachte nicht nur seiner Frau Gefahr.

»Sechzig gut bewaffnete Kämpfer mitten im Wald? Und niemand hat etwas davon bemerkt?«, höhnte Randolf, nachdem Christian Markgraf Otto von dem Überfall berichtet hatte. »Wer soll das glauben?«

»Nennst du mich einen Lügner?«, gab Christian wutentbrannt zurück. »Wie klug von dir, das vor dem Markgrafen zu tun und dabei zu wissen, dass ich dich nicht fordern darf.«

»Schluss damit!«, ging Otto in scharfem Ton dazwischen.

»Ihr, Christian, lasst erst einmal das Blut von Eurem Kettenpanzer kratzen und kümmert Euch um Eure Leute. Ihr werdet mit ihnen die Abendmesse besuchen wollen. Und Ihr, Randolf, nehmt Euch den Gefangenen vor. Bringt ihn zum Reden. Wir sehen uns nach der Messe.«

Mit einem knappen Nicken entfernten sich seine nach wie vor feindselig gestimmten Ritter.

Christian hatte mit seinen Männern Meißen gerade noch vor Einbruch der Dunkelheit erreicht. Die Ankunft der Kolonne in blutbespritzter Kleidung und mit zwei Toten hatte für erhebliche Aufregung auf dem Burgberg gesorgt.

Er lieferte das Silber beim Kämmerer ab, sorgte dafür, dass sich jemand um die Verwundeten kümmerte, und ging sofort zum Markgrafen, um ihm zu berichten. Zufall oder nicht – Randolf war im Palas zugegen und ließ sich die Gelegenheit nicht nehmen, Christian beim Markgrafen wegen angeblich unzureichender Vorkehrungen zum Schutz des Transportes anzuschwärzen.

»Wie es scheint, hat Christian über seinen persönlichen Sorgen« – an dieser Stelle deutete Randolf eine kurze, verhohlen spöttische Verbeugung an –, »die wir alle sehr bedauern, seine Aufgaben sträflich vernachlässigt. Man muss schon blind und taub sein, um eine solche Armee zu übersehen …«

»Du kannst deine Männer in den Dunkelwald schicken, damit sie die Leichen ausgraben und nachzählen«, konterte Christian wütend. »Im Übrigen haben wir die ganze Zeit auf Verstärkung durch deine Truppen gewartet, Herr Burgvogt.«

Da war dem Markgrafen der Kragen geplatzt, und er hatte sie beide hinausgeworfen.

Christian ließ sich einen Eimer Wasser bringen und wusch sich Hände und Gesicht. Jemand hatte ihm einen der Knappen vom Burgberg geschickt, damit der sich seines Kettenhemdes annahm. Eine Magd brachte frische Kleider und sammelte die blutverschmierte Kleidung auf, um sie zu waschen.

Dann ging Christian, um wieder nach seinen Männern zu sehen und sich zu vergewissern, dass die Verwundeten gut versorgt wurden.

Gero hatte inzwischen veranlasst, dass die Toten gewaschen und aufgebahrt wurden. Einer hatte keine Familie, der andere war erst kurz zuvor als Verstärkung aus Meißen nach Christiansdorf gekommen.

»Erkundige dich, ob er hier Angehörige hat«, bat Christian Herwart. »Sie werden Unterstützung brauchen.«

Herwart nickte und stapfte los.

Während die anderen Verletzten je nach Beschaffenheit ihrer

Wunden vom Wundarzt oder ein paar geschickten Mägden versorgt wurden und sich dann in der Halle etwas zu essen und zu trinken bringen ließen, hatte Richard trotz seiner Verwundung darauf bestanden zu bleiben. Er rechnete damit, wie auch die anderen Ritter der Eskorte zum Markgrafen gerufen zu werden. Den verletzten Arm trug er inzwischen in einer Schlinge.

»Gib mir dein Kettenhemd. Ich werde sehen, ob der hiesige Waffenschmied es bis morgen in Ordnung bringen kann«, meinte Christian. Düster fügte er hinzu: »Ich sollte dich wohl besser entlohnen, damit du dir ein stärkeres leisten kannst.«

»Erst einmal brauchst du Geld für ein neues Pferd«, erinnerte ihn Richard. Mit einem gequälten Scherz versuchte er den Freund abzulenken. »Dann kann ich eben nicht mehr jeden Pfennig ins Hurenhaus tragen.«

Er bemerkte Christians prüfenden, besorgten Blick.

»Wenigstens haben sie jetzt hier einen Wundarzt, der sein Handwerk zu verstehen scheint.«

Gemeinsam mit seinen Männern besuchte Christian die Abendmesse im Dom, um für das Seelenheil ihrer beiden Toten zu beten und Gott dafür zu danken, dass sie selbst noch lebten. Danach ging er mit Lukas, Gero und Richard wie befohlen zu Markgraf Otto.

Neben Otto saß Hedwig, deren Körper durch die fortgeschrittene Schwangerschaft beträchtlich angeschwollen war. Sie wirkte besorgt und erschöpft. An ihrer Seite stand ein Mann von kaum mehr als zwanzig Jahren in betont schlichter, aber aus edlem Material gefertigter Kleidung: ihr Schwiegersohn Ulrich, der Sohn des einstigen Böhmenkönigs Sobeslaw. Christian schoss der Gedanke durch den Kopf, wie es für den jungen Mann wohl sein mochte, mit einer Vierjährigen verheiratet zu sein und noch fast zehn Jahre auf den Vollzug der Ehe warten zu müssen. Aber dann schob er den Gedanken beiseite. Der junge Ulrich würde sich schon zu trösten wissen. Er selbst hatte jetzt dringendere Sorgen.

Wie aufs Stichwort betrat Randolf die Halle.

»Was habt Ihr aus dem Gefangenen herausbekommen?«, fragte Otto sofort.

»Nichts. Der Kerl ist mir unter den Händen verreckt, ehe er in Plauderstimmung kam«, meinte der Hüne bedauernd.

Christian und Lukas wechselten einen kurzen Blick miteinander. Entweder verschwieg Randolf etwas, oder er hatte sich den Burschen gleich so hart vorgenommen, dass der gar nicht erst zum Reden kam. Niemand starb so schnell an einem gebrochenen Bein. Und unter der Folter sprach jeder, wenn man es darauf anlegte. Jeder.

Zu dumm, dass sie unterwegs keine Zeit gehabt hatten, den Jungen gründlich zu verhören. Aber die kostbare Ladung vor Einbruch der Nacht bis in die Stadt zu schaffen war dringlicher gewesen.

Otto war unzufrieden mit Randolfs Auskunft. »Beim nächsten Mal geht gefälligst etwas bedachter vor«, knurrte er.

Grimmig sah er in die Runde. »Was wissen wir über diese Bande?«

Christian trat vor. Er hatte vor der Messe mit Herwart und seinen Rittern beraten, wie all das zusammenpassen konnte.

»Einige der Angreifer gehörten einst zu einem Mann namens Melchior, der im Frühjahr aus unserem Dorf verbannt wurde. Wir vermuten, dass er eine Bande um sich geschart hat. Er kannte sich im Dorf aus und muss sich mit einem bewaffneten Trupp zusammengeschlossen haben. Aber wer eine Armee von dieser Größe ausgesandt hat, wissen wir nicht.«

»Hättet Ihr diesen Melchior im Frühjahr gehängt, wäre uns eine Menge Ärger erspart geblieben«, hielt Otto ihm schlechtgelaunt vor.

»Für ein Halsgericht gab es damals keine Handhabe«, widersprach Christian.

»Da seht Ihr es wieder – das halbe Dorf besteht aus Spitzbuben«, mischte sich Randolf ein. »Unter Christians Herrschaft kann das Bauernpack anscheinend tun und lassen, was es will. Es braucht eine eiserne Hand!«

»Dafür wirst du sorgen, wie ich dich kenne«, hielt Christian ihm zynisch entgegen. »Gib nur acht, dass du die Einwohnerschaft nicht gänzlich ausrottest.«

Wütend hob Otto die Hand. »Hört endlich auf mit diesem Gezänk, bevor ich mich vergesse!«, brüllte er. »Rede ich hier mit einem Haufen Weiber oder mit Männern von Ehre?«

Dann beugte er sich vor und wandte sich erneut an Christian. »Was wisst Ihr noch?«

»Es gab im Dorf und in der Umgebung trotz unserer Suche keinerlei Anzeichen dafür, dass sich eine solch große Gruppe dort aufhielt. Aber alles deutet darauf hin, dass sie gut informiert waren.«

»Auch das noch! Verräter im Dorf. Macht sie unverzüglich ausfindig und unschädlich«, befahl Otto ungehalten.

»Möglich, dass sie selbst unbemerkt ausspioniert haben, was sie wissen mussten«, wandte Christian ein. »In den nächsten Wochen werden wir alle Wälder um das Dorf durchkämmen. Wenn sich dort jetzt noch mehr Männer aufhalten, sind sie im Schnee leicht zu finden. Obwohl ich sicher bin, dass sie nach diesem Fehlschlag den Winter nicht im Wald verbringen werden, sondern sich zurückziehen und erst im Frühjahr wiederkommen.«

»Gesetzlose und ein ausgebildeter Trupp Soldaten. Wirklich eine merkwürdige Mischung«, warf der bis dahin schweigsame junge Böhme ein, wobei er das »R« auffallend rollte. »Ihr solltet Eure Verbindungen nutzen, um herauszufinden, wer von Euren Feinden an Euer Silber kommen will.«

Otto tauschte einen Blick mit Hedwig, dann nickte er bedächtig. »Ja, das sollten wir tun. Das riecht nach Verschwörung.«

Zu seinen Rittern gewandt, sagte er: »Ihr dürft Euch entfernen. Ich erwarte, dass Ihr alles daransetzt, diese Sache aufzuklären.«

Als Christian mit den anderen gehen wollte, hielt Hedwig ihn zurück. »Christian, bleibt noch auf ein Wort.«

Sie wartete, bis die anderen sich entfernt hatten, und fragte dann: »Wie geht es Eurer Frau?«

»Sie … sie lebt«, sagte Christian gequält. »Aber sie ist nur noch ein Schatten ihrer selbst. Sie ist verstört, spricht nicht mehr …«

»Sie wird betrübt sein über den Verlust des Kindes«, warf Otto ein. »Je eher Ihr sie wieder schwängert, umso schneller kommt sie darüber hinweg.«

Christian hielt mit Mühe eine heftige Bemerkung zurück.

Hedwig warf ihrem Mann einen finsteren Blick zu.

»Bringt sie über die hohen Feiertage hierher. Ihr seid beide eingeladen«, sagte sie dann freundlich. »Darf ich auf sie rechnen, wenn meine Zeit kommt?«

Christians Antwort klang verbittert. »Der neue Pater meines Dorfes hat unmissverständlich gefordert, dass sie nicht mehr als Heilerin und Wehmutter arbeitet. Das sei nichts für ehrbare, fromme Frauen.«

Otto sah ihn erstaunt an. »Man sollte doch meinen, es ist ein Unterschied, ob jemand in schmutzigen Katen irgendwelchen Bauernbälgern auf die Welt verhilft oder bei einer hochherrschaftlichen Geburt zugegen ist«, sagte der Markgraf unwirsch.

»Der Pater behauptet etwas anderes«, beharrte Christian. »Haltet mich nicht für undankbar, nachdem Ihr Euch so für meine Frau eingesetzt habt. Doch da sie schon einmal vor ein Kirchengericht gezerrt wurde, kann ich nicht zusehen, wie sie sich erneut in Gefahr begibt.«

»Ihr wagt es, Euch zu verweigern, Lehnsmann?«, herrschte Otto ihn an. »Wegen der Launen eines Weibes?«

Christian löste seinen Schwertgurt, sank vor dem Markgrafen auf ein Knie und legte ihm sein Schwert zu Füßen.

Ihm war jetzt deutlich bewusst, dass er drauf und dran war, sein Lehen zu verlieren und damit die Dorfbewohner gänzlich Randolf auszuliefern. Aber seine Furcht um Marthe war stärker.

»Ich bin jederzeit bereit, mein Blut und mein Leben für Euch oder Eure Gemahlin zu geben, mein Fürst. Aber bei allen Heiligen, ich bitte Euch inständig: Verlangt nicht von mir das Leben meiner Frau.«

Er blickte starr geradeaus und wartete.

Eine Zeitlang herrschte Schweigen. Das typische Schweigen vor einem von Ottos gefürchteten Wutausbrüchen, den diesmal wahrscheinlich nicht einmal Hedwig würde verhindern können. Sie öffnete den Mund und schloss ihn wieder, einen verzweifelten Ausdruck auf dem Gesicht.

»Ihr undankbarer ...«

Otto stockte und suchte nach einer passenden Beleidigung, doch bevor er erneut losbrüllen konnte, fiel ihm sein Schwiegersohn ins Wort.

»Nun, er hat es heute getan«, warf der junge Böhmenprinz gelassen ein.

»Was getan?«, knurrte Otto.

»Sein Leben für Euch eingesetzt. Sein Blut für Euch gegeben, als er heute Euer Eigentum gegen die Angreifer verteidigte«, antwortete Ulrich ruhig seinem aufgebrachten Schwiegervater und wies mit einer knappen Bewegung auf eine sich wieder öffnende Wunde an Christians Handgelenk. »Ein Mann von Ehre soll seinem Herrn treu dienen und seine Frau beschützen. Genau das tut er, scheint mir.«

Überrascht verneigte sich Christian vor seinem jungen Fürsprecher und musterte ihn unauffällig.

Über Ulrich hatte er Erstaunliches gehört. Der Kaiser hatte den jungen Mann auf dem Hoftag in Hermsdorf – jenem, dem Hedwig nach der Nachricht von Marthes Verhaftung ferngeblieben war – zum Herzog der Böhmen machen wollen. Aber Ulrich hatte zugunsten seines älteren Bruders abgelehnt, der zwölf Jahre lang vom Rivalen seines Vaters gefangengehalten worden war. Auf Befehl des Kaisers war dieser Bruder aus der Haft entlassen und in Prag ehrenvoll empfangen worden. Als ihm aber glaubwürdige Gerüchte zugetragen wurden, er solle erneut gefangengenommen und sogar geblendet werden, floh er zum Hof Kaiser Friedrichs und wurde dort nach Ulrichs Verzicht zum Herzog von Böhmen erklärt. Mit einem Mal hatten die Böhmen also keinen König mehr, sondern nur noch einen Herzog – gute Voraussetzungen, sie zur Teilnahme am bevorstehenden Italienzug zu bewegen, denn Ulrich und sein Bruder galten als dem Kaiser treu ergeben.

»Ich weiß nicht, warum ich mir ausgerechnet von Euch immer wieder solche Dreistigkeiten bieten lassen muss«, grollte Otto, keineswegs beschwichtigt.

»Ich denke, es gibt einen Weg, Eure Frau hierherzuholen, ohne ihren Ruf zu gefährden«, sagte Hedwig sanft. »Es würde mich schon beruhigen, zu wissen, dass sie zusammen mit den Frauen meines Gefolges der Geburt beiwohnen würde. Vielleicht tut es ihr gut, in eine andere Umgebung zu kommen.«

Ein Blick in Christians finsteres Gesicht verriet ihr seine Gedanken. Er glaubte ganz und gar nicht, dass diese Umgebung Marthe guttun würde.

Noch wusste niemand genau, was sie alles erdulden musste, aber Hedwig hatte nach Christians Bericht Erkundigungen eingezogen und in Erfahrung gebracht, was bei der Wasserprobe vor sich gegangen war und in welchem erbarmungswürdigen Zustand die junge Frau damals gewesen war. Nur wenige Schritte vom Ort ihres Leidens entfernt zu sein, das würde die schlimmsten Erinnerungen aufleben lassen.

»Ich weiß, was Ihr denkt«, sagte die Markgräfin, nun etwas schärfer. »Aber sie kann sich nicht ihr Leben lang verstecken. Ich werde sie in mein Gefolge aufnehmen. Jedermann soll sehen, dass sie sich unverändert unseres Wohlwollens erfreut. Das dürfte jeden Zweifel an ihrer Ehrbarkeit und Frömmigkeit ersticken.«

Und dann lockte sie Christian mit einer Überlegung, auf die er selbst noch nicht gekommen war: »Sie muss wieder eingesegnet werden. Lassen wir sie doch nicht vor Eurer Dorfkirche und dem neuen Pater knien, sondern hier vor dem Dom, wo der Bischof höchstpersönlich sie einsegnet.«

In ihren Augen funkelte spöttische Freude darüber, diesem Dorfpfarrer damit ein Schnippchen zu schlagen, der sie bei ihrer nahenden Niederkunft einer kundigen Wehmutter berauben wollte.

»Also«, beendete der Markgraf die Diskussion, »wir erwarten Euch beide hier in spätestens zwei Wochen.«

Damit war Christian entlassen.

Der schwarze Reiter

Marthes und Christians Ankunft auf dem Burgberg sorgte für gewaltiges Aufsehen.

Natürlich wusste jeder hier vom geheimnisvollen Verschwinden der jungen Frau aus dem Verlies des Bischofs, die sogar die Wasserprobe überlebt hatte. Und Christians verzweifelte Suche nach ihr hatte für ausreichend mitleidige, hämische oder furchtsame Bemerkungen gesorgt.

Dass sie jetzt wieder auftauchte, goss Öl in das brodelnde Feuer der Gerüchte und war Anlass für unzählige heimliche Gespräche, in denen die wildesten Mutmaßungen ausgetauscht wurden.

Nicht weniger heizte Christians Anblick die Phantasie der Beobachter an. Den kurzen Bart, den er sich nach Marthes Verschwinden hatte stehen lassen, trug er immer noch, obwohl es nicht der Mode für Männer seines Alters entsprach. Damit wirkte er düsterer denn je. Er hatte darauf verzichtet, sich ein neues Pferd zu kaufen, und ritt nun statt des verlorenen Drago jenen vor Temperament überschäumenden Rappen, den ihm einst Raimund geschenkt hatte. Der Hengst war noch sehr jung und nicht fertig ausgebildet, doch Christian hatte keine Bedenken, auch unter Kampfbedingungen mit dem feurigen Tier zurechtzukommen. Ein gutes neues Pferd hätte ihn ein Vermögen gekostet. Doch er brauchte jetzt jeden Pfennig für die Verteidigung des Dorfes angesichts der zu erwartenden neuen Überfälle, und er hatte auch schon Geld für den Bau der Kapelle borgen müssen.

Es gab noch einen Grund dafür, warum er den Rappen vorzog. Bewusst hatte er sich dieses düstere Erscheinungsbild zugelegt: Ein Ritter mit dunklem Haar und schwarzem Bart, einem tiefgrünen Umhang, der fast schwarz wirkte, auf einem schwarzen Pferd.

»Der schwarze Reiter!« Diesen Namen hatte er bereits die Dorfbewohner respektvoll wispern hören, als er mit Marthe nach Meißen aufgebrochen war. Und wie erwartet wurde er auch mit diesem ängstlich geflüsterten Namen tituliert, als er zum ersten Mal auf seinem Rappen auf dem Burgberg erschien.

Genau so wollte Christian es haben. War er früher geachtet wegen seines Rufes als Schwertkämpfer und dafür, dass er sogar mit den wildesten Pferden fertigwurde, so wollte er jetzt gefürchtet sein. Niemand sollte es wagen, sich mit ihm oder seiner Frau anzulegen oder auch nur ein schlechtes Wort über sie zu reden.

Marthe behielt auch nach ihrer Ankunft auf dem Burgberg ihr Schweigen bei. Bis zur Niederkunft der Markgräfin hatte sie hier keine wirklichen Pflichten, und die meisten Menschen am Hofe ließen sie aus Angst, Mitgefühl oder Misstrauen in Ruhe. Angesichts ihres Schicksals hatte sich das Gerücht herumgesprochen, der Schrecken habe ihr die Sprache verschlagen, wenn nicht gar ihren Verstand verwirrt.

Als ein ihr unbekannter Ritter aus Ottos Gefolge Christian in ihrer Gegenwart ein Kompliment darüber machte, welch schöne und überaus sittsame Gemahlin er habe, da durchzuckte sie der Gedanke wie ein Blitzstrahl: Genau so wollten die Männer in der von ihnen beherrschten Welt die Frauen haben – stumm, duldsam, gehorsam.

Während Christian und Lukas die Knappen am Hof im Schwertkampf ausbildeten, beobachtete sie schweigend die Menschen um sich herum.

Es war das Schweigen, das ihr Heilung brachte. Stück für Stück begann sie, allmählich ihre Umgebung wieder wahrzunehmen. Und das auf neue Art, deutlicher denn je. Ihr war auf einmal, als ob sie die Welt mit neuer, ungeahnter Klarheit sah.

Diese Welt um sie herum war erfüllt von lärmender Geschwätzigkeit. Sie sah Dummheit, Eitelkeit, Rachsucht, unverhüllte Gier, manchmal aber auch Mitgefühl und Barmherzigkeit.

Ich habe das schon einmal gekonnt, machte sie sich klar, wenn auch nicht so deutlich wie jetzt. Josefa hat mich immer ermahnt, die Gabe zu nutzen, aber ich hatte mich davor gefürchtet. Es war mir unheimlich. Josefa hatte recht: Ich habe mich in der täglichen Arbeit vergraben, um davor wegzulaufen. Ich war feige. So erkannte ich nicht, woher Unheil droht, und bin dem Raubvogelgesicht in die Hände gefallen.

Dankbar für den Schutz, den ihr Hedwig bot, zog sie sich noch mehr in sich zurück. Und sie sah mit fast schmerzlicher Deutlichkeit, was sie in ihrem Innersten stets gewusst hatte, auch wenn es zuletzt nicht mehr hatte zu ihr durchdringen können: Mit welch großer Liebe Christian sie umgab, wie ihn die Sorge um sie quälte. Das berührte ihr Herz zutiefst. Am Abend schmiegte sie sich in der Kammer an ihn und gab ihm zu verstehen, dass er ihr willkommen war.

Überrascht, erleichtert und dennoch besorgt erwiderte er ihre Zärtlichkeiten und nahm sie so sanft, wie es ihm möglich war. Als sie spürte, dass er Angst hatte, ihr wehzutun oder zu schaden, ermutigte sie ihn stumm, sich nicht länger zurückzuhalten, und erwiderte seine Leidenschaft.

Er respektierte ihr Schweigen geduldig. Er wusste, sie würde Zeit brauchen, um über das Durchlittene hinwegzukommen. Vielleicht würde sie nie darüber sprechen können, was man ihr angetan hatte. Er hoffte für sie, sie könnte es vergessen oder hätte es bereits vergessen. Manchmal, das wusste er, verloren Menschen ganze Abschnitte ihrer Erinnerungen, wenn sie etwas besonders Grauenvolles erlebt hatten.

Ihnen beiden war klar, dass Bischof Martin oder einer seiner Beauftragten sie unnachgiebig mit Fragen bedrängen würden, wenn sie wieder zu sprechen begann.

Marthe wusste, dass sie diesen Moment nicht ewig hinauszögern konnte. Doch noch durfte sie schweigen.

Als Bischof Martin sie bald nach ihrer Ankunft zu sich beorderte, hatte sie längst beschlossen, ihm die Antwort auf seine Fragen zu verweigern.

»Ist es wahr, dass du die Sprache verloren hast, meine Tochter?«, wollte er von ihr wissen, und sie nickte.

»Erinnerst du dich überhaupt an das, was geschehen ist?«, drängte er weiter, und sie schüttelte den Kopf.

Der Bischof schien gleichermaßen enttäuscht wie erleichtert. Zwar drängte es ihn, zu erfahren, wie dieses Weib aus dem Verlies entkommen konnte. Andererseits hatten sich seine Leute erhebliche Übergriffe gegenüber einer Edelfreien herausgenommen. Es würde wohl besser sein, wenn nichts davon je ans Tageslicht kam.

Marthe hingegen bat Gott stumm um Vergebung für ihre Lüge. Sie war sicher, Gott würde ihr verzeihen. Er war gütiger als seine Stellvertreter auf Erden und würde ihre Gründe verstehen.

Denn obwohl sie sich wünschte, sie hätte vergessen können, erinnerte sie sich an jedes schrecklich Detail ihrer Qual: die Häme des Raubvogelgesichts und seine kranke Lust an ihrer Angst, die Rohheit der Wachen, den lodernden Schmerz der Hiebe, die Todesangst, als das Wasser über ihr zusammenschlug. Und Ekkeharts unerwartetes Eingreifen.

So rätselhaft seine Motive auch sein mochten, er hatte ihr unter großer Gefahr geholfen und sie vor dem Tod gerettet. Das konnte sie ihm nicht vergelten, indem sie ihn verriet.

Am Abend des gleichen Tages sah sie Ekkehart zum ersten Mal wieder, seit Christian sie von dessen Stammsitz abgeholt hatte. Er war zusammen mit Randolf, Richenza, Giselbert und Elmar auf dem Burgberg eingetroffen und saß beim Mahl in der Halle nur wenige Schritte von ihr entfernt. Diesmal wagte sie es, seinen Blick aufzufangen, und erkannte mit aller Klarheit, weshalb er sie vor dem Tod bewahrt hatte.

Ekkehart verließ die Tafel vor seinen Freunden. Er würde es nie zugeben, aber die neuerliche Begegnung mit Marthe setzte ihm mehr zu, als gut für ihn sein konnte. Ob sie nun eine Hexe oder eine Heilige war – sie musste einen Bann über ihn geworfen haben, dass er mit seinen Gedanken nicht von ihr loskam.

Er wollte allein sein und mit sich ins Reine kommen. Ohne sich auszukleiden, legte er sich aufs Bett und versank in Grübeleien. Als sich mit einem Mal die Tür öffnete, rechnete er mit einem Pagen oder einem seiner Freunde, der ihn zurück an die Tafel zu ihrem Gelage holen wollte. Stattdessen stand Randolfs Frau vor ihm. Geschmeidig wie eine Eidechse war sie hereingeschlüpft, verriegelte die Tür und lächelte ihn verführerisch an.

»Was wollt Ihr?«, fragte er unwirsch, durch den Wein und seine Stimmung unfähig, seine Abneigung gegen dieses Weib länger zu verbergen.

»Euch«, sagte sie immer noch lächelnd und trat näher.

Ekkehart war für einen Augenblick sprachlos.

Meinte sie wirklich das, was ihr Verhalten nahelegte?

»Euer Gemahl wird Euch vermissen«, sagte er schroff. »Ihr geht besser sofort zurück zu ihm.«

»Randolf ist in bester Gesellschaft und wird nicht nach mir suchen, ehe der letzte Krug Wein geleert oder er hoffnungslos betrunken ist«, erwiderte Richenza gelassen. »Und beides wird nicht so bald geschehen.«

Mit einem Mal hellwach, richtete sich Ekkehart hastig auf.

»Ich sagte, Ihr geht jetzt besser«, wiederholte er grob. »Oder wollt Ihr, dass ich Eurem Mann von Eurem unschicklichen Verhalten berichte? Er wird Euch vor aller Augen auspeitschen, wenn er erfährt, dass Ihr Euch aufführt wie eine Hure.«

Völlig unbeeindruckt von dieser Drohung lächelte Richenza und trat noch näher an ihn heran. Er wollte ihren Arm packen, um sie aus dem Zimmer zu schieben, da tat sie etwas Unerwartetes: Sie sank vor ihm auf die Knie.

Es dauerte einen Moment, bis er begriff, dass sie nicht etwa um Nachsicht bitten wollte. Stattdessen hob sie sein Obergewand an und nestelte an seiner Bruche. Im nächsten Augenblick machte sie sich an seinem Glied zu schaffen. Und zwar so geschickt, dass er scharf die Luft einzog und jeder Gedanke verflog, sie wegzujagen.

»Ich wusste doch, dass du dich überzeugen lässt«, gurrte sie, während sie ihn mit einer Hand zurück aufs Bett drückte.

Sie hatte es bisher bei jedem geschafft. Und Männer wie Ekkehart, die sie nicht gierig anstarrten wie hechelnde Hunde, waren eine Herausforderung und ein besonderer Anreiz für sie.

Als blutjunges Mädchen hatte sie sich geschworen, sich nicht länger zum Spielball der Männer machen zu lassen – damals, bald nachdem die nächtlichen Besuche ihres Vormundes in ihrer Kammer begonnen hatten. Niemand half ihr in ihrer Not, weder Gott noch die Frau ihres Vormundes, die sie nur verächtlich anstarrte und drohte, sie ungeachtet ihres Standes an den Schandpfahl zu stellen, sollte sie je wieder solche dreisten Lügen von sich geben. Da erst begriff Richenza, dass die Tante von den Umtrieben ihres Mannes wusste und froh war, wenigstens vorübergehend seinen Zudringlichkeiten zu entkommen.

Richenza begann Rachepläne zu schmieden. Als die Tante eine gewiefte alte Frau zu ihr schickte, die ihr erklären sollte, wie sie mit Hilfe einer blutgefüllten Fischblase in der Hochzeitsnacht Jungfernschaft vortäuschen konnte, holte sie von der Alten noch andere nützliche Auskünfte ein.

Ihr erster Mann war ein Schwächling gewesen, dessen sie sich bald entledigte. Da war das Leben mit Randolf tausendmal unterhaltsamer; nur dass sie diesmal vorsichtiger zu Werke gehen musste, wenn sie einen anderen Mann dazu brachte, ihr aus der

Hand zu fressen. Und welches Mittel wäre dazu geeigneter als das Bett?

Ekkehart atmete schwer. Sie war die Frau seines Freundes, sie war eine Hure, er hasste und verachtete sie. Und zugleich wünschte er sich, sie würde nie mit dem aufhören, was sie gerade tat.

Er hielt die Augen geschlossen, so bemerkte er nicht den triumphierenden Ausdruck in ihren Augen, als sie sich rittlings auf sein hartes, aufgerichtetes Glied setzte. Gequält und erleichtert zugleich stöhnte er auf. Dann begann sie ihn zu reiten und stieß dabei wollüstige Schreie aus.

Als er glaubte, in Stücke zu zerspringen, warf er sie grob auf den Rücken und holte mit aller Kraft aus. Mit jedem Stoß wollte er ihr beweisen, dass er Herr der Lage war, wollte er sie unterwerfen. Voller Hass auf sie und sich selbst ergoss er sich in sie. Dann rollte er sich atemlos auf den Rücken.

Sie stand auf und strich sich das Kleid glatt, als sei nichts geschehen. An der Tür drehte sie sich noch einmal um. »Bis zum nächsten Mal, mein Lieber.«

Dabei jubelte sie innerlich.

Jetzt hatte sie ihn in der Hand. Er würde sich nach ihr verzehren, er würde keine Ruhe geben und alles dafür tun, damit sie wieder zu ihm kam. Sie hatte den Blick wohl bemerkt, den er vorhin an der Tafel mit dieser kleinen Hure gewechselt hatte. Bald würde sie ihm das Geheimnis entlocken, das er so sorgfältig vor seinen Freunden hütete, und erfahren, was ihn mit Christians Weib verband.

Ekkeharts Gedanken kreisten unerbittlich um den unerwarteten Besuch. Er verachtete sich dafür, aber er wusste, dass ihn künftig die Frage nicht mehr loslassen würde, wann Richenza ihn endlich wieder aufsuchte. Und gleichzeitig wusste er, dass sie nur mit ihm spielte, um ihn auszuspionieren oder für ihre Zwecke einzuspannen. Beim ersten Anflug von Gefahr, oder wann immer es ihr vorteilhaft erschien, würde sie ihn fallenlassen.

Wen würde Randolf zuerst töten, wenn er davon erfuhr? Sie oder ihn? Er war sich auf einmal nicht mehr sicher, dass sein Freund ihn am Leben lassen würde, wenn er ihm offen von dem, was vorgefallen war, berichtete. Randolf würde in seiner Verblendung nicht glauben, wie verderbt Richenza war. Sie würde ihn ganz einfach um den Finger wickeln und ihm Lügenmärchen auftischen.

Sollte er sie töten? Aber wie konnte er eine Schwangere niederstechen, die Frau seines Kampfgefährten, auch wenn sie noch so falsch und verlogen war?

Das führte ihn zu der nächsten Überlegung. Richenza tat nichts ohne Plan. Was bezweckte sie?

Mit einem Mal durchfuhr es ihn siedend heiß. Hatte sie den kurzen Blickwechsel zwischen ihm und Marthe bemerkt? Ahnte sie etwas?

Dann musste er sie töten. Aber er fürchtete, dass er, wenn sie vor ihm stand, stattdessen darum flehen würde, sie wieder in seinem Bett haben zu dürfen.

Hastig stand er auf, brachte seine Kleidung in Ordnung und verließ die Kammer. Er musste Marthe warnen. Doch wie sollte er unbemerkt mit ihr reden? Noch dazu um diese Zeit?

Ziellos streifte er durch die Gänge, überquerte den Hof und verließ dann zu seiner eigenen Überraschung den Burgberg. Die Wachen sagten ihm das Losungswort, mit dem er auch noch tief in der Nacht Einlass finden würde. Wenig später fand er sich vor dem teuersten Hurenhaus Meißens wieder.

Der Hurenwirt begrüßte den vornehm gekleideten und selten gesehenen Gast wortreich. Ekkehart war lange nicht mehr hiergewesen. In den ersten Jahren seines Ritterlebens hatte er sich zumeist mit seinen Gefährten ein paar Mädchen gegriffen, die er umsonst haben konnte, nach dem Tod seiner Frau hatte er getrauert, da und dort nach Ablenkung gesucht und sich dann nach einer verzehrt, die er nicht haben konnte.

Um von Richenza loszukommen, musste er wissen, dass er jederzeit etwas ihr im Bett Ebenbürtiges finden konnte.

Wo, wenn nicht hier?

»Ich will deine feurigste Hure«, befahl er dem Wirt. »Aber sie soll schwarze Haare haben.«

Der feiste Besitzer des Hurenhauses verbeugte sich ehrerbietig, überlegte kurz und rief dann nach einem seiner Mädchen.

Einen Augenblick später kam eine üppige schwarzhaarige Schönheit mit dunklen Augen die Treppe herunter. Sie lächelte ihn verführerisch an und zeigte dabei, dass sie noch alle Zähne hatte. Nicht umsonst hatte dieses Haus den Ruf, die hübschesten und erfahrensten Huren zu haben. Und die teuersten.

Der dicke Wirt wieselte um ihn herum. »Gefällt sie Euch, edler Herr?« Als Ekkehart zögernd nickte, nannte er den Preis und hielt die Hand auf. Der Preis war unverschämt, aber Ekkehart hatte schon Feuer gefangen.

Die Hure war tatsächlich in allen Liebeskünsten bewandert. Dennoch verspürte Ekkehart eine innere Leere und sogar Widerwillen, als er das Haus verließ.

Am nächsten Abend ging er erneut dorthin.

»Heute will ich eine mit kastanienbraunem Haar. Und sie soll sich nicht aufführen wie eine Hure, sondern züchtig wie eine Dame«, forderte er.

Der Hurenwirt wunderte sich nicht, sondern verbeugte sich diensteifrig. Er war die absonderlichsten Wünsche seiner Kundschaft gewohnt. Sicher, die meisten Gäste kamen hierher, um statt ihrer prüden, langweiligen Gemahlinnen endlich einmal eine temperamentvolle Gespielin zu finden oder besonders ausgefallene Gelüste befriedigen zu können. Mancher allerdings – und dazu schien dieser zu gehören – nahm auch eine Hure als Ersatz für eine ganz bestimmte Angebetete, die für ihn unerreichbar war.

Der Wirt lief keuchend die Treppe hinauf, Ekkehart hörte hastiges Gewisper, mit dem er die Wünsche seines Gastes übermittelte, dann kam ein braunhaariges Mädchen die Treppe herunter.

Es versetzte Ekkehart einen Stich, als er sah, dass sie ihr Haar sogar zu einem Zopf geflochten hatte.

Sie lächelte ihm mit gespielter Schüchternheit zu und senkte den Blick.

»Du sagst kein Wort«, befahl Ekkehart schroff, noch bevor sie etwas sagen konnte. Er wollte ihre Stimme nicht hören, ihren Meißner Tonfall, der sich von Marthes Art zu sprechen unterschied.

Sie nickte, trat auf ihn zu und sah ihn stumm an. Dann drehte sie sich um und ging aufreizend langsam die Treppe hinauf. Auf halbem Weg wandte sie sich um und bedeutete Ekkehart mit verhangenem Blick, ihr zu folgen. Erst zögerte er, dann nahm er zwei Stufen auf einmal. In der Kammer schenkte sie ihm schweren Rotwein ein. Er stürzte zwei Becher hinunter, während sie mit gesenkten Lidern dastand. Dann sah sie auf und lächelte ihm ermutigend zu.

Die Hure kannte sich aus mit dieser Sorte Kundschaft. Ein Liebeskranker, der sie stellvertretend für die unerreichbare Dame seines Herzens besteigen wollte. Ihre Liebeskünste konnte sie hier erst später einsetzen. Jetzt musste sie noch die Schüchterne spielen.

Wie zufällig ließ sie den Schulterausschnitt ihres Kleides etwas verrutschen, so dass mehr bloße Haut hervorblitzte. Mit einem hastigen Schritt war ihr merkwürdiger Freier bei ihr und schob den weichen Stoff noch weiter nach unten, bis ihr Busen völlig unbedeckt war. Dann presste er das Gesicht zwischen ihre Brüste, umklammerte sie mit seinen schwieligen Händen und begann an ihnen zu saugen.

Unbemerkt zog sie an der raffinierten Verschnürung ihres Kleides, das nach einem einzigen Griff zu Boden fiel. Ihr Gast keuchte nun heftig, drängte sie zum Bett und warf sie darauf. Sie wusste, jetzt war der Moment gekommen, wo für ihn die Illusion Wirklichkeit geworden war. Sie reckte ihm die Arme entgegen und zog ihn stumm lächelnd auf sich.

Mit einem gequälten Stöhnen drang er in sie ein. Nun konnte sie die gespielte Schüchternheit aufgeben. Sein Traum war es schließlich, dass ihn die Dame seines Herzens mit aller Leidenschaft empfing. Sie umklammerte seinen Rücken mit ihren Beinen, zog ihn zu sich und stöhnte wollüstig, wobei sie strikt seinen Befehl einhielt und kein einziges Wort sprach.

Wenn sie ihm gefiel, würde er wiederkommen. Seiner Kleidung nach zu urteilen, hatte er Geld, war nicht brutaler als die meisten anderen auch, und im Gegensatz zu den widerwärtigen Wünschen manch anderer Kunden war es doch einmal eine nette Abwechslung, die Unschuld zu spielen.

Sanft strich sie über sein Gesicht, dann über seinen Rücken, bevor sie ihn mit den Finessen ihres Gewerbes zur Ekstase trieb. Als er seinen Höhepunkt erreichte, stöhnte er qualvoll auf. Diesmal klang es fast wie ein Schluchzen.

Ein liebestoller Narr, dachte die Hure amüsiert, fast mitleidig, während sie sich weiter streng an sein Verbot zu sprechen hielt.

Ekkehart war froh um das winzige, flackernde Kerzenlicht in der Kammer, das die Täuschung aufrechterhielt, er könnte bei der liegen, die ihm nicht mehr aus dem Kopf ging, seit er sie wiedergesehen hatte.

Er hatte mit Randolf Pläne machen wollen, wie sie Christian ausschalten konnten. Doch das ging nun nicht mehr. Wenn er schlau war, brachte er, so schnell es ging, die größtmögliche Entfernung zwischen dessen ausgekochtes Weib und sich. Marthe konnte er keine Warnung mehr zukommen lassen. Er durfte sich ihr nicht nähern, weil er damit zu viel Verdacht erregt hätte.

Am Morgen verließ er die braunhaarige Hure, nachdem er sie großzügig entlohnt hatte, ließ sich von Otto unter einem Vorwand beurlauben und floh auf seine Güter, ohne sich von seinen Freunden zu verabschieden. Er hatte ihnen nur eine belanglose Nachricht hinterlassen, um keinen Verdacht zu erwecken.

Als Richenza beim Frühmahl davon erfuhr, fegte sie wütend den Becher vom Tisch, den sie sich mit Randolf teilte.

»Oh, verzeiht mir mein Ungeschick, mein Gemahl«, überspielte sie zähneknirschend ihren Ausbruch. Randolf schien nichts bemerkt zu haben und winkte einen Pagen herbei, der den Becher aufhob und neu füllte.

Du kannst mir nicht entwischen, dachte Richenza grimmig. Und mit deiner übereilten Abreise hast du mir mehr verraten, als ich dir bei meinem nächsten nächtlichen Besuch entlockt hätte.

Die Niederkunft

Es waren nur noch wenige Tage bis Heiligabend, und Hedwigs Niederkunft rückte immer näher.

Als Marthe und Christian am Abend allein in der Kammer waren, die ihnen der Haushofmeister zugeteilt hatte, blieb sie unruhig stehen, während er auf der Bettkante hockte und seine Stiefel auszog.

»Ich brauche deinen Rat«, sagte sie mit einem Mal leise.

Christian sah überrascht und erleichtert zugleich auf. Es waren ihre ersten Worte seit Wochen, seit seinem Aufbruch mit dem Silbertransport, als sie ihn vor dem drohenden Überfall gewarnt hatte. Er ließ keinen Ton über ihre wiedergefundene Sprache verlauten, aus Angst, sie könne sich dessen bewusstwerden und erneut verstummen.

»Komm her«, meinte er nur und wies einladend auf den Platz neben sich.

Marthe gab sich einen Ruck und setzte sich zu ihm. Mit anfangs brüchiger Stimme erzählte sie, was ihr in den vergangenen Wochen durch den Kopf gegangen und welche Schlüsse sie daraus gezogen hatte.

»Offiziell soll ich nur als Dame aus Hedwigs Gefolge bei der Geburt ihrer Tochter zugegen sein. Aber wenn nicht ein Wunder geschieht, werde ich ihr beistehen müssen. Die alte Wehmutter ist inzwischen fast blind, ihre Hände sind steif und knotig. Hedwig weiß das. Sie zählt auf mich, sonst hätte sie längst eine andere suchen lassen. Doch ich werde das nicht stumm tun können.«

So froh er war, dass sie wieder sprach – die Schwierigkeiten würden nun erst beginnen. Das wusste sie genauso gut wie er.

»Wenn ich Hedwig helfe, verstoße ich gegen Pater Sebastians Befehl. Und wenn ich spreche, wird mich der Bischof sofort holen und fragen, wer mir bei der Flucht geholfen hat. Außerdem werde ich von nun an wieder zur Beichte gehen müssen; erst hier, dann bei Sebastian.«

»Du gehst nicht ins Dorf zurück, bis unsere Kapelle fertig ist«, beschloss Christian sofort. »So lange bleib bei Hedwig. Sie wird dich schützen.«

»Ich weiß nicht, was für ein Leben ich künftig führen soll«, meinte Marthe niedergeschlagen. »Ich sollte nicht mehr heilen, aber am Ende kann ich es doch nicht lassen, wenn jemand Hilfe braucht.«

Das war ihnen beiden klar. Schon zu Hause hatte sich Marthe heimlich um Richards Wunde gekümmert, als sie sich doch noch entzündet hatte.

»Hedwig und Otto wollen vom Bischof die Erlaubnis erwirken«, fuhr Marthe fort. »Aber was wird mit Johanna? Sie wird Sebastians blinden Eifer auf sich ziehen.«

Noch ehe Christian antworten konnte, wurde heftig an die Tür geklopft. »Dame Marthe«, rief jemand laut. »Ihr werdet dringend zur Herrin gerufen. Das markgräfliche Kind will kommen.«

Als Marthe den Raum betrat, in dem die Geburt stattfinden sollte, waren die meisten Frauen schon versammelt, die dem Ereignis als Zeugen beiwohnen sollten.

Die Kammer war abgedunkelt und wurde im Gegensatz zu den meisten anderen Räumen der winterlich kalten Burg mit mehreren Kohlenbecken beheizt, aus denen beißender Qualm drang. So brauchte Marthe erst einige Augenblicke, um zu erkennen, dass es nicht ihr Erscheinen war, das für ängstliches Schweigen sorgte. Während die schreckensbleiche Hedwig hilfesuchend zu ihr sah, starrten die anderen Frauen auf die alte Wehmutter, der gerade eine Schüssel aus den zittrigen Händen geglitten und zersprungen war.

»Gott steh uns bei, wenn sie das Kind auch fallen lässt«, flüsterte die Frau des Haushofmeisters und rang die Hände.

Damit ist es entschieden, dachte Marthe bitter. Die Not ihrer Gönnerin war zu groß, als dass sie sie ignorieren könnte: der jähe Schmerz der Wehen, der durch Hedwigs Körper jagte und sich dort festbiss, die Angst vor dem Ausgang dieser Geburt, nachdem die vorangegangene sie beinahe das Leben gekostet hatte, und jene dumpfe Verzweiflung, die sie bei Hedwig schon seit Monaten festgestellt hatte.

Sie empfahl ihr Schicksal mit einem stummen Gebet in Gottes Hand, gab sich einen Ruck und ging auf Hedwig zu.

Am Bett der Markgräfin kniete sie nieder und ergriff Hedwigs Hand. »Seid ohne Sorge, meine Herrin. Diesmal wird alles gutgehen, das habe ich Euch doch schon vor Monaten versprochen.«

Ihre Worte und ihre Geste schienen Hedwig zu erleichtern. Auf die Frauen in ihrer Umgebung hatten sie jedoch eine Wirkung, als hätte soeben der Blitz direkt neben ihnen eingeschlagen.

»Sie kann wieder reden!«

»Sie ist gar nicht stumm!«

Solche und ähnliche Ausrufe summierten sich zu einem erstaunten Aufschrei mit hämischen oder auch anklagenden Untertönen, die Marthe nicht entgingen. Und Hedwig auch nicht, trotz ihrer Not.

»Kniet nieder und dankt Gott mit einem Gebet!«, herrschte die Markgräfin die Frauen an. »Der Herr in seiner unermesslichen Güte hat beschlossen, der Dame Marthe die Sprache zurückzugeben, damit sie mir in meiner schweren Stunde beistehen kann.«

Marthe erkannte mühelos, dass diese Worte keine spontane Eingebung, sondern schon lange vorher überlegt worden waren. Doch sie bewirkten, was Hedwig bezweckte. Sofort war jeglichem Gerede über Marthes wiedererlangte Fähigkeit zu sprechen eine fromme, gottgefällige Deutung vorgegeben.

Gehorsam sanken die verblüfften Hofdamen auf die Knie und sprachen ein Dankgebet. Während Marthe begann, den Mägden Befehle zu erteilen, um alles herbeizuschaffen, was sie für die Entbindung brauchte, kam Richenza freudestrahlend auf sie zu. Seit einiger Zeit zählte sie auf Ottos Weisung zum engeren Gefolge der Markgräfin, wenn sie mit Randolf am Hofe war.

»Meine Liebe, ich freue mich ja so für Euch, dass Ihr wieder genesen seid«, sagte Randolfs Frau und umarmte Marthe, der dabei ein eiskalter Schauer über den Rücken lief.

»Ihr seid zu freundlich zu mir«, antwortete sie und hoffte, dass Richenza nichts von ihrem Frösteln bemerkt hatte. Sie konnte nicht in die Augen der anderen Frau sehen, doch schon die flüchtige Berührung ließ bei ihr alle Alarmglocken läuten. Richenza ist gefährlicher denn je – und nicht nur für mich, sondern auch für Hedwig, erkannte sie.

Noch bevor sich die Frauen der geheuchelten Gratulation anschließen konnten, drehte Marthe sich zu ihnen um. »Ich danke Euch allen von Herzen. Doch jetzt müssen wir unsere Gedanken und Gebete auf das Wohl unserer Fürstin und ihres Kindes richten.«

Sie kniete erneut an Hedwigs Seite nieder. »Seid unbesorgt«, wiederholte sie, »der Herr wird Seine Hand über Euch halten.«

Hedwig sah sie dankbar an, doch im nächsten Augenblick jagte eine neue Wehe durch ihren Körper. Marthe wartete, bis die Welle des Schmerzes abgeklungen war, dann ließ sie ihre Hände sanft über den hochgewölbten Leib gleiten, um die Lage des Kindes zu ertasten. Es würde nicht mehr lange dauern. Die Wehen kamen in kurzen Abständen, das Fruchtwasser und etwas blutiger Schleim waren schon abgegangen, bevor Marthe gerufen worden war.

»Diesmal liegt es richtig«, verkündete Marthe, die darüber ebenso erleichtert war wie Hedwig. Die vorangegangene Entbindung wäre beinahe eine Steißgeburt geworden, doch Marthe hatte mit viel Geschick das Kind im Leib drehen können.

Durch Knoten kürzte sie die weiten Ärmel ihres Überkleides,

die für jede Arbeit außer Sticken denkbar ungeeignet waren, wusch sich gründlich die Hände, wie es ihr einst ihre Lehrmeisterin beigebracht hatte, und schickte eine Magd nach reinem Gänseschmalz. Gundelrebe, Frauenmantelkraut und was sie sonst noch gebrauchen konnte, hatte sie vorsorglich mitgebracht. In ihrem Innersten war ihr klar gewesen, dass dieser Tag kommen würde und sie der Verantwortung nicht ausweichen durfte.

»Gott hat dir diese Gabe geschenkt und erwartet von dir, dass du sie zum Wohle anderer einsetzt«, hatte die alte Josefa sie vor Jahren ermahnt und damit nicht nur ihre Begabung zum Heilen, sondern auch ihre Hellsichtigkeit gemeint.

Nun, wenn sie an das Gefühl unmittelbarer Gefahr dachte, das sie bei Richenzas Umarmung erlebt hatte, würde sie von jetzt an wohl wieder beides dringender denn je brauchen.

Sie kam gar nicht mehr dazu, ihre lindernden Kräuter anzuwenden, denn jäh setzten bei Hedwig die Presswehen ein. Nun verlief die Geburt mit unerwarteter Geschwindigkeit. Doch Hedwig verlor viel Blut – so viel, dass Marthe einen Moment lang befürchtete, sie könnte nichts mehr für sie tun.

Wenn das Kind feststeckte, weil es zu groß war wie bei Ekkeharts Frau, oder bei einer schweren Blutung war auch die erfahrenste Wehmutter machtlos.

Zu Marthes großer Erleichterung trat nicht ein, was sie befürchtet hatte. Wenig später reichte sie der erschöpften Markgräfin ihre neugeborene Tochter.

»Sie ist gesund und kräftig«, versicherte sie.

Sofort setzte erneut heftige Betriebsamkeit ein. Mägde beseitigten die blutigen Spuren der Entbindung, säuberten und wickelten das Neugeborene, wuschen und kämmten die Wöchnerin und legten ihr frische Kleidung an.

Diesmal kam Otto bald, um nach dem Kind und seiner Frau zu

sehen. Marthe erinnerte sich noch gut, wie es beim letzten Mal war: Damals lag der Markgraf in den Armen seiner Geliebten, während Hedwig im Gebärstuhl um Leben und Tod kämpfte. Hedwig dachte offenbar ebenfalls daran, denn sie zuckte unwillkürlich zusammen und schien sich abwenden zu wollen, als Otto auf sie zugestürzt kam und nach ihrer Hand griff, um sie zu küssen.

Was tut sie da?, dachte Marthe erschrocken. Wenn Hedwig Ottos Gunst verlor, war sie ganz verloren. Bitte, nehmt alle Kraft zusammen, um Euch nichts anmerken zu lassen!, flehte sie in Gedanken.

»Ich bin glücklich, Euch wohlauf zu sehen, meine Teure«, rief der Markgraf freudig. Seiner Tochter schenkte er nur einen kurzen Blick, aber er verlor nicht ein Wort darüber, keinen Sohn bekommen zu haben. Er teilte mittlerweile Hedwigs Meinung in diesem Punkt. Zwischen Söhnen – und die seinen waren bereits seit dem Kindesalter zutiefst zerstritten – musste er sein Land aufteilen wie einst sein Vater oder dem Ältesten alles überlassen, wie es allgemein üblich war, während die anderen leer ausgingen. Töchter hingegen konnte man verheiraten und damit neue Verbündete gewinnen.

Hedwig hatte ihre Fassung wiedergewonnen und dankte Otto mit höflichem Lächeln für die Glückwünsche.

Bald kam der Kaplan und taufte das Neugeborene nach einer von Ottos Schwestern auf den Namen Adela. Die eigentliche Tauffeier würde erst später mit großem Prunk stattfinden, aber niemand konnte riskieren, dass die Seele des winzigen Wesens unerlöst blieb. Zu oft starben Kinder schon kurz nach der Geburt.

»Ich werde Boten zu meinen Brüdern schicken«, verkündete Otto hochzufrieden. »Sie sollen gemeinsam mit uns die Taufe feiern.«

Hedwig zuckte schon wieder kaum merklich zusammen. Von neuem spürte Marthe die Welle großer Verzweiflung, die die Wöchnerin überkam. Sie darf sich nicht aufregen, sonst bekommt sie noch Fieber, dachte sie bestürzt.

Allmählich zogen sich die Hofdamen zu ihrer unterbrochenen Nachtruhe zurück. Die herbeigerufene Amme nahm das Neugeborene, legte es zum ersten Mal an und verschwand mit der kleinen Adela, nachdem diese getrunken hatte.

»Ich werde bei Euch wachen«, versprach Marthe der erschöpften Wöchnerin. Sie war solche Nachtwachen gewohnt. Nur der Herr selbst wusste, warum es Ihm gefiel, dass die meisten Kinder nachts geboren wurden.

Sie rückte einen Stuhl neben Hedwigs Bett und machte es sich darin so bequem, wie es ging.

Hedwig drehte den Kopf ihr zu.

»Danke«, sagte sie, Tränen in den Augen. »Ich weiß, was du meinetwegen gewagt hast.«

Marthe erwiderte nichts, sondern zeigte nur ein vorsichtiges Lächeln.

»Ich schwöre beim Leben meiner Tochter, ich werde alles tun, um dich zu schützen«, flüsterte die Markgräfin ihr hastig zu. »Mein Gemahl und ich werden dem Bischof einen Altar für seine Kathedrale stiften, als Dank für die glückliche Geburt, und dabei deinen Anteil gebührend herausstellen. Dann kann er dir das Heilen nicht verbieten, und wenn er es nicht tut, muss sich auch euer strenger Dorfpfarrer danach richten.«

Doch was wird mit Johanna?, dachte Marthe voller Angst.

Und Clara?

»Vor Richenza musst du dich in Acht nehmen«, warnte Hedwig leise. »Unter all den Heuchlern hier habe ich selten jemanden erlebt, der im Herzen so eiskalt ist.«

»Ich weiß«, entgegnete Marthe genauso leise. »Aber Ihr solltet

Euch noch viel mehr vor ihr in Acht nehmen. Sie beobachtet Euch … Sie sucht nach etwas, das sie gegen Euch verwenden kann …«

»Wer tut das nicht?«, sagte Hedwig und schloss resigniert die Augen.

Am Morgen wusste Marthe, was sie zu tun hatte. Sie selbst durfte noch keine Kirche betreten, denn nach der Fehlgeburt war sie immer noch nicht wieder eingesegnet. Sie hatte keine Beichte ablegen können, als sie stumm gewesen war.

Noch vor dem Frühmahl kniete sie vor der Tür der Kathedrale nieder, während Christian hineinging, um eine Kerze zu stiften. Jeder sollte sehen, dass sie Gott dafür dankten, Marthe die Sprache genau in dem Moment zurückgegeben zu haben, als die Markgräfin ihre Hilfe am dringendsten benötigte.

Als Christian aus der Kirche trat und ihr aufhelfen wollte, kam ein Priester auf sie zu.

»Der ehrwürdige Bischof wünscht dich zu sprechen, meine Tochter«, sagte er zu Marthe. »Folge mir.«

Christian machte Anstalten, sie zu begleiten, doch der Priester hielt ihn zurück.

»Der Bischof wünscht sie allein zu sehen.«

Schweigend bezog Christian Posten vor dem Bischofspalast, bereit, dort hineinzustürmen, wenn seine Frau nicht bald wieder herauskäme.

Ihm war, als ob die Zeit überhaupt nicht verstreichen würde. Winzige Schneeflocken fielen auf seinen Umhang und färbten seine Schultern allmählich weiß.

Geschäftig wirkende Menschen hasteten an ihm vorbei, von der Kälte getrieben, und schienen ihm im dichter werdenden Schneefall kaum Beachtung zu schenken. Dennoch wusste er sich von mehreren Seiten beobachtet. Als er aus dem Augen-

winkel sah, dass sich zwei der Beobachter langsam auf ihn zu-
bewegten, wappnete er sich, denn er hatte sie längst erkannt:
Conrad und Berthold, die Herren der beiden Nachbarorte von
Christiansdorf und erklärte Anhänger Randolfs.

Kurz vor ihm machten sie halt.

»Wartest du, dass der Bischof beschließt, dein Weib doch noch
zu brennen? Dann musst du hier wenigstens nicht mehr frie-
ren«, meinte Berthold, der Stämmigere von beiden, mit abfäl-
ligem Spott, während der andere hämisch zu lachen begann.

Berthold hatte die letzten Worte noch nicht zu Ende gesprochen, da wirbelte Christian schon herum und setzte ihm mit der
Linken seinen Dolch an die Kehle, während er mit dem Schwert
in der Rechten Conrad in Schach hielt, bevor der seine Waffe
ziehen konnte.

»Auf die Knie – und dann nimmst du jedes einzelne Wort zurück«, forderte er Berthold hasserfüllt auf.

Der war zwar erbleicht, dennoch kam er dem Befehl nicht
nach.

»Du kannst uns nicht beide abstechen, noch dazu vor aller Augen und unmittelbar vor der Pforte zum Bischofspalas«, sagte
er mit schlecht gespielter Gelassenheit.

»Dann lass es uns am üblichen Ort austragen, jetzt gleich«, antwortete Christian schroff. Es war, als ob mit einem Mal die ganze angestaute Wut der letzten Monate aus ihm herauswollte.

Berthold wechselte einen unsicheren Blick mit Conrad. Er
wusste, dass er im Zweikampf gegen Christian keine Chance
hatte. Bei ihrer letzten Auseinandersetzung, die allerdings schon
ein paar Jahre zurücklag, hatte Christian nicht mehr als zwei
Hiebe gebraucht, um ihn zu entwaffnen. Doch er konnte sich
auch nicht hier vor aller Augen zum Narren machen und auf
dem Burghof niederknien, nachdem ein einzelner Mann zwei
gestandene Ritter überwältigt hatte.

Christian verlor allmählich die Geduld. In einem hatte Berthold recht: Er konnte hier auch nicht länger herumstehen und ausgerechnet vor dem Bischofspalast die beiden mit Waffen in Schach halten.

»Ihr zwei gegen mich allein«, bot er an, ohne eine Miene zu verziehen. »Drei Männer, vier Schwerter.«

»Einverstanden«, sagte Berthold, nachdem er erneut einen Blick mit Conrad gewechselt hatte.

Christian steckte Schwert und Dolch wieder in die Scheiden.

»Warte hier auf Marthe«, rief er Lukas zu, der sich ihnen genähert hatte. Lukas nickte, zog sein Schwert und reichte es Christian, damit wenigstens das Verhältnis der Waffen in diesem Kampf gerecht war.

Schweigend gingen Conrad, Berthold und ihr Herausforderer über den Burghof, durch das Tor zu dem Platz vor der Stadt am Elbufer, an dem die Zweikämpfe ausgetragen wurden, die weder vom Markgrafen noch vom Bischof gesehen werden sollten. Schließlich hatten die beiden solche Kämpfe verboten: der eine, weil er der Meinung war, seine Ritter sollten gegen seine Feinde und nicht gegeneinander antreten, der andere, weil die Kirche einen Bann über Turniere verhängt hatte und dafür sogar mit Exkommunikation drohte.

Natürlich war das Geschehen trotz des dichter gewordenen Schneefalls nicht unbemerkt geblieben. Mehrere Ritter, die mitbekommen hatten, was sich hier abgespielt hatte und was folgen würde, begleiteten sie als Zuschauer und Zeugen und begannen, Wetten über den Ausgang des ungleichen Kampfes abzuschließen.

Währenddessen betrat Marthe mit zittrigen Knien den Bischofspalast.

Jeder Schritt hier erinnerte sie an die furchtbaren Dinge, die sie in diesen Mauern erlitten hatte. Die Wunden auf ihrem Rücken schienen auf einmal wieder zu bluten, ihre Handgelenke schmerzten, als würden sie von rostigen Ketten wundgescheuert, und ihr Leib zog sich zusammen, als würde sie gleich noch einmal ein Kind verlieren.

Aber sie hatte gewusst, das dieser Moment unausweichlich war. Dies war der Preis dafür, dass sie Hedwig beigestanden hatte. Der Preis, den sie zu zahlen hatte, wenn sie weiterleben wollte, ohne erneut in die Fremde fliehen und ihre Arbeit aufgeben zu müssen.

»Tritt näher, meine Tochter«, sagte Bischof Martin in huldvollem Ton und streckte ihr die Hand entgegen, damit sie seinen Ring küssen konnte.

Sie kniete mit gesenkten Augen nieder und drückte ihre Lippen leicht auf den kostbaren Saphir. Die Anrede und dass er ihr als Gnadenbeweis den Ring hinhielt, waren wohl Zeichen dafür, dass sie von ihm vorerst keine Strafen zu erwarten hatte. Doch Bischof Martin würde nicht eher ruhen, bis er hinter ihr Geheimnis gekommen war.

Unter halb gesenkten Lidern beobachtete sie den hageren, scharfäugigen Bischof, der sie betrachtete wie ein Adler die Beute.

»Wie mir berichtet wurde, hast du die Sprache wiedergefunden, meine Tochter«, begann er. In seiner Stimme lag etwas Lauerndes.

»Ja, Eminenz«, sagte sie, während sie den Blick weiter demütig gesenkt hielt.

»Die Dame Hedwig betrachtet es als besondere Gnade Gottes, dass dies ausgerechnet in dem Moment geschah, als sie deine Hilfe benötigte«, fuhr der Bischof fort.

Sie wusste, auch ohne ihn anzusehen, dass er sie nicht aus den Augen ließ und jede ihrer Regungen genau beobachtete. Da er ihr keine Frage gestellt hatte, schwieg sie.

»Also bist du auch in der Lage, die Beichte abzulegen, damit du wieder eingesegnet werden und die heilige Messe besuchen kannst?«

»Ja, Eminenz.«

Diese Antwort schien ihn sehr zufriedenzustellen.

»Das freut mich zu hören.«

Der Bischof machte eine winzige Pause, dann fragte er blitzschnell: »Sag, meine Tochter, ist mit der Sprache auch die Erinnerung an den Prozess und das Gottesurteil wiedergekehrt?«

»Nein, Eminenz«, gab sie demütig und dennoch entschlossen zurück.

Sie hatte dieses Gespräch lange vorhergesehen und sich jede Antwort zurechtgelegt. Sicher war es eine große Sünde, einen Bischof zu belügen. Aber wenn er glaubte, dass sie sich wieder erinnerte, was alles geschehen war, würde er sie wahrscheinlich heimlich aus dem Weg räumen lassen. Es durfte nie bekanntwerden, welche Ungeheuerlichkeiten sich einer seiner Kleriker gegenüber einer Edelfreien geleistet hatte. Ohne eindeutige Schuldbeweise durfte das nicht einmal die Kirche. Wäre sie eine einfache Dörflerin gewesen, hätte es keine Rolle gespielt.

Und sie durfte Ekkehart nicht ausliefern. Schließlich schuldete sie ihm ihr Leben.

Sie sah nicht auf, spürte aber den Blick des Bischofs auf sich wie die Spitze eines Dolches.

Martin überlegte. Konnte er diesem Weib trauen? Er hätte nur zu gern gewusst, wie sie aus dem Verlies entkommen war. Alle seine Nachforschungen hatten nichts ergeben. Seinen ersten Verdacht, Ritter Christian oder einer seiner Freunde hätten sie heimlich befreit, konnte er getrost fallen lassen. Deren Verzweiflung war echt gewesen, so gut kannte er sich bei Menschen aus, sonst wäre er nie so hoch aufgestiegen.

Immerhin, solange sie behauptete, sich an nichts zu erinnern, würde sie auch keine Klage wegen der rüden Behandlung erheben. Er musste sich diesen Eiferer wirklich einmal vornehmen. Einer Edelfreien die Sachen vom Leib zu reißen, sie mit Ruten zu streichen und dann in ein Büßergewand zu stecken, ohne dass er auch nur einen einzigen handfesten Beweis gegen sie in der Hand hatte – das konnte Ärger geben. Sollte er doch seine abartigen Gelüste an ein paar Hörigen oder Bauernbälgern ausleben, möglichst weit weg von hier.

Ihm blieb noch eine Möglichkeit, dieses Weib unter Kontrolle zu bekommen. Und beim ersten Anzeichen, dass sie sich erinnerte, musste er sie unschädlich machen lassen.

»Nun, meine Tochter, ich bin geneigt, dir zu vertrauen«, meinte der Bischof gönnerhaft. »Die Anklage war nicht haltbar, und schließlich hat auch der Ausgang der Wasserprobe gezeigt, dass du eine fromme Christin bist. Zum Zeichen meiner Gnade werde ich dir persönlich die Beichte abnehmen, damit du beim morgigen Hochamt wieder eingesegnet werden kannst.«

»Ihr seid zu gütig, ehrwürdiger Bischof«, sagte Marthe.

Mochte er das Zittern in ihrer Stimme für Rührung halten. Aber es war Angst. Angst, er würde sie mit irgendeiner List überführen. Die Beichte war eine ernstzunehmende Angelegenheit und musste reinen Herzens abgelegt werden. Doch sie würde sich und wer weiß wie viele Menschen mit ins Verderben reißen, wenn sie jetzt nicht auf jedes Wort achtgab.

Der Bischof gebot ihr aufzustehen und geleitete sie durch eine Seitentür in eine Kapelle zum Beichtstuhl.

»Vergebt mir, Vater, denn ich habe gesündigt.«

»Beichte, welche Schuld du auf dich geladen hast.«

»Ich habe gegen die Worte von Pater Sebastian verstoßen.«

»Erzähle mir alles!«

»Er verbot mir, weiter als Heilerin und Wehmutter zu arbeiten. Doch als ich gestern die Markgräfin in ihrer Not sah und erkannte, dass die alte Wehmutter nichts tun konnte, weil ihre Hände zu zittrig geworden waren, bin ich in alte Gewohnheiten zurückverfallen und habe dem Kind auf die Welt geholfen.«

»Warst du dir bewusst, dass du gegen seine Weisung verstoßen hast?«

Marthe überlegte ihre Worte genau. »Ich habe zu Gott gebetet, dass er mir vergeben möge, und ihn um Beistand für die Herrin und das markgräfliche Kind angefleht.«

»Kennst du die Worte für die Nottaufe?«

»Selbstverständlich, und ich habe sie gesprochen, als der Kaplan nicht sofort zur Stelle war.«

»Welche Sünden hast du sonst noch begangen?«

Wieder antwortete Marthe mit Sorgfalt, aber ohne zu zögern.

»Ganz gewiss unzählige, da jede Frau seit Eva eine Sünderin ist. Und ich bitte von Herzen um Vergebung dafür und bereue. Aber ich kann sie Euch nicht benennen. In meiner Erinnerung klafft ein riesiges Loch.«

»Und trotzdem willst du nicht ablassen von alten Gewohnheiten und weiter Gottes Willen durchkreuzen, indem du Menschen heilst, denen ER als Prüfung oder zur Strafe für ihre Sünden eine Krankheit gesandt hat?«

»Verzeiht mir meine Unwissenheit! Ich dachte nicht, dass ich damit gegen Seinen Willen verstoße. Ich glaubte, es sei ein gutes Werk. Ist es nicht meine fromme Christenpflicht? So wie jeder gute Christenmensch den Armen vor der Kirchentür Almosen gibt? Oder Damen von edlem Blut ihre Mildtätigkeit beweisen, indem sie eigenhändig die Reste ihrer Tafel an die Hungernden verteilen?«

Einige Zeit herrschte Schweigen. Dann endlich drangen die erlösenden Worte durch das Gitter: »Geh und bete zehn Rosenkränze, meine Tochter. Morgen wirst du mit einer Kerze in der Hand vor der Kirche knien und darfst dann wieder an der heiligen Messe teilnehmen. Hiermit spreche ich dich von deinen Sünden frei.«

Während Marthe mit weichen Knien nach draußen ging und darüber nachdachte, ob sich Bischof Martin wohl mit ihren Antworten zufriedengeben würde, hielt sie Ausschau nach Christian. Aber sie konnte ihn nicht entdecken. Stattdessen kam Lukas auf sie zu, sichtlich erleichtert, sie unbeschadet wiederzusehen.

»Musste Christian fort?«, fragte sie, und ein ungutes Gefühl kroch in ihr hoch.

»Gewissermaßen«, wich Lukas ihr aus. »Komm, gehen wir ins Warme.«

Doch so leicht ließ sie sich nicht abspeisen, dafür kannte sie Lukas zu gut. Irgendetwas wollte er vor ihr verbergen – und das konnte nichts Gutes bedeuten.

»Wo steckt Christian?«, fragte sie mit Nachdruck.

Lukas machte eine betretene Miene. »Nun ja, du sollst dich nicht aufregen …«

»Wo?!«

»Am Elbufer, er schlägt sich gerade mit Conrad und Berthold.«

Vor Schreck blieb ihr der Mund offen stehen, dann wollte sie losrennen. Doch Lukas packte sie schnell am Arm und hielt sie fest.

»Du kannst da jetzt nicht hin! Wenn sich das herumspricht, bekommt er ziemlichen Ärger. Und er kann keine Ablenkung gebrauchen, wenn er allein gegen zwei gleichzeitig antritt.«

Fassungslos starrte sie ihn an und brauchte alle Kraft, um nicht laut aufzuschreien.

Gut ein Dutzend Männer hatten sich auf dem allgemein bekannten Platz für heimliche Zweikämpfe eingefunden, um diese außergewöhnliche Auseinandersetzung zu verfolgen.

Hier trat ein bewährter Ritter gegen zwei Männer an, die zugegebenermaßen nicht zu den besten Kämpfern zählten. Dennoch, es waren zwei gegen einen. Und es ging um den Ruf einer Dame, die in vagem Verdacht stand, eine Zaunreiterin zu sein. Dass die Kontrahenten langjährig verfeindete Nachbarn waren, verlieh dem Ganzen zusätzliche Würze.

Mit fast gelangweilt wirkender Miene nahm Christian vor seinen beiden Gegnern Aufstellung, und weil er wusste, dass sie das nur noch mehr verunsichern würde, ließ er ein verächtliches Lächeln um seine Lippen spielen.

Er hatte sich seine Vorgehensweise längst zurechtgelegt.

Die beiden würden damit rechnen, dass er den ersten Angriff gewohnheitsmäßig mit der rechten Hand ausführen würde, und deshalb zuerst seine linke Seite attackieren. Also führte er sofort den ersten Hieb mit Lukas' Schwert nach links und brachte mit einem schwungvollen Mittelhau Berthold zu Fall, der der schwächere Kämpfer war. Mit der Rechten wehrte er Conrad ab, der von der Seite auf ihn einstechen wollte, und holte zu einem Oberhau aus, weil er erkannte, dass sein Gegner die gleiche Bewegung vorhatte. Dann ließ er seine Klinge an Konrads Klinge entlang bis auf die Parierstange gleiten, löste mit einer blitzschnellen halbrunden Bewegung sein Schwert vom gegnerischen Schwert, schwang es unter der Klinge hindurch und setzte ihm die Spitze an den Hals.

Die Umstehenden stießen anerkennende Rufe für das geglückte riskante Manöver aus.

Als Conrad sich mit der symbolischen Geste geschlagen gab, sah Christian aus den Augenwinkeln, dass Berthold wieder auf die Füße gekommen war und sich mit vorgereckter Schwertspitze auf ihn stürzen wollte. Doch er wich aus und brachte Berthold erneut zu Fall, indem er ihm mit flacher Klinge in die Kniekehlen schlug. Mit einem kurzen Blick überzeugte er sich davon, dass sich Conrad nicht weiter in den Kampf einmischen würde, und setzte Berthold die Spitze seines Schwertes an die Halsgrube unterhalb des Kehlkopfes.

»Ich sollte dich töten«, erklärte er kaltblütig. Berthold starrte ihn nur an, nicht mehr in der Lage, ein einziges Wort zu sagen.

»Um den Willen unseres Dienstherrn zu achten, lasse ich dich am Leben, wenn du mir Sicherheit bietest. Du wirst dich mir auf Gnade und Ungnade ergeben, den Ausgang des Zweikampfes als Beweis für die Unschuld meiner Frau ansehen und mir vor Zeugen schwören, nie wieder schlecht Zeugnis wider sie zu reden oder uns sonst irgendwelche Hindernisse in den Weg zu legen.«

Berthold nickte stumm. Daraufhin nahm Christian die Schwertspitze von seiner Kehle und bedeutete ihm, aufzustehen.

Aus den Augenwinkeln bekam er eine Bewegung mit und fuhr herum, aber einige der umstehenden Ritter hatten sich schon auf Conrad gestürzt, der nochmals angreifen wollte, obwohl er sich ergeben hatte.

Erboste Rufe über ein solch ehrloses Verhalten kamen auf.

»Eine Schande für den ganzen Stand«, meinte Christian verächtlich. Dann rief er voller Wut: »Auf die Knie mit euch! Bevor ich mir es doch noch anders überlege und von meinem Recht Gebrauch mache!«

Mit betretenen Mienen sanken die beiden vor ihm auf die Knie.

»Welche Sicherheit bietet ihr mir?«, forderte Christian. »Auf euer Wort kann ich mich nicht verlassen, wie sich gezeigt hat.«

Einer der älteren Ritter, ein gestandener Kämpfer und angesehener Gefolgsmann Ottos, trat auf Christian zu und legte ihm die Hand auf die Schulter. »Lasst es gut sein, Christian. Ihr habt allein zwei Gegner besiegt. An der Ehrbarkeit und Frömmigkeit Eurer Frau besteht kein Zweifel. Wir alle sind Zeugen.« Er sah in die Runde und erhielt die Zustimmung der anderen.

»Wir werden den Ausgang des Kampfes weitertragen. Und sollte sich einer dieser beiden Ehrlosen gegen Euch oder Euer Weib versündigen, wird ihn unser aller Zorn und Verachtung treffen.«

Der Wortführer trat einen Schritt zurück und sah in die Runde. »So ist es doch, oder?«

»Genau«, pflichteten ihm mehrere der Umstehenden laut bei.

»Ehrloses Pack«, knurrte Christian. »Aber Ihr habt recht, lebend nützen sie mir mehr. Im Moment jedenfalls …«, fügte er als unverhüllte Drohung für seine Gegner hinzu.

Inzwischen waren Marthe und Lukas heftig in Streit miteinander geraten.

»Also, ehrlich, du beleidigst ihn, wenn du glaubst, er würde nicht allein mit diesen zwei Stümpern fertigwerden«, entrüstete sich Lukas.

Marthe blieb die Luft weg angesichts seiner Worte.

Männer! Begriffen diese Kerle denn gar nicht, dass in einem Kampf nicht immer zwangsläufig der Bessere siegte? Auch dem geübteren Kämpfer konnte irgendein unglücklicher Zufall zum Verhängnis werden – oder die Heimtücke eines Feindes, der sich nicht an die Regeln hielt. Und Christian trat sogar gegen zwei an, die bestimmt zu jeder Schändlichkeit bereit waren! Sein Schwert konnte bersten, ein Hieb abgleiten. Hatten Conrad und Berthold nicht den gleichen Lehrmeister im Schwertkampf wie er gehabt? Beherrschten sie nicht haargenau die gleichen Manöver?

»Unsinn, so redet nur jemand, der noch nie eine Waffe in der Hand gehabt hat«, widersprach Lukas energisch. »Sein Schwert wird nicht bersten. Es stammt von den Kölner Waffenschmieden, die bekanntlich die besten Schmiede hierzulande sind. Und wenn sie auch alle drei Arnulf als Lehrmeister hatten – ein Manöver zu kennen, das heißt noch lange nichts. Hier geht es um die Wucht des Hiebes, um Schnelligkeit, darum, die nächste Bewegung des Gegners vorauszuahnen. Dabei macht ihm keiner etwas vor. Und die zwei schon gar nicht. Die haben sich doch hier schon fast in die Hosen gemacht. Verzeih den rüden Ausdruck.«

Wieder einmal verneigte er sich spöttisch vor ihr.

Doch Marthe ließ sich nicht beruhigen. Vielleicht war sie schon Witwe – und alles nur wegen irgendeines läppischen Streites!

»Er tut das, um deinen Ruf zu verteidigen«, hielt Lukas ihr vor und brachte sie damit erwartungsgemäß zum Schweigen. Plötzlich musste sie an das Gespräch mit dem Bischof denken. Sie biss sich auf die Lippe und ließ den Kopf hängen. Schon wieder hatte sie Christian in Gefahr gebracht.

»He, kein Grund zu verzweifeln«, versuchte Lukas sie aufzumuntern. »Du wirst sehen, mit diesen zwei Versagern ist er im Handumdrehen fertig. Sie müssten eigentlich jeden Augenblick wieder auftauchen.«

Wenn sie nur seine Zuversicht teilen könnte! Dann sah sie eine Gruppe bewaffneter Männer durch das Schneegestöber auf sie zukommen, Christian an der Spitze.

Mit langen Schritten ging er auf sie zu. »Wie war es beim Bischof?«

»Wie war es auf der Kampfwiese?«, fragte sie aufgebracht zurück.

Er lächelte leicht. »Ganz nützlich. Ein Sieg unter Zeugen als Gottesbeweis für deine Unschuld. Und sollten diese beiden traurigen Gestalten« – er winkte Berthold und Conrad heran, die von einer Gruppe vergnügter Ritter umgeben waren – »noch einmal eine schlechte Bemerkung über dich fallenlassen, haben sie vor der gesamten Ritterschaft ihr letztes bisschen Ehre verloren.«

Jemand stieß die beiden nach vorn.

»Ihr werdet jetzt die Dame Marthe kniefällig um Verzeihung bitten und euch ihres Wohlwollens versichern«, befahl Christian.

Beide knieten nieder und rangen sich ein paar reumütige Worte ab.

»Ich hatte solche Angst um dich«, schimpfte Marthe, als sich die Menschentraube aufgelöst hatte. »Musste das sein?«

»Ja«, sagte Christian, der auf einmal sehr finster dreinblickte.

Absolution und Rache

Es hätte nicht aufsehenerregender zugehen können: Zur hohen Messe kniete Marthe mit ihrer Kerze vor dem Dom, in einem prachtvollen neuen Kleid, das ihr Hedwig zum Dank geschenkt hatte. Dann durfte sie unter den Augen des gesamten Hofstaates die Kathedrale betreten, um die Sakramente zu empfangen.

Da die Geschichte von Christians klarem Sieg über gleich zwei Verleumder inzwischen natürlich unter dem gesamten Hofstaat die Runde gemacht hatte und als eindeutiges Urteil gewertet wurde, war die Wiederherstellung von Marthes Ruf umfassend.

Vorerst zumindest. Sie und Christian waren sich darüber im Klaren, dass die Entscheidung noch lange nicht gefallen war, ob sie weiterhin ihre Arbeit als Wehmutter ausüben durfte. Bischof

Martins Leute würden sicher jeden ihrer Schritte überwachen. Sie durfte sich nicht das Geringste zuschulden kommen lassen, das auch nur den Hauch eines Verdachtes wecken konnte. Und unter der feindseligen Kontrolle durch Sebastian würde das Leben in ihrem Dorf ganz sicher noch schwieriger werden.

Doch das Hochamt hatte kaum begonnen, als sie plötzlich zusammenfuhr. In ihrem Rücken spürte sie eine so intensive Welle von Hass, dass sie sich unwillkürlich umdrehte.

Der Anblick traf sie wie ein Hammerschlag.

Das Raubvogelgesicht!

Schnell sah sie wieder nach vorn. Wenn sie zu erkennen gab, welches Entsetzen sie in seiner Gegenwart verspürte, würde niemand mehr glauben, dass sie vergessen hatte, was seit ihrer Verhaftung geschehen war.

Elisabeth, die neben ihr stand, hatte ihre hastige Bewegung bemerkt und blickte in die gleiche Richtung. Auch sie fuhr zusammen, doch Marthe presste ihre Hand, um ihr zu verstehen zu geben, dass sie sich nichts anmerken lassen durfte. Elisabeth begriff sofort, was auf dem Spiel stand, setzte ihre frömmste Miene auf und sah zu, wie der Bischof die Hostie hob.

Natürlich war Christian der stumme Aufruhr an seiner Seite nicht entgangen. Ihm war der Geistliche mit den hassverzerrten Zügen, die etwas Raubvogelartiges hatten, bereits beim Betreten der Kirche aufgefallen. Nicht nur, weil ein Diener Gottes frei von Hass sein sollte, sondern vor allem deshalb, weil der Fremde Marthe nicht aus den Augen ließ. Seine Instinkte als Kämpfer waren darauf geschult, einen Feind zu erkennen.

Er sah, dass Marthes Beine für einen Moment wegknickten und sie schneeweiß vor Entsetzen wurde beim Anblick des Fremden. Schnell fasste er nach ihrem Arm, um ihr Halt zu geben, während sie nun wieder starr geradeaus sah und so tat, als würde sie der Messe folgen.

»Wer ist das?«, flüsterte er Marthe zu.

»Ich kenne seinen Namen nicht«, brachte sie mit zittriger Stimme hervor. Um nichts in der Welt durfte sie Christian sagen, was ihr das Raubvogelgesicht angetan hatte. Wenn er sich an einem Gottesmann vergriff, würden sie beide zu Tod und ewiger Verdammnis verurteilt werden.

Nach Christians Meinung konnte Marthes Reaktion auf das Raubvogelgesicht nur eines bedeuten: Der Fremde musste etwas mit ihrer Verhaftung und dem Verhör zu tun haben.

Sie war bis zu diesem Tag nicht in der Lage, darüber zu sprechen, was sie ihr angetan hatten, und er drängte sie nicht dazu, weil er befürchtete, das Grauen in allen Einzelheiten noch einmal zu durchleben, könnte sie erneut in Agonie fallen lassen.

Aber er hatte die Folterspuren auf ihrem Körper gesehen, er hatte noch Wort für Wort in Erinnerung, was ihm die fremde Magd von der Wasserprobe und Marthes Zustand berichtet hatte, als er nach ihr gesucht hatte.

Wenn das Raubvogelgesicht derjenige war, der sie an Leib und Seele verstümmelt hatte, dann würde er nicht ruhen, bis er sich an ihm gerächt hatte. Auch wenn ihm dafür das Höllenfeuer sicher war. Dieser Mann, das verriet ihm dessen hassverzerrte Miene, würde nicht eher aufgeben, bevor er Marthe vernichtet hatte, was immer auch seine Beweggründe dafür waren.

Er musste Erkundigungen einziehen, aber so vorsichtig, dass niemand ihn mit dem plötzlichen Verschwinden des Geistlichen in Verbindung brachte.

Christian nutzte das Gedränge am Ende der Messe, um sich zu Elisabeth hinüberzubeugen. »Woher kennst du diesen Mann?«, flüsterte er ihr zu und wies vorsichtig mit dem Kopf in die Richtung des Raubvogelgesichts.

»Er hat damals Marthe in unserer Halle verhaftet«, sagte sie leise mit gepresster Stimme.

Und ihr schon dort Fesseln anlegen lassen, brachte er ihren Satz in Gedanken zu Ende. Damit hatte er das Urteil über sie schon gefällt. Aber warum? Wer steckte dahinter? Und war er auch derjenige, der sie hatte martern lassen? Er musste absolut sicher sein, bevor er den Mann tötete. Aber lieber wollte er im Höllenfeuer schmoren als Marthe noch einmal verlieren.

Für einen Moment spielte er mit dem Gedanken, sich unter den gutinformierten Wirten oder den Klatschweibern auf dem Markt umzuhören, die bei der Wasserprobe dabei gewesen waren. Doch schnell ließ er den Gedanken fallen. Von ihnen würde er nicht mehr erfahren, als er ohnehin schon wusste. Was wirklich im Kerker vorgefallen war, wusste außer Marthe, dem Folterknecht und den Wachen nur einer: Ekkehart. Er war dort gewesen und hatte es aus nächster Nähe gesehen, bevor er Marthe aus unerfindlichen Gründen aus dem Verlies gerettet hatte.

Doch Ekkehart war vor ein paar Tagen überraschenderweise abgereist. Und durfte er sich in dieser gefährlichen Sache ausgerechnet an einen Mann wenden, dem er nicht trauen konnte?

Das Festmahl in Ottos Halle verlief in ausgelassener Stimmung. Otto hatte Spielleute und Gaukler eingeladen und brachte immer wieder Trinksprüche auf die glücklich überstandene Entbindung seiner Gemahlin und seine neugeborene Tochter aus.

Hedwig wirkte noch angegriffen, aber deutlich erleichtert.

Als Otto mit Rücksicht auf sie die Tafel zu fortgeschrittener Stunde aufhob und auch Christian und Marthe sich zurückziehen wollten, kam zu ihrer Verwunderung der junge Böhmenherzog auf sie zu, Ottos Schwiegersohn Ulrich.

Er griff nach Marthes Hand, beugte sich über sie und hauchte einen galanten Kuss darauf. »Ihr seid wirklich eine außergewöhnliche Frau, Dame Marthe«, sagte er, während er ihr tief in die Augen sah.

Dann wandte er sich lächelnd an Christian. »Jetzt verstehe ich, warum Ihr immer wieder so viel für sie wagt.«

Marthe sah irritiert auf den jungen Böhmen. War dies einfach eine höfische Floskel oder machte er ihr Avancen? Darauf schien zumindest Christians Reaktion hinzuweisen. Obwohl er Ulrich verpflichtet war – er hatte ihr erzählt, dass Ulrich ihm, Christian, überraschend gegen Otto beigestanden hatte –, spürte sie sein Unbehagen. Besitzergreifend nahm er ihren Arm und führte sie aus der Halle.

»Am liebsten würde ich heimreisen«, gestand Marthe, als sie später in kleinerer Runde mit Christian, Lukas, Raimund, Elisabeth, Richard und Gero zusammensaßen. Ihr graute schon vor dem bald nahenden Tag, an dem Christian sie hier allein zurücklassen würde. Dann würde sie weder Halt noch Trost haben.

»Und Sebastian direkt in die Klauen«, holte Christian sie gnadenlos aus ihren Träumen zurück.

»Du hast ja recht«, sagte sie traurig. »Aber ich vermisse die Kinder. Und ich werde dich vermissen.«

»Du fürchtest dich vor dem Geistlichen, der dich bei der Messe so angestarrt hat«, konstatierte er mit undurchdringlicher Miene.

»Ich fürchte mich derzeit vor jedem Geistlichen, der mich scharf ansieht«, erwiderte sie brüsk.

»Dann bleib hier und rühr dich nicht von Hedwigs Seite, bis die Kapelle fertig ist.« Versöhnlicher fügte er hinzu: »Wenn du willst, hole ich Clara hierher. Thomas wird nicht von unseren

Pferden wegwollen, aber die Kleine ist bei dir sicher besser aufgehoben. Ich muss in den nächsten Tagen sowieso einige Botengänge erledigen, da kann ich sie und Marie mitbringen. Hedwig wird nichts dagegen haben, wenn ihre ältere Tochter noch eine Spielgefährtin bekommt.«

Seine Freunde hatten ihn verwundert angestarrt, als er von Botengängen sprach. Doch niemand sagte etwas.

Am nächsten Morgen verließ Christian allein den Burgberg. Für eine besondere Mission, wie er sagte, ohne weitere Erklärungen abzugeben.

Christian ritt zuerst in sein Dorf, um zu sehen, was dort während seiner Abwesenheit geschehen war.

Die Dorfbewohner grüßten ihn ehrerbietig und erleichtert, sein Sohn stürzte begeistert auf ihn zu, und Clara quietschte vor Vergnügen, als sie ihren Vater erkannte. Marie führte ihm stolz die Fortschritte seiner Tochter vor, die inzwischen immer mehr neue Worte plapperte, und freute sich über das Tuch, das er ihr schenkte.

Auch für die Köchin und die anderen Mitglieder seines Haushaltes hatte er kleine Geschenke mitgebracht.

Er suchte nach Johanna, mit der er dringend sprechen musste, doch sie war nicht im Haus. So tat er das, wozu es ihn besonders trieb, und suchte Herwart auf, der wie eh und je unerbittlich seine Männer über den Übungsplatz scheuchte.

Wie Herwart berichtete, hatten seine Leute die Wälder um Christiansdorf in weitem Umkreis durchsucht. Aber nirgendwo fand sich eine Spur, die darauf hinwies, dass sich hier eine Gruppe Bewaffneter oder eine Bande Gesetzloser versteckt hielt. Sie konnten wohl davon ausgehen, dass die Gegner – woher sie auch kamen – keine neuen Überfälle planten, bevor der verräterische Schnee geschmolzen war.

»Eure beiden besonderen Schützlinge machen sich allmählich«, berichtete Herwart und wies auf Kuno und Bertram, die auf dem Hof schweißüberströmt mit Übungsschwertern auf ein paar ältere Männer einhieben. Christian sah den beiden zu und konstatierte mit Befriedigung, dass die harte Zusatzausbildung, der er ihnen hatte zukommen lassen, inzwischen Früchte zu tragen schien.

Bevor Christian wieder nach Hause ging, stattete er dem Schmied und seiner Frau einen kurzen Besuch ab. Jonas und Emma saßen mit ihren Kindern beim Essen und wollten sich erheben, als er eintrat, doch er winkte ab und zog einen Schemel heran, um mit ihnen am Tisch Platz zu nehmen.

Emma füllte eine Schüssel mit Brei, schob ihm Brot und Käse zu und schenkte ihm lächelnd Bier in einen hölzernen Becher.

»Ich werde Ärger mit Mechthild bekommen, wenn ich nicht mehr genug Platz im Magen habe für all die Sachen, mit denen sie mich vollstopfen will«, wehrte er ab. Doch dann merkte er, wie hungrig er war, und griff zu, während er die beiden ausfragte, was im Dorf geschehen war und wie sich Josef als Dorfschulze machte.

Jonas prustete verächtlich. »Er spielt den Ergebenen, solange Ihr da seid, aber kaum habt Ihr den Waldrand erreicht, stolziert er herum, befiehlt dieses, befiehlt jenes. Kaum etwas davon hat je Sinn – außer ihm die Taschen zu füllen. Es wird wohl unterhaltsam sein, zu erleben, wie er sich aufführt, wenn erst Randolf hier Einzug hält«, meinte Jonas zähneknirschend.

»Wir vermissen Pater Bartholomäus«, seufzte Emma.

Wie vorausgesehen tischte die Köchin Christian kräftig auf und schalt, weil er den ganzen Tag in den nassen Sachen durch das Dorf gelaufen war.

Doch Christian ließ sie reden und suchte nach Till, der gedankenversunken in der halbfertigen Kapelle hockte und nicht zu merken schien, dass er langsam einschneite, weil der Anbau noch kein Dach hatte.

Christian legte ihm die Hand auf die Schulter, was ihn aus düsteren Gedanken zu reißen schien, und schob ihn zu Mechthild.

»Hier hast du jetzt jemanden zum Bemuttern«, meinte er mit gutmütigem Spott.

Während Till von der Köchin mit heißer Suppe, Brot und Bier versorgt wurde, trat Johanna ein, mit glitzernden Schneeflocken auf dem langen blonden Haar und von der Kälte geröteten Wangen.

Marthe hat recht, sie wird allmählich zur Frau, noch dazu zu einer bildhübschen, ging ihm verwundert durch den Kopf. Und vermutlich hat daran ein gewisser rothaariger Bursche nicht unerheblichen Anteil.

Johanna errötete noch mehr, als sie seinen Blick spürte, dann senkte sie den Kopf und begrüßte ihn genauso schüchtern, wie sie es immer tat.

»Setzt euch her«, bat er Johanna und Till und schickte alle anderen hinaus. »Ich will eine ehrliche und erschöpfende Antwort: Macht Sebastian euch Ärger?«

Von allen Dorfbewohnern außer Marthe und Christian, die derzeit für ihn unerreichbar waren, mussten dem Eiferer die junge Kräuterfrau und der einstige Vagant, der ihn in einem theologischen Disput geschlagen hatte, ein besonderer Stachel im Fleische sein – noch dazu, da beide Christians Haushalt angehörten.

»Er ist sehr streng«, sagte Johanna leise. »Vor allem den Frauen gibt er harte Bußen auf. Aber er sagt nichts dagegen, dass ich meine Arbeit tue.«

»Im Vergleich zu seinem Auftritt hier als Sigruns Beichtvater hält er sich noch zurück«, meinte Till. »Mir kommt es so vor,

als ob er noch auf irgendetwas wartet, bevor er richtig zu-
schlägt.«

Der einstige Spielmann lachte ein bitteres Lachen. »Es geht jetzt
deutlich freudloser zu als zu Bartholomäus' Zeiten. Lachen,
Singen, das alles hält er für schlimme Sünden, von der Teufelei
des Tanzes ganz zu schweigen. Und ich denke, es wird bald
Schwierigkeiten geben wegen des Hurenhauses. Das ist für ihn
die Pforte zur Hölle. Jeden Sonntag wettert er dagegen. Als ob
die Kerle aufhören würden, zu den Huren zu gehen, wenn sie
hier wieder jede für sich im Zelt oder in einer Scheune ihre
Kundschaft bedienen.«

Christian blieb über Nacht, dann sattelte er anstelle des auffälligen Rappens sein unauffälliges Packpferd und machte sich auf
die Suche nach Ekkehart.

Er fand ihn zu seiner Erleichterung bereits an dem ersten Ort,
an dem er ihn gesucht hatte, auf seinem Stammsitz.

Der Ritter mit der ansonsten so undurchschaubaren Miene war
diesmal offenkundig denkbar schlechter Laune. Gerade verpasste er auf dem Hof einem jungen Burschen ein Dutzend
wuchtiger Peitschenhiebe. Erst als er fertig war, bemerkte er
den sich nahenden Besucher, warf die Rute fort und wischte
sich die Hände ab. Einem blutjungen Mädchen mit rotbraunem
Haar, das jämmerlich schluchzend daneben stand, befahl er
schroff: »Du gehst nach oben in meine Kammer und wartest
dort auf mich.«

Völlig eingeschüchtert befolgte das Mädchen den Befehl, nachdem es noch einmal einen verzweifelten Blick auf den jungen
Burschen geworfen hatte.

Christian, der am liebsten dazwischengegangen wäre, betrachtete die Szene angewidert und kam dabei zu einer unliebsamen
Erkenntnis. Der Blick, mit dem Ekkehart dem Mädchen nach-

sah, als es mit ängstlichen Schritten zum Wohnturm ging, bestätigte seinen bislang uneingestandenen Verdacht, warum ausgerechnet Randolfs Kumpan unter so großem persönlichen Wagnis Marthe geholfen hatte.

Wozu war er fähig, um sie zu bekommen?

Der Ritter mit dem hageren, kantigen Gesicht ging verwundert auf den unerwarteten Besucher zu und bemerkte dabei, dass der andere auch diesmal seinem Wunsch gefolgt war – niemand sollte den fremden Gast am Pferd erkennen.

»Lass uns ein Stück reiten«, schlug Christian vor.

Er war sich darüber im Klaren, dass die Seelenqual des fremden Mädchens immer mehr wachsen würde, je länger sie auf ihren Herrn warten musste, damit der wer weiß was mit ihr anstellte. Aber bei diesem Gespräch wollte er keine Zeugen.

Ekkehart nickte kurz, winkte einen Stallburschen heran und befahl, ein Pferd zu satteln. Binnen kürzester Zeit wurde ihm sein Fuchshengst gebracht.

In mäßigem Tempo ritten sie schweigend nebeneinander über ein verschneites Feld zu einem Waldstück. Nach einer Viertelmeile brachte Ekkehart seinen kostbaren Hengst zum Stehen. Christian schloss zu ihm auf und tat es ihm gleich.

»Ich muss erfahren, was damals mit meiner Frau geschehen ist, im Kerker und bei der Wasserprobe«, sagte er ohne Umschweife.

Als Ekkehart ihn fragend ansah, aber weiterhin schwieg, erklärte Christian seinen überraschenden Besuch: »Sie kann nicht darüber sprechen. Aber ich muss es wissen, wenn ich ihr helfen will, je darüber hinwegzukommen.«

Ekkehart nickte versonnen, dann saß er ab, band sein Pferd an und lehnte sich gegen eine mächtige Buche, deren kahle Äste mit dicken Hauben aus Schnee bedeckt waren.

Nachdem auch Christian abgesessen war, begann er zu erzählen. Wie er glaubte, seinen Augen nicht trauen zu können, als er sah, dass Marthe in Ketten in den Bischofspalast geführt wurde. Wie er unauffällig Posten bezog und am nächsten Vormittag hörte, dass die Ausrufer eine Wasserprobe ankündigten. Über die denkwürdige Prozession, bei der Marthe im Büßerhemd und mit unübersehbaren Spuren grausamer Folter zum Elbufer gezerrt wurde. Wie er blitzschnell seinen Plan fasste, unbemerkt von den aufgeregten Leuten einen Wachposten niederschlug, dessen Kleidung anzog und seinen Platz einnahm. Und wie nach der Wasserprobe ein Geistlicher mit schnarrender Stimme und einer scharf gekrümmten Nase erbot, sie umgehend erneut unter Folter zu befragen.

»Da war mir klar, dass ich sofort handeln musste. Noch einmal hätte sie das nicht überlebt. Dafür war er zu begierig aufs Foltern«, schloss Ekkehart düster.

Christian hatte gehört, was er hören musste, auch wenn ihm die Einzelheiten bis ins tiefste Innere quälten.

»Danke«, sagte er. »Ich stehe erneut in deiner Schuld.«

Dann ritt er zurück nach Hause.

Währenddessen übergab Ekkehart seinen Hengst den Stallburschen und ging hinauf in seine Kammer für einen erneuten Versuch, seinen Hass und seine unbefriedigte Sehnsucht an dem Mädchen zu stillen, das dort voller Angst auf ihn wartete.

Doch bald war ihm klar, dass ihm das so nie gelingen würde.

Am nächsten Morgen brach er wieder auf nach Meißen.

Richenza konnte ihren Triumph bei seinem Anblick nur mit Mühe verbergen. Du wolltest vor mir fliehen und bist doch zurückgekehrt, dachte sie. Jetzt kannst du mir nicht mehr entkommen.

Es war schon Nacht, als Christian sein Haus wieder erreichte. Aber er war sicher, dass Till noch nicht schlief. Er fand den

Schreiber diesmal in der ansonsten leeren Halle, in düstere Gedanken versunken, den Blick starr auf irgendeinen Punkt in der Ferne gerichtet.

»Mechthild sagt, dass sie mir mit dem Schöpflöffel eins überzieht, wenn ich es nochmals wage, mich bei dem Wetter draußen in den Schnee zu hocken und die Zeit zu vergessen«, meinte er mit gequältem Lächeln, als er Christian bemerkte.

»Nun, wer von uns fürchtet ihren Zorn nicht?«, meinte Christian mit leichtem Spott. Dabei war er froh, dass die Köchin ein wachsames Auge auf alle ihre Schützlinge hatte.

Der Schreiber besann sich und fragte, ob Christian etwas Heißes zu trinken haben wolle.

»Lass uns in die Küche gehen und nachsehen, was sich dort findet«, sagte Christian und vergewisserte sich, dass Till ihm folgte. Sie schenkten sich jeder einen Becher Bier ein und tranken schweigend.

In die Stille hinein fragte Christian: »Als du in Meißen warst, um nach einem Kaplan Ausschau zu halten, hast du da etwas über diesen Mann gehört?« So ausführlich er konnte, beschrieb er Marthes Peiniger.

Er war nicht überrascht, als Till sofort nickte und sich sein Gesicht noch mehr verdüsterte.

Der einstige Spielmann hatte sich im Herbst auf Christians Bitte hin für mehrere Wochen in Meißen einquartiert, um einen geeigneten Kaplan zu finden, der im Frühjahr, wenn die Kapelle fertig war, zu ihnen ziehen sollte. Er sprach mit den Schreibern, die sich vor und in der Kathedrale herumdrückten, um einen Auftrag zu bekommen. Und er wurde Stammgast in der Gastwirtschaft, in der die Scholaren und Schreiber bevorzugt einkehrten, bei dünnem Bier und magerer Kost gelehrsame Dispute führten und die neuesten Geschichten austauschten – die beste Informationsquelle für seine Zwecke.

Dabei hatte er auch nähere Bekanntschaft mit einem hungrig wirkenden jungen Hilfsschreiber aus dem Bischofspalast gemacht. Eine gute Gelegenheit, herauszufinden, was sie dort zu Marthes Fall reden und planen, hatte Till gedacht und dem Mann aus Christians Reisekasse mehrere Becher spendiert, angeblich weil er dessen Ausführungen zu Aristoteles so brillant fand und mehr davon hören wollte. Bald war der junge Mann so nah am Rande völliger Trunkenheit, dass Till dem Wirt bedeutete, vorerst die Becher nicht wieder nachzufüllen.

Es war Till ein Leichtes gewesen, ihm Informationen über den aufsehenerregendsten Fall des Jahres zu entlocken. Dabei brachte der junge Mann auch ganz von sich die Rede auf den Mann, den Christian gerade beschrieben hatte. Was Till dabei zu hören bekam, hatte ihm eiskalte Schauer über den Rücken gejagt.

Nachdem er dem Schreiber versichert hatte, sie seien nun Freunde fürs Leben, bettete er ihn mäßig rücksichtsvoll unter die Bank, damit er ungestört seinen Rausch ausschlafen konnte, und verschwand unerkannt. Was er erfahren hatte, erschien ihm so ungeheuerlich, dass er die nächste Gelegenheit nutzte, von fern einen Blick auf den Mann zu werfen.

»Ein Abgesandter der Hölle im Gewand eines Gottesmannes«, sagte Till, und schon bei dem Gedanken schauderte ihn erneut. »Er scheint es sich zur persönlichen Aufgabe gemacht zu haben, jeden zu vernichten, der auch nur ansatzweise unter dem Verdacht der Hexerei steht. Es heißt auch, selbst der grausamste Kerkermeister könnte noch von ihm lernen, wenn es darum geht, den Opfern ein Schuldgeständnis zu entlocken.«

Der einstige Spielmann mied bei diesen Worten sorgfältig Christians Blick. Er nahm einen Schluck, um sich zu sammeln, und berichtete dann weiter. »Keiner weiß, wer wirklich sein Auftraggeber ist. Aber alle fürchten, es muss ein mächtiger

Mann sein. Deshalb wagt niemand, ihm in den Arm zu fallen, selbst wenn er jedes Maß überschreitet.«

»Reist er viel?«, erkundigte sich Christian.

»In regelmäßigen Abständen verschwindet er für ein paar Tage. Angeblich, um in einer abgelegenen Klause zu beten und Erleuchtung zu finden. Entweder sucht er neue Opfer – oder, wie gemunkelt wird, eine Gelegenheit, gewisse Gelüste zu befriedigen.«

Till beobachtete seinen neuen Dienstherrn mit einem vorsichtigen Blick. »Er war es, der Eurer Frau das angetan hat, nicht wahr?« Es war eine Feststellung, keine Frage. »Ich denke, ich weiß, was Ihr vorhabt. Und ich werde schweigen wie ein Grab. Aber wenn ich Euch behilflich sein kann – nehmt mich mit! Ihr könnt auf mich zählen.«

Christian schüttelte den Kopf. »Es ist am besten, du vergisst unser Gespräch.«

In diese Sache durfte er niemanden mit hineinziehen. Schlimm genug, wenn er selbst sein Seelenheil verlor.

»Nehmt mich mit«, sagte Till mit ungeahnter Heftigkeit. »Es war einer von seiner Sorte, der die Meute aufgestachelt hat, meine Frau, mein Kind und meinen Gefährten zu erschlagen! Ich könnte ihn unauffällig beobachten. Vergesst nicht, ich bin ein Spielmann und kann in viele Rollen schlüpfen. Niemand wird sich an mich erinnern, wenn ich es nicht will.«

Am Morgen brach Christian erneut nach Meißen auf, um Marie und Clara zu Marthe zu bringen. Er hatte Hans und Friedrich, die beiden ehemaligen Salzfuhrleute aus Halle, mit klingender Münze davon überzeugt, ihre nächste Fahrt nach Meißen vorzuverlegen und die Mädchen auf ihrem Karren reisen zu lassen. Da die beiden redseligen Brüder ohnehin einen Narren an den Kindern gefressen hatten, machten sie aus der für Christian ungewohnt langsamen Reise für Clara und Marie ein Abenteuer mit vielen vergnüglichen Geschichten.

Till begleitete sie auf einem Maulesel. Christian verabschiedete sich noch vor der Stadtgrenze von ihm.

Glücklich drückte Marthe ihre Tochter nach der langen Trennung an sich. Doch in ihre Wiedersehensfreude mischte sich der Kummer über Christians bevorstehende Abreise. Er musste sich endlich wieder um die Angelegenheiten in seinem Dorf kümmern.

»Ich komme, sooft ich kann«, versprach er Marthe, und ihre Traurigkeit zerriss ihm fast das Herz.

Statt sofort zurückzureiten, quartierte sich Christian in Meißen in einer Herberge ein, von der aus er die Menschen beobachten konnte, die Tag für Tag in die Stadt hinein- und vor allem aus der Stadt hinausdrängten.

Er musste nicht lange warten. Bereits am zweiten Tag kam Till zu ihm gerannt, der sich als Stallbursche verkleidet und in den Stallungen des Bischofspalastes verdingt hatte.

»Er lässt sich einen Zelter satteln, mit Proviant für eine Woche«, berichtete der Spielmann atemlos.

Christian dankte ihm und riet ihm, sich umgehend auf den Rückweg ins Dorf zu machen. Aus dem Fenster seiner Kammer beobachtete er, welche Richtung das Raubvogelgesicht nach Verlassen der Stadt einschlug. Diesmal trug er kein kostbares schwarzes Gewand mit einem goldenen Kreuz, sondern nur eine einfache Kutte.

Christian zahlte seine Rechnung und holte den Rappen. Er konnte getrost genug Abstand halten, um nicht aufzufallen. Bald gab es keine weiteren Reisenden in dieser Richtung, und er musste nichts anderes tun, als den Spuren des Zelters im Schnee zu folgen. Er durchquerte ein Dorf, ein zweites, sah vor sich eine verlassene Ebene, die zu einem Wäldchen führte.

Gut, dachte er grimmig. Er wollte Marthes Peiniger fernab von Menschen töten.

Doch bald musste er seine Pläne ändern. Am Ende des Weilers kreuzten sich die Spuren des Zelters mit denen eines barfüßigen Kindes oder einer sehr zierlichen Frau. Genau war das nicht mehr zu erkennen, denn inzwischen hatte es wieder zu schneien begonnen.

Für ein kurzes Stück verliefen die nackten Fußspuren neben den Hufen, doch dann gab es unverkennbare Zeichen eines kurzen Kampfes. Wie es schien, hatte das Kind oder die Frau wegrennen wollen, war eingefangen und aufs Pferd gezerrt worden.

Christian vergaß nun alle Vorsicht und trieb seinen Rappen schneller durch den Schnee, in den Wald hinein, immer den Spuren folgend. Die Bäume wurden dichter, er dachte schon, er hätte sein Ziel verfehlt. Dann hörte er von rechts einen hellen Schrei. In jener Richtung sah er von weitem die Konturen einer halbverfallenen Hütte. Christian sprang ab, band den Hengst fest, zog seinen Dolch und trat die Tür zur Hütte ein.

Obwohl er in seinem Leben schon viel Grausiges hatte sehen müssen, überkam ihn doch Übelkeit angesichts des Bildes, das sich ihm bot.

Der Gesuchte hatte die Kutte hochgehoben. Vor ihm war ein nackter Junge über einen Holzklotz gebeugt, dessen Arme und Beine ein regelmäßiges Muster blutiger Schnitte aufwiesen.

Erschrocken und erbost über die Störung drehte sich das Raubvogelgesicht um. Als er die blanke Waffe auf sich gerichtet sah, kreischte er: »Ich bin ein Diener Gottes! Wenn Ihr mir etwas tut, fahrt Ihr geradewegs in die Hölle!«

»Dann treffen wir uns dort wieder«, sagte Christian in unbändigem Zorn und stieß ihm den Dolch ins Herz.

Das Raubvogelgesicht verharrte für einen Moment reglos, dann knickte er ein und fiel seitlich auf den zu Tode verängstigten Jungen.

Christian stieß den Leichnam beiseite und half dem Kleinen auf, der ihn mit weit aufgerissenen Augen anstarrte, ohne ein Wort zu sagen.

Er war nicht älter als sechs oder sieben Jahre. Der andere Mann hätte den Jungen zweifellos getötet, nachdem er seine kranken Gelüste an ihm gestillt hatte. Das erklärte auch die Schauergeschichten aus den Dörfern um Meißen, in denen unfolgsame Kinder vom Teufel geholt wurden und nie wieder auftauchten.

Er legte Schnee auf die Wunden des Jungen, damit sie aufhörten zu bluten. Mit klappernden Zähnen suchte der Junge dann seine Sachen zusammen und zog sie sich über.

»Dir wird nichts mehr geschehen«, beruhigte Christian ihn.

»Er sagte, ich müsste ihm gehorchen. Er war doch ein Gottesmann«, wisperte der Junge ängstlich.

»Ganz sicher nicht«, sagte Christian fest. »Das war ein Mann des Teufels.«

»Wird er aus der Hölle wiederkommen und mich holen?«, fragte der Junge.

»Nein. Seine Seele schmort nun ewig dort. Er wird niemandem mehr etwas tun.«

Er holte aus dem Proviantbeutel etwas Brot zur Stärkung für den Jungen und sah beruhigt, wie er beim Essen langsam wieder zu sich fand.

»Ich bringe dich jetzt bis zum Waldrand. Findest du von dort allein den Weg zurück nach Hause?«

Der Junge nickte. Keine seiner Wunden war bedrohlich, die Verletzungen würden heilen, zumindest die äußerlichen.

Zu Fuß ging Christian mit dem Geretteten bis zum Waldrand, wobei er sorgfältig vermied, dass der Junge seinen Rappen sah. Hier ließ er besser keine Legenden von einem schwarzen Reiter aufkommen.

»Sag zu niemandem ein Wort«, schärfte er ihm ein.

Am Waldrand gab er ihm einen Schubs. »Nun lauf schon, deine Mutter wird dich vermissen.«

Ohne aufzusehen, rannte der Kleine davon.

Christian sah ihm noch einen Augenblick nach. Dann ging er zurück und überlegte, was er mit dem Toten tun sollte.

Wann würde man das Raubvogelgesicht in Meißen vermissen? Würde jemand nach ihm suchen?

Ursprünglich hatte er den Leichnam beseitigen und in der Stadt das Gerücht verbreiten lassen wollen, der Geistliche habe in einer plötzlichen Eingebung beschlossen, auf Pilgerfahrt zu gehen.

Doch so ein Ungeheuer verdiente kein Grab. Und hierher würde sich auf lange Zeit kein Mensch aus der Umgebung trauen.

Bis man ihn in Meißen vermisste, würden die Wölfe jede Spur von ihm getilgt haben.

Er ließ den Toten im Schnee liegen.

Mit grimmiger Genugtuung ritt Christian zurück in sein Dorf.

DRITTER TEIL

Die Zeit der Feigheit und des Verrats

Frühjahr 1174 in Meißen

Fünftausend Mark Silber!«, rief Markgraf Otto fassungslos aus. »Das sind ... ganze Wagenladungen! Woher soll ich die nehmen?«

»Woher schon? Der Kaiser lässt ausrichten, er wisse durchaus, wie viel die Goslarer Gruben abwerfen. Und da die Christiansdorfer noch weitaus ergiebiger seien, wie die Leute landauf, landab erzählen, könne er diesen Beitrag für das Wohl des Reiches von dir erwarten«, anwortete sein Bruder Dietrich sarkastisch.

Der Markgraf der Ostmark war soeben mit Botschaften des Kaisers auf dem Meißner Burgberg eingetroffen und hatte sich mit seinem Bruder und dessen Schwiegersohn zu einer privaten Unterredung zurückgezogen. Nur Hedwig war bei ihnen, bleich, aber gefasst, und ein Page, der sich beinahe ängstlich in eine Ecke verdrückte, nachdem er die Becher gefüllt hatte.

Beim Hoftag über Ostern in Aachen, der mit großer Pracht gefeiert worden war – Kaiser und Kaiserin und ihr Sohn, König Heinrich, trugen aus diesem Anlass sogar ihre Kronen –, hatten vor allem die Gesandten des Sultans Saladin mit einem Angebot ihres Herrschers für Aufsehen gesorgt. Würde sich eine Tochter des Kaisers mit einem Sohn Saladins vermählen, ließe er alle gefangenen Christen frei. Sein Sohn würde für die Heirat sogar zum Christentum übertreten. Natürlich hatte niemand dieses Angebot ernst genommen, der Kaiser schon gar nicht. Aber es verschaffte ihm Zeit und die Möglichkeit, sich ganz auf den bevorstehenden Italienfeldzug zu konzentrieren.

Und Friedrich Barbarossa forderte horrende Summen von den Fürsten und hohen Geistlichen, die sich von diesem Feldzug freikaufen wollten.

»Entweder fünftausend Mark Silber, oder du stehst im September mit deinem Heer an seiner Seite, wenn er über die Alpen zieht.«

Dietrich gab seinem älteren Bruder einen Moment Zeit, um die Nachricht zu verdauen. Nach einem tiefen Atemzug wiederholte er die Drohung des Kaisers: »Er lässt dich ausdrücklich daran erinnern, dass er sich von Herzog Heinrich Goslar und die dortigen Gruben wiedergeholt hat, nachdem der Löwe in seiner Schuld stand. Er könne ebenso Christiansdorf zur Stadt erheben und seiner Herrschaft unterstellen.«

Für einen Moment herrschte betroffenes Schweigen in der Kemenate.

Hedwig zog sich fröstelnd den Umhang enger um die Schulter. »Besteht Aussicht, dass er von der Summe etwas ablässt?«, fragte sie vorsichtig. Fünftausend Mark Silber waren eine ungeheure Menge. Sie wusste wie jeder andere, dass Otto einen solchen Betrag nur mit Schwierigkeiten aufzubringen vermochte. Vielleicht konnte sie mit der Kaiserin reden? Vor ein paar Jahren, bei jenem Hoftag in Würzburg, der Otto beinahe die Mark Meißen gekostet hätte, hatte Kaiserin Beatrix ihr geholfen und ihr eine vertrauliche Botschaft zukommen lassen, die Otto und seine Verbündeten schließlich zum Einlenken brachte.

»Unsinn«, knurrte Otto und warf Hedwig einen strafenden Blick zu. »Der Kaiser ist kein Marktweib, mit dem man feilschen kann. Und ich auch nicht. Männer von Ehre tun das nicht.«

Einmal mehr verspürte Dietrich rasenden Zorn darüber, wie sein Bruder mit Hedwig umging. Doch er verbarg das sorgfältig, wenn auch nur mit Mühe. Wie Otto seine Frau behandelte, war in jedermanns Augen allein dessen Sache. Die meisten Männer hielten es bereits für ein außergewöhnliches Entgegenkommen, dass er sie an einer solch heiklen Besprechung teilnehmen ließ, anstatt sie fortzuschicken, damit sie die Spinnstuben beaufsichtigte. Mit einem kurzen, intensiven Blick beschwor Dietrich Hedwig, sich die Kränkung nicht anmerken zu lassen. Sie verzehrten sich nach wie vor in ihrer heimlichen, gefährlichen Liebe und suchten nach einer Gelegenheit, sich unbeobachtet treffen zu können. Otto durfte nichts anderes in seiner Frau sehen als sein ergebenes Weib.

»Wie viel fordert er von den anderen, die sich vom Feldzug freikaufen wollen?«, erkundigte sich der Meißner Markgraf mürrisch. »Es wäre interessant, zu wissen, wie hoch er meinen Wert ansetzt.«

»Du bist nicht der Einzige, den die Summe in Nöte bringt«, berichtete sein jüngerer Bruder. »Der Erzbischof von Köln musste sich tausend Mark Silber borgen, und der Bischof von Lüttich soll für die geforderten tausend Mark zur Ausrüstung des Heeres sogar einige seiner Güter verpfändet haben. Der Kaiser ist zornig. Sechs Jahre war er nicht in Italien, so lange wie noch nie. Der lombardische Städtebund ist von neuem erstarkt, Mailand ist wieder aufgebaut, mit starken Mauern, Wällen und Wachtürmen. Übrigens auch mit byzantinischem Geld, wie gemunkelt wird. Doch die deutschen Fürsten zeigen wenig Bereitschaft, ihn bei diesem Feldzug zu unterstützen.«

»Kein Wunder, wenn man bedenkt, mit welchem Desaster der letzte endete«, knurrte Otto abfällig.

Damals, im Sommer 1167, hatte der Kaiser vor Rom in wenigen Tagen zweitausend Mann verloren – die Blüte des deutschen Adels, Ritter, Geistliche und auch seinen Freund und Vertrauten Rainald von Dassel, den Erzbischof von Köln. Die meisten von ihnen waren nicht den feindlichen Waffen erlegen, sondern einer furchtbaren Seuche, verbreitet durch gewaltige Schwärme von Insekten, die während der Belagerung nach einem Unwetter aus den Sümpfen aufstiegen. Ein Zeichen dafür, dass Gott ihnen grollte, wurde damals gemunkelt.

»Um der gefährlichen Sommerhitze zu entgehen, will der Kaiser diesmal auch erst im September aufbrechen«, fuhr Dietrich fort. »Doch alles in allem wird sein Heer, sofern nicht noch ein Wunder geschieht, selbst nach zuversichtlichen Schätzungen höchstens achttausend Mann stark sein. Dabei sind Eure böhmischen Truppen schon eingerechnet«, sagte er, zu Ulrich gewandt.

»Ich werde meine Böhmen zu ihm führen«, versicherte Ottos Schwiegersohn. »Doch vergesst nicht, es ist ein Söldnerheer. Es wird schwierig, die Männer beieinander und bei Laune zu halten, wenn der Sold nicht pünktlich gezahlt wird und sie keine Beute machen können.«

»Mit achttausend Mann kann er den lombardischen Städten nicht beikommen«, stellte Otto unumwunden fest. »Er hatte vor Jahren doch schon Mühe, Mailand mit fünfzigtausend Mann zu belagern. Der Feldzug ist verloren, noch bevor er begonnen hat. Ein Grund mehr, mich davon fernzuhalten. Und du bist wirklich fest entschlossen, dem Kaiser zu folgen?«, fragte er seinen Bruder zweifelnd.

»Ich habe es ihm geschworen. Wie könnte ich ihn im Stich lassen, da sonst kaum noch jemand Heerfolge leistet?« Bei diesen Worten vermied er sorgsam den Blick in Hedwigs Richtung.

»Zieht der Löwe mit ihm nach Italien?«, fragte Markgraf Otto gespannt. Der Herzog von Sachsen und Bayern hatte als mächtigster Vasall des Kaisers bisher bei Friedrichs Kriegszügen immer das größte Heer gestellt – nur auf dem letzten, gescheiterten Feldzug von 1167 nicht. Begründet hatte das Herzog Heinrich damals mit der Rebellion vieler Fürsten und Geistlicher gegen ihn, an der sich auch Otto, Dietrich und ihre Brüder Dedo und Friedrich beteiligt hatten.

»Der Kaiser baut darauf. Aber nach allem, was ich weiß, beabsichtigt Heinrich nicht, sich auf dieses Abenteuer einzulassen.«

»Ha!«, rief Otto begeistert aus. »Dann hat die Sache vielleicht doch noch ein Gutes. Wenn ihn der Löwe in dieser Lage im Stich lässt, dürfte es vorbei sein mit der großen Freundschaft zwischen dem Staufer und dem Welfen.«

»Möglich. Der Kaiser ist in großer Bedrängnis – eine Absage könnte zum Bruch führen.«

»Auf den Augenblick freue ich mich schon«, meinte Otto voller Häme. »Und jetzt ist ihm sein illustrer Schwiegervater auch keine große Hilfe mehr.«

König Heinrich Plantagenet von England, der Vater von Mathilde, der Gemahlin des Löwen, steckte in ernsthaften Schwierigkeiten. Nicht nur seine Söhne hatten sich gegen ihn erhoben, aufgestachelt von seiner eigenen Frau Eleonore von Aquitanien, auch die Geistlichkeit hatte sich gegen ihn gestellt. Grund dafür war die Ermordung des Erzbischofs von Canterbury, zu der er direkt oder indirekt Anstoß gegeben hatte; die Berichte darüber waren widersprüchlich. Das Ereignis war seitdem in aller Munde. Vor ein paar Monaten war der ermordete Thomas Becket heiliggesprochen worden, und die Menschen strömten in Scharen an sein Grab.

Otto war in Grübelei versunken. »Fünftausend Mark Silber. Wie treibe ich die nur auf?«

Schroff befahl er dem Pagen, den Hauptmann der Wache zu holen. Der Junge machte sich unverzüglich auf den Weg und tauchte wenig später atemlos mit dem Gewünschten wieder auf.

»Schickt umgehend einen Boten nach Christiansdorf«, wies Otto an. »Christian soll sofort hierherkommen und seinen Bergmeister mitbringen. Und schickt einen weiteren Boten zu Randolf, mit der Order, sich ebenfalls unverzüglich hier einzufinden.«

»Wird sofort veranlasst, Herr.«

Doch als Arnulf gehen wollte, rief Markgraf Dietrich ihn noch einmal kurz zurück. »Richtet Christian aus, er möge meinen Sohn mitbringen.«

Der Hauptmann der Wache verneigte sich und verließ die Halle.

Als Hedwig völlig sicher war, dass alles um sie herum tief und fest schlief, stand sie vorsichtig auf, hüllte sich in den Umhang einer ihrer Mägde und schlich mit klopfendem Herzen zu einer der entlegenen Gästekammern. Sie hatte sich von Marthe einen starken Schlaftrunk brauen lassen – angeblich für sich selbst – und ihn unter den Wein ihrer Gesellschafterinnen gemischt.

Ob Dietrich ihrer vertraulichen Botschaft folgen würde?

Fast ein Jahr war seit ihrem ersten und bisher einzigen heimlichen Zusammensein in Goslar vergangen, und schon der Gedanke an seine Berührung versetzte ihren Körper in Flammen.

Hin und her gerissen zwischen Angst und Hoffnung öffnete sie die Tür zu der schmalen Kammer. Doch er wartete bereits auf sie und erhob sich sofort. Rasch schloss sie die Tür und schob den Riegel von innen vor, dann stürzten sie aufeinander zu.

»Liebster!«, flüsterte sie verzweifelt, während sie ihn umklammerte.

Er küsste sie leidenschaftlich, bis er ihre Tränen spürte. Sanft hielt er ihr Gesicht und wischte die salzigen Rinnsale mit den Daumen ab.

»Ich war so unglücklich, ich konnte an nichts anderes mehr denken als daran, mit dir zusammen zu sein … Ich weiß nicht, wie ich das ausgehalten habe … fast ein Jahr lang«, schluchzte sie leise.

Er presste sie an sich. »Denkst du, mir ging es anders?«, fragte er leise zurück, bevor er sie wieder küsste.

Sie waren beide so verzweifelt, dass jeder von ihnen inzwischen bereit war, das ungeheure Risiko auf sich zu nehmen, das diese heimliche Begegnung in Ottos Burg inmitten der unzähligen Dienerschaft mit sich brachte.

Für einen Moment ließen sie voneinander ab, um sich anzusehen, dann umklammerten sie sich wieder so fest, dass es beinahe schmerzte.

Für Worte war jetzt keine Zeit. Das bei den Liebenden über endlose Monate angestaute Begehren entlud sich in einer hastigen, stürmischen Vereinigung. Dietrich drückte Hedwig aufs Bett, schob ihre Röcke hoch und nahm sie mit verzweifelter Leidenschaft. Sie presste ihren Mund an seinen Hals, um die Schreie ihrer Lust zu unterdrücken.

»Ich hatte solche Angst um dich«, sagte sie, schon wieder mit Tränen in den Augen, als er sich schweratmend aus ihr zurückzog. »Und jetzt willst du in diesen schon verlorenen Krieg. Lass mich nicht allein, lass mich nicht allein hier zurück!«

Wie einsam und unglücklich muss sie gewesen sein, dachte Dietrich bestürzt.

Jetzt erst begann er mit all dem, für das zuvor keine Zeit geblieben war. Er streichelte ihren Leib, ihre Brüste, küsste ihren Mund und ihre Schulter. Sie bog sich ihm entgegen, fuhr mit ihren Händen durch sein Haar und über seinen Rücken. Dann ließ er seine Zunge um die Spitzen ihrer Brüste kreisen, und sie stöhnte erneut vor Lust auf.

Es dauerte nicht lange, bis er bereit war, sie noch einmal zu nehmen, diesmal geduldiger, zärtlicher, bis sich ihr Begehren am Ende in höchster Ekstase entlud.

Erschöpft, glücklich und schon wieder bedrückt angesichts der nahenden Trennung, lagen sie beieinander und flüsterten sich Liebesworte zu.

»Du darfst nicht länger bleiben«, sprach er schließlich aus, was beide dachten. Sie schloss unglücklich die Augen, aber sie nickte. Er half ihr, die Kleider in Ordnung zu bringen, und legte ihr den einfachen Umhang um, dessen Kapuze ihr Gesicht verbarg.

»Ich werde nachschauen, ob wirklich niemand hier ist«, sagte er leise. Falls ihn jemand sah und erkannte, würde er denken, er hätte sich die Zeit mit einer Magd oder einer jungen Edelfrau vertrieben, vor sich hin grinsen und nichts weiter dabei finden. Geräuschlos bewegte Dietrich sich durch den Gang und kam dann zurück.

»Du kannst gehen«, sagte er leise.

»Sehen wir uns morgen Nacht wieder hier?«, fragte sie bang.

Er nahm ihre Hände und küsste die Fingerspitzen, eine nach der anderen. »Das ist zu gefährlich. Warte ein paar Tage, sonst fällt es auf.«

»Ich will nicht mehr leben ohne dich. Vielleicht bleibt dir nur noch wenig Zeit. Ich ertrage es nicht länger an Ottos Seite.«

Er fuhr unmerklich zusammen, als er den Namen seines Bruders hörte.

»Wenn es dich beruhigt: Er rührt mich nachts nicht mehr an«, sagte sie.

Das milderte zwar seine Eifersucht. Aber was war, wenn sie schwanger würde? »Keiner von uns kann den Platz verlassen, auf den er gestellt wurde«, sagte er bedrückt. Er durfte nicht mit der Frau seines Bruders fliehen, so gern er es täte. Dazu banden ihn zu viele Pflichten und Eide an seine Markgrafschaft, den Kaiser, seine im Herzen kalte Ehefrau.

Sanft küsste er sie auf die Stirn. »Hab Vertrauen. Wir finden einen Weg. In ein paar Tagen schon.«

Er sah noch einmal nach, ob der Gang leer war, und schob sie vorsichtig hinaus. Er würde ihr in einigem Abstand folgen, um sich zu vergewissern, dass sie wirklich unbehelligt zurück in ihre Kammer kam.

Dabei konnte er es kaum erwarten, sie wieder in seine Arme zu nehmen. Wie lange konnte das gutgehen? Und was würde geschehen, wenn ihr Verhältnis aufflog? Was würde Otto ihr antun?

Gott, steh mir bei, dachte er verzweifelt, auch wenn mein Tun Deine Lehren lästert. Mir und der Frau, die ich mehr als jede andere liebe.

In strömendem Regen trafen Christian und Randolf fast gleichzeitig auf dem Burgberg ein und wurden umgehend zu Otto gerufen.

Markgraf Dietrich, der seinen Sohn trotz der Nässe bereits auf dem Hof ungewohnt herzlich begrüßte, lud Konrad ein, an der Beratung teilzunehmen. Das verwunderte den angehenden Ritter. Er hatte bangen Herzens damit gerechnet, seinem strengen Vater umgehend die erworbenen Fähigkeiten mit Schwert und Lanze vorführen zu müssen. Fast verzweifelt hatte er Christian deshalb vor der Abreise gebeten, ihm noch eines der gewagten

Überraschungsmanöver beizubringen, mit denen man einen Gegner entwaffnen konnte. Doch der hatte das abgelehnt. »Es sieht leicht aus, braucht aber viel Übung und Schnelligkeit. Überzeug deinen Vater mit dem, was du bereits beherrschst. Glaub mir, er wird zufrieden sein. Das andere bringe ich dir schon noch bei.«

Konrad behielt seine Zweifel für sich und folgte seinem Vater, Christian und dem Bergmeister in Ottos Halle.

Triefend vor Nässe knieten Christian und Randolf Seite an Seite nieder, scheinbar ohne voneinander Notiz zu nehmen, und erwarteten die Befehle des Markgrafen.

Obwohl Christian seinen Dienstherrn wirklich selten in guter Laune erlebt hatte, verhieß ihm dessen Miene heute besonders schlechte Neuigkeiten.

»Erhebt Euch«, gebot Otto, um ohne Umschweife zum Thema zu kommen. »In weniger als einem halben Jahr bricht der Kaiser zum Feldzug gegen den lombardischen Städtebund auf. Er erwartet von mir Heeresfolge oder fünftausend Mark Silber, um mich davon freizukaufen.«

Selbst Randolf stockte der Atem bei dieser Summe.

»Bergmeister, seht Ihr einen Weg, in den nächsten Wochen die Ausbeute zu verdoppeln?«

Hermann, der im Hintergrund gewartet hatte, trat vor und verneigte sich tief.

»Vergebt mir, mein Fürst. Das ist vollkommen unmöglich, selbst wenn Ihr noch einmal hundert erfahrene Bergleute und Schmelzer kommen lassen würdet«, antwortete er vorsichtig.

»Und so viele würdet Ihr kaum noch finden im Harz, die bereit sind, sofort umzusiedeln. Ein Grubenfeld ist schnell abgesteckt, aber bis daraus gutes Erz gewonnen und das Silber erschmolzen ist, braucht es Zeit.«

Nicht überrascht, aber äußerst unzufrieden, fragte Otto weiter. »Wie lässt sich die Ausbeute steigern?«

Der Bergmeister wählte seine Worte vorsichtig. »Meine Männer tun, was sie können. Sie arbeiten hart, um ihre Familien zu ernähren und Euch zufriedenzustellen. Ich könnte höchstens neue Hilfskräfte einstellen und mehr von meinen Leuten in die Gruben schicken.«

»Dann tut das! Ich brauche das Geld – oder wollt ihr alle mit mir in den Krieg ziehen?«, schnappte Otto.

Selbst Randolf schien diese Wahl wenig zu begeistern, obwohl ein Krieg immer Aussicht auf Beute bot, auf viel mehr, als sich aus den Bauern herausprügeln ließ. Vermutlich schätzte er die Erfolgsaussichten dieses Feldzuges ähnlich gering ein wie Otto.

Christian hingegen überschlug voller Sorge, wie viele Dorfbewohner er in diesem Fall für das Heer des Markgrafen aufbieten müsste.

»Also dann«, verkündete Otto entschlossen. »Mir bleibt kein anderer Weg. Ich werde eine Sondersteuer für den Krieg erheben.«

Er wandte sich an Christian. »Von heute an wird jeder freie Mann in Eurem Dorf den Zehnten an mich entrichten. Am Tag nach Walpurgis ist die erste Zahlung fällig.«

Er hob mit einer schroffen Geste die Hand, um Christian an einer Erwiderung zu hindern.

»Schaut mich nicht so vorwurfsvoll an! Ihr müsst mich nicht daran erinnern, dass ich den Siedlern Abgabenfreiheit auf zehn Jahre versprochen hatte und erst sieben davon verstrichen sind. Doch meine Großzügigkeit war für Leute bestimmt, die unter Mühen ihre Felder dem Wald abringen sollten und nicht wussten, wie sie über den Winter kommen. Und nun seht Euch Euer Dorf an! Im ganzen Reich erzählt

man sich von den paradiesischen Verhältnissen in Christiansdorf, wo selbst der einfachste Bauer noch sein Geld ins Hurenhaus tragen kann. Krämer und Pfeffersäcke trinken guten
Wein statt dünnes Bier und kleiden ihre Weiber in feines
Tuch. Nächstens vielleicht noch in Samt und Seide, oder? Sie
können sich sogar eine Kirche aus Stein leisten. Während ich
schon Geld aufnehmen muss, um einen Altar zu stiften! Ab
sofort wird gezahlt. Sonst muss ich die Sondersteuer für die
ganze Mark verdoppeln, und dann« – er schaute grimmig in
Christians Richtung – »werden die meisten Eurer vielgelieb-
ten Bauern wirklich hungern müssen. Den anderen Bauern
geht es längst nicht so gut wie denen bei Euch.«

»Lasst ihnen mit dem Bezahlen wenigstens Zeit bis nach der
Ernte«, wandte Christian ein.

»So lange wartet der Kaiser nicht«, widersprach Otto. »Und
seid ehrlich, mein Freund: Wie viele Leute in Eurem Dorf leben
denn wirklich noch vom Ertrag ihrer Felder? Arbeiten die
meisten nicht längst in den Gruben oder an den Scheidebänken
und nehmen nur als Zubrot das bisschen Kohl und Erbsen, was
sie in den Gärtchen hinter ihren Katen anbauen? Von den
Handwerkern und Krämern ganz zu schweigen.«

Er zog die Augenbrauen zusammen und fuhr in schärferem
Ton fort. »Ist es nicht so, dass jedes Mal, wenn die Erträge aus
den Gruben ausgezahlt werden, die Männer vor dem Hurenhaus Schlange stehen, die Schenken brechend voll sind und die
Weiber losziehen, um noch mehr eitlen Tand zu kaufen? Dann
können sie auch den Zehnten an ihren Fürsten zahlen, wie es
sich gehört in Gottes Ordnung der Welt.«

Dagegen vermochte Christian kaum etwas zu sagen. Die Menschen in seinem Dorf arbeiteten hart, doch im Vergleich zu den
Bauern anderswo ging es ihnen gut. Und wenn Ottos Beschreibung auch übertrieben war, so traf sie im Kern zu. Die Christi-

ansdorfer würden murren, aber die meisten von ihnen konnten die Steuer aufbringen, ohne hungern zu müssen. Wen sie hart traf, mit dem würde er über eine Lösung reden müssen.

Er selbst würde wohl noch mehr borgen müssen, denn alles Geld, das er besaß, hatte er in die Bewaffnung seiner Wachen und in den Bau der Kapelle gesteckt. Dass sie aus Stein sein würde, machte sie teuer. Aber niemand, der in einem Haus aus Stein wohnte, konnte eine Kapelle aus Lehm bauen – dies wäre eine Beleidigung Gottes gewesen.

»Ich werde Euch zwei Steuereintreiber mitschicken, die zusammen mit dem Vogt von Haus zu Haus gehen und feststellen, wie viel mir die Leute schuldig sind«, verfügte der Markgraf.

Das gibt Ärger, dachte Christian sofort. »Kann jemand aus dem Dorf sie begleiten, damit alles rechtens zugeht?«

»Wollt Ihr damit unterstellen, dass meine Leute Eure betrügen?«, grollte Otto mit hochgezogenen Brauen.

»Natürlich nicht. Wie könnte ich?«

Argwöhnisch sah der Markgraf auf seinen Ritter. »Keiner versteht es so gut, seinen Protest so hintergründig und doch dreist zu formulieren wie Ihr, Christian. Von mir aus kann mitgehen, wer will. Sie werden zahlen! Wer versucht, mich zu betrügen, verliert eine Hand! Ihr steht mir persönlich für Eure Leute ein, Christian.«

Wenn du meine Hand forderst, kann ich dir nur die linke bieten, dachte Christian bitter. Denn die Rechte willst du ja schon für den Fall, dass ich mit Randolf aneinandergerate. Was sich nun wohl nicht mehr vermeiden lässt.

Otto winkte Christian und Randolf näher zu sich heran, deren Haare und Umhänge immer noch vom Regen tropften.

»Das Letzte, was mir jetzt fehlt, ist eine Bande Wegelagerer, die sich das Silber schnappt, das in Christiansdorf für mich aus der Erde geholt wird. Ihr werdet umgehend die Ausbeute des Winters hierher bringen, bevor die Diebe wieder auftauchen. Und die Burg muss fertig werden. Randolf, Ihr zieht unverzüglich dort ein und sorgt dafür, dass die Bauarbeiten in höchstem Tempo vorangetrieben werden. Es kümmert mich nicht, ob der Bergfried oder Euer Haus schon fertig sind. Von mir aus könnt Ihr auf der nackten Erde kampieren. Und noch etwas: Jeder freie Mann im Dorf wird von nun an einen Tag pro Woche am Bau eines Walles um die Burg mitwirken. Ausgenommen die Bergleute, die sollen nach Silber schürfen.«

Der Markgraf hob die Hand, um jeden Einwand zu ersticken. »Es ist in ihrem eigenen Interesse, wenn das Dorf gegen Überfälle geschützt ist. Habt Ihr etwas einzuwenden, Christian? In diesem Fall würde ich für mein Heer aus Eurem Dorf hundert Mann unter Waffen erwarten.«

Hundert Mann! Das sind mehr, als schon alt genug oder noch nicht zu alt waren, um eine Waffe zu führen, dachte Christian entsetzt. Und wie viele konnten tatsächlich mit einer Waffe umgehen? Wie viele hatten eine Chance, im Krieg zu überleben?

»Ich stelle Euch ein Dutzend Männer als zusätzlichen Schutz für den Silbertransport und das Dorf. Ihr brecht morgen mit ihnen auf. In drei Tagen erwarte ich euch mit der Ausbeute zurück«, befahl Otto. »Randolf wird inzwischen seine Angelegenheiten regeln und bis nächste Woche in Euer Dorf ziehen. Und nun geht und trocknet endlich Eure Sachen, ehe Ihr mir die ganze Halle unter Wasser setzt!«

Da Markgraf Dietrich seinem Sohn bedeutet hatte, bei ihm zu bleiben, begab sich Christian allein auf die Suche nach seiner Frau und seiner Tochter. Doch er musste nicht lange suchen, Marthe erwartete ihn bereits vor der Halle. Sie wirkte blass, war noch schmaler als sonst, aber er konnte ihr die Freude über sein Kommen ansehen. Unter den Blicken der vielen Höflinge begrüßten sie sich förmlich, dann zog Christian seine Frau an sich und legte einen Arm um sie.

»Ich hoffe, Ihr seid wohlauf, mein Gemahl«, sagte Marthe mit flacher Stimme, bemüht, vor den Umstehenden höfisches Benehmen zu zeigen, um nicht aufzufallen. Die steifen Zeremonien am Hof waren ihr zu fremd; viel lieber hätte sie den so lange Erwarteten gleich hier umarmt. Beinahe ein Vierteljahr war sie auf dem Burgberg mit Clara allein gewesen und vor Sehnsucht fast vergangen. Die verstohlene Bewegung seiner Hand, die er fest an ihre Seite presste, sagte ihr, dass es ihm nicht anders ging.

»Wir müssen Euch trockene Kleidung besorgen, mein Gemahl«, heuchelte sie einen Grund, ihn von den anderen wegzuziehen, an einen Platz, wo sie allein sein konnten.

Während sie erzählte, dass Clara gerade zusammen mit Hedwigs Tochter Sophia und einigen anderen Kindern unter der Aufsicht mehrerer Kinderfrauen spielte, führte sie ihn zu der Kammer, die ihr und ihrem Mann für die Nacht bereitgestellt worden war.

Kaum hatte sie die Tür geschlossen, fielen sie sich in die Arme und küssten sich stürmisch. Christian hob sie hoch, setzte sie auf eine Truhe, schob ihre Kleider nach oben und nahm sie voll gieriger Hast gleich im Stehen. Zum Teufel mit Ottos Befehlen, jetzt wollte er nichts anderes als seine lang entbehrte Frau. Und sie wollte ihn. Mit den Beinen umklammerte sie seine Hüften und reckte sich ihm entgegen, als könnte er nicht tief genug in sie eindringen.

Als sie sich endlich voneinander gelöst hatten, reichte sie ihm trockene Sachen, die in der Truhe bereitlagen, die ihnen eben noch zu ganz anderen Zwecken gedient hatte.

Während er sich umzog, erzählten sie sich gegenseitig von den neuesten Streichen ihrer Kinder. Erleichtert spürte Christian, dass Claras Anwesenheit ihrer Mutter über die Einsamkeit und den Verlust ihres Ungeborenen hinweggeholfen, einen Teil der Düsternis von ihr genommen hatte.

Marthe wollte ihren Blick gar nicht von Christians Körper lassen. Doch als sie sah, dass er sein Schwert gürtete, wurde ihr Herz schwer.

»Wohin musst du denn schon wieder?«

»Deinen künftigen Beichtvater suchen und ihn fragen, ob er bereit ist, in vier Tagen in unser Dorf zu kommen.«

Durch Tills Vermittlung hatte Christian einen jungen Priester ohne eigene Pfarre ausfindig gemacht, der bereit war, bei ihm eine Stellung als Hauskaplan und später auch als Lehrer für seine Kinder anzunehmen.

»Ist die Kapelle fertig? Dann kann ich also zurück mit dir nach Hause?«, fragte Marthe voller Hoffnung.

Sie wollte nicht länger von ihm und ihrem Sohn getrennt sein, sie wollte diesen eisigen Palas verlassen und die eintönigen Tage auf dem Burgberg voller geheuchelter Höflichkeiten eintauschen gegen die Geschäftigkeit in ihrem Haus. Sie sehnte sich nach Mechthilds gespielter Strenge, dem Geschimpfe des Großknechts über die bösartige alte Gans auf dem Hof, den Schelmenstreichen von Kuno und Bertram und den kecken Sprüchen des kleinen Peter.

»Noch nicht ganz«, gestand Christian bedauernd. »Wir werden Hilbert eine angemessene Kammer im Haus bereitstellen. Und du musst mitkommen. Ich brauche dich jetzt im Dorf.«

So knapp wie möglich berichtete er ihr von Ottos Befehlen und der Befürchtung, es könnten wieder Angreifer auftauchen, vielleicht in noch größerer Zahl. »Dann wird bald kein Weg ins Dorf mehr sicher sein.«

Sie nickte stumm. In Zeiten wie denen, die ihnen jetzt bevorstehen mochten, sah jeder zu, dass er die Seinen bei sich hatte.

Zu Christians Erleichterung war Hilbert sofort bereit, sein neues Amt anzutreten, auch wenn die Kapelle noch nicht fertig war. Seine hagere Gestalt und seine verschlissene Kutte deuteten darauf hin, dass er den Winter eher schlecht als recht überstanden hatte. Aber vielleicht lag ihm wirklich nichts an weltlichen Dingen. Hilbert war ein zutiefst gläubiger, kluger und zweiflerischer Mann, mutig genug, sich sogar um das Seelenheil einer Frau zu kümmern, die schon einmal vor einem Kirchengericht gestanden hatte, obwohl das seine Chancen auf eine eigene Pfarre sicher nicht erhöhen würde. Aber der junge Mann hatte Marthes Wasserprobe als Zeuge miterlebt und gehörte zu denjenigen Geistlichen, die diese Art der Wahrheitsfindung als zu fragwürdig abschaffen wollten.

Nach dem Mahl fand sich Christian wie befohlen erneut beim Markgrafen ein – diesmal in engster Runde mit Hedwig, Dietrich, Randolf und Arnulf, dem Waffenmeister.

»Der Großteil der Angreifer auf das Silber waren gut ausgerüstete, im Kampf geschulte Männer«, begann Otto ohne Umschweife. »Das kann nur heißen, einer meiner Gegner streckt die Hände nach meinem Geld aus und nutzt die Gelegenheit gleich noch, mich vor dem Kaiser in Schwierigkeiten zu bringen. Nur, wer?«

»Der Löwe ist zu weit weg und hat größere Sorgen, obwohl die Hinterhältigkeit eines solchen Vorgehens gut zu ihm passen würde«, meinte Dietrich. »Vielleicht sind es Abtrünnige, die auf eigene Rechnung arbeiten. Ich halte aber auch den jungen Landgrafen von Thüringen für fähig dazu. Er hat noch keine Gelegenheit zu einem Streit ausgelassen, seit er sein Erbe antrat.«

»Also, seid auf der Hut und findet das heraus«, forderte Markgraf Otto seine Ritter auf. »Und, Randolf, seht zu, dass nächstes Mal Eure Gefangenen wenigstens so lange leben, dass Ihr Antworten bekommt.«

Der Hüne verzog das Gesicht zu einem verächtlichen Grinsen, doch er verneigte sich höflich. »Wie Ihr wünscht.«

Otto forderte Hedwig mit einem Blick auf, zu sprechen.

»Wenn eintritt, was wir alle befürchten, steht Blutvergießen bevor. Christian, ich habe gehört, Ihr wollt Eure Frau mit Euch nehmen?«

Christian, der sofort begriff, worauf hinaus dieses Gespräch nun laufen würde, fühlte auf einmal einen steinernen Klumpen in seinem Magen. Er nickte.

»Bischof Martin erlaubt ihr vorerst, weiterhin als Wehmutter tätig zu sein«, fuhr Hedwig fort. »Doch nur unter der Bedingung, dass sie es unter Aufsicht Eures Pfarrers tut, Sebastian, wenn ich mich richtig entsinne. Er soll sich davon überzeugen, dass es ein frommes, mildtätiges Werk ist, was sie da tut, und kein heidnisches Unwesen.«

Sie geben nicht auf, dachte Christian verbittert. Sie versuchen immer noch, sie ins Grab zu bringen

Doch er verbarg seine Unruhe sorgfältig, denn er wusste Randolfs Blick auf sich. Nach einem knappen Nicken zu Hedwig wandte er sich an Markgraf Dietrich.

»Wünscht Ihr angesichts dieser Lage, dass ich Euren Sohn wieder in mein Dorf mitnehme? Wenn es blutige Kämpfe gibt, wäre er auf dem Burgberg sicherer aufgehoben.«

»Er ist bei Euch in guter Obhut«, antwortete Dietrich, ohne zu zögern. »Vorhin habe ich mich von seinen Fortschritten überzeugt. Ich bin sehr zufrieden und stehe in Eurer Schuld. Er soll Kampferfahrung sammeln. Die slawischen Stämme an den Grenzen meiner Mark geben keine Ruhe. Und der Herzog von Sachsen und Bayern lässt nach wie vor keine Gelegenheit verstreichen, sie gegen mich aufzuwiegeln.«

Als Christian am nächsten Morgen mit Konrad, dem Bergmeister und Ottos Wachen aufbrach, um wie gefordert die
nächste Ladung Silber abzuholen, hatte er ihnen das Versprechen abverlangt, nichts über die einschneidenden Befehle des Markgrafen verlauten zu lassen. Das würde er
selbst tun, wenn er zwei Tage später aus Meißen zurückkehrte. Er wollte verhindern, dass während seiner Abwesenheit
Gerüchte kursierten und sich die Stimmung aufheizte. Ein
Aufruhr mit anschließendem Blutgericht des Burgvogts wäre
das Letzte, das er jetzt brauchen konnte. Auch in zwei Tagen
würden die schlechten Neuigkeiten immer noch früh genug
kommen.

Als der Weg breit genug für zwei Pferde nebeneinander war,
gab er Konrad ein Zeichen, aufzuholen und neben ihm zu
reiten.

»Dein Vater war sehr zufrieden über deine Fortschritte mit dem
Schwert«, sagte er.

Erleichterung zeichnete sich auf dem Gesicht seines Knappen
ab. »Wirklich? Er ist so ... vollkommen. Ich habe ständig Angst,
ihn nie zufriedenstellen zu können.«

»Das musst du nicht. Du hast nicht nur für dich, sondern auch
für mich Ehre eingelegt.«

Konrad zögerte einen Moment. »Erlaubt Ihr eine Frage?«

Christian machte eine einladende Geste. »Nur zu.«

»Warum habt Ihr so wenig Einwände gegen die Entscheidungen
meines Onkels vorgebracht?«, wollte Konrad wissen. »Schließlich hat er den Siedlern sein Wort gegeben, zehn Jahre keine
Abgaben zu verlangen. Ein Wort ist ein Wort.«

»Sicher«, räumte Christian ein. »Doch der Kaiser hat ihn zu
Gefolgschaft bei seinem Feldzug aufgerufen. Es ist besser, meine Dorfbewohner zahlen ein Zehntel des Geldes, das sie unter
dem Herd vergraben oder verprassen, als dass ich jeden Mann

im waffenfähigen Alter in einen Krieg führen muss, der noch dazu unter einem schlechten Stern steht.«

Er ließ Konrad einen Moment darüber nachdenken, dann fuhr er fort: »Seien wir ehrlich: Im Vergleich zu den anderen Dörfern leben wir wirklich im Überfluss. Anderswo müssten viele Menschen hungern, wenn Euer Onkel die Abgaben erhöhen würde.«

Christian unterbrach sich kurz, weil er seinen Rappen zur Räson bringen musste, der unbedingt an der Spitze laufen wollte, dann fuhr er fort: »Ein weiser Mann wägt ab, welche Schlachten er schlagen und auch gewinnen kann. Und in Situationen wie dieser kann ich nur versuchen, dem Markgrafen einige Zugeständnisse abzuringen, um die Lage für die Menschen erträglich zu machen, für die ich verantwortlich bin.«

»Darin seid Ihr ein Meister«, meinte Konrad mit verwegenem Grinsen. »Es ist auf dem Burgberg ein beliebtes Gesprächsthema, wie oft Ihr mutig den Kopf vorstreckt und meinem wütenden Onkel ein paar unangenehme Wahrheiten ins Gesicht sagt.«

»Ist das so?«, fragte Christian verwundert. Dann dachte er zynisch: Viel genützt hat es nicht, dass ich immer wieder meinen Kopf vorstrecke. Und mancher wartet schon mit Freude, dass Otto ihn mir doch abschlägt.

Ohne Zwischenfall lieferten Christian und seine Leute das über den Winter gewonnene Silber in Meißen ab. Einen Tag später brachen sie erneut auf. Diesmal reisten auch Marthe, Clara und Hilbert, der Kaplan, mit ihnen.

»Ich bin so froh, endlich wieder nach Hause zu kommen«, meinte Marthe voller Ungeduld, während sie ihre Sachen zusammenpackte.

»Freu dich nicht zu früh«, warnte Christian düster. »Es ist nicht mehr das Dorf, das du kanntest.«

Kriegsrat

Dunkle Wolken türmten sich am Himmel, während Christian und Marthe mit ihren Begleitern ins Dorf ritten. Und Düsternis legte sich auch über Marthes Herz, als sie sich ausmalte, wie das Leben in Christiansdorf von nun an sein würde – unter der allgegenwärtigen Präsenz von Pater Sebastian, der nur darauf wartete, ihr ein Vergehen nachzuweisen, und der bedrohlichen Gegenwart Randolfs.

Wenn der Pater einen Anlass fand, sie einem Kirchengericht zu übergeben, würde sie diesmal unweigerlich auf den Scheiterhaufen kommen.

Und würde der Hüne das schreckliche Geheimnis bewahren, das sie miteinander teilten? Würde er wieder mit jedem Schritt eine Spur aus Blut und Entsetzen hinter sich lassen?

Sie fragte sich, ob sie wohl diesen Kampf und die Angst Tag für Tag durchstehen konnte. Vielleicht hätte sie doch besser auf dem Burgberg bleiben sollen.

Als der Trupp das Dorf erreichte, war dort gerade eine Hochzeitsfeier in vollem Gange. Der Obersteiger, dessen Tochter Agnes vor einem knappen Jahr Karl geheiratet hatte, vermählte seinen einzigen Sohn mit der jüngsten Tochter eines Seilermeisters.

Christian und Marthe saßen ab und gingen geradewegs zur Festgesellschaft, um dem Brautpaar und den Brauteltern zu gratulieren.

Karl und Agnes begrüßten sie frohen Herzens, wobei Agnes stolz ihren geschwollenen Leib vorstreckte. Nur noch ein paar Tage, schätzte Marthe, dann würde ihr erstes Kind geboren werden. Sie freute sich mit den jungen Leuten, doch sie wunderte sich mit jedem Augenblick mehr über die merkwürdige Stimmung bei dieser Feier.

Das Hochzeitspaar wirkte eindeutig glücklich, die Brauteltern zufrieden, die Festgesellschaft war groß und die Tafel so gut gedeckt, wie es um die Jahreszeit möglich war. Doch auf dieser Hochzeit wurde weder gesungen noch getanzt, und wer immer einen Trinkspruch auf das junge Paar ausbrachte, warf bei seinen Worten einen vorsichtigen, manchmal sogar ängstlichen Blick auf Sebastian.

Peter, der junge Stallknecht und ehemalige Dieb, platzte mitten in ihre Überlegungen mit der atemlos vorgebrachten Meldung, dass auf seinen Herrn zwei Besucher warteten.

»Die sehen ziemlich grimmig aus«, meinte er und schnitt eine Grimasse.

Die Nachricht bot Marthe und Christian Anlass, sich von der trübseligen Feier zu verabschieden und endlich den anderen zu folgen, die es sich inzwischen sicher schon längst im Haus bequem gemacht hatten.

»Das Werk von Sebastian«, beantwortete Christian auf dem Weg Marthes Frage, noch bevor sie gestellt war. »Tanz und Musik sind für ihn Teufelswerk, die frommen Gesänge der Mönche natürlich ausgenommen. Die Leute sind sehr vorsichtig geworden. Aus gutem Grund.«

Vor ihrem Haus erwartete sie ein vielstimmiges Willkommen. Unter Mechthilds energischem Kommando hatten sich alle, die zum Haushalt gehörten, aufgestellt, um den Herrn des Dorfes und seine Frau zu begrüßen. Thomas, mit einem Holzschwert bewaffnet, bestürmte seine Mutter und berichtete von seinen neu erworbenen Fähigkeiten als künftiger Ritter. Gleich darauf wandte er sich seiner Schwester zu, um ihr einige davon zu demonstrieren.

Marthe richtete ihren Blick auf Johanna, die sie ein Vierteljahr nicht mehr gesehen hatte. Sie war jetzt beinahe vierzehn Jahre – so alt wie Marthe, als sie aus ihrem Heimatdorf fliehen musste. Wir sollten bald eine Heirat für sie absprechen, dachte sie. Wenn Randolf und seine Männer kommen, kann ihr ihre Schönheit schnell zum Verhängnis werden.

»Willkommen«, sagte das Mädchen glücklich zu Marthe. »Ich bin froh, dass nun alle wieder da sind.« Zögernd fügte sie hinzu: »Und erleichtert, dass ich nicht mehr allein für die Kranken des Dorfes sorgen muss.«

Marthe wusste, dies war nicht nur ein Aufatmen darüber, nun in Zweifelsfällen Rat holen zu können, so wie sie sich in früheren Jahren fast täglich den Rat ihrer Lehrmeisterin oder der alten Josefa herbeigesehnt hatte. Auch Johanna hatte Angst; die gleiche Angst wie sie selbst, den Unwillen von Sebastian zu erregen.

Erwartungsgemäß befand die Köchin, Marthe könnte durchaus wieder etwas kräftigere Kost vertragen, und Clara sei ebenfalls viel zu mager für ihr Alter. Aber das Essen sei gleich fertig.

»Soll ich auch für die Gäste auftragen?«, erkundigte sich Mechthild. Ihr Tonfall verriet, dass sie den Besuchern – wer auch immer sie sein mochten – nicht einmal trockenes Brot und Wasser gönnte.

Höchste Zeit, festzustellen, wer die rätselhaften Gäste waren, dachte Christian bei sich und ging mit Marthe in die Halle.

Dort herrschte eisiges Schweigen. Zwei fremde Männer hielten ihre Blicke auf Jakob gerichtet und drehten Lukas demonstrativ den Rücken zu. Der hatte die Arme vor der Brust verschränkt und starrte mit abweisender Miene geradeaus.

Als der Herr des Hauses eintrat, erhoben sich die beiden Fremden und verneigten sich knapp.

Christian erkannte einen von ihnen, den Verwalter der Ländereien des alten Silberfuchses. Gerald hieß er, erinnerte er sich vage.

»Gott zum Gruße«, begann der Verwalter und kam sogleich zur Sache. »Unser Herr wünscht, dass wir den jungen Herrn Jakob unverzüglich zu ihm nach Hause bringen.«

»Seine Ausbildung ist noch nicht abgeschlossen«, wandte Christian ein.

»Das spielt keine Rolle«, erwiderte Gerald. »Sein Vater hat eine Heirat für ihn verabredet und wünscht, dass er sich unverzüglich bei ihm einfindet, um seine Pflicht zu erfüllen und sein Erbe zu übernehmen.«

Christian wechselte einen kurzen Blick mit Lukas, dann sah er zu Jakob.

»Wir sollen Euch danken für alles, was Ihr dem jungen Herrn beigebracht habt, und dafür sorgen, dass er umgehend abreist«, fuhr Gerald fort.

»Doch nicht noch heute Abend. Esst mit uns, schlaft die Nacht hier und brecht morgen früh ausgeruht auf«, bot Christian höflich an.

»Wir haben Euch noch heute zu verlassen, so lautet unser Befehl«, beschied ihm Gerald mit eisiger Miene.

Jakob erhob sich. Wie sich zeigte, hatte er sein Bündel bereits während der kurzen Zeit gepackt, die Christian und Marthe bei dem Brautpaar verbracht hatten. Er würdigte seinen Bruder keines Blickes, klopfte Konrad kurz auf die Schulter und trat mit einer kurzen Verbeugung vor Christian. »Mein Herr, ich danke für Eure Unterweisung und dafür, dass ich Euch dienen durfte.«

Christian verhinderte, dass Jakob sich abwandte und ging, indem er ihm die Arme auf die Schultern legte. »Gott schütze dich«, sagte er und sah Jakob direkt in die Augen, der sich zunehmend unwohl zu fühlen schien. »Welche Pläne dein Vater jetzt auch für dich haben mag, vergiss nie, was ich dich gelehrt habe – im Schwertkampf und über die Verantwortung, die ein Mann deines Standes zu tragen hat.«

Als Jakob im Begriff war, ohne ein weiteres Wort den Raum zu verlassen, rief Christian ihn noch einmal zurück. »Willst du dich nicht von deinem Bruder verabschieden?«

Er sah für einen kurzen Moment etwas in Jakobs Augen aufblitzen, doch der Verwalter nahm dem einstigen Knappen die Antwort ab.

»Er hat hier keinen Bruder«, sagte er scharf. »Jakob ist der einzige Sohn und Erbe meines Herrn.«

Mit einer höflichen Verbeugung vor Marthe, aber ohne einen einzigen Blick auf Lukas, folgte Jakob den beiden Männern und verließ die Halle.

»Soll er jetzt Sigrun heiraten?«, platzte Marthe heraus. »Der arme Junge!«

»Er braucht dein Mitleid nicht«, meinte Lukas, und er klang, als würde er jedes Wort ausspucken. »Wie sie berichtet haben, ist das Verlöbnis endlich aufgelöst, und sie bleibt im Kloster. Er bekommt ihre jüngere Schwester und mit ihr sofort die Ländereien unseres Vaters. Und als er das gehört hat, hat ihn diese Aussicht – ich meine, das Land, nicht die Braut – so begeistert, dass ich fortan nur noch Luft für ihn war.«

»Es tut mir leid für dich«, meinte Christian. »Wie es aussieht, hast du nicht nur dein Erbe, sondern auch deinen Bruder verloren. Jakob ist noch nicht bereit, Verantwortung für so viele Menschen zu tragen.«

»Wir werden noch manche Überraschung mit meinem Brüderchen erleben«, prophezeite Lukas düster.

Die Schnelligkeit, mit der Jakob seinem Bruder abgeschworen hat, verheißt nichts Gutes, das dachte auch Marthe. Wenn Jakob wegen der Aussicht auf den Titel und die Ländereien bereit war, seinen Bruder von einem Augenblick auf den anderen zu verleugnen – wie würde ihn die Macht erst verderben, wenn er sie tatsächlich übernommen hatte?

»Er hat sich entschieden. Nun muss er die Konsequenzen selbst tragen«, meinte Lukas grimmig.

»Und mit ihm alle Bauern und Hörigen unter seiner Herrschaft. Anscheinend hat es wenig gefruchtet, was ich ihm beizubringen versucht habe«, sagte Christian, ohne seine Enttäuschung zu verbergen.

Er ging hinaus und gab der Köchin Bescheid, dass sie das Essen auftragen könne.

Obwohl Marthe und Christian schon von der Hochzeitsgesellschaft bewirtet worden waren, ließen sie es sich nicht nehmen, gemeinsam mit dem ganzen Haushalt zu essen. Dabei stellte Christian Hilbert vor, den neuen Hauskaplan, der das Mahl segnete und ein Tischgebet sprach. Nach dem Essen zeigte er ihm die Gästekammer, die für ihn eingerichtet worden war, und die fast fertige Kapelle.

»Ein guter Ort«, meinte Hilbert, während er sich ehrfürchtig in dem Raum umsah, dessen Wände nur noch geweißt und mit einem Dach versehen werden mussten.

»Wenn Ihr Ideen und Wünsche habt für das Ausmalen – wie ich gehört habe, besitzt die Frau des Töpfers beträchtliches Talent, Ranken und Blattwerk zu malen. Falls Ihr keine Einwände habt, dass eine Frau das tut, könnten wir sie bitten, damit die Wände zu schmücken.«

»Wenn es zur Ehre Gottes geschieht, vermag ich darin nichts Verwerfliches erkennen«, meinte Hilbert.

Während Christian mit dem Kaplan im Haus unterwegs war, hatte Till eine schwierige Entscheidung zu treffen. Er wusste, dass Christian sogar bereit gewesen war, einen Geistlichen zu töten, um seine Frau vor dem Tod zu retten. Aber ob er die Erlaubnis zu dem geben würde, was sein Schreiber jetzt plante?

Der einstige Spielmann war ein guter Beobachter und vermutete, dass sein Dienstherr in diesem Fall den Vorschlag als ehrlos abweisen würde. Da schien ihm der junge Ritter Lukas eher bereit, gegen alle Regeln zu verstoßen – zumal, wenn es um die Dame des Hauses ging. Einem Spielmann konnte er nichts vormachen, so gut er auch sein Gesicht unter Kontrolle halten mochte.

Also suchte Till nach Lukas und bat ihn mit einer unauffälligen Geste nach draußen.

»Kennt Ihr die uralte Geschichte von dem Boten, der einem König einen versiegelten Brief übergeben sollte?«, fragte er wie nebenher, aber mit einem bedeutungsschweren Unterton. Lukas, in Gedanken immer noch bei dem Zwischenfall mit seinem Bruder, starrte ihn irritiert an.

»Darin stand, der Überbringer der Botschaft solle unverzüglich hingerichtet werden«, fuhr Till beiläufig fort. »Was allerdings nicht geschah, weil der Bote den Brief zuvor heimlich gelesen und den Inhalt geändert hatte.«

Nun begriff der junge Ritter sofort, worauf hinaus der Schreiber wollte. Christian hatte ein versiegeltes Schreiben des Bischofs bei sich, das er Pater Sebastian übergeben sollte.

»Als fahrender Sänger lernt man einiges. Und zur fortgeschrittenen – wenn auch inoffiziellen – Ausbildung eines Vaganten gehört es auch, Schriftstücke zu fälschen und Siegel ohne erkennbare Spuren zu lösen und wieder anzubringen«, meinte der Schreiber. Erstmals seit ihrem Wiedersehen zog das Schelmenlächeln über sein Gesicht, wenngleich es reichlich grimmig wirkte. »Überlasst mir das Pergament für einen Moment und schaut kurz in eine andere Richtung.«

Mit einem Anflug schlechten Gewissens holte Lukas den Brief aus Christians Gepäck und ging mit Till in seine Kammer. Doch er fühlte sich merkwürdig beruhigt, während er zusah, wie Ludmillus das Wachssiegel vorsichtig erwärmte, damit es sich vom Pergament löste, und offensichtlich ohne den geringsten Skrupel den Brief des Bischofs öffnete.

Der Spielmann überflog das Schreiben und nickte Lukas zu. »Es ist, wie der Bischof sagte. Die Dame Marthe darf weiter heilen, solange Sebastian bei jedem ihrer Krankenbesuche als Zeuge dabei ist.«

»Da wird er viel zu tun bekommen«, meinte Lukas grimmig, während Till das Pergament geschickt wieder verschloss.

Der nächste Tag war ein Sonntag. Missmutig schlurften oder hasteten die Dorfbewohner durch den strömenden Regen zur Kirche, nicht wenige noch müde und benommen von der Hochzeitsfeier. Andere tauschten besorgt ihre Vermutungen darüber aus, was wohl der Grund dafür sein mochte, dass Ritter Christian sie nach dem Kirchgang zu einer Zusammenkunft unter der Dorflinde gerufen hatte. Irgendwie erweckte der Herr nicht den Eindruck, dass er gute Neuigkeiten für sie hatte.

Pater Sebastians Erscheinen und sein finsterer, zurechtweisender Blick sorgten dafür, dass die verhalten geführten Gespräche in der Kirche sofort verstummten.

Doch gerade als er die Messe beginnen wollte, öffnete sich mit lautem Knarren die Kirchentür erneut. Alle drehten sich um, um zu sehen, wer mit seiner späten Ankunft den Gottesdienst zu stören wagte. Bei dem Anblick schlugen nicht wenige der Dorfbewohner ein Kreuz, als ob sie den Leibhaftigen persönlich vor sich hätten.

Randolf hatte beide Flügel der Kirchentür weit auseinandergedrückt und stand inmitten des Eingangs. Nach einem langgezogenen Moment, der seinem Auftritt etwas Unheimliches verlieh, ließ der Hüne die Türen hinter sich zufallen und durchschritt gelassen den Raum, wobei er alle Blicke auf sich gerichtet wusste. Das Schwert hatte er am Eingang abgelegt, doch seine Sporen klirrten, während er nach vorn marschierte und sich in die erste Reihe der Kirchgänger stellte, direkt neben Christian.

»Ich dachte, ich leiste dir lieber Gesellschaft, wenn du deinen Bauern die Neuigkeit verkündest. Damit dich das Mitleid mit ihnen nicht übermannt«, raunte er ihm höhnisch zu.

»Deine Gesellschaft ist das Letzte, was ich dabei brauche«, gab Christian zurück.

Pater Sebastian warf ihnen beiden einen strafenden Blick zu, dann begann er die Messe.

Es hatte aufgehört zu regnen, als sich die Christiansdorfer nach dem Gottesdienst unter der Dorflinde einfanden, doch das verbesserte die Stimmung nur wenig.

Erwartungsgemäß gab es entrüstete Ausrufe, als Christian die neuesten Befehle des Markgrafen bekanntgab, doch die verstummten sofort, als Randolf mit eiskalter Miene für alle sichtbar sein Schwert zog. Die Alteingesessenen fühlten sich an sein Blutgericht vor beinahe fünf Jahren erinnert und bekreuzigten sich hastig.

»Steck dein Schwert in die Scheide, es wird hier heute nicht gebraucht«, sagte Christian scharf und wartete, bis Randolf mit boshaftem Lächeln seiner Anweisung nachkam.

Dann wandte er sich erneut an die Dorfbewohner.

»Wollt ihr etwa lieber, dass alle waffenfähigen Burschen und Männer in den Krieg ziehen?«

»Krieg ist eine feine Sache, man erntet Ruhm und macht Beute«, rief einer der Jüngeren.

»Bist du geübt im Umgang mit Waffen?«, wies ihn Christian hart zurecht. »Wer es nicht ist, kann sein Leben oder seine Gliedmaßen verlieren, während zu Hause die Frauen und Kinder allein und die Felder unbestellt bleiben.«

Christian gab den Menschen einen Augenblick Zeit, über seine Worte nachzudenken, dann fuhr er fort: »In wenigen Tagen kommen die Beauftragten des Markgrafen. Sie werden jeden von euch fragen, was er besitzt und wie viel er verdient hat, und den Betrag festlegen, den ihr zu zahlen habt.«

»Um keinen Zweifel aufkommen zu lassen«, mischte sich Randolf ein und legte mit drohender Miene die Hand an den Griff seines Schwertes, »wer den Markgrafen betrügen will, der verliert als Dieb seine Hand. Ich persönlich werde dafür sorgen, dass das Urteil unverzüglich vollzogen wird.«

Entsetztes Murmeln brach unter den Dorfbewohnern aus.

»Wie können wir sicher sein, dass die Steuern auch wirklich gerecht festgesetzt werden?«, rief einer der Bergleute, und die Umstehenden stimmten ihm murrend zu.

»Meister Josef als euer Dorfschulze und mein Schreiber werden die Männer des Markgrafen begleiten«, erklärte Christian. »Gibt es kein Einvernehmen oder glaubt jemand, er kann den Betrag nicht aufbringen, tragt mir den Fall vor.«

»Wie zartfühlend«, raunte Randolf hämisch. »Ich sage es ja – ein Bauernfreund.«

Christian warf ihm einen finsteren Blick zu und richtete das Wort wieder an seine Leute. »Das ist noch nicht alles. Ihr wisst, voriges Jahr gab es mehrere blutige Überfälle. Wir müssen damit rechnen, dass die Angreifer wiederkommen. Haltet die Augen offen und gebt sofort Bescheid, wenn ihr etwas Ungewöhnliches bemerkt oder Fremde seht, die das Dorf ausspionieren.«

Er legte eine kurze Pause ein und ließ den Blick über die Menschenmenge schweifen, über die Leben, für die er verantwortlich war. Dann fuhr er fort: »Der Markgraf hat uns ein Dutzend tüchtiger Wachen mitgeschickt. Doch ihr müsst selbst etwas tun, um euer Eigentum und euer Leben zu verteidigen. Wir brauchen einen Schutzwall. Markgraf Otto hat verfügt, dass jeder freie Mann einen Tag pro Woche dafür ableistet. Burgvogt Randolf wird die Arbeit beaufsichtigen.«

Er hob die Hand, um das aufkommende Durcheinander zu ersticken. »Tut es für euch, für euer aller Sicherheit und Leben!«

Dann überließ er Randolf das Wort, der lässig die Daumen in den Gürtel hakte und verkündete, dass er im Verlauf der folgenden Woche hier mit seinem gesamten Haushalt eintreffen und zusammen mit dem Baumeister die Männer für den Bau des Walls einteilen würde.

Noch während sich die Versammlung auflöste, schwang sich der künftige Burgvogt auf sein Pferd und ritt davon.

Als jeder wieder in seinem Haus war – nur Hilbert leistete seinen Antrittsbesuch bei Pater Sebastian –, rief Christian Peter zu sich. Mit stolzgeschwellter Brust und vor Aufregung rotglühenden Ohren sah sich der ehemalige Dieb in der Kammer um, denn außer Christian waren dort auch noch die anderen Ritter seines Herrn versammelt – und niemand sonst außer ihm. Wenn das nicht nach einem Abenteuer roch!

»Es geht um eine sehr wichtige und nicht ungefährliche Angelegenheit. Ich muss mich auf deine Verschwiegenheit verlassen können«, sagte Christian ernst und unterbrach Peters eifrige Beteuerungen mit einer Handbewegung.

»Wir denken, dass Melchiors Bande bald zurückkehren und heimlich das Dorf ausspionieren wird. Deshalb bist du ab sofort von deiner Arbeit im Stall befreit.«

Christian sah Bestürzung auf dem Gesicht des früheren Diebes. Doch ehe der Junge etwas sagen konnte, fuhr er fort: »Von heute an ist es deine einzige Aufgabe, unter vielerlei Vorwänden – ich bin sicher, da fällt dir schon etwas ein – durchs Dorf zu stromern und nach Melchiors Leuten Ausschau zu halten.«

Nach einem Augenblick der Verblüffung strahlte der Junge ihn begeistert an. »Als Euer Spion, meint Ihr? Großartig! Ihr könnt Euch ganz und gar auf mich verlassen!«

Schon wollte Peter losstürzen, aber Christian hielt ihn zurück.

»Sie dürfen dich nicht sehen, und sie dürfen auf keinen Fall merken, dass du sie entdeckt hast. Denk an den Gerichtstag! Wenn Melchior dich in die Finger bekommt, wird er sich an dir rächen.«

»Pah, dazu muss er mich erst einmal kriegen«, meinte Peter verächtlich.

»Bursche«, knurrte Christian und setzte seine grimmigste Miene auf, was sofort Wirkung zeigte. Erschrocken verharrte der Junge und starrte ihn reumütig an.

»Das ist kein Spiel! Deine Aufgabe ist überaus wichtig, und ich will nicht, dass dir dabei etwas zustößt.«

Er beugte sich zu dem eingeschüchterten Jungen hinab. »Dann nützt du uns nämlich nichts mehr. Wenn du jemanden erkennst, wirst du nichts weiter tun, als mir oder einem meiner Leute unverzüglich Bescheid zu geben. Ist das klar?«

»Ja, Herr. Dürfen die anderen Jungs aus unserer Bande mitmachen?«

»Kann ich mich auf sie verlassen?«

Peter nickte heftig.

»Dann hol sie her, ich will mit ihnen reden.«

Peter rannte los, um wenig später mit vier Jungen zurückzukommen, die einst zu Melchior gehört und sich dann entschlossen hatten, im Dorf zu bleiben und von ehrlicher Arbeit zu leben.

Christian nahm sich die vier, die mit stolzer Miene vor ihm standen und dabei um den besten Platz rangelten, mit derselben Gründlichkeit vor wie seinen jungen Stallburschen. Er wusste, dass sie als einstige Taschendiebe geschickt darin waren, zu beobachten, auszukundschaften und wenn nötig unbemerkt wieder zu verschwinden. Doch das waren Melchiors verbliebene Anhänger auch, noch dazu älter und ohne Zweifel rücksichtslos. Er wollte nicht, dass die Jungen vor lauter Abenteuerlust eine Unvorsichtigkeit begingen, die sie das Leben kosten konnte.

»Unsere Abmachung bleibt geheim: Ab sofort steht ihr in meinem Dienst«, verkündete er. »Ich zahle euch den gleichen Sold pro Woche wie jedem von Herwarts Leuten. Aber wenn ihr mir wirklich zur meiner Zufriedenheit dienen wollt, dann sorgt dafür, dass euch nichts geschieht!«

Nach dem Essen rief Christian alle in seine Kammer, auf die er in den bevorstehenden Auseinandersetzungen besonders zählte: Lukas, Gero und Richard, Herwart als Hauptmann der Wache, Till, seinen Knappen Konrad und, zu deren Begeisterung, auch Kuno und Bertram.

Die bleich wirkende Marthe schenkte Wein aus und setzte sich dazu, denn sie wusste, dass Christian sie bei dieser Besprechung dabeihaben wollte.

»Kriegsrat?«, meinte Lukas nach einem kurzen Blick über die Runde.

»Kriegsrat«, bestätigte Christian knapp. In den vergangenen Wochen hatte er verschiedene Vorkehrungen zur Verteidigung des Dorfes getroffen. Die Warttürme waren ständig besetzt, die letzten Bäume gefällt, die die Sicht rund ums Dorf versperren konnten, und nachdem der Frost aus dem Boden war, hatte der Bergmeister auf seinen Befehl hin den Bach anstauen lassen, damit das freie Gelände im Osten versumpfte. So wurden mögliche Angreifer gezwungen, Wege zu nutzen, die die Verteidiger gut überwachen konnten.

Doch jetzt war die Zeit der Vorbereitungen vorbei. Jeden Tag konnte der Kampf beginnen.

»Zwei von Herwarts Männern sind vorgestern von einem Streifzug im Dunkelwald nicht zurückgekehrt«, begann er ohne Vorrede. »Die Suche brachte keine Spur – weder von den Männern noch ihren Leichen oder einer Bande, die im Wald haust. Wir müssen aber davon ausgehen, dass die Angreifer schon hier sind, ganz in der Nähe, dass sie das Dorf beobachten und den nächsten Überfall planen.«

»Soll ich noch mehr Leute ausschicken, die den Wald absuchen?«, bot Herwart an.

»Nein. Keine ziellosen Suchaktionen mehr im Wald. Selbst fünf oder zehn Mann haben keine Chance gegen eine so große bewaffnete Bande, wie wir sie erwarten müssen. Und wir können keinen einzigen Kämpfer mehr entbehren. Wir müssen sie hier aufspüren.«

»Während sie das Dorf auskundschaften«, meinte Herwart und nickte zufrieden.

»Genau. Die bisherigen Überfälle zeigten, dass sie wussten, was hier vorgeht – wenn auch nicht alles. Wir müssen den Verräter aufspüren, falls es einen gibt« – dabei sah er auffordernd zu Marthe –, »und aufpassen, ob hier Fremde umherschleichen.«

Christian berichtete von seiner Absprache mit Peter und dessen einstigen Diebesgefährten.

»Kuno, Bertram.«

»Ja, Herr«, sagten die beiden Siebzehnjährigen wie aus einem Mund. Ernst und erwartungsvoll sahen sie ihn an, unverkennbar stolz darauf, zu einer Zusammenkunft von Christians engsten Vertrauten gerufen worden zu sein.

»Ihr werdet ein Auge auf die Jungen haben, damit sie sich zu nichts hinreißen lassen. Und sobald sie jemanden entdeckt haben, verfolgt ihr heimlich die Fremden, bis ich mit Herwarts Leuten als Verstärkung komme. Dafür solltet ihr immer eine Verkleidung dabeihaben.«

Der Rotschopf und sein schwarzhaariger Freund nickten, begeistert von diesem Auftrag. Sie hatten sich schon mehrfach verkleidet bei Gegnern eingeschlichen, nicht zuletzt auch vor ein paar Jahren bei Christians entscheidendem Kampf gegen Randolfs Gefolgsleute, die das Dorf in ihre Gewalt gebracht hatten.

»Aber auch für euch gilt: Keine unüberlegten Heldentaten!«, mahnte Christian. »Beobachtet sie und versucht, unbemerkt ihr Versteck auszukundschaften. Dann kommt zurück, und wir entwerfen hier einen Schlachtplan, wie wir sie überwältigen können.«

Christian wandte sich an seine Ritter. »Wir vier werden ab sofort so viel Zeit wie möglich damit verbringen, Herwarts Leuten den letzten Schliff zu verpassen. Herwart, verstärke die Wachen. Ab heute werden jede Nacht Patrouillen durchs Dorf gehen.«

Er zögerte einen Moment, dann sah er zu Lukas. »Ich weiß, du musst sparen. Doch du solltest deine guten Beziehungen zum Hurenhaus wieder aufnehmen. Wenn sich hier in der Nähe ein größerer Trupp verbirgt, schleicht sich möglicherweise mancher von ihnen dann und wann dorthin. Die Mädchen werden wissen, wer von ihren Kunden fremd im Dorf ist.«

Lukas nickte.

»Vielleicht kannst du die Hurenwirtin bitten, dass sie heimlich hierherkommt und mit mir spricht«, mischte sich Marthe ein.

Unter Sebastians Herrschaft würde sie sich nicht offen mit der rothaarigen Tilda treffen können. Unser Leben wird uns bald wie eine einzige heimliche Verschwörung vorkommen, dachte sie bitter.

»Eine gute Idee«, lobte Christian.

Seine nächsten Anweisungen galten Till. »Wenn du mit den Männern des Markgrafen unterwegs bist, um die Steuer für jeden freien Mann festzulegen, musst du Augen und Ohren nach allem Verdächtigen aufsperren und zugleich verhindern, dass es zu Gewalttätigkeiten kommt.«

»Wie denn – ohne Waffen?«, fragte der schmächtige Schreiber und hob resignierend die bloßen Hände.

»Ich mache Randolf schon klar, dass ohne ordentliches Verfahren kein Urteil vollstreckt wird.«

»Sonst sind wir bald als das Dorf der Einhändigen bekannt«, warf Gero düster ein.

Christian überging den Einwurf. »Wenn es Ärger gibt, komm sofort zu mir oder zu einem meiner Ritter.«

Konrad, der direkt neben ihm saß, wurde immer unruhiger. »Herr, Ihr habt mir noch keine Aufgabe zugewiesen«, machte er sich schließlich bemerkbar.

Christian sah ihm ernst in die Augen. »Du wirst deine Ausbildung mit aller Kraft vorantreiben. Vor allem den Schwertkampf zu Fuß und zu Pferde. Und jetzt« – er erlaubte sich ein kleines Lächeln – »werde ich dir die schwierigeren Finten beibringen, die du die ganze Zeit schon lernen wolltest. Wenn Lukas und ich keine Zeit haben, halte dich an Gero oder Richard.«

Bei den nächsten Worten klang seine Stimme wieder streng, denn er wusste, dass Konrad etwas anderes hören wollte. »Ansonsten gilt mein strikter Befehl: Du hältst dich aus allen bewaffneten Kämpfen heraus. Bei einem Angriff ist es deine Aufgabe, dafür zu sorgen, dass die Dorfbewohner in der Kirche Zuflucht suchen. Beschütze sie und meine Familie.«

»Aber, Herr …«, setzte Markgraf Dietrichs Sohn zum Widerspruch an.

Christian unterbrach ihn barsch. »Wir hatten diese Diskussion bereits. Du bist noch Knappe, kein Ritter, und ich bin vor Gott und deinem Vater für dein Leben verantwortlich. Das ist mein letztes Wort.«

Christian fiel auf, dass Marthe schneeweiß geworden war, während sie ihren Blick starr auf Konrad richtete.

Als alle Aufgaben verteilt waren, schickte er die Männer zu ihren Quartieren. Dann wandte er sich an Marthe und griff besorgt nach ihren Händen. Sie waren eiskalt, obwohl in der Kammer ein Feuer loderte.

»Was hast du gesehen, als ich mit Konrad sprach?«, fragte er ohne Umschweife. Er stand auf und schenkte ihr heißen Wein in den Becher. Sie fröstelte, zog die Schulter hoch und legte die Hände um den Becher, während sie mühsam nach Worten suchte.

»Ich sah ihn blutüberströmt auf einer Wiese liegen … Und ich habe dieses Bild schon einmal gesehen, vor Jahren … Damals dachte ich, es betrifft Markgraf Dietrich … Aber es war sein Sohn!«

Bestürzt zog er sie in seine Arme. Sein Verstand raste.

Gerade hatte er einen Knappen verloren, verloren an die Gier nach Macht und Besitz. Er gab sich keinen Illusionen hin, dass Jakob lediglich den Befehlen seines Vaters Gehorsam erweisen wollte, denn er hatte den Triumph in den Augen des Jungen aufblitzen sehen, nun doch seinen Bruder zu übertreffen, an dessen Vorbild er nicht heranreichte.

Christian war sich sicher, dass Konrad durch das Vorbild seines Vaters besser gegen solche Versuchungen ankam und dass er sich in aller Ernsthaftigkeit darauf vorbereitete, einmal seine Markgrafschaft gerecht zu regieren. Doch vor dem Tod im Kampf konnte er ihn nur schützen, indem er ihn so gut wie möglich ausbildete. Und selbst das bot keine Sicherheit.

»Wenn ein Großangriff auf das Dorf droht, lasse ich ihn nach Meißen eskortieren«, beschloss Christian. »Oder zu den Zisterziensern.« Auf halbem Weg nach Meißen bauten die grauen Mönche im Auftrag Ottos ein Kloster, das im kommenden Jahr bezogen werden sollte.

»Gut.« Marthe atmete tief durch. Sie zögerte einen Moment, aber er erkannte, dass ihr etwas auf dem Herzen lag.

»Da ist noch etwas, das ich dir sagen muss.«

Besorgt musterte Christian ihr schmal gewordenes Gesicht. Ihre Züge waren von Sorgen gezeichnet, ihre Augen umschattet. Etwas zog sich in ihm zusammen, und er musste wieder an seinen Streit mit Lukas denken, seine Befürchtung, die Folter könnte sie gebrochen haben. Würde sie je zu ihrem altem Mut zurückfinden, zu der Entschlossenheit, die er an ihr so schätzte und liebte?

Vielleicht erwartete er zu schnell zu viel von ihr. Es war falsch gewesen, sie an diesem Kriegsrat teilnehmen zu lassen, warf er sich vor. Vielleicht hätte er sie überhaupt nicht hierher bringen dürfen. Und statt vor ihr über das nächste Blutvergießen zu reden, das ihnen bevorstand, hätte er sie lieber zu Johanna in den Kräutergarten schicken oder bei Mechthild lassen sollen, damit die sie mit ihren Klatschgeschichten unterhielt.

Marthe holte tief Luft für ihre nächsten Worte. »Letzten Herbst, als die Wegelagerer den Silbertransport überfielen, da spürte ich es in dem Moment, als Blut floss. Clara fing im gleichen Augenblick an zu weinen. Möglich, dass ich mich irre. Aber ich habe sie genau beobachtet in den letzten Wochen ... und ich fürchte ... sie hat das auch schon ...«

Christian war sprachlos angesichts dieses Geständnisses.

»Sie ist noch keine zwei Jahre alt! Wie sollen wir sie bewahren und schützen?«, rief Marthe verzweifelt. »Da ich doch selbst nicht weiß, wie ich so leben kann – immer auf der Hut vor Sebastian, immer in Angst vor Randolf ... in Angst um dich und alle, die ich liebe!«

Marthe hob die zitternden Hände und ließ sie dann in den Schoß sinken. »Ich bin noch keine zwei Tage hier und fürchte schon, das nicht auszuhalten. Ich schäme mich für meine Feigheit. Ich sitze da und warte. Warte, dass irgendetwas passiert! Und es wird etwas Schreckliches passieren, das ist unausweichlich ...«

Mutlos fuhr sie fort: »Du hattest recht. Es ist nicht mehr das Dorf, das ich kenne.«

Im Verborgenen

Am nächsten Morgen begann Marthe, unter den argwöhnischen Blicken von Pater Sebastian Kranke zu behandeln. Zuvor noch schickte sie Johanna in das Haus ihres Bruders; offiziell, um Karls hochschwangerer Frau zur Hand zu gehen. Sie wollte das Mädchen, so gut es ging, der allumfassenden Kontrolle von Sebastian entziehen.

Hans und Friedrich, die beiden Fuhrleute, kamen als Erste und baten Marthe wie schon so oft um etwas Rotöl gegen den schmerzenden Rücken und das Reißen in den Händen.

»Ich muss den Pater holen lassen«, sagte sie, als sie die beiden alten Bekannten hereinbat, denen sie zum ersten Mal begegnet war, als sie mit der Siedlerkolonne unter Christians Führung zum Dunklen Wald zog.

»Wir haben davon gehört«, meinte Friedrich, der ältere der beiden Brüder, und blinzelte ihr aufmunternd zu, während er über seinen ergrauenden Bart strich.

Schon stand Sebastian in der Tür, als ob er nur darauf gewartet hätte, zu Marthe gerufen zu werden. Gibt es weiter nichts für ihn zu tun?, dachte sie bei sich.

Christian hatte gleich nach ihrer Ankunft darauf bestanden, dass Till den Pater durch ihren Kräutergarten führte, und sie war nachträglich doppelt froh, ihn wie einen Klostergarten angelegt zu haben.

Nun forderte Sebastian, ihre Vorräte an Medikamenten durchzusehen. Er wühlte sich rücksichtslos durch die sorgfältig aufgehängten Bündel getrockneter Pflanzen, entstöpselte Krüge und roch an ihrem Inhalt, ließ sich jede einzelne Mixtur genau erklären, während Marthe innerlich vor Wut zu kochen begann.

»Darf ich jetzt beginnen?«, fragte sie schließlich mit mühsam verhohlener Ungeduld. »Diese Männer hier leiden Schmerzen, ich will sie nicht länger als nötig warten lassen.«

Mit hoheitsvoller Miene gab Sebastian sein Einverständnis.

»Oh, ich kann warten«, ließ Friedrich seine kräftige Stimme ertönen. »Tut nur Eure Pflicht, Pater, damit jeder sicher ist, dass alles hier gottgefällig zugeht. Das Reißen in den Händen plagt mich schon so lange, da kommt es auf einen halben Tag nicht mehr an.«

Verwundert blickte Marthe auf Friedrich, der ihr wieder zuzwinkerte, während er ihr seine Pranken entgegenstreckte.

Der ältere der Brüder nahm ihr Können regelmäßig in Anspruch, weil ihm die schwer verspannten Muskeln immer wieder den Rücken steif werden ließen, während es doch Hans war, der über gichtige Hände klagte. Aber die verschmitzte Miene des Fuhrmanns bedeutete ihr, keine Fragen zu stellen. Wollte er verhindern, dass Sebastian es als anstößig verurteilte, wenn sie seinen Rücken berührte?

Mit Bedacht sprach sie laut ein Gebet, bevor sie Friedrich das Johanniskrautöl einmassierte. Schaden konnte es nicht, sicher würden dem Fuhrmann von seiner Arbeit bei Wind und Wetter auch die Hände oft schmerzen.

»Ah! Es wird schon viel besser!«, dröhnte Friedrich. »Das muss das Kraut bewirken, das den Namen des Täufers trägt. Es tut Wunder wie der Heilige, nach dem es benannt ist. Nicht wahr, Pater?«

Dem so Angesprochenen blieb nichts anderes übrig, als mürrisch zuzustimmen.

Hans sandte Marthe hinter Sebastians Rücken ein Verschwörergrinsen. Nun begriff sie und lächelte verborgen zurück. Die als Spaßvögel bekannten Brüder hatten sich diese kleine Vorstellung ausgedacht, um ihr beizustehen.

Und sie waren nicht die Einzigen. Nach den Fuhrleuten kam Bertha, um sie mit todernster Miene um Engelswurz gegen die fahrenden Winde zu bitten, der Nächste wollte Mariendistel, und so fragte den ganzen Vormittag lang ein Dorfbewohner nach dem anderen nach Heilkräutern, die Heiligennamen trugen.

Marthe war gerührt und bald sogar heimlich belustigt angesichts dieser vielen Sympathiebekundungen. Schließlich konnte Sebastian nicht wissen, dass kaum einer der Besucher wirklich an der Krankheit litt, über deren Beschwerden er wortreich klagte. Sie hatte keine Ahnung, wer dieses Schauspiel organisiert hatte, aber so konnte sie es ertragen, dass Sebastian nicht von ihrer Seite wich und seine Nase in jedes Salbentöpfchen steckte, das sie hervorholte.

Ich bin gespannt, wie das bei der nächsten Entbindung wird, dachte sie grimmig. Ob er wohl aufs Dach kriecht und durch das Abzugsloch späht?

Bei Geburten durften keine Männer zugegen sein. Deshalb hatte sie über Lukas als Mittelsmann mit der Hurenwirtin verabredet, dass sie sich treffen würden, wenn Agnes niederkam. Derzeit sah es bei ihrer Schwangerschaft nicht nach Schwierigkeiten aus, und die Geburt des ersten Kindes dauerte in der Regel lange. So Gott wollte, fand sie wie die meisten zur Nacht statt, und Tilda konnte sich unbemerkt zu ihr gesellen wie eine der Gevatterinnen, die stets bei einer Entbindung dabei waren.

Trotz des vergnüglichen Auftakts – die fast ständige Gegenwart des aufdringlichen Geistlichen, die Art, wie er ihr immer dichter auf den Leib rückte, um ja nichts zu verpassen, seine nörgelnde Stimme, die ständigen Einmischungen und selbst der säuerliche Geruch, der von ihm ausging, zerrten mehr und mehr an Marthes Nerven. Bald musste sie alle Kraft zusammennehmen, damit ihre Hände nicht zitterten, und befürchtete, jeden Moment die Beherrschung zu verlieren. In ihrer rechten Schläfe machte sich wieder der altbekannte pochende Schmerz bemerkbar, während sie der unangenehmen Überlegung nachhing, ob sie wohl dem neuen Kaplan bei der allerersten Beichte gestehen durfte, ausgerechnet gegen einen Geistlichen abgrundtiefen Hass zu empfinden.

Angesichts dessen war Marthe beinahe froh darüber, dass die Mehrzahl der Dorfbewohner wenig davon hielt, sich unter den misstrauischen Blicken des unbeliebten Paters behandeln zu lassen, und lieber nur eines der Kinder oder eine Magd zu ihr schickte, um eine Arznei abzuholen.

Die Mitglieder ihres Haushaltes teilten die allgemeine Abneigung gegen Sebastian – immerhin hatten sie ihn auch schon als Sigruns Beichtvater erlebt – und überhäuften sie weiter mit heimlichen kleinen Sympathiebekundungen, wenn er hinter ihr herschnüffelte.

»Soll ich ihm aus Versehen vor die Füße rennen?«, wisperte ihr Peter zu, als er von einem seiner Streifzüge zurückkehrte, um der Köchin etwas zu essen abzuschwatzen. Und Mechthild goss in jeden Becher Bier, den sie Sebastian reichte, reichlich Wasser und fragte mit gespielter Unterwürfigkeit, ob es denn auch dünn genug sei, um nicht zu Völlerei zu führen.

Dennoch, bald wurde der Kopfschmerz so übermächtig, dass Marthe kaum noch einen Gedanken fassen konnte. Immer häufiger hatte sie das Gefühl, nicht Sebastian, sondern das Raubvogelgesicht würde mit ausgestreckten Klauen hinter ihr stehen. Sie erwartete, jeden Augenblick die schnarrende Stimme zu hören: »Sie ist eine Hexe. Brennt sie!«

Und obwohl sie sich nun jeden Abend einen starken Schlaftrunk braute, um überhaupt noch Ruhe zu finden, schreckte sie nachts oft mit einem gellenden Schrei auf.

Christian zog sie dann in seine Arme und redete beruhigend auf sie ein. Bis sie wenig später erneut aus einem Alptraum auffuhr.

Aus den Wortfetzen, die sie in ihren Träumen schrie, erriet Christian, vor wem sie sich fürchtete. »Der Mann mit dem Raubvogelgesicht wird dir nichts mehr tun«, versicherte er ihr mit ruhiger Gewissheit. »Niemandem mehr.«

Fragend sah sie zu ihm auf. Doch sie ahnte, dass er nicht mehr sagen würde. Es gab Dinge, die selbst zwischen Eheleuten ungesagt bleiben mussten.

Als sei das alles noch nicht genug, traf am nächsten Tag Randolf im Dorf ein, um sich hier dauerhaft als Burgvogt niederzulassen.

Mit Randolf kamen neben etlichen Bediensteten auch seine Frau, sein vierjähriger Sohn und die beiden Beauftragten des Markgrafen, die die Abgaben für die Dorfbewohner festlegen sollten.

Meister Josef, der Tuchhändler und Dorfälteste, eilte dem Burgvogt mit einem Willkommenspokal entgegen. Randolf nahm einen tiefen Schluck, verzog das Gesicht und reichte den Becher an seine Begleiter weiter.

Beflissen verbeugte sich der Tuchhändler. »Wenn Ihr wollt, hoher Herr, seid Ihr und Eure Gemahlin in meinem bescheidenen Haus hochwillkommen. Falls Ihr die Güte habt, werde ich sofort veranlassen, dass Euch ein Mahl bereitet wird.«

Randolf musterte den Dorfschulzen knapp, bedeutete ihm zu warten und brüllte eine Reihe Befehle an seine Leute. Dann folgte er Josef zusammen mit seiner Familie und seinen hochrangigen Begleitern.

In den Tagen danach trafen noch zwölf von Randolfs Rittern mit ihren Knappen ein, einige auch mit Familie, und bevölkerten das Burglehen.

Dank des kurzen Winters waren die neuen Häuser schon so gut wie fertig, ebenso Randolfs Wohn- und Amtssitz gleich neben dem Bergfried. Der ragte mittlerweile bereits zwei Mannshöhen aus dem Boden.

Die Wachen hatten ihren Platz im Erdgeschoss des Turms, dessen Mauern fast zehn Fuß dick waren. Später sollte im Turm eine Silberkammer eingerichtet werden. Doch solange der Bergfried noch eingerüstet war, konnte er nicht für seinen eigentlichen Zweck genutzt werden. Er sollte künftig nur über Leitern von außen betreten werden können, die im Falle eines Angriffs eingezogen wurden.

Unter der jetzigen Wachstube befand sich gerüchteweise ein

Verlies, und so mancher Dorfbewohner stellte schon düstere Überlegungen an, wer von ihnen wohl als Erster Bekanntschaft mit dem finsteren Loch machen würde.

Randolf trieb die Bauleute an, um die Arbeiten am Turm zu beschleunigen. Und er ließ stets zwei bis zu den Zähnen bewaffnete Männer die Arbeiten am Wall überwachen, den die Dorfbewohner um das entstehende Gebäudegeviert errichteten, in dessen Mitte der Bergfried stand.

Währenddessen machte Richenza den Mägden das Leben zur Hölle, die sie sich im Dorf ausgesucht hatte und die ihre eigene Dienerschaft vervollständigten.

Schaurige Gerüchte flatterten durchs Dorf wie trockenes Laub im Herbst: dass sie eines der Mädchen in einem Wutanfall wegen eines geringen Vergehens halb totgeschlagen hatte und die Kleine, die erst acht Jahre alt war, tagelang nicht laufen konnte, dass sie das Gesinde nur zu gern mit der Reitgerte schlug und dabei ein Knecht ein Auge verloren hatte.

Marthe hatte gehört, dass das zweite Kind von Randolfs Frau bei der Geburt gestorben war; die Nabelschnur hatte sich um seinen Hals gewickelt.

Doch als sie von den Grausamkeiten erfuhr, die Richenza gegen die Menschen beging, die ihr hilflos ausgeliefert waren, verflog ihr Mitleid. Vielleicht, dachte Marthe schaudernd, erfüllt sich so doch noch der Fluch der alten Grete, die Randolf prophezeit hatte, seine Söhne würden tot geboren werden. Es waren Gretes letzte Worte gewesen, bevor der Hüne sie niederstach.

Durch den Dorfklatsch erfuhr Marthe auch, dass Randolfs Erstgeborener, der fast genauso alt war wie ihr Thomas, erkrankt war. Doch Richenza kam nicht um Rat zu ihr, obwohl sie nach ihrem Einzug Marthe in geheuchelter Herzlichkeit als neue Nachbarin begrüßt und umarmt hatte. Sie hielt sich an den Wundarzt, der mit ihr ins Dorf gekommen und in das Haus des verbrannten Medicus eingezogen war. Noch am Tag seiner Ankunft sah Marthe Pater Sebastian in sein Haus gehen.

»Wetten, dass er weder einen Aderlass braucht, noch dort seine hässliche Nase überall hineinstecken wird?«, knurrte Kuno. Bald schon sollte Marthe die Bestätigung dafür erfahren. Bei seinem nächsten Besuch hielt ihr Sebastian in überheblichem Tonfall vor, all ihr Tun sei unnütz und dumm, da sie keine Aderlässe vornehme und offensichtlich auch nicht nach der Vier-Säfte-Lehre heile.

Da wusste sie, dass sie sich doppelt in Acht nehmen musste: vor dem Pater und dem fremden Wundarzt. Denn sie hatte Josefas Worte von den lodernden Hexenfeuern nicht vergessen.

Dagegen erschien Marthe die Nachbarschaft von Randolf fast noch erträglich. Der Hüne kam nicht in ihre Nähe. Doch das konnte sich jeden Tag ändern. Zumal sich Randolfs Gefolge bald zwei alte Bekannte anschlossen: Kunos älterer Stiefbruder Martin und seine Frau Gertrud. Martin, der Marthe als junger Bursche beharrlich nachgestellt und sogar versucht hatte, sie mit Gewalt zu nehmen, war als Reisiger in Randolfs Dienst getreten. Kuno hatte ihn zuerst entdeckt und glaubte, seinen Augen nicht zu trauen, als er den Stiefbruder unter Randolfs Wachen sah.

Unsere Mutter würde sich vor Scham im Grabe umdrehen, dachte er finster. Du Verräterseele dienst dem, der sie mit eigener Hand umgebracht hat! Schande über dich, Pestilenz und Cholera!

Martin und seine Frau, die Marthe einst der Hexerei bezichtigt und ihren Tod gefordert hatte, waren nach Christians Sieg über Randolf vor fünf Jahren ins Nachbardorf zu Berthold geflüchtet. Dass sie sich jetzt wieder hierher wagten, konnte nichts Gutes bedeuten.

Und noch zwei Altbekannte wechselten zu Randolfs Lager

über: Griseldis und Hildebrand, der ehemalige Dorfschulze. Ihnen übertrug der Burgvogt die Aufsicht über sein Gesinde.

Pater Sebastian untersagte den Dorfbewohnern strikt, zur Walpurgisnacht Feuer anzuzünden und zu feiern, weil dies heidnischer Spuk sei. Niemand wagte es, sich zu widersetzen.
Die Dorfjugend war enttäuscht, weil mit dem Sprung über die Feuer so manche Neckerei und auch manche Möglichkeit verbunden war, sich seiner Angebeteten zu erklären und einen Kuss oder auch mehr zu erhaschen.
Trotzdem hatten sich in der letzten Aprilnacht allerorten Grüppchen unter dem sternenklaren Himmel zusammengefunden, um bei einem Krug Bier zu plaudern.
Auch Marthe und Christian saßen mit ihren Freunden vor dem Haus unter der Dorflinde und genossen die klare Frühlingsnacht. Sie hatten Jonas und seine hochschwangere Frau eingeladen, dazu Karl und Agnes, deren Kind nun jeden Moment kommen konnte.
Wie die meisten der leise geführten Gespräche betraf auch ihre Unterhaltung die Steuereintreiber, die von Haus zu Haus gegangen waren.
Christian wusste durch Tills Berichte und auch durch einige ängstlich vorgetragene Beschwerden der Dorfbewohner, dass der Tuchhändler bei diesen Erhebungen keine Hilfe war. Nicht ein einziges Mal sprach er zugunsten der Dorfbewohner. Einige beklagten sich sogar darüber, dass Josef gelegentlich noch höhere Abgaben für Leute vorschlug, mit denen er bei früheren Gelegenheiten aneinandergeraten war.
»Sie haben ihn doch als Dorfschulzen gewollt«, meinte Lukas abfällig. »Nun sollen sie auch damit leben.«
Marthes Aufmerksamkeit hingegen war vollständig auf Agnes gerichtet. Als sie sah, dass sich Karls junge Frau zum wieder-

holten Mal auf die Lippen biss und verstohlen den Rücken mit den Armen stützte, unterbrach sie das Gespräch.

»Wie lange schon?«, fragte sie nur.

»Seit dem Nachmittag«, antwortete Agnes mit schmerzverzerrtem Lächeln.

»Dann ist noch Zeit. Aber wir sollten schon hinübergehen in euer Haus.«

Die Männer blickten verständnislos auf die beiden jungen Frauen.

»Es ist so weit, das Kind kommt«, sagte Marthe lächelnd zu Karl. »Du wirst Vater!«

Der junge Schmied starrte sie einen Moment an, dann stöhnte er auf. »Allmächtiger, steh uns bei. Doch nicht gerade jetzt ... und so plötzlich!«

Christian strich sich über den kurzen schwarzen Bart, um sein verlegenes Lächeln zu verbergen, denn unwillkürlich fühlte er sich an den Tag erinnert, als Marthe ihr erstes Kind gebar.

Agnes musste lachen. »Wann sonst, du Dummkopf?«, meinte sie zärtlich. »Du hattest lange genug Zeit, dich an den Gedanken zu gewöhnen.«

Karl sprang auf, lief kurz ziellos hin und her, dann stürzte er auf Agnes zu und nahm ihre Hände. »Kann ich dir wirklich nicht helfen? Versprich mir, dass du zurechtkommst.«

Agnes lachte wieder, diesmal mühsam und mit schmerzverzerrtem Gesicht. »Bleib hier, trink mit den anderen noch einen Becher oder zwei, und sprecht ein Gebet für mich und das Kind.«

Auch wenn sie es nicht zeigen wollte, sie fürchtete sich. Zwar vertraute sie Marthes Fähigkeiten und fühlte sich durch ihre Anwesenheit beruhigt. Aber zu viele Frauen starben bei Geburten oder danach, als dass man diese Sache leichtnehmen konnte. Von den unsäglichen Schmerzen ganz abgesehen.

Sie gab Karl einen Kuss auf die Wange und zerzauste mit

einer zärtlichen Geste sein Haar. Dann spürte sie eine neue Wehe kommen und ließ sich mit leichtem Stöhnen auf die Bank sinken.

Marthe hatte inzwischen alles zusammengesucht, was sie brauchte. Mit dem unausstehlichen Pater Sebastian hatte sie vereinbart, dass er gerufen würde, bevor die Geburt einsetzte, und natürlich sogleich, wenn das Kind da war, um es zu taufen.

Sie nahm Agnes beim Arm, zog sie hoch und stützte sie, um mit ihr in Karls Haus zu gehen. Jonas und Karl trugen derweil den Gebärstuhl dorthin.

Schon im Gehen, drehte sich Marthe noch einmal um.

»Lukas, vielleicht solltest du den schönen Abend nutzen, um Kathrein einen Besuch abzustatten.«

Der Blondschopf verstand sofort. Mit breitem Grinsen erhob er sich und klopfte sich ein paar Krümel von seinem Bliaut. »Eine gute Idee ...«

Sein Grinsen schwand auch nicht auf dem Weg ins Hurenhaus. Er hatte wahrlich schon unangenehmere Aufträge auszuführen gehabt.

Zwiespältige Erinnerungen stiegen in Marthe auf, als sie mit Agnes Karls Haus betrat. Hier hatte sie selbst einmal gewohnt, als Ehefrau des alten Wiprecht, dem Vater von Karl, Johanna und Marie. Seine Frau war auf dem Siedlerzug von Franken hierher an Schwindsucht gestorben und hatte Marthe mit ihren letzten Atemzügen das Versprechen abgenommen, sich um ihre Kinder zu kümmern.

Nach der Ankunft der Siedler am Platz des künftigen Dorfes drängte Griseldis, dass Marthe den alten Witwer heiratete, damit sie seinen Haushalt führte und nicht länger unbeaufsichtigt blieb. Marthe war angesichts dieses Vorschlags entsetzt gewesen. Sie hatte sich zwar auf dem Marsch hierher an den Gedanken gewöhnen müssen, über kurz oder lang heiraten zu müssen, um nicht zu verhungern, hatte aber stets gedacht, man würde sie einem der jungen Burschen zur Frau geben.

Erst nachdem Randolf und seine Kumpane Marthe überfallen und geschändet hatten und damit drohten, Christian in Schwierigkeiten zu bringen, sollte sie davon erzählen, hatte sie in die Heirat eingewilligt.

Ihre Ehe mit Wiprecht war vom ersten Tag an eine Katastrophe gewesen. Er beschuldigte sie, ihn mit Hexenkräften seiner Männlichkeit zu berauben. Hier, in dieser Hütte, war er mit einem schweren Holzscheit auf sie losgegangen, als sie Johanna beschützen wollte. Er hätte sie damals wohl erschlagen, wäre Karl nicht dazwischengegangen.

Durch Agnes' Hände hatte der Raum einige Veränderungen erfahren – und auch dadurch, dass Karl als Schmied ein gutes Auskommen hatte. In einer Truhe lagen sorgfältig gewebte Leinenbahnen, überm Feuer hing ein eiserner Kessel, die Fensteröffnungen waren mit Schweinsblasen verschlossen. In der Ecke stand eine aus Weidenruten geflochtene Wiege als Zeichen des erhofften Glücks.

Marthe blieb allerdings nicht viel Zeit für traurige Erinnerungen und Vergleiche. Mit den herbeigeeilten Frauen zog geschäftige Betriebsamkeit in die Hütte ein, die sich im Nu in eine Gebärstube verwandelte.

Pater Sebastian kam, um ein Gebet für Agnes und das Ungeborene zu sprechen. Dann schickten ihn die Frauen hinaus, und er schien nur froh zu sein, etwas so Anstößigem wie einer Geburt entrinnen zu können.

Marthe bat Agnes, sich aufs Bett zu legen, und untersuchte sie sorgfältig, nachdem sie sich gründlich die Hände gewaschen hatte.

»Es wird noch dauern. Wenn du willst, kannst du noch umhergehen, das macht es leichter.«

Die Frauen hatten Agnes inzwischen das Haar gelöst und alle Kleidungsstücke bis auf ein Leinenhemd ausgezogen, damit kein Knoten die Geburt erschwerte.

Agnes war blass, aber sie hielt sich tapfer, während Marthe ihr Mut zusprach.

Es war noch Zeit, sie konnte sie vorerst den anderen Frauen überlassen, um unbeobachtet mit Tilda zu sprechen, der die Christiansdorfer Huren die Führung des Hurenhauses anvertraut hatten. In Tücher gehüllt war sie gekommen, so dass niemand sie erkannte. Rasch zog sich Marthe mit ihr hinter das Haus zurück.

»Die einzigen Fremden, die sich bisher bei uns blicken ließen, gehören zu den neuen Leuten des Burgvogts«, berichtete Tilda flüsternd. »Wir könnten schon mehr Kunden gebrauchen. Seit dieser neue Pater hier im Dorf ist und Tag für Tag gegen uns wettert, trauen sich die meisten nur noch heimlich her, und mancher bleibt ganz aus. Aber so etwas wie die …« Tilda schauderte und bekreuzigte sich. »Verrohtes Volk. Sie haben mir gestern eines der Mädchen so zuschanden gemacht, dass sie mindestens eine Woche nicht arbeiten kann. Und Ihr dürft uns jetzt nicht mehr helfen, wo Euch der neue Pater so zusetzt.«

Marthe überlegte kurz. »Wenn ich kann, komme ich heute Nacht kurz vorbei. Schließ die Tür nicht ab und sag dem Mädchen, dass es wach bleiben soll.«

Die Hurenwirtin war hin- und hergerissen zwischen Dankbarkeit und Sorge. »Gott segne Euch! Wir halten weiter die Augen offen. Wenn ein Fremder auftaucht, schicke ich jemanden, der Euch gleich Bescheid gibt. Wir fürchten uns auch vor einem Überfall.«

Als Tilda gehen wollte, hielt Marthe sie noch für einen Augenblick zurück. »Mich beschäftigt seit einiger Zeit etwas, das ich fast ein Jahr lang vergessen hatte. Wer war das blutjunge Mädchen, das damals mit deinen Gefährtinnen in mein Haus kam? Und wer hat sie so fürchterlich verprügelt?«

Tildas zögernd vorgebrachte Enthüllung verursachte einen inneren Aufruhr in Marthe. Am liebsten hätte sie Christian sofort davon erzählt. Doch das musste warten; jetzt brauchte Agnes ihre ganze Aufmerksamkeit.

Die Wehen waren noch nicht viel stärker geworden. Aber Marthe merkte der jungen Frau an, dass ihre Angst vor dem Kommenden immer größer wurde, und beschloss deshalb, sie nun nicht mehr allein zu lassen.

Sie ging nur noch rasch in ihr Haus, suchte eine ganz bestimmte Tinktur und beauftragte Peter, sie ins Hurenhaus zu Tilda zu bringen. Die würde wissen, wie die Medizin anzuwenden war. Und für Peter war es ein Leichtes, unbemerkt irgendwohin zu huschen.

Als der Morgen graute, entband Marthe Agnes von einem gesunden Jungen.

»Ist er nicht wunderschön?«, meinte Agnes und weinte vor Erschöpfung und Glück, während sie ihr Neugeborenes anlegte.

Nachdem Agnes frisch hergerichtet und die Kate aufgeräumt war, riefen die Frauen Karl herein und gratulierten dem frischgebackenen Vater.

Gerührt und unbeholfen nahm der junge Schmied das winzige Wesen in seinen Arm, um es dann eilig der Mutter zurückzugeben. Er küsste Agnes' Wange, zog einen Schemel heran, setzte sich neben sie und nahm schweigend ihre Hand.

Entschlossen schob Marthe die Frauen nach draußen, damit die jungen Eltern einen Augenblick für sich haben konnten.

Doch schnell holte die Wirklichkeit sie wieder ein. Pater Sebastian kam, um das Neugeborene zu taufen und sich davon zu überzeugen, dass alles mit rechten Dingen zugegangen war.

Karl und Agnes hatten Marthe und Christian gebeten, Taufpaten zu sein, und natürlich hatten diese ihr Einverständnis gegeben. Christian schenkte dem Patenkind eine Pfennigschale voll Münzen und gratulierte den jungen Eltern von Herzen.

Dann wollte er wieder zu Herwart gehen, doch Marthe hielt ihn zurück. Leise berichtete sie ihm von der Enthüllung der Hurenwirtin.

»Ist das ganz sicher? Es gibt keinen Zweifel?«, hatte Christian gefragt, und Marthe nickte. Das verzweifelte Mädchen hatte sich damals in ihrer Not Tilda anvertraut, damit die ihr beistand.

»Ich hätte sie schon viel früher danach fragen sollen. Es ist meine Schuld, dass wir es erst jetzt erfahren«, meinte sie bedrückt.

Doch Christian war schon auf dem Weg zum Nicolai-Viertel.

Der Ritter erntete ehrfürchtige Blicke, als er das Haus des Gewandschneiders betrat. »Hol deinen Meister und lass uns allein«, befahl er dem Lehrjungen, der sofort kehrtmachte und verschwand.

Wenig später tauchte Meister Anselm auf und begrüßte ihn wortreich.

»Spart Euren Atem«, unterbrach ihn Christian barsch und beugte sich über den langen Tisch, auf dem Anselm die Stoffe zuschnitt.

»Ihr werdet ab sofort Euren Freund, den Dorfschulzen, dazu bringen, dass er mehr Gerechtigkeit walten lässt. Und es ist mir gleich, wie Ihr das tut. Kommt mir nur noch eine einzige Klage zu Ohren, erzähle ich allen, welche Schändlichkeit Ihr Eurem Mündel angetan habt!«

Der Gewandschneider erbleichte und fing an zu stammeln. »Aber ich habe kein Mündel …«

Christian packte Anselm mit beiden Händen am vornehmen Obergewand und zog ihn zu sich. »Du hast keines mehr, du Bastard, weil du das Mädchen in dein Bett gezwungen und sie dann auf die Straße gejagt hast, als sie schwanger wurde. Nur weil es gleich nach deiner Ankunft hier geschehen ist, hat keiner von den Nachbarn bemerkt, dass plötzlich jemand in diesem Haushalt fehlte.«

In seinem Zorn musste er sich zurückhalten, um den Mann nicht niederzuschlagen. »Du solltest Vaterstelle bei ihr vertreten, stattdessen hast du sie zu einer Hure gemacht!«

Angewidert ließ er ihn los, und Anselm wäre beinahe zu Boden gestürzt.

Christian ging zur Tür, doch bevor er das Haus verließ, drehte er sich noch einmal um. »Denk daran – nur eine einzige Beschwerde, und ich mache dein schändliches Verhalten öffentlich! Vertrau besser nicht darauf, dass dem Mädchen nicht geglaubt würde.«

Immer noch zornig, wollte Christian zu seinem Haus gehen. Doch schon auf halbem Weg kam ihm Kuno entgegengerannt.

»Sie sind da!«, rief der Rotschopf atemlos. »Peter hat einen von Melchiors Leuten entdeckt!«

Die Vorhut

»Es ist einer von den Burschen, die damals mit Melchior gegangen sind«, stieß Kuno keuchend aus. »Bertram und Peter behalten ihn im Auge, ich bin sofort zu Euch gerannt.«

»Gut gemacht«, lobte Christian. »Wo und wie viele?«

»Nur einer. Er kam aus dem Nicolai-Viertel und ging Richtung Dorfausgang. Wir sind ihm unbemerkt gefolgt.«

»Ein Späher. Er soll das Dorf auskundschaften. Heute Nacht ist dunkler Mond, die beste Zeit für einen Überfall.«

Christian bedeutete Kuno, ihm zu folgen. Rasch gingen sie zum Wachhaus.

Herwart war bereits im Bilde, denn Bertram hatte den Eindringling heimlich verfolgt und ihm dann berichtet. »Der Bursche hat das Dorf verlassen und sich dort versteckt.«

Mit dem Kinn wies der Hauptmann der Wache auf ein Gebüsch in gut fünfzig Schritt Entfernung, etwas abseits des Weges, der aus dem Dorf führte. Das Versteck war gut gewählt: Die Fläche vom Dorf aus dorthin war frei, der Späher würde jeden von weitem kommen sehen, der sich ihm näherte. Doch zum Waldrand waren es nur ein paar Schritte.

»Wenn wir ihn jetzt greifen wollen, rennt er in den Wald und hat genug Vorsprung, um uns abzuhängen. Dann wird er seine Kumpane warnen«, meinte Herwart missmutig.

»Wir warten, bis die anderen kommen. Wenn sie sich ins Dorf schleichen, folgen wir ihnen und stellen sie auf frischer Tat«, entschied Christian.

Die schmale Sichel des Mondes warf nur spärliches Licht über die Landschaft.

Christian hatte seine Männer im Wachhaus versammelt. Er forderte die Wachen auf, sich wie gewohnt zu benehmen. Nichts sollte darauf hindeuten, dass sie den Fremden entdeckt hatten und jetzt doppelt so viele Bewaffnete wie sonst hier warteten, darunter auch vier Ritter.

»Geduld gehört nicht gerade zu meinen Tugenden«, murrte Lukas. Er stand neben Christian und starrte durch die schmale Fensteröffnung des Wachhauses, während er mit dem Schleifstein über die Klinge seines Dolches fuhr, obwohl sie längst scharf war.

Plötzlich erstarrte er in der Bewegung. »Da!«

In der Dunkelheit kaum zu erkennen, schwankten die Äste des Buschwerks. Der Heftigkeit der Bewegung nach musste der fremde Bursche sein Versteck verlassen haben.

»Zur Hölle«, fluchte Lukas. »Sollen wir ihm nachlaufen?«

Christian hielt ihn zurück. »Warte noch einen Moment.«

Wie er vermutet hatte, lösten sich im nächsten Augenblick drei schemenhafte Gestalten aus dem Dunkel des Waldes und gingen auf den Burschen zu, der aus dem Gebüsch getreten war. Die Fremden berieten sich kurz, blickten um sich und liefen dann geduckt Richtung Dorf.

»Dreistes Pack! Sich ausgerechnet direkt am Wachhaus vorbei hier einschleichen zu wollen«, knurrte Herwart. Aber aus seinen Worten sprach unverhohlene Zufriedenheit, dass Christians Plan aufgegangen war, mögliche Angreifer auf bestimmte, gut zu überwachende Wege zu zwingen.

In diesem Moment schob sich eine Wolke vor die schmale Mondsichel, und vorübergehend waren die Eindringlinge nicht mehr zu erkennen. Doch wenig später bemerkte Christian eine verstohlene Bewegung nahe dem Hurenhaus. Die Fremden waren hinter dem Haus vorbeigeschlichen und bewegten sich nun Richtung Nicolai-Viertel.

Wollten sie sich das Silber lieber aus den Truhen der Kaufleute holen – oder war das ein Ablenkungsmanöver?, überlegte Christian und traf schnell eine Entscheidung. »Lukas, Kuno, ihr kommt mit mir. Ihr anderen bleibt hier. Das ist vielleicht nur die Vorhut.«

Kuno strahlte, unverkennbar stolz. Würde er heute seinen ersten echten Kampf Mann gegen Mann erleben? Ein merkwürdiges Kribbeln breitete sich in seinem Bauch aus.

Leise folgten die drei in gebührendem Abstand den Eindringlingen. Doch bald mussten sie näher heranschleichen, um sie nicht in den Gassen zwischen all den Häusern zu verlieren. Dabei stießen, wie von Christian erwartet, Peter und Bertram zu ihnen. »Ich glaube, sie wollen zum Haus des Bergmeisters«, wisperte Peter.

»Gut gemacht. Und nun ab nach Hause mit dir«, sagte Christian leise zu dem Jungen, während er Bertram bedeutete, sich ihnen anzuschließen.

Die Stille der Nacht wurde durch das Gekläff zweier Hunde zerrissen. Weiter entfernt stimmten ein paar Hunde in das Gebell ein. In einem der Häuser ganz in der Nähe erklang ein dumpfes Muhen. Christian und seine Männer nutzten den Lärm, um ungehört ihre Schwerter aus den Scheiden zu ziehen.

Die Eindringlinge bewegten sich tatsächlich auf das Haus des Bergmeisters zu. Sie lauschten einen Moment, ob drinnen alles still war, dann zerschnitt einer der Fremden das ölgetränkte Leinen, mit dem die Fensteröffnung verschlossen war.

Zwei Männer hievten den dürren Burschen hoch, der sich wie ein Aal durch den schmalen Spalt wand, den jeder andere für zu klein gehalten hätte, als dass ein Mensch hindurchpassen könnte.

Lukas hob das Schwert und sah Christian auffordernd an, das Signal zu geben, damit sie endlich losstürmen konnten. Doch Christian schüttelte den Kopf. Augenblicke später glomm ein spärliches Licht im Haus auf, dann hörten sie, wie der Riegel von innen zurückgeschoben wurde. Erst als die drei anderen Diebe ins Haus geschlüpft waren und die Tür wieder hinter sich geschlossen hatten, ohne den Riegel vorzuschieben, bedeutete Christian seinen Begleitern, ihm zu folgen. Mit erhobenen Schwertern standen sie vor der Tür. Von drinnen waren leise Geräusche zu hören, ein hastiges Wispern und das Scharren, mit dem Bänke und Truhen vorsichtig beiseite gerückt wurden.

Christian warf einen kurzen Blick auf Lukas, Kuno und Bertram, dann nickte er ihnen zu. Krachend trat er die Tür auf und stürmte ins Haus. Im gleichen Augenblick war ein erstickter Schrei zu hören.

Einer der Diebe hatte sich Bertha, die Haushälterin des Bergmeisters und Mutter des kleinen Christian, geschnappt, hielt ihr mit einer Hand den Mund zu und setzte ihr mit der anderen einen Dolch an die Kehle.

»Weg mit den Schwertern, oder ich steche sie ab«, drohte der gebrandmarkte Fremde, und seine hasserfüllte Miene ließ keinen Zweifel daran, dass er es ernst meinte.

Bertha hatte vor Angst die Augen weit aufgerissen und gab einen gequälten Laut von sich.

Christian ließ sein Schwert sinken und wechselte es mit einer langsamen Bewegung von der rechten in die linke Hand, ohne den Gebrandmarkten aus den Augen zu lassen.

»Nur ruhig«, rief er und beugte sich vor, als ob er das Schwert auf den Boden legen wollte. Doch mitten in der Bewegung richtete er sich blitzschnell auf und trat dem Fremden mit vollem Schwung gegen den Ellbogen, so dass der Mann vor Schmerz aufschrie und sein Messer fallen ließ. Christian riss Bertha aus der Gewalt des Gebrandmarkten, schob sie hastig beiseite, dann stürmten er und seine Männer auf die Eindringlinge los.

Der Kampf war schnell vorbei. Kuno gelang es noch, den Jungen an den Beinen zu packen, der durch das schmale Fenster fliehen wollte, und ihn zurück in den Raum zu zerren. Als er vor ihm lag, erkannte Christian auch ihn wieder: Er war vor einem Jahr mit Melchiors Bande ins Dorf gekommen und hatte es vorgezogen, seinem »Meister« zu folgen, statt im Dorf zu bleiben und sich sein Brot mit ehrlicher Arbeit zu verdienen.

Die drei anderen waren deutlich älter als der Bursche, einem fehlte ein Ohr, dem anderen eine Hand. Sie waren demnach alle schon einmal für ein Verbrechen bestraft worden.

Der Lärm hatte längst die anderen Hausbewohner geweckt, die sich erschrocken versammelten. Allen voran der Bergmeister, der nur mit einem Pelzüberwurf bekleidet und mit einer Kerze in der Hand fassungslos auf das Geschehen in seinem Haus starrte.

Als die Einbrecher gefesselt auf dem Boden lagen, stürzte Bertha auf Christian zu und warf sich auf die Knie.

»Habt Dank, Herr«, flüsterte sie, immer noch schreckensbleich. »Ich hatte ein Geräusch gehört, da wollte ich nachsehen …«

»Ich hätte nie zugelassen, dass dein Sohn auch noch seine Mutter verliert«, versuchte Christian sie zu beruhigen. Er lächelte ihr aufmunternd zu, doch Bertha fing nachträglich am ganzen Leib zu zittern an.

Christian zog sie hoch und führte sie zu einer Bank. »Ich glaube, sie braucht jetzt einen Stärkungstrank«, sagte er zum Bergmeister. »Wenn Ihr so gut sein wollt.«

Hermann erwachte aus seiner Erstarrung und schlug ein Kreuz. Dann eilte er davon, um Wein zu holen, ohne ein Wort über die vertauschten Rollen zu verlieren.

Christian flößte Bertha etwas davon ein, denn ihre Finger zitterten immer noch. Vielleicht hätte sie es auch nicht gewagt, etwas aus den Händen ihres Dienstherrn anzunehmen.

Christian sah sich suchend um, fand einen Umhang an einem Haken an der Wand hängen und legte ihn Bertha über die Schultern. Eine Magd hatte inzwischen das Feuer geschürt, so dass nun flackerndes warmes Licht den Raum erhellte.

Der Feuerschein fiel auf die vier gut verschnürten Diebe und die Spuren ihrer hektischen Suche nach einem Geldversteck: verschobene Möbel und eine aufgegrabene Stelle im Fußboden vor dem Herd.

Der Bergmeister schenkte nun selbst auch Christian, Lukas, Bertram und Kuno Wein ein. »Ich wage gar nicht zu Ende zu denken, was hätte passieren können«, meinte er. »Wie kann ich Euch je meinen Dank ableisten?«

Christian räusperte sich. »Indem Ihr Stillschweigen bewahrt, Euren Haushalt wieder zu Bett schickt und uns für die Nacht diesen und einen weiteren Raum überlasst.«

»Selbstverständlich. Soll ich etwas zu essen bringen lassen?«

»Das ist nicht nötig. Kann einer Eurer Knechte eine Nachricht an Herwart überbringen?«

Mit einem Wink schickte Hermann sein aufgeregtes Gesinde bis auf einen jungen Knecht wieder zu Bett, vergewisserte sich, dass Bertha den ersten Schreck überwunden hatte, und verließ dann selbst die Halle, nicht ohne sich noch einmal bei Christian und seinen Männern bedankt zu haben.

Christian bat den Knecht zu warten, dann wandte er sich den Gefangenen zu, die gefesselt am Boden lagen. Spätestens am Morgen musste er sie an Randolf ausliefern. Doch er verließ sich lieber nicht darauf, dass der Burgvogt ihn freiwillig von dem in Kenntnis setzte, was er den Gesetzlosen an Geständnissen abgepresst hatte.

»Ihr wisst, wer ich bin?«, fragte er grimmig in die Runde.

»Der schwarze Reiter«, wimmerte der jüngste der Gefangenen, derjenige, der sich durch das Fenster geschlängelt hatte.

»Halt's Maul!«, fuhr ihn derjenige an, der Bertha hatte töten wollen.

Christian stellte einen Fuß auf den Brustkorb des Gebrandmarkten. »Falsche Antwort«, sagte er. Dann blickte er auf die anderen. »Sind noch mehr von euch im Dorf? Wo ist euer Versteck? Wer hat euch geschickt?«

»Von uns erfahrt ihr nichts«, zischte der Gebrandmarkte voller Hass.

»Das wird sich zeigen«, meinte Christian verächtlich. »Der Vogt wird euch als Diebe hängen lassen – wenn ihr Glück habt. Wie ich ihn kenne, wird er euch Gesindel erst eine Weile foltern und dann vierteilen lassen. Oder pfählen. Das ist im Moment die Todesart, für die er eine besondere Vorliebe hegt. Dagegen wird euch der Strang als Gnade vorkommen.«

Der Gebrandmarkte sah, dass seine Kumpane erbleichten.

»Keiner von euch redet, habt ihr gehört«, schrie er den anderen zu. »Er ist verflucht, er und sein Weib, die Hexe!«

Wütend zerrte Christian den Gefangenen hoch und verpasste ihm einen Fausthieb. »Meine Frau ist keine Hexe. Und vor mir solltest du dich etwas mehr fürchten«, fuhr er ihn an.

Dann stieß er den Gefesselten zu Kuno hinüber. »Schaff ihn nach nebenan und bewach ihn. Bertram geht mir dir«, befahl er.

Die beiden Burschen packten den Gesetzlosen an den Armen und zerrten ihn nach nebenan in die Vorratskammer.

»Was für ein Tölpel«, meinte Kuno kopfschüttelnd. »Sich erst gefangennehmen lassen und dann noch die Dame Marthe beleidigen.« Wütend stieß er seinen Gefangenen in die Rippen. »Damit machst du dir hier keine Freunde, weißt du. Und auch nicht, indem du die brave Bertha bedrohst.«

Er ließ den Fremden fallen und beugte sich über ihn. »Es sind beides gute, ehrbare Frauen. Und Ritter Christian hat zwar gesagt, ich soll auf dich Dreckstück aufpassen. Aber er hat nichts davon gesagt, dass ich dir vorher nicht noch ein bisschen Benehmen gegenüber Damen beibringen darf.«

Als der Anführer der vierköpfigen Diebesgruppe aus dem Raum war, zog Christian seinen Dolch und wandte sich den verbliebenen Einbrechern zu. »Ich glaube nicht, dass der Vogt euch alle und vollständig braucht.«

Wie erwartet musste er keine Gewalt anwenden, um die Gesetzlosen zum Reden zu bringen, nachdem ihr Anführer aus dem Raum geschafft worden war.

Als Erster sprach der Jüngste, der sich durch das Fenster gezwängt hatte. Und nachdem er zu reden begonnen hatte, überboten sich auch die beiden anderen mit Auskünften, um eine mildere Strafe zu bekommen.

Nein, sie seien allein hierhergekommen, sie hätten gedacht, die Münzen aus dem Haus eines reichen Christiansdorfers zu stehlen sei leichter als ungemünztes Silber aus einem gutbewachten Bergfried.

Ja, Melchior sei ihr Meister, aber der sei noch nicht da, sondern mit dem Rest der Bande erst auf dem Weg hierher. Sie seien nur eine Vorhut, um die Lage auszukundschaften, und hätten dabei den Fehler begangen, auf eigene Faust zu handeln und sich erwischen zu lassen.

Nachdem Christian das gehört hatte, schickte er den Knecht des Bergmeisters zu Herwart. Er sollte Bescheid geben, dass die Einbrecher gefangen und in dieser Nacht nach deren Worten keine weiteren Eindringlinge zu erwarten seien.

»Jetzt wird sich zeigen, ob ihr die Wahrheit sagt«, drohte Christian. »Sollten meine Männer auch nur einen einzigen Fremden sehen, werdet ihr euer schnelles Ende herbeisehnen.«

Ein durchdringender Gestank verriet inzwischen, dass der Jüngste vor Angst die Kontrolle über sein Gedärm verloren hatte.

»Wann kommt der Rest der Bande? Und wer schickt euch aus?«

Die Gesetzlosen wechselten verstohlene Blicke miteinander.

Drohend baute sich Christian vor dem jungen Dieb auf.

»Der Meister wird uns töten, wenn wir das verraten«, wimmerte der.

»Dazu müsste er sich schon sehr beeilen, denn schon morgen baumelt ihr am Galgen«, warf Lukas ungerührt ein.

Der Junge brach in Tränen aus und erzählte, was er wusste.

Christian und Lukas wechselten einen düsteren Blick, als sie hörten, welche Gefahr ihrem Dorf drohte. Melchior hatte eine neue Bande um sich gesammelt. Diesmal bestand sie nicht aus Kindern, sondern aus skrupellosen Dieben, Mördern und anderen Gesetzlosen, denen er reiche Beute in dem Silberdorf versprochen hatte. Den ganzen Winter über war Melchior umhergezogen und hatte Vogelfreie um sich geschart, eine Armee von vier Dutzend Männern, die bald hier eintreffen würde. Doch auch Melchiors Bande war nur ein Vorauskommando. Sie erwarteten militärische Unterstützung vom Thüringer Landgrafen. Der junge Ludwig fand, dass er durchaus teilhaben sollte an dem Reichtum, der Markgraf Otto durch das Christiansdorfer Silber zufloss. Und angesichts der beiden Niederlagen im vergangenen Jahr, bei denen seine und Melchiors Leute von Christian und seinen Männern vernichtend geschlagen worden waren, wollte er diesmal eine noch größere Gruppe gutbewaffneter Leute schicken.

Nachdem Christian das erfahren hatte, sandte er den Knecht des Bergmeisters erneut zu Herwart und forderte ein paar zusätzliche Männer an, um die Gefangenen zu bewachen. Dann ließ er Konrad, seinen Knappen, rufen.

Mit solchen Neuigkeiten konnte er nicht bis zum Morgen warten.

Marthe saß schon die halbe Nacht in der Halle und hoffte, dass die Männer unversehrt zurückkommen würden, nachdem Peter ihr begeistert von seiner Entdeckung und seinem heimlichen Einsatz mit Kuno und Bertram erzählt hatte. Fröstelnd in ein warmes Tuch gehüllt, versank sie immer mehr in düstere Grübeleien.

Sie zuckte zusammen, als es draußen klopfte.

»Bergmeister Hermann schickt mich im Auftrag des Herrn Christian«, rief eine Männerstimme. »Der junge Herr Konrad soll unverzüglich zu ihm kommen.«

»Wer da?«, fragte Marthe durch die Tür. Es war tief in der Nacht, im Dorf waren Einbrecher unterwegs – und fast alle Männer aus ihrem Haushalt ebenso.

»Friedrich, Bergmeister Hermanns Stallknecht«, bekam sie zur Antwort. Jetzt erkannte sie die Stimme. Aber vielleicht stand hinter ihm jemand mit einem Dolch und zwang ihn, das zu sagen, um ungehindert in ihr Haus eindringen zu können?

»Warte«, rief sie und hastete nach oben, um an Konrads Tür zu klopfen und den Knappen zu wecken. Der junge Markgraf war im Nu hellwach. Schnell kleidete er sich an, steckte seinen Dolch in den Gürtel und griff nach dem Schwert.

Mit blanker Klinge stand er neben Marthe, während sie vorsichtig die Tür einen Spalt öffnete. Als sie erkannte, dass dort wirklich nur Hermanns Stallknecht stand, atmete sie erleichtert auf und ließ ihn herein.

»Ich vermute schon überall Böses«, versuchte sie sich zu entschuldigen.

»Es ist besser, vorsichtig zu sein. Besonders in einer Nacht wie dieser«, meinte Konrad. Er war zwar enttäuscht gewesen, dass Christian ihn nicht zu dem Kampf mitgenommen hatte, aber dass er nun gerufen wurde, stimmte ihn zufrieden. Wer konnte wissen, welche Abenteuer in dieser Nacht noch auf ihn warteten?

Nachdem Herwarts Leute im Haus des Bergmeisters eingetroffen waren, um auf die Gefangenen aufzupassen, forderte Christian Lukas und Konrad auf, ihn zu Randolfs Haus zu begleiten. Dort angekommen, trommelte er das erschrockene Gesinde wach und befahl den verängstigten Mägden, ihren Herrn zu wecken.

In denkbar schlechter Laune kam Randolf die Treppe herab. Doch als er sah, wer da auf ihn wartete, konnte er sein Erstaunen kaum verbergen. Die Magd hatte nicht gewagt zu sagen, wer ihn mit einer so dringenden Botschaft zu sprechen wünschte.

»Welch ungewohnter Besuch zu ungewohnter Zeit«, höhnte der weißblonde Hüne. »Was verschafft mir die Ehre?«

Was Randolf im Heiligen Land an Gewicht eingebüßt hatte, war längst wieder aufgeholt; im Gegenteil, mittlerweile war bei ihm ein Ansatz von Fettleibigkeit nicht zu übersehen. Das machte seine Erscheinung nur noch massiger und bedrohlicher.

»Es gab einen Überfall. Schick ein paar deiner Männer zum Haus des Bergmeisters. Dort warten vier gutverschnürte Gesetzlose auf sie«, berichtete Christian knapp, ohne auf den bissigen Spott seines Rivalen einzugehen.

Christian und Lukas verfolgten ungerührt, wie Randolf mit Flüchen und Fußtritten mehrere Männer aus dem Schlaf riss, die sich auf dem Boden der Halle ihr Nachtlager eingerichtet hatten. Konrad stand hinter ihnen und beobachtete alles.

Als die drei Besucher keine Anstalten machten, seinen Leuten zum Haus des Bergmeisters zu folgen, starrte Randolf sie verblüfft an. Erwarteten sie etwa, zum Dank von ihm mit einem Nachtmahl bewirtet zu werden?

»Es gibt noch mehr Neuigkeiten«, beantwortete Christian die ungestellte Frage. »Können wir das irgendwo ungestört besprechen?«

Vor Verblüffung sprachlos, bedeutete Randolf seinen unerwarteten Gästen, ihm zu folgen.

Während ansonsten vieles im Haus noch unfertig wirkte, war

421

die Kemenate bereits fertig und geradezu verschwenderisch eingerichtet. Den Blickfang bildete ein großes Bett, dessen schwere Vorhänge zugezogen waren und nicht verrieten, ob die Dame des Hauses dahinter schlief oder wachte. Die Wände waren mit gestickten Behängen verziert, die Binsen auf dem Fußboden in einer dicken Schicht ausgelegt, so dass es bei jedem Schritt knisterte. Mehrere große Truhen standen an den Seiten, auf hölzernen Stangen hingen Randolfs Kettenpanzer, ein schwerer Pelz und ein besticktes, mit Pelzwerk verbrämtes Gewand, das Richenza gehörte.

Randolf führte seine Besucher zu Tisch und Bänken unter dem einzigen Fenster im Raum. Für einen winzigen Moment fühlte er sich so verunsichert, dass er sogar überlegte, ob er dem verhassten Feind und dem Sohn dieses widerlichen Markgrafen Dietrich einen Becher Wein anbieten sollte. Er hatte nicht vergessen, dass Dietrich ihn vor Jahren von seinem Stammsitz weggelockt hatte und just an diesem Tag während seiner Abwesenheit Christian auf unerklärliche Weise aus seinem Kerker verschwand. Bei seiner Heimkehr hatte er nur ein paar niedergestochene Wachen vorgefunden.

Doch schnell verwarf er den Gedanken an einen Willkommenstrunk.

»Ich höre«, knurrte er mit halb zugekniffenen Augen.

»Es gefällt mir genauso wenig wie dir«, gab Christian im gleichen Ton zurück. »Aber jetzt ist der Augenblick, wo wir zusammenarbeiten müssen, um das Dorf und das Silber zu verteidigen.«

Randolf gab sich keine Mühe, seinen Triumph zu verbergen. »Ottos Traum wird wahr – wir zwei, Seite an Seite für eine Sache«, meinte er mit unverhüllter Häme. »Bist du am Ende mit deinen paar Reisigen und Bettelrittern? Kommst du ohne meine Hilfe nicht gegen ein paar Strauchdiebe an?«

»Es sind mehr als ein paar Strauchdiebe unterwegs hierher«, erklärte Christian schroff. »Fast schon ein Heer. Wir müssen Otto um Unterstützung bitten.«

Nachdenklich rieb sich Randolf über das stoppelige Kinn, während Christian berichtete. »Und du denkst, dieses Gesindel hat sich das nicht nur ausgedacht, um sich wichtig zu machen und vom Galgen freizukaufen? Sollte der junge Ludwig wirklich so dreist sein?«

Doch je länger er die Sache überlegte, umso wahrscheinlicher erschien sie ihm. Ja, wäre er an Stelle des Thüringers, er würde wohl genauso handeln. Die Aussicht, reiche Beute zu machen und zugleich seinen Gegner vor dem Kaiser in Schwierigkeiten zu bringen, war zu verlockend. Dazu eine Bande Mörder und erfahrener Diebe anzuwerben ... ja, das klang ebenso einleuchtend wie vielversprechend.

»Ich werde mir diese vier Tölpel gründlich vornehmen, bevor ich sie hänge«, verkündete Randolf.

»Ich bin dafür, sie dem Markgrafen zu übergeben«, hielt Christian dagegen. »Die Aussage von vier Vogelfreien ist für ihn keine Handhabe, den Thüringer öffentlich anzuklagen. Trotzdem sollte er es mit eigenen Ohren hören.«

»Einverstanden, schaffen wir sie zum Burgberg. Aber nur drei. Den Anführer will ich hier hängen sehen. Lassen wir seine Leiche zur Abschreckung am Dorfausgang baumeln und von den Krähen fressen«, entschied Randolf. »Das wird die anderen gesprächiger machen.«

Gerade als er und seine unerwarteten Besucher sich erhoben, klopfte es an der Tür. Ein Bewaffneter trat ein und verkündete, die Gefangenen seien hergebracht worden. »Sollen wir sie gleich ins Verlies schaffen, oder wollt Ihr sie erst sehen, Herr?«, erkundigte er sich.

»Ins Verlies mit dem Pack«, entschied Randolf. Er würde sich das Gesindel erst vornehmen, wenn Christian aus dem Haus war. Wer weiß, was er noch alles aus ihnen herausprügeln konnte. »Und geleite meine Gäste nach unten«, wies er den verblüfften Reisigen an.

»Wir sehen uns morgen bei der Hinrichtung«, verabschiedete sich Randolf von seinem Feind und dachte: Schade, dass es nicht deine ist.

Als sich die Tür hinter Christian, Konrad und Lukas geschlossen hatte, öffnete eine schmale weiße Hand die schweren Bettvorhänge.

»Wenn das keine wunderbaren Neuigkeiten sind«, meinte Richenza mit breitem Lächeln. Sie wirkte hellwach, obwohl es mitten in der Nacht war. Randolf erkannte, dass sie jedes Wort mitgehört hatte, das hier gesprochen worden war, und wieder einmal vorausdachte.

»Christian hat dir jetzt selbst das Mittel in die Hand gegeben, ihn aus dem Weg zu räumen.«

Randolf glaubte, seinen Ohren nicht trauen zu können. »Wieso?«, fragte er und ärgerte sich über sich selbst, weil er keine Ahnung hatte, wovon Richenza redete. Hatte sie im Handumdrehen schon einen perfiden Plan ausgeheckt? Dies sähe ihr ähnlich.

Randolfs Frau verdrehte ungeduldig die Augen. »Verstehst du nicht? Du musst Otto nur klarmachen, dass er handfeste Beweise braucht, um den Thüringer anklagen zu können. Das ängstliche Gewimmer von ein paar Strauchdieben genügt dafür nicht. Rede ihm ein, dass Christian auf Ludwigs Wartburg solche Beweise beschaffen soll. Und dann gibst du dem jungen Landgrafen einen kleinen Hinweis ...«

Randolf gefiel dieser Plan auf Anhieb. Bis auf ein Detail.

»Und mein Eid?«

Wieder verdrehte Richenza die Augen, doch dann besann sie sich. Sie strich ihr glänzendes schwarzes Haar glatt und beugte sich vor, so dass er unter dem Rand der Decke genug von ihren üppigen Brüsten sehen konnte, um Lust auf mehr zu bekommen.

»Ein kleiner Hinweis ... das wiegt doch nicht schwer«, meinte sie leichthin. »Und wenn du im Zweifel bist, dann unternimm hinterher eine Wallfahrt, meinetwegen nach England ans Grab von diesem Becket. Oder nach Köln zu den Gebeinen der Heiligen Drei Könige. Hast du es nicht längst satt, vor Christian den Gehorsamen zu spielen?«

Sie sah ihm nachdenklich in die eisblauen Augen und fuhr sich mit der Zungenspitze über die Lippen. »Du könntest auch deine guten Beziehungen zum Löwen nutzen. Schließlich warst du die ganze Zeit im Heiligen Land an seiner Seite. Ist da auf Dankwarderode nicht dieser mächtige Ministeriale, der noch eine ganz bestimmte Rechnung mit jemandem hier offen hat? Der Thüringer braucht Geld, seine Kassen werden nach dem Bau des prächtigen Palas' leer sein. Er ist bestimmt bereit, sich einen Gefangenen für eine gute Summe abkaufen zu lassen. Und dann stell dir vor: Christian im Kerker eines Mannes, der nichts als Rache will.«

Richenza lächelte ihn verführerisch an, und Randolf war einmal mehr fasziniert von der Schläue und Skrupellosigkeit, mit der seine Frau Ränke schmiedete. Darin war sie ihm eindeutig überlegen. Manchmal wurde sie ihm deshalb sogar etwas unheimlich. Er selbst setzte eher auf Gewalt und seine ungeheure Körperkraft als auf sorgfältig geplante Intrigen.

Doch die Vorstellung, wie Christian vom Truchsess Herzog Heinrichs langsam und Stück für Stück zu Tode gemartert wurde, ohne dass sonst jemand ahnte, wo er war und dass er überhaupt noch lebte, erregte ihn aufs äußerste.

Richenza musste seine Gedanken erraten haben. Sie lächelte. »Du kannst doch einen deiner Freunde um diesen Gefallen bitten«, entkräftete sie seine letzten Bedenken. »Frag Ekkehart! Der übernimmt das bestimmt gern.«

Dann schob sie die Decke beiseite und spreizte aufreizend langsam die Beine. Begierig warf sich Randolf auf sie.

Die Entscheidung des Markgrafen

Erleichtert, dass der Kampf unblutig verlaufen war, und nachträglich erschrocken über die Gefahr, in die Bertha geraten war, setzte sich Marthe wieder in die Halle, nachdem Konrad mit Hermanns Stallknecht gegangen war.

Je weiter die flackernde Kerze vor ihr herunterbrannte, umso härter ging sie mit sich ins Gericht.

Jedes Mal, wenn die Männer in den Kampf zogen, blieb ihr nichts weiter, als zu warten. Dabei konnte sich hundert Schritte von hier wer weiß was ereignen! Und das Einzige, was sie hätte tun können – all ihre Sinne darauf zu konzentrieren, Verborgenes zu erkennen, das ihnen nützlich sein konnte –, blieb ihr verwehrt. Ausgerechnet jetzt vermochte sie diese Fähigkeit nicht mehr zu nutzen. Die ständige Überwachung durch Pater Sebastian und die unheilvolle Drohung eines neuen Prozesses, die über ihr hing, zermürbten sie.

Die Ankunft von Kuno und Bertram riss sie aus ihren Gedanken. Die beiden Siebzehnjährigen ließen keine Spur von Müdigkeit erkennen, so aufgekratzt waren sie wegen ihres erfolgreichen Einsatzes.

»Wo sind Christian, Lukas und Konrad?«, fiel sie ihnen ins Wort.

Die beiden Burschen verstummten zeitgleich und wechselten einen unsicheren Blick.

»Beim Burgvogt«, erklärte Kuno schließlich nach einigem Zögern und strich sich verlegen durch das rote Haar.

Marthe zuckte zusammen. Sie zwang sich, äußerlich ruhig zu bleiben, und ließ sich berichten, was geschehen war. Dann schickte sie die Burschen schlafen und setzte sich wieder allein in die Halle.

Es wäre sicher klüger, die kurze Zeit bis zum Morgengrauen zu nutzen, um ein wenig zu schlafen. Aber sie musste den kostbaren Moment des Alleinseins nutzen, um nachzudenken.

Wenn die Gesetzlosen die Wahrheit gesagt hatten, würde bald ein Heer zu allem entschlossener Kämpfer das Dorf angreifen.

Die Schonzeit für sie war vorbei.

Es herrschte immer noch stockfinstere Nacht, als Christian, Lukas und Konrad von Randolf zurückkehrten.

Christian war nicht besonders überrascht, seine Frau noch vollständig angekleidet und wach in der Halle anzutreffen, sondern er wunderte sich lediglich, warum sie ihn erst einen Moment zögernd, beinahe fragend ansah, bevor sie zu ihm ging und ihre Arme um seinen Hals legte.

Wortlos führte er sie in ihre Kammer. Dort erzählte er in wenigen Worten, was sie noch nicht wissen konnte.

Er zog sie an sich, um sie zu beruhigen, und erlebte überrascht, dass sie seine Zärtlichkeit mit herausfordernder, stürmischer Leidenschaft erwiderte.

Ihr letzter Gedanke, bevor sie kurz vor dem Morgengrauen doch noch einschlief, war: Sollen sie kommen! Wir sind bereit.

Am nächsten Morgen ließ Randolf die Dorfbewohner zusammenrufen, um der Hinrichtung eines auf frischer Tat ertappten Einbrechers beizuwohnen.

Heftiger Wind fegte über den Platz und wirbelte feine Sandkörnchen auf. Er bauschte die Röcke der Frauen, ließ Haare und Haubenbänder flattern, und wer aus den schützenden Häusern trat, stemmte sich gegen den Wind und kniff die Augen zusammen, um keinen Sand hineinzubekommen.

Dennoch hatten fast alle Christiansdorfer ihre Arbeit stehen- und liegengelassen, um zuzusehen, wie der Dieb gehenkt wurde. Aber so mancher von den ersten Siedlern fühlte sich an jenen Tag erinnert, als Randolf Berthas Mann unter falscher Anklage hatte hängen lassen. Nur der Umstand, dass Ritter Christian diesmal mit verschränkten Armen und unbewegter Miene neben dem Burgvogt stand und in keiner Weise eingriff, beruhigte sie.

Ohne Umstände ließ Randolf den Verurteilten aus dem Verlies holen, ebenso seine drei Kumpane, damit sie das Ende ihres Anführers mit eigenen Augen mitansehen mussten.

Er hätte den Gefangenen wirklich lieber gepfählt, aber er war in Eile. Christian und er mussten noch am gleichen Tag nach Meißen reiten. Denn wenn stimmte, was das Diebesgesindel erzählte, hatten sie bald mit einem massiven Angriff zu rechnen. Doch noch mehr trieb ihn der Gedanke an Richenzas ausgeklügelten Plan.

Mit beinahe gelangweilter Stimme verkündete der Burgvogt Vergehen und Strafe. Er winkte Sebastian nach vorn, doch der Pater erklärte, der Verbrecher zeige keine Reue, weshalb er ihm keine Absolution erteilen könne.

Dann zerrten die Wachen des Burgvogts den Verurteilten zum Galgen, der auf Randolfs Befehl hin am westlichen Dorfausgang errichtet worden war, und legten ihm den Strick um den Hals.

»Fluch über dieses Dorf, Fluch über jeden von euch!«, schrie der Todgeweihte. »Meine Brüder werden mich rächen! Ein mächtiges Heer wird kommen und Blut und Tod über diesen Ort bringen!«

Etliche der Umstehenden bekreuzigten sich erschrocken und tauschten ängstliche Blicke aus.

Ungerührt gab Randolf seinen Männern ein Zeichen. Sie traten die Leiter weg, auf der der Verurteilte stand.

Der Mann stürzte ins Leere; er zuckte wie wild und pendelte am Strick durch die ruckartigen, heftigen Bewegungen hin und her, sein Körper verkrampfte sich im schier endlosen Todeskampf, während das Gesicht blau anlief. Schließlich schwang der Gehenkte reglos im Wind. Von den zerrissenen Beinlingen tropfte Urin.

Fachmännisch kommentierten die Zuschauer die Hinrichtung, während sie an ihre Arbeit zurückkehrten. So mancher bekreuzigte sich noch einmal, um gegen den Fluch des Todgeweihten gefeit zu sein.

Als Marthe gehen wollte, bemerkte sie, dass der Wundarzt auf Randolf zuging und etwas mit ihm besprach. Randolf nickte huldvoll. Daraufhin eilte der Wundarzt mit gewichtiger Miene zu dem Leichnam, um die Flüssigkeit aufzufangen, die dem Toten immer noch von den Beinen tropfte.

Urin eines Gehenkten – und später, in der Dämmerung, wird er sich wohl auch noch dessen Blut holen, dachte Marthe verärgert. Beides galt als Wundermittel gegen viele Krankheiten.

Sie hatte bisher keine nähere Bekanntschaft mit dem Wundarzt gemacht. Und er sah offensichtlich keinen Anlass, sie aufzusuchen. Aber dass er sich seine Arzneien vom Galgen holte, ließ Marthes Hoffnung sinken, endlich einmal auf einen Medizingelehrten zu treffen, von dem sie etwas lernen konnte. Schließlich erzählte man sich ganz Erstaunliches darüber, was die jüdischen Ärzte vermochten.

Enttäuscht ging sie zum Haus, um Reiseproviant für Christian, Lukas und Konrad zusammenzupacken. Doch schon nach wenigen Schritten wurde ihre Grübelei über den Wundarzt durch die Sorge verdrängt, wie wohl eine gemeinsame Reise von Randolf, Christian, Lukas und Konrad ausgehen mochte.

Um noch am gleichen Tag Meißen zu erreichen, hatte Randolf befohlen, jeden der drei Gefangenen gefesselt und geknebelt auf ein Pferd zu hieven, das von einem seiner Männer geführt wurde.

Christian und Randolf an der Spitze des Zuges wechselten während des ganzen Rittes kein Wort miteinander. In feindseligem Schweigen ritten sie nebeneinander durch den nasskalten Maitag, während sie die Umgebung nach Anzeichen dafür absuchten, ob ihnen jemand auflauerte.

In der Mitte der Kolonne ritten Randolfs Wachen mit den Gefangenen, das Ende bildeten Konrad und Lukas.

Bis sie den schützenden Wald erreichten, mussten sich die Reiter gegen den Wind stemmen und hatten Mühe, ihre Pferde voranzutreiben.

Als der Trupp die freie Fläche um das Dorf hinter sich gelassen hatte, bat Konrad Lukas durch ein Zeichen, zu ihm aufzuschließen.

»Ist es nicht zu riskant, Christian dort vorn allein bei Randolf und seinen Leuten zu lassen?«, fragte er verhalten – laut genug, dass Lukas ihn verstehen konnte, aber zu leise, als dass die Reiter vor ihnen etwas von dem Gespräch mitbekamen. »Falls sie ihn angreifen, kämen wir viel zu spät zu Hilfe.«

»Wenn Blicke töten könnten, hätten wir da vorn schon längst zwei Leichen zu Pferd«, entgegnete Lukas mit einem Grinsen. »Sei beruhigt: Wenn Gefahr drohte, hätte dich Christian sicher nicht mitgenommen.«

Mit jäh aufflammendem Unwillen zerrte Konrad an den Zügeln seines Pferdes. »Ich hasse es, dass er mich dauernd ins Haus schickt, wenn ein Kampf bevorsteht. Sogar den Rotschopf und seinen Freund hat er gestern mitgenommen! Dabei lerne ich schon viel länger, das Schwert zu führen. Hält Christian mich für einen Versager?«

Erstaunt sah Lukas auf den schwarzhaarigen jungen Mann neben sich. »Das bestimmt nicht. Aber Knappen ziehen nicht in den Kampf.«

»Ihr selbst habt es doch auch getan, damals zusammen mit meinem Vater, um Christian zu befreien«, erwiderte der junge Markgraf.

Lukas glaubte zu verstehen, was in Konrad vorging. »Da war ich auch etwas älter als du. Und schließlich bin ich nicht der einzige Erbe eines Markgrafen.«

Er grinste ihn mit einem Verschwörerlächeln an. »Deshalb durfte ich schon mal über die Stränge schlagen. Das ist der Vorteil.«

»Wenn Ihr es so seht«, räumte Konrad widerwillig ein. »Aber warum nimmt er mich dann heute mit?«

»Um deinem Onkel eine Freude zu machen und euch ein Wiedersehen zu ermöglichen. Und damit du etwas lernst.«

Konrad wog ab, ob die Gelegenheit günstig war für eine weitere Frage, die ihm am Herzen lag, und befand, dass der junge und trotzdem schon bewährte Ritter neben ihm vielleicht darauf antworten würde.

»Warum hat uns die Dame Marthe heute nicht verabschiedet wie sonst?« Diesmal hatte sie ihnen den Reisesegen schon im Haus mit auf den Weg gegeben und war in der Halle geblieben, statt wie üblich die Reisenden vor das Tor zu begleiten und ihnen nachzuschauen, bis sie außer Sichtweite waren.

»Sie wird wohl zu tun gehabt haben«, brummte Lukas.

Konrad war sich sicher, dass dies nicht der Grund sein konnte. So beschäftigt die Gemahlin seines Ritters auch war – bisher hatte sie es sich nie nehmen lassen, sich angemessen von Reisenden zu verabschieden. Schließlich konnte man nicht wissen, ob man den anderen je wiedersah. Gefahr lauerte nicht nur auf den Straßen und im Wald.

»Es hat mit Randolf zu tun, nicht wahr?«, bohrte er weiter.

»Sie hat keinen Grund, ihn zu mögen, nach dem, was er Christian und dem Dorf angetan hat«, knurrte Lukas, nun wirklich schlecht gelaunt. »Und du solltest lernen, wann es besser ist, nicht weiterzufragen.«

Beschämt verstummte Konrad.

Lukas ließ sich zurückfallen, um mit seinem Braunen die Kolonne zu beschließen. Dabei gab er sich erneut finsteren Gedanken hin, die Marthe, Randolf und ein Geheimnis betrafen, das er lieber nie erraten hätte.

Sie verzichteten unterwegs auf eine Rast, und da die Tage nun länger wurden, schafften sie es, noch vor Einbruch der Dämmerung den Burgberg zu erreichen.

Gemeinsam übergaben sie die Vogelfreien an Arnulf und ließen sich dann umgehend bei Markgraf Otto melden.

Diesmal konnten sie ihn nicht sehen, sondern nur hören. Der Palas war von dickem, beißendem Qualm durchzogen, und wie durch eine Nebelwand war die wütende Stimme des Markgrafen zu vernehmen: »Welcher Tölpel hat nasses Holz in den Kamin gelegt? Lass das sofort entfernen und neu anfeuern!«

»Ja, Herr; sofort, Herr«, vernahmen sie die kläglichte Stimme des Haushofmeisters. Augenblicke später lief dieser den Neuankömmlingen mit beleidigter Miene entgegen, hastete ohne ein weiteres Wort nach draußen und begann, Befehle zu erteilen.

Die Ritter und der Sohn von Markgraf Dietrich schritten durch den Qualm, bis sie unmittelbar vor Otto standen. Als sie niederknien wollten, unterbrach er sie mit einer Handbewegung. »Erspart mir die Förmlichkeiten. Lasst uns diesen Ort so schnell wie möglich verlassen, bis hier wieder Ordnung eingekehrt ist.«

Er unterdrückte mühsam einen Hustenanfall und winkte den Männern, ihm in die Kemenate zu folgen. Dort saß Hedwig, über ein Pergament gebeugt, und bedachte sie mit einem freundlichen Lächeln, das merklich kühler wurde, als ihr Blick auf Randolf fiel.

Immer noch den Husten niederkämpfend, befahl Otto einem Pagen, Wein einzuschenken, und nahm einen tiefen Zug. Dann erst musterte er die beiden Männer, die mit finsteren Mienen direkt vor ihm standen.

»Sieh an«, sagte er, während ein grimmiges Lächeln über sein Gesicht zog. »Randolf und Christian in trauter Gemeinsamkeit. Wollt Ihr Euch wieder übereinander beschweren, oder seid Ihr nun endlich zur Vernunft gekommen und begrabt die alte Feindschaft?«

Niemand ging auf seine Frage ein. Doch falls Otto eine Antwort erwartet hatte, verlor er das Interesse daran schlagartig, nachdem ihm Christian in knappen Worten berichtet hatte, was er von den Gefangenen erfahren hatte.

Eine Zeitlang herrschte Stille in dem Raum, der von mehreren Kerzen in ein warmes Licht getaucht war.

Fast gequält drehte sich Otto zu Hedwig um. »Sollte er das wirklich wagen?«

Bevor sie antworten konnte, ergriff Randolf das Wort.

»Vielleicht solltet Ihr jemanden ausschicken, der in Eisenach Beweise für die Hinterlist des jungen Ludwig beschafft, damit Ihr vor dem Kaiser Klage gegen ihn erheben könnt.«

Der deutliche Seitenblick, den er dabei auf Christian warf, machte klar, wen er für diesen Auftrag vorschlug.

Doch Otto, der inzwischen zu alter Entschlossenheit zurückgefunden hatte, winkte nur ab. »So viel Zeit haben wir nicht. Und was soll das bringen? Nehmt ein paar Leute gefangen, wenn die das Dorf angreifen, dann habt Ihr Beweise genug.«

Sichtlich enttäuscht stimmte Randolf zu. Aber Hedwig, der sein Blick nicht entgangen war und die ihn genauso deutete wie Christian, sandte diesem ein winziges, verschwörerisches Lächeln zu.

»Was würdest du tun, Konrad?«, ermutigte Otto seinen Neffen, eigene Überlegungen vorzutragen.

Markgraf Dietrichs Sohn straffte sich. »Verstärkung nach Christiansdorf schicken, das Dorf befestigen, so gut es in der verbleibenden Zeit geht, die Angreifer zwingen, sich auf eine bestimmte Stelle zu konzentrieren, und sie dort gut gerüstet in Empfang nehmen«, antwortete er, ohne zu zögern.

»Für mehr Befestigung bleibt uns kaum Zeit«, warf Christian ein. »Sie können jeden Tag kommen.«

»Und ich kann keine Verstärkung schicken«, ergänzte Otto, während er sich müde übers Gesicht strich. »Im Gegenteil, ich muss Euch noch Leute abziehen.«

Christian und Lukas tauschten einen bestürzten Blick und warteten auf eine Erklärung.

»Aber das könnt Ihr nicht tun, Onkel«, rief Konrad. »Wie soll das Dorf einem Angriff von hundert bewaffneten Männern standhalten?«

»Ich habe keine Wahl«, wies Otto seinen Neffen streng zurecht. »Ich würde all das tun, was du vorgeschlagen hast, wenn ich könnte. Deine Vorschläge sind gut durchdacht. Aber ich muss dem Kaiser das Silber liefern. Er will es umgehend haben.«

Nun wandte sich der Markgraf wieder zu Christian und Randolf. »Wärt Ihr heute nicht gekommen, hätte ich Boten ausgesandt, um Euch zu holen. Ich brauche Euch als Geleitschutz für den Transport des Schatzes nach Trifels, auf die Stammburg des Kaisers.«

»Weiß der Landgraf von Thüringen davon? Dann wird er wahrscheinlich eher den Transport als das Dorf überfallen lassen«, sagte Christian.

»Das ist das Problem«, meinte Otto und wischte sich mit dem Ärmel den Schweiß von der Stirn. »So etwas spricht sich immer herum, das lässt sich nicht vermeiden. Schließlich bin ich nicht der einzige Fürst, der sich vom Feldzug freikauft.«

»Aber nach diesen Neuigkeiten könnt Ihr Christians Dorf nicht völlig von Bewaffneten entblößen, mein Gemahl«, mischte sich Hedwig ein und legte das Pergament beiseite, das sie in der Hand gehalten hatte, auch wenn sie längst nicht mehr darin las. »Wenn Angreifer das Dorf brandschatzen, wird das nicht nur Leben kosten, sondern auch die Arbeit in den Gruben auf unbestimmte Zeit zum Erliegen bringen.«

Otto blickte sich kurz um, befahl einem Pagen, aus der Küche etwas zu essen zu holen, und schickte die Diener hinaus. Dann bedeutete er den Rittern und seinem Neffen, sich zu ihm an den Tisch zu setzen. »Also, wie bringen wir das Silber sicher zum Kaiser, ohne das Dorf und die Gruben schutzlos zu machen?«

Sie berieten so lange, dass Hedwig zwischendurch nach einem Diener schicken musste, um die heruntergebrannten Kerzen auswechseln zu lassen.

Mit einem bedauernden Blick auf die längst leergegessene Bratenplatte fasste Otto schließlich zusammen: »Jeder wird damit rechnen, dass wir zwei Transporte losschicken: einen zur Täuschung und einen zweiten mit dem Silber. Also schicken wir noch einen unscheinbaren dritten, und das so schnell wie möglich, noch bevor sich die Angreifer zusammenrotten können. Christian, Ihr habt das Kommando über die Kolonne mit dem Silber. Bringt alle Eure Männer unter Waffen mit, sie werden zusammen mit meinen Wachen auf die drei Trupps aufgeteilt. Randolf, Ihr sichert derweil die Verteidigung des Dorfes und der Gruben. Bittet Eure Freunde, Euch dabei mit ihren Männern Unterstützung zu gewähren.«

Während Christian jede Regung sorgfältig verbarg, neigte Randolf ehrerbietig den Kopf, mehr als zufrieden mit dieser Entscheidung des Markgrafen. Zwar war Otto nicht auf den indirekten Vorschlag eingegangen, Christian als Spion nach Eisenach zu schicken, doch auch beim Geleit des Silbers konnte so manches passieren.

Dafür würde er sorgen. Das war zwar genaugenommen Hochverrat, aber Richenza fiel bestimmt etwas ein, um jeden Verdacht von ihm fernzuhalten. Sie hatte recht; viel zu lange hatte er sich zurückgehalten und den gehorsamen Gefolgsmann gespielt.

Christians Stimme riss ihn aus seinen Rachegedanken.

»Euer Neffe sollte vorübergehend hier bei Euch auf dem Burgberg bleiben.«

»Ihr habt recht, Christian«, stimmte Markgraf Otto sofort zu.

»Aber ich will mich nicht hier verkriechen und abwarten, bis die Gefahr vorbei ist«, protestierte Konrad, der unwillkürlich die Hand auf den Knauf seines Dolches gelegt hatte. »Das wäre ehrlos!«

»Du bist der einzige Erbe deines Vaters und musst einmal seine Ländereien übernehmen«, wies sein Onkel ihn scharf zurecht. »Wenn dir etwas geschieht, erlischt eure Linie.«

Das brachte Randolf unversehens zu einer neuen Überlegung. Keine Rache an Dietrich könnte feiner gesponnen und gründlicher sein, als dafür zu sorgen, dass diesem Jüngelchen etwas zustieß.

»Dein Vater wird ohnehin bald nach dir schicken«, erklärte Otto dem aufgebrachten Neffen. »Er will dich sehen, bevor er zum Feldzug aufbricht. Du musst dich darauf vorbereiten, ihn in seiner Abwesenheit zu vertreten. Und seine Vorhersage ist eingetreten, es gibt neue Kämpfe in den Grenzgebieten eurer Mark. Du siehst also, du wirst genug zu tun haben.«

Gehorsam senkte Konrad den Kopf und schwieg. Die Entscheidungen seines Onkels missfielen ihm. Er schickte Christian auf eine riskante Mission und entblößte das Dorf im Augenblick höchster Gefahr. Randolf war zwar ein gefürchteter und erfahrener Kämpfer, aber ob er die Dorfbewohner wirklich schützen würde?

Doch wenn er jetzt noch einmal widersprach, würde sein Onkel ihn wahrscheinlich hinauswerfen und sich bei seinem Vater über sein ungebührliches Benehmen beschweren. Und er wollte Christian keine Schande bereiten.

Der Markgraf gab das Zeichen, dass die Beratung beendet war. Als die Männer gegangen waren, wandte sich Hedwig brüsk ihrem Gemahl zu. »Du sendest Christian mit der kleinsten Eskorte nach Trifels? Wenn auch nur ein Wort von deinem Plan bekannt wird, schickst du ihn in den sicheren Tod.«

Wütend stemmte sich Otto hoch und beugte sich zu ihr hinüber: »Jetzt misch dich nicht auch noch in militärische Dinge ein! Davon verstehst du nichts. Er hat gute Chancen, durchzukommen. Und wenn nicht – er ist ein Ritter, und Ritter sterben nun einmal in Ausübung ihrer Pflichten. Jeder Befehlshaber steht immer wieder vor der Entscheidung, seine Männer opfern zu müssen.«

Hedwig wollte etwas erwidern, doch ihre Zunge war wie gelähmt. Wortlos stand sie auf und ging hinaus.

Am Morgen ließ sie Christian zu sich rufen, bevor er mit den anderen zurück in sein Dorf ritt, um dort die Mannschaft für den Silbertransport zusammenzustellen.

»Bringt Eure reizende Gemahlin wieder hierher, bevor Ihr mit dem Silber für den Kaiser aufbrecht«, sagte sie, während sie sich alle Mühe gab, ihn weder Mitleid noch Sorge spüren zu lassen. Christian verneigte sich tief. »Es wird ihr eine Ehre und eine Freude sein«, erwiderte er, froh über das stille Übereinkommen, dass Marthe und die Kinder während seiner Abwesenheit unter dem Schutz der Markgräfin stehen würden.

Wenigstens diese Sorge wurde ihm genommen. Über alles andere machte er sich keine Illusionen. Dass ihm Otto das Geleit für den Silbertransport übertrug, mochte offiziell als Vertrauensbeweis und Anerkennung seines Kampfgeschicks gelten. Aber niemand würde sich um diese zweifelhafte Ehre reißen. Wenn Ottos List fehlschlug, war es ein Todeskommando.

Der Silberschatz

Als Marthe Christian, Konrad und Lukas zurückkommen sah, erkannte sie schon an den Gesichtern der Männer, dass neues Unheil bevorstand. Christian berichtete ihr in wenigen Worten, was der Markgraf entschieden hatte. Sie verkrampfte die Hände ineinander und wurde blass. Man musste nicht das zweite Gesicht haben, um ein schreckliches Blutvergießen zu befürchten.

»Noch gibt es keinen Grund, zu verzagen«, versuchte er sie zu beruhigen. »Der Plan könnte aufgehen. Falls nicht – wir werden es ihnen nicht leichtmachen.«

»Du solltest diesmal nicht auf Radomir reiten«, sagte Marthe schließlich so beherrscht sie konnte. »Verrat liegt in der Luft. Die Angreifer werden Ausschau halten nach dem schwarzen Reiter.«

Christian betrachtete sie nachdenklich. Dann ritt er zum Wartturm, um Herwart von den neuen Befehlen zu berichten, und suchte die beiden Fuhrleute auf. Er brauchte ihre Hilfe für ein Täuschungsmanöver, das seine Erfolgsaussichten verbessern sollte.

Nachdem Hans und Friedrich seinem Plan ohne Zögern zugestimmt hatten, rief Christian Kuno und Bertram zu sich.

»Markgraf Otto hat mir befohlen, alle meine bewaffneten Männer mitzubringen«, sagte er. »Ihr zwei bleibt hier.«

Bevor sie protestieren konnten, packte er Kuno an der Schulter und sah ihm fest in die Augen. »Eure Ausbildung ist noch nicht abgeschlossen. Das heißt aber nicht, dass ich euch nicht zu meinen zuverlässigsten Leuten rechne. Im Gegenteil. Kuno, ich vertraue dir und deinem Freund die Sicherheit meiner Stieftochter Johanna an.«

Sofort veränderte sich der Gesichtsausdruck des Jungen, wechselte von stummem Protest zu Verstehen und Stolz. Der Rotschopf sah kurz zu Bertram hinüber und nickte ihm zu. Dann blickte er Christian genauso ernst an wie dieser ihn. »Ihr könnt Euch auf uns verlassen, Herr.«

Marthe tat sich schwer damit, schon wieder nach Meißen zu ziehen. Sollte sie jedes Mal aus ihrem Dorf fliehen und die anderen ihrem Schicksal überlassen müssen, wenn Christian fort war? Aber diesmal durfte sie wirklich nicht allein hierbleiben. Am liebsten würde sie auch Johanna mit auf den Burgberg nehmen. Sie hatte kein gutes Gefühl dabei, das Mädchen im Dorf zu lassen, wenn hier Randolf und Sebastian regierten und weder Christian noch seine Ritter zur Stelle waren.

Doch Johanna war entschlossen zu bleiben. Die sonst so energische Mechthild lag mit schwerem Fieber im Bett und brauchte Pflege, und Emmas Niederkunft stand unmittelbar bevor. Sie und der Schmied sehnten die Geburt ihres nächsten Kindes herbei, nachdem Emma im Jahr zuvor eine Fehlgeburt erlitten hatte.

»Bleib, sooft es geht, im Haus«, riet die besorgte Marthe ihrer Stieftochter. »Und wenn du hinausgehst, verbirg dein Haar, damit du niemandes Aufmerksamkeit erregst.«

Sie hatte Susannes Rat für das Leben eines hübschen Mädchens in einer Welt allmächtiger und oft gewalttätiger Männer nicht vergessen: sich so gut es ging unsichtbar zu machen.

Kuno und Bertram würden sicher alles tun, um Johanna zu beschützen. Und sie hoffte inbrünstig, dass niemand es wagen würde, Christians Stieftochter oder sonst jemanden aus seinem Haushalt zu belästigen.

Am Abend vor dem Aufbruch statteten Marthe und Christian dem Schmied und seiner rotblonden Frau einen letzten Besuch ab. Karl und Agnes waren gerade bei ihnen und ließen ihren kleinen Sohn von Emma bewundern.

»Ihr lasst uns also allein«, konstatierte Jonas bitter, als er hörte, dass der Markgraf nicht nur Christian, sondern auch dessen Männer samt und sonders nach Meißen befohlen hatte.

»Einen Angriff von Fremden habt ihr während unserer Abwesenheit wahrscheinlich nicht zu befürchten«, sagte Christian nach einem kurzen Moment des Schweigens.

Jonas verbiss sich die Entgegnung, dass ihm die bekannten Feinde im Dorf genügten. Schließlich verließ Christian sie nicht freiwillig; ihm blieb keine Wahl, und das war bitter genug.

Der Ritter schien seine Gedanken zu erraten.

»Lasst euch zu nichts provozieren«, sagte er fast beschwörend.

»Haltet euch an den Bergmeister. Er hat noch am ehesten Einfluss und auch den Mut einzuschreiten, wenn Randolf es zu arg treibt.«

»Während alle anderen den Schwanz einziehen und sich verkriechen oder längst übergelaufen sind«, stieß Karl verächtlich aus. »Hildebrand als Dorfschulze war wenigstens nur feige. Aber der Tuchhändler – was für eine Ratte!«

»Was erwartest du? Die meisten hier sind Bauern, einfache Häuer oder Knechte. Ihr Leben lang wurde ihnen nichts anderes gepredigt und eingeprügelt, als Gehorsam zu üben.«

Christian stand auf und legte Jonas wortlos die Hand auf die Schulter, bevor er ging.

Warum ist mir zumute wie bei einem Abschied auf lange Zeit?, dachte der Schmied.

»Gott schütze Euch und schenke Euch eine gesunde Rückkehr«, rief Emma ihm mit ungewohnt zittriger Stimme nach.

Nach der Abendmahlzeit ging Christian in die nun fertige Kapelle. Er kniete vor dem Altar nieder und betete mit gesenktem Kopf: Allmächtiger Herrscher im Himmel, halte Deine schützende Hand über mein Dorf, meine Familie und die Männer, die mich auf dieser gefährlichen Reise begleiten.

Er hörte leichte Schritte und sah Marthe an seiner Seite niederknien.

Dann ging er, Pater Hilbert zu suchen, um sich die Beichte abnehmen zu lassen. Wie sich zeigte, hatten seine Männer das gleiche Bedürfnis, so dass sich bald eine Reihe wartender Männer vor dem Beichtstuhl bildete.

Noch im Morgengrauen, gleich nach dem gemeinsamen Besuch der Frühmesse, brach die Kolonne auf. Als sie den Waldrand hinter dem östlichen Dorfausgang erreichten, blickte Christian entgegen seiner Gewohnheit noch einmal zurück. Mit den Menschen, die ihm vor Jahren hierher gefolgt waren, hatte er ein besseres Leben aufbauen wollen. Was würde aus diesem Traum werden?

Er zwang sich, das dumpfe Gefühl zu vertreiben, und tauschte einen Blick mit Lukas. Doch der schien ebenfalls in düstere Gedanken verstrickt. »Das Dorf in Randolfs Händen«, sagte er bitter. »Ich fühle mich, als ob ich die Menschen dort verrate und im Stich lasse.«

Bei ihrer Ankunft in Meißen wurden auf dem Burgberg bereits mit großer Geschäftigkeit und viel Aufsehen zwei Transporte zusammengestellt – einen würde Arnulf anführen, Ottos Waffenmeister, den anderen Christians Freund Raimund. Die beiden Kolonnen mit starkem Geleitschutz sollten fast zeitgleich auf verschiedenen Wegen aufbrechen und die Aufmerksamkeit der Angreifer auf sich ziehen, die sie auf dem ersten Teil der Wegstrecke erwarteten.

Natürlich würden die Räuber schnell merken, dass sie statt des Silbers nur leere Truhen erbeutet hatten. Dann würden sie – so hofften diejenigen, die den Plan erdacht hatten – unverzüglich der zweiten Kolonne hinterherjagen und dabei Christians Spur ganz verlieren.

Sein Trupp würde hingegen nicht vom Burgberg aus aufbrechen, sondern, als Salztransport getarnt, vom Markt aus. Das war Christians Idee. Er hoffte, dass die Silberräuber zwei Salzkarren keine besondere Aufmerksamkeit schenken würden. Salz war zwar eine kostbare Ware, aber es nutzte ihnen nichts. Sie konnten es in großen Mengen weder verkaufen noch selbst gebrauchen. Und außerdem waren sie auf wesentlich lukrativere Beute aus.

An den vorangegangenen drei Tagen hatten Hans und Friedrich deshalb auf Christians Bitte wie in alten Zeiten Salz in Meißen feilgeboten, um dem Stapelrecht zu entsprechen. Jeder in der Stadt sollte davon ausgehen, die beiden wären wieder zu ihrem alten Gewerbe zurückgekehrt und würden ihre Ware nach Böhmen schaffen, nun sogar mit zwei Gespannen. Dass das feilgebotene Salz aus den Vorräten von Ottos Küchenmeister stammte, konnte schließlich niemand wissen.

In der Nacht vor dem Aufbruch ließ der markgräfliche Kämmerer heimlich die gutbewachten Wagen mit Kisten voller handtellergroßer Silberbarren beladen. In beiden Wagen blieb noch Platz, damit sich dort Bewaffnete verbergen konnten.

Boten würden über das Kloster Chemnitz Nachricht verbreiten, wenn einer der beiden ersten Trupps überfallen wurde, und die Überlebenden sollten sofort zu Christian stoßen, um seine Mannschaft zu verstärken.

»Gott schütze dich«, verabschiedete Christian seinen Freund Raimund, bevor der fast zeitgleich mit Arnulf aufbrach.

»Dich ebenso«, erwiderte Raimund mit ungewohnter Ernsthaftigkeit. Diesmal ritt Raimund Christians Rappen, während er seinen Fuchshengst Christian überlassen hatte. Nach Marthes Warnung trug Christian diesmal einen helleren Umhang.

Raimund sah sich kurz um, ob seine Frau Elisabeth in der Nähe stand, von der er sich schon in der Kammer leidenschaftlich verabschiedet hatte, weil sie es nicht geschafft hätte, ihn ohne zu weinen auf diese gefährliche Reise zu schicken. Als er sie nicht sehen konnte, lächelte er Marthe an, die zu ihnen getreten war, um ihnen Gottes Segen auf dem Weg zu wünschen. »Du hast mir einmal das Leben gerettet. Vielleicht kann ich das wiedergutmachen, indem ich den Lockvogel spiele, damit Christian durchkommt. Sollen sie sich auf mich stürzen.«

»Beschwör das Unheil nicht mit Worten«, entgegnete Marthe, und der Kummer drückte ihr fast das Herz ab.

Christian, Lukas, Gero und Richard ließen nach dem Aufbruch der ersten beiden Kolonnen einige Zeit verstreichen. Nachdem die von Herwarts Männern unauffällig bewachten »Salzkarren« die Stadt Richtung Böhmen verlassen hatten, brachen auch die vier Ritter auf. Kurz hinter der Stadt trafen sie auf den angeblichen Salztransport.

Christian gab Hans und Friedrich das Geld für ein neues Gespann, mit dem sie der Kämmerer für ihr Mitwirken bezahlte, und schickte sie ins Dorf zurück. Sie sollten nicht in Gefahr geraten. Dann richtete er nur wenige Worte an seine Männer.

»Was uns auch unterwegs erwartet – Vorrang hat der Auftrag, das Silber unbeschadet nach Trifels zu bringen. Ihr steht dafür ein, dass der Markgraf sein Wort gegenüber dem Kaiser hält und dass eure Brüder, Väter oder Söhne nicht in den Krieg ziehen müssen. Gott sei mit uns.«

Jeder im Zug sprach ein stummes Gebet, dann trieben Herwarts Leute mit lautem »Hü« und »Ho« die schweren Pferde an. Einige von ihnen waren als Fuhrleute gekleidet, ein paar ritten als normaler Geleitschutz, die meisten jedoch hielten sich auf dem zweiten Wagen versteckt.

Christian ritt voran, Lukas an seiner Seite, während Gero und Richard, dessen Wunde inzwischen gut verheilt war, das Ende der Kolonne sicherten.

Solange sie in Sichtweite der Stadt waren, bewegten sie sich Richtung Böhmen. Dann erst fuhren und ritten sie über einen beträchtlichen Umweg auf schmalen Straßen zurück Richtung Westen.

Unbehelligt ließen sie Meißen gut zehn Meilen hinter sich. Nach einer Weile erreichten sie ein Waldstück, in dem Christian die merkwürdige Ruhe auffiel. Kein einziger Vogel sang.

Er sah zu Lukas hinüber, der knapp nickte. »Sie sind hier.«

Sie zogen die Schwerter, griffen nach den Schilden und wappneten sich für den Kampf.

Marthe hatte vom Burgberg aus Christian und seinen Freunden nachgesehen, bis sie aus ihrem Blickfeld verschwunden waren.

Dabei wuchs in ihr ein so beklemmendes Gefühl, dass sie Hedwig bat, sich wegen eines Unwohlseins entfernen zu dürfen.

Die Markgräfin sah sie besorgt an, nickte dann aber zustimmend, ohne weitere Fragen zu stellen.

Marthe hatte noch kein festes Ziel, als sie Hedwigs Kammer verließ. Doch schon nach wenigen Schritten traf sie auf Ulrich, den jungen Böhmen, der sie am Weitergehen hinderte.

»Ihr wirkt sehr besorgt. Das müsst Ihr nicht, Euer Gemahl ist von großer Tapferkeit«, meinte Ottos Schwiegersohn.

»Was nützt Tapferkeit gegen Verrat?«, antwortete sie bitter.

»Ihr solltet Euch nicht mit Kummer beladen. Gott hält seine schützende Hand über die Tapferen.«

Warum war sie nicht dankbar für diesen Trost? Es musste an dem begehrlichen Blick liegen, mit dem er sie anstarrte.

»Der Markgraf gibt heute ein Fest. Darf ich auf Eure Gegenwart hoffen?«, fragte Ulrich.

»Es wäre wohl äußerst unziemlich, mich auf Festen zu vergnügen, während mein Gemahl mit einem Auftrag unterwegs ist, bei dem so viel auf dem Spiel steht«, entgegnete sie brüsk.

»Ich sehe, Ihr seid nicht nur klug, sondern auch tugendsam«, schmeichelte Ulrich, während er ihr weiter den Weg versperrte. »Sorgt Euch nicht um Euren Ruf. Ich bitte meinen Schwiegervater, dass er Euch einlädt, an der hohen Tafel zu sitzen. Ich werde Euer Tischherr sein. Dann kann niemand etwas gegen Eure Sittsamkeit sagen. Nichts und niemand darf uns der Gegenwart einer so bezaubernden Dame berauben.«

Er küsste ihre Hand und sah ihr mit einem Lächeln in die Augen. Sie senkte die Lider und zog rasch ihre Hand zurück.

»Es gibt viel edlere und schönere Damen als mich, die heute an der hohen Tafel sitzen sollten«, erwiderte sie – höflich genug, um nicht als ungebührlich zu gelten, abweisend genug, um klar-zustellen, dass sie für eine Affäre nicht zu haben war.

Doch Ulrich ließ nicht locker. »Mag sein«, entgegnete er. »Doch Ihr habt einen besonderen Reiz, vielleicht gerade deshalb, weil Ihr Euch dessen gar nicht bewusst seid. Ihr seid zu jung und zu schön, um Euch in der Kammer zu vergraben, solange Euer Gemahl nicht bei Euch weilt. Sonst werdet Ihr sehr lange sehr einsam sein.«

Seine letzten Worte waren wie eine verborgene Drohung, auch wenn er sie dabei anlächelte. Er griff erneut nach ihrer Hand und küsste inbrünstig ihre Handfläche. Dabei konnte sie spüren, wie er seine Zungenspitze auf ihrer Haut kreisen ließ.

Marthe entriss ihm die Hand und flüchtete ohne ein weiteres Wort. Das Letzte, was sie jetzt brauchen konnte, waren die Avancen eines liebestollen Böhmenprinzen.

Sie sah nach ihren Kindern, die unter Maries Aufsicht mit den Sprösslingen der anderen Hofdamen spielten. Thomas bestürm-te sie, ihr eine seiner Lieblingsgeschichten vom tapferen Ritter Roland zu erzählen, während Clara auf ihren Schoß kletterte, sich mit immer kleiner werdenden Augen an sie schmiegte und zuhörte. Doch auch die Kinder konnten sie heute nicht beruhi-gen; im Gegenteil, sie merkte, dass sie ihre Unruhe auf die klei-ne Tochter übertrug.

Also zog sie sich nach einer Weile zurück, versenkte sich ganz in sich selbst, richtete ihre Gedanken auf Christian und ver-suchte herauszufinden, was ihm gerade widerfuhr.

Der Tag war noch nicht zur Hälfte verstrichen, als sie qualvoll aufstöhnte und wusste, dass Christian und seine Männer Opfer eines furchtbaren Verrats geworden waren.

Marthe rannte zu Clara, die wie befürchtet zu weinen be-gonnen hatte und nicht zu beruhigen war. Sie bebte vor Angst, doch sie durfte mit niemandem über ihre Gesichte sprechen, wenn sie und ihre Tochter nicht auf dem Scheiterhaufen enden wollten. Marthe wusste sich in ihrer Verzweiflung nicht anders zu helfen, als Clara mit einem milden Schlaftrunk zur Ruhe zu legen und eine Kinderfrau bei ihr wachen zu lassen.

Als die Kleine endlich eingeschlafen war, hastete Marthe in die Kirche, zündete eine Kerze an, kniete vor dem Altar nieder und flüsterte wieder und wieder inbrünstige Gebete.

Andere Menschen, die kamen, betrachteten sie voller Misstrauen, doch niemand sprach sie an.

Dann ging sie zurück in den Palas, suchte sich ein Fenster, von wo aus sie sehen konnte, ob ein Bote kam, starrte hinaus und wartete auf die Hiobsbotschaft.

Sie erkannte ihn schon von weitem. Lukas ritt in scharfem Galopp durch das Burgtor, verschwitzt, kreidebleich und offenbar verletzt. Er lenkte sein völlig erschöpft wirkendes Pferd nur mit den Schenkeln, hatte die Zügel schlaff um die linke Hand gewickelt, mit der er den rechten Arm krampfhaft umfasste. Als er auf dem Burghof angelangt war und mühevoll vom Pferd glitt, sah Marthe, dass er voller Blut war.

Ohne achtzugeben, rannte sie die Treppe hinunter. Als er sie kommen sah, wurde er noch blasser. Sie erkannte Trauer, Schuldgefühle und tiefes Mitleid in seinen Augen. Doch er sprach kein Wort zu ihr, sondern lief zum Palas und ließ sich umgehend bei Otto melden.

Unaufgefordert folgte sie ihm und hoffte, dass niemand sie aus dem Saal schickte.

Die Wunde an Lukas' Arm blutete immer noch, als er mit gesenktem Kopf vor dem Markgrafen niederkniete. Eine Spur roter Tropfen auf den Binsen markierte seinen Weg durch den Saal. Jetzt erst erkannte Marthe, dass die Verletzung nicht einmal verbunden war und er versuchte, nur mit der Hand den Blutfluss zu stoppen.

»Hol sauberes Leinen zum Verbinden, schnell! Und den Korb mit den Tinkturen aus meiner Kammer«, wies sie hastig die erstbeste Magd an, die in der Nähe stand.

Lukas brauchte umgehend Hilfe, aber er würde sie erst annehmen, wenn er dem Markgrafen berichtet hatte. Und sie würde sich keinen Schritt von hier wegbewegen, bevor sie nicht wusste, was aus Christian und seinen Männern geworden war.

»Verrat! Wir sind verraten worden«, stieß Lukas hervor und wankte sogar im Knien.

Otto, der in ein Gespräch vertieft war und die Ankunft des Verletzten nicht bemerkt hatte, fuhr herum. Bei Lukas' Anblick wurde auch er aschgrau im Gesicht und krallte die Hände um die Armlehnen seines Stuhls.

»Vergebt mir«, stöhnte Lukas, und seine Stimme brach.

Dann riss er sich zusammen – mit letzter Kraft, wie Marthe erkannte. Ihr Herz pochte dumpf voller Angst vor dem, was sie gleich hören würde, in ihren Schläfen spürte sie mit unerträglicher Wucht den bekannten, stechenden Schmerz.

Otto ließ dem Unglücksboten einen Becher bringen, doch Lukas schüttelte nur den Kopf. Marthe begriff, dass er den verletzten Arm nicht loslassen konnte, ohne noch mehr Blut zu verlieren.

Entschlossen drängelte sie sich nach vorn. »Die Wunde muss verbunden werden, sonst verblutet er!«

Wo blieb nur die Magd mit dem Leinen?

»Das hat Zeit«, wies Lukas sie ächzend zurück und richtete dann wieder seinen Blick auf den Markgrafen.

»Wir sind verraten worden«, wiederholte er. »Ein Überfall … keine zehn Meilen von hier … mehr als hundert Mann … Sie müssen gewusst haben, dass dies der richtige Transport ist …

Sie griffen uns mit Armbrüsten an … Erst als die meisten unserer Männer schon tot waren, kamen sie aus der Deckung und machten den Rest nieder …«

Er sah mit glasig werdenden Augen auf den Markgrafen, der ihn halb aufgerichtet anstarrte.

»Das Silber?«

»Gestohlen … Mein Herr, wir haben gekämpft bis zum Letzten … Aber als sie sich endlich blicken ließen, kamen schon mehr als zehn auf jeden von uns … Nur ein Einziger außer mir konnte entkommen … Er ritt los wie von Hunden gehetzt, um Arnulf und Raimund zu holen …«

Marthe zuckte zusammen. Nur einer? Während Lukas' Stimme immer leiser wurde, biss sie sich auf die Fingerknöchel und wartete, dass Otto die Frage stellte, die sie hier nicht stellen durfte.

»Wer?«

»Ein junger Reisiger.«

Das durfte nicht sein! Die anderen konnten nicht alle tot sein! Christian konnte nicht tot sein! Wie konnte Gott so etwas zulassen?

»Was ist mit Christians Rittern?«, fragte Otto dumpf.

»Gero und Richard sind tot.«

Marthe wankte, jemand neben ihr griff nach ihrem Arm und stützte sie, ohne dass sie mitbekam, wer es war.

»Und Christian?«, fragte Hedwig.

»Auf ihn haben sie sich zuerst gestürzt. Er schlug acht oder zehn Mann nieder, bevor sie ihn überwältigen konnten. Ich war selbst in einen Kampf verwickelt … Aber soweit ich sehen konnte, haben sie ihn nicht erschlagen, sondern gefesselt und fortgeschafft.«

Lukas war mit seiner Kraft am Ende. Er kippte einfach zur Seite und schlug zu Boden.

»Ruft endlich den Wundarzt«, rief Otto ungeduldig.

Marthe machte sich von dem Fremden los, der sie am Arm festhielt, und rannte zu dem jungen Ritter. Die Magd tauchte neben ihr auf und hielt ihr Leinenstreifen und den Korb hin.

Otto gab eilig Befehl, sofort alle verfügbaren Männer den Angreifern hinterherzuhetzen, um ihnen das Silber wieder abzujagen.

Marthe bekam fast nichts davon mit. Das Blut rauschte in ihren Ohren; sie versuchte, jeden Gedanken an das Unfassbare beiseite zu drängen und sich ganz auf die Wunde zu konzentrieren.

Mit eckigen Bewegungen, kaum im Besitz ihrer Sinne und ohne über das eben Gehörte nachdenken zu wollen, begann sie Lukas' Ärmel aufzuschneiden. Ein abgebrochener Schaft ragte ein kurzes Stück aus dem Fleisch. Die Pfeilspitze musste noch im Arm stecken.

»Seid Ihr wirklich in der Lage, Euch jetzt darum zu kümmern?«, fragte Otto sie mit einer merkwürdigen Mischung aus Strenge und Mitleid. »Begebt Euch zur Ruhe, der Wundarzt wird gleich kommen.«

Doch Marthe, deren Sicht vor Tränen verschwamm, schüttelte heftig den Kopf. Alle tot! Christian verschwunden! Lukas sollte nicht auch noch sterben, nur weil sie ihre Arbeit nicht tat. Er brauchte ihre Hilfe.

Und dann musste er ihr helfen herauszufinden, was mit ihrem Mann geschehen war.

Angesichts ihrer stummen Weigerung wies Otto an, den Verletzten in ein Quartier zu tragen, damit die Dame Marthe sich um ihn kümmern konnte. Dann schickte er einen weiteren Trupp aus, der die Leichname seiner Ritter und ihrer Mannschaft bergen und auf den Burgberg bringen sollte.

Marthe wusste, dass Ottos Wundarzt eine spezielle Apparatur hatte, um die Pfeilspitze aus dem Muskelfleisch zu ziehen, deshalb bat sie ihn um Hilfe. Sie war froh, dass Lukas noch immer ohne Bewusstsein war, während der Feldscher mit geschickten Griffen erst den Schaft, dann die Pfeilspitze entfernte.

Doch bei diesem Schmerz wachte Lukas auf.

Als er ihr bekümmertes, verweintes Gesicht über sich sah, schloss er die Augen sofort wieder, allerdings nur für einen Moment. Er durfte sich nicht davor drücken, so gern er es auch wollte.

»Es tut mir leid«, war alles, was er sagen konnte. Und dann, nach einer Pause: »Ich konnte sein Schwert retten. Es muss noch bei meinem Pferd sein.«

Marthe wollte am liebsten weinen und schreien, sie fühlte seinen Schmerz zusätzlich zu ihrem eigenen.

Doch statt etwas zu sagen, schob sie ihm den Griff seines Dolches zwischen die Zähne, damit er sich nicht die Zunge abbiss, während sie die Wunde säuberte und gemeinsam mit dem Wundarzt ausbrannte, um die Blutung endlich zu stillen. Dann dankte sie dem Feldscher höflich für die gute Arbeit und entlohnte ihn großzügig, legte Lukas einen straffen Verband an, half ihm vorsichtig auf und flößte ihm verdünnten Rotwein ein. Er hatte jede Menge Blut verloren, er musste unbedingt trinken. Gegen die Schmerzen würde sie ihm später etwas Betäubendes geben.

Lukas trank durstig und ließ sich noch einmal nachschenken.

Sie sah den Schmerz und das Grauen in seinen Augen.

»Sind wirklich alle tot?«, fragte sie schließlich tonlos.

Er starrte an die Wand, irgendwo ins Leere. »Wir sind verraten worden. Sie wussten genau, dass wir das Silber hatten«, wiederholte er fast die gleichen Worte, die er schon in der Halle gesprochen hatte.

»Und du hast gesehen, dass sie tot sind?«, beharrte sie.

»Alle bis auf Hannes, den jungen Meißner. Und vielleicht auch

Christian. Ich habe seinen Leichnam nicht gesehen. Ein paar Mann habe ich niedergemacht, dann muss mir jemand von hinten einen gewaltigen Hieb verpasst haben. Ich bin einfach umgefallen. Wahrscheinlich dachten sie, ich sei tot. Das hat mich gerettet.« Er stieß ein bitteres Lachen aus. »Hannes hat mich wachgeprügelt, als sie weg waren. Dann ist er losgeritten, um die anderen zu holen. Ich habe meinen toten Gefährten die Augen geschlossen und mich auf den Weg hierher gemacht.«

Lukas erkannte ihre stumme Frage.

»Es besteht Hoffnung, dass er noch lebt. Warum sollten sie seinen Leichnam mitnehmen? Er bekam einen Pfeil ins Bein, trotzdem hat er gekämpft wie ein wütender Stier. Ich hörte, wie jemand brüllte: Den lasst leben, für den zahlt der Landgraf gutes Geld.«

Völlig erschöpft ließ sich Lukas zurücksinken. Marthe gab ihm noch etwas zu trinken, dann überließ sie ihn dem Schlaf und sich selbst ihren finsteren Gedanken.

Zusammen mit einer Magd blieb Marthe die ganze Nacht auf, um bei Lukas zu wachen, der bald in unruhigen, fiebrigen Schlaf gefallen war. In wirren Träumen rief er Namen und Warnungen und schien von neuem zu durchleben, wie seine Kameraden niedergemetzelt wurden.

Erst gegen Morgen wurde er ruhiger. Sie schickte die Magd zu Bett, besorgte eine Ablösung und ging in die Halle, um vor Otto niederzuknien. Der Markgraf wirkte bleich und übernächtigt. Wie Marthe auf dem Weg in die Halle gehört hatte, gab es bisher noch keine Nachricht über den Verbleib des Silberschatzes.

Stockend berichtete sie von Lukas' Worten, nach denen Christian womöglich auf der Wartburg in Eisenach gefangengehalten wurde.

»Ich bitte Euch inständig, versucht meinen Gemahl, Euren Lehnsmann, freizukaufen«, flehte sie.

»Wie stellt Ihr Euch das vor?«, fuhr der Markgraf sie an. »Soll ich Ludwig ohne Beweise unterstellen, mein Silber geraubt zu haben und einen meiner Ritter gefangenzuhalten? Er hat mir keine Fehde erklärt. Nein, wir müssen warten, ob er einen Boten mit einer Lösegeldforderung schickt. So lange müsst Ihr Euch gedulden.«

Doch Marthe wollte und konnte sich nicht gedulden. Ihr Gefühl sagte ihr, dass jeder Tag zählte.

Demütig senkte sie den Kopf, und ihre Stimme zitterte, dennoch widersprach sie dem mächtigen Markgrafen, was zu entrüstetem Raunen in der Halle führte.

»Er hat für Euch gekämpft, wieder und wieder sein Leben riskiert. Er ist verraten worden bei einem Auftrag, zu dem Ihr ihn ausgesandt habt. Könnt Ihr nicht wenigstens einen Boten nach Eisenach schicken, der sich umhört, wenn schon keinen Unterhändler?«

Ottos Züge verfinsterten sich immer mehr. Marthe bereute bitter, nicht gewartet zu haben, bis Hedwig kam, die ihr vielleicht beigestanden hätte.

Nach einem Moment eisigen Schweigens in der Halle fragte Otto: »Wird Lukas seinen Schwertarm je wieder gebrauchen können?«

»Ich hoffe es, Herr«, antwortete Marthe, beunruhigt durch den Themenwechsel. »Aber es wird dauern, bis die Wunde verheilt ist.«

»Nun denn. Mag er nach Eisenach reiten und sich dort umhören, sobald er dazu in der Lage ist«, verkündete der Markgraf mürrisch. »Falls er auf eine Spur von Christian stößt, soll er über einen Freikauf verhandeln.«

Mit einer unwirschen Handbewegung beendete er das Gespräch. »Und nun geht und übt Euch in Geduld. Ich habe im Moment drängendere Sorgen. Ich schulde dem Kaiser fünftausend Mark Silber.«

Marthe begriff, dass jedes weitere Wort nur schaden würde. So verließ sie die Halle, während sie fieberhaft überlegte, was ihr zu tun blieb, um schnell Gewissheit über Christians Schicksal zu erlangen und ihm zu helfen. Sie selbst konnte nicht nach Eisenach reiten, allein würde sie in der derzeitigen Lage die Wartburg nie lebend erreichen. Und vor allem – womit hätte sie Christian freikaufen können? Außerdem durfte sie die Kinder und den verletzten Lukas nicht im Stich lassen.

Sie vermochte nicht einmal zu sagen, ob es geheimes Wissen oder nur ihr sehnlicher Wunsch war, dass Christian noch lebte.

Ulrich war ihr gefolgt und fing sie ab, bevor sie ihm aus dem Weg gehen konnte.

»Ritter Lukas dürfte zu solch einer langen Reise nicht so bald in der Lage sein«, meinte er in bedauerndem Tonfall. »Aber wenn Ihr es wünscht, beauftrage ich einen meiner Männer, noch heute zu Landgraf Ludwig aufzubrechen und ihm ein Lösegeld für Euren Gemahl anzubieten, falls er ihn wirklich hat.«

Er beugte sich erneut über ihre Hand und küsste sie, während sein Blick über ihren Körper glitt.

»Das wäre sehr gütig von Euch«, sagte sie, ohne das Misstrauen aus ihrer Stimme heraushalten zu können.

»Es ist nicht so sehr Edelmut wie meine tiefe Bewunderung für Euch, die mich dazu bringt«, sagte Ulrich. »Ich würde erwarten und hoffen, dass Ihr Euch erkenntlich zeigt.«

»Erkenntlich auf welche Art?«, fragte sie ihn scharf, da sein Verhalten nur eine Antwort zuließ.

»Kommt heute Nacht zu mir. Ihr habt mein Wort, niemand wird es je erfahren.«

Für einen Moment verschlug es ihr die Sprache angesichts solcher Unverblümtheit. »Euer Vorschlag ist gegen Gottes Gebot, schändlich gegenüber Eurem Schwiegervater, unter dessen Dach Ihr lebt, und eine Beleidigung für mich«, entgegnete sie schroff.

Der Böhme lächelte genüsslich. »Natürlich müsst Ihr Euch erst sträuben, meine Liebe. Das gehört zum Spiel. Aber lasst uns das verkürzen. Die Zeit drängt. Ich kann es nicht erwarten, Euch in meinen Armen zu halten. Und jeder Augenblick, den Ihr verstreichen lasst, könnte Euren Gemahl dem Tod ein Stück näher bringen. Ihr habt keine Wahl. Wollt Ihr Euch wirklich einmal vorwerfen müssen, wegen Eurer Verzagtheit den Tod Eures Mannes mitverschuldet zu haben?«

Auf einmal fühlte Marthe unendliche Leere. Sie holte tief Luft, um etwas zu entgegnen, doch da forderten die Aufregung, die Trauer um so viele ihr vertrauter Menschen, die Sorge um Christian und die durchwachte Nacht an Lukas' Krankenbett ihren Tribut. Alles um sie herum wurde Nacht, und sie sackte zusammen.

Ulrich fing sie auf. Erst dachte er, dies wäre eine gespielte Ohnmacht als geschicktes Manöver der jungen Frau, ihren Ruf zu wahren und dennoch auf sein Angebot einzugehen, indem sie ihm Anlass bot, sie in seine Kammer zu tragen. Doch dann erkannte er an der Totenblässe und Kühle ihrer Haut, dass hier wirklich ein Notfall vorlag.

Er rief nach einem Diener. »Der Kummer hat sie überwältigt. Bringt sie in ihre Kammer.«

Ein paar kräftige Schläge ins Gesicht brachten Marthe wieder zu sich. Über sich gebeugt sah sie Susanne, die erleichtert aufatmete und ihr etwas Kühles zu trinken einflößte.

»Wie geht es dir?«, fragte die sommersprossige Magd. »Hedwig hat mich geschickt, damit ich mich um dich kümmere. Sie macht sich große Sorgen.«

Marthe blieb ihr eine Antwort schuldig. Zu sehr drehten sich ihre Gedanken um einen einzigen Punkt.

Sollte sie auf Ulrichs Angebot eingehen? Er war ihr zuwider, es war gegen Gottes Wort; und vielleicht würde ihr Mann, ihre einzige Liebe, sie deshalb verstoßen.

Aber was spielte das noch für eine Rolle angesichts von so viel Tod? Wichtig war allein, dass Christian lebte.

Und sie ahnte, dass er ewige Verdammnis in Kauf genommen hatte, um sie vor dem Raubvogelgesicht zu retten. Durfte sie da nicht ihre Tugend und ihre Seele aufs Spiel setzen, um ihn zu retten?

Doch zuvor musste sie eine andere Pflicht erfüllen.

Sie bat Elisabeth, sie in die Kapelle zu begleiten, wo die inzwischen herbeigebrachten Gefallenen aus ihrem Dorf aufgebahrt waren. Raimunds Frau wartete voller Sorge auf Nachricht von ihrem Mann. Raimund, Christian, Richard und Gero waren seit ihrer gemeinsamen Knappenzeit befreundet, der Tod der beiden Brüder hatte auch sie tief getroffen.

Stocksteif, um nicht zusammenzubrechen, betrat Marthe den Raum und versuchte, sich für das zu wappnen, was sie hier erwartete.

Langsam schritt sie die Reihen der Toten ab, von denen sie jeden gekannt und schon in ihrem Haus bewirtet hatte und einige so gut wie zur Familie zählten.

Jemand hatte die Toten gewaschen, zerfetzte Kleidung durch neue ersetzt, doch an den Kettenpanzern der Ritter war immer noch Blut zu sehen. Einigen war ein Bein oder ein Arm abgeschlagen worden, Körper waren von Pfeilen oder Armbrustbolzen durchbohrt.

Sie versuchte die Tränen zurückzudrängen, als sie die Gesichter der jungen Männer sah, die nie wieder lachen, scherzen oder einem Mädchen kecke Worte nachrufen würden.

Herwart, den kampferfahrenen Hauptmann der Wache, hatten die Angreifer so verstümmelt, dass sie ihn nur an dem grauen Haarschopf erkannte.

Sie krallte sich in Elisabeths Arm, als sie schließlich zu den Leichnamen von Richard und Gero trat.

Die Brüder waren nebeneinander aufgebahrt, beide mit durchschnittenen, blutig klaffenden Kehlen.

Marthe sank auf die Knie, schlug ein Kreuz und begann stumm zu beten. Um das Seelenheil der Männer, die ihr Leben hatten geben müssen, darum, dass Lukas wieder genas, dass Raimund und Arnulf von solchem Unheil verschont blieben, und darum, dass Christian noch am Leben war. Und um Gerechtigkeit – dass die Mörder und Verräter bestraft wurden.

Elisabeth tat es ihr gleich.

Lange knieten sie dort. Hundert Dinge schossen Marthe durch den Kopf: Worte, die einer der Toten einmal zu ihr gesagt hatte, Scherze, die ein anderer gemacht hatte, die vielen Prellungen und manchmal auch Brüche, die sie bei den jungen Burschen nach den Übungskämpfen behandeln musste, all das Gute, das sie ihnen noch hätte tun wollen und nun nicht mehr konnte.

Schließlich stand sie auf und wollte hinausgehen, gerade und aufrecht, doch schon nach zwei Schritten sank sie in sich zusammen und begann bitterlich zu schluchzen.

Elisabeth zog sie hoch, umarmte sie und ließ wortlos zu, dass Marthe ihr das Schulterteil ihres Kleides nass weinte. Auch ihr liefen die Tränen übers Gesicht.

»Ich muss wieder los und mich um Lukas kümmern«, schniefte Marthe endlich, während sie sich die Tränen mit dem Ärmel abwischte.

»Nein, du brauchst jetzt Ruhe«, meinte Elisabeth. »Bei Lukas wacht einer der Knappen, und er hat Anweisung, sofort zu melden, wenn es ihm schlechter geht.«

Doch Marthe wollte keine Ruhe. Die Toten mussten gerächt, der Verräter entlarvt und Christian befreit werden.

Wenn sie dafür Ulrichs Hure werden musste, würde sie es tun. Aber erst würde sie versuchen, ob es nicht noch eine andere Lösung gab.

Einige Tage später kam ein unbekannter Reiter zu Randolf nach Christiansdorf. Er wurde vorgelassen und bat um ein vertrauliches Gespräch mit dem Burgvogt.

Als der Fremde wieder fortgeritten war, rief Randolf mit triumphierender Stimme nach seiner Frau und seinen Freunden und befahl den Dienern, sofort vom besten Wein zu bringen.

Mit leuchtenden Augen hob er seinen Becher und trank Richenza zu. »Jetzt gehört uns Christiansdorf ganz! Und es wird Zeit, dass es einen neuen Namen bekommt.«

Seine Frau kniff die Augen leicht zusammen und lächelte ihm zu. »Der Plan ist aufgegangen? Wie schön. Jetzt stört nur noch die kleine Hexe. Hast du schon eine Vorstellung, wie du verhindern kannst, dass ihre Brut das erbt, was uns zusteht?«

Ekkehart räusperte sich. »Ich hätte da einen Vorschlag«, sagte er und hoffte, dass Richenza ihm das Beiläufige in seiner Stimme abnahm.

Als er geendet hatte, lachte Randolf dröhnend. »So etwas Wunderbares, Perfides habe ich lange nicht von dir gehört, mein Freund! Du reichst sie doch an uns weiter, wenn du mit ihr fertig bist?«

Statt einer Antwort erhob sich Ekkehart, um einen Augenblick ˙ʔ zu gewinnen und seine Gesichtszüge wieder unter Kontrolle zu bringen. »Ich sollte wohl besser gleich nach Meißen reiten, bevor mir jemand zuvorkommt.«

Johanna

Den Christiansdorfern sollten die nun folgenden Tage für immer in Erinnerung bleiben: Tage, an denen Randolf wie ein entfesselter, gewalttätiger Orkan durch ihr Dorf fegte.

Johanna war die Erste, die seine beginnende blutige Regentschaft zu spüren bekam.

Vor ihr tauchte ein junger Bursche auf und sagte: »Unser Herr Randolf befiehlt dich zu sich.«

Ihre Hände sanken herab. Sie brachte kein Wort heraus.

Randolf war der Alptraum ihrer jungen Jahre. Niemand brauchte sie mit Dämonen, Drachen oder wilden Männern erschrecken – ihre schlimmsten Ängste rührten von dem weißblonden Hünen. Sie wurde immer noch nachts von Alpträumen gequält, in denen sie wieder und wieder erleben musste, wie er Guntram hängen ließ und Kunos Mutter, die alte Grete, erstach, wie er befahl, ihren Bruder Karl und Jonas bis aufs Blut auszupeitschen. Sie wusste wie jeder im Dorf, dass Randolf auf den Tod mit Christian verfeindet war, den sie still, aber hingebungsvoll verehrte. Und sie wusste auch, dass ihre Stiefmutter, die mutig war wie keine andere Frau, die sie kannte, dem Burgvogt geflissentlich aus dem Weg ging.

Was mochte er von ihr wollen? Bestimmt keine Arzneien. Randolf nahm für sich und seine Leute ausnahmslos die Dienste des Wundarztes in Anspruch. Was würde er ihr antun?

Johanna wollte schreien und wegrennen, aber die Beine versagten ihr den Dienst.

»Komm endlich! Der Herr ist es nicht gewohnt, zu warten«, drängelte der Bursche.

Mit langsamen Bewegungen wischte sich Johanna die Hände ab, steckte ihren blonden Zopf zu einem Knoten auf und band ein Tuch über ihr Haar. Sie sah sich um, ob jemand in der Nähe war, der ihr helfen konnte. Vergeblich. Einem Befehl des Burgvogtes durfte sie sich nicht widersetzen – und auch sonst niemand hier, seit Christian und seine Ritter fort waren.

Gewohnheitsmäßig griff sie nach ihrem Korb mit Salben und Tinkturen, doch der Bursche meinte nur: »Das wirst du nicht brauchen.«

Mit einem Blick beschwor Johanna Mechthild, die ebenfalls erbleicht war, den anderen Bescheid zu sagen, und folgte dann mit schleppenden Schritten dem Boten zum Bergfried.

Als sie den Raum betrat, in dem Randolf mit seiner Frau und einigen seiner Leute saß, sah sie ihm nicht in die Augen, sondern kniete stumm nieder und wartete mit gesenkten Lidern.

Der Hüne tat erst so, als ob er sie nicht bemerkte. Um sie noch mehr zu verängstigen, wie sie ahnte. Doch sie konnte nichts dagegen tun, dass seine Absicht aufging. Sie zitterte am ganzen Leib.

Der Bursche hüstelte, um den Vollzug des Befehls anzudeuten.

Randolf ließ seine Blicke schweifen. »Ah, Christians Mündel«, meinte er gönnerhaft. Aber schon der Tonfall, mit dem er den Namen ihres Stiefvaters aussprach, jagte ihr einen Schauer über den Rücken.

»Steh auf und fürchte dich nicht«, richtete Richenza das Wort an sie. Ihre Stimme klang fast belustigt. »Niemand hier will deinem Ziehvater übel, das ist der ausdrückliche Wunsch des

Markgrafen. Das heißt auch, dass wohl wir uns in Christians Abwesenheit um dich kümmern müssen.«

»Ihr seid sehr gütig«, sagte Johanna vorsichtig, kein bisschen beruhigt durch diese Ankündigung, sondern aufs höchste alarmiert.

Die Art, mit der Randolfs kalter Blick über ihren Körper strich, weckte einen furchtbaren Verdacht in ihr. Aber seine Gemahlin saß neben ihm, da würde er doch nicht …?

»Wie alt bist du?«

»Dreizehn, edler Herr.«

Ihr entging nicht, dass Randolf einen kurzen Blick mit seiner Frau tauschte und sich zufrieden zurücklehnte.

»Also alt genug«, meinte die Burgherrin halblaut zu ihm.

»Es sind Klagen über dich an mich herangetragen worden«, erklärte Randolf. »Ernstzunehmende Klagen.«

Vor Staunen sah Johanna nun doch in sein Gesicht, aber sie senkte den Blick sofort wieder. Die eisblauen Augen machten ihr Angst.

»Pater Sebastian ist sehr ungehalten darüber, dass du dich mit fragwürdigen Dingen abgibst, angeblich, um Leute zu heilen, anstatt dich mit Spinnen und Weben zu befassen, wie es dir zukommt.«

»Herr …«, setzte Johanna zu einer Entgegnung an, doch Randolf unterbrach sie mit einer gebieterischen Handbewegung.

»Schweig! Willst du etwa behaupten, ein Mann Gottes irrt?«, fragte er scharf. »Willst du wie deine Stiefmutter wegen Schadenszauber und Widersetzlichkeit gegen Gottes Wort vor ein Kirchengericht? Glaubst du, du könntest dabei davonkommen, nur weil sie es durch ein paar unerklärliche Zufälle geschafft hat?«

Johanna sank noch mehr in sich zusammen.

»Du wirst sofort damit aufhören, ein für alle Mal«, befahl Randolf. Er tat, als würde er erst beim Weiterreden überlegen, doch Johanna spürte, dass er sich seine nächsten Worte längst zurechtgelegt hatte.

»Das wird nicht genügen, um den Makel von dir zu nehmen«, sagte der Hüne und strich sich in gespielter Nachdenklichkeit übers Kinn. »Wir müssen verhindern, dass jemand solche Vorwürfe gegen dich erheben kann. Christian ist bedauerlicherweise nicht da, um deinen Ruf zu verteidigen. Und niemand weiß, wann und ob er überhaupt wiederkommt.«

Ein Unterton in Randolfs Worten ließ sie aufhorchen. Er war sicher, dass Christian nie wiederkommen würde! Ihr Inneres krampfte sich zusammen, und sie brauchte einen Moment, um den Inhalt der nächsten Worte zu erfassen.

»Ich werde solange an seiner Statt dein Vormund sein und dich in meinen Haushalt aufnehmen, damit dein Ruf gewahrt wird.«

Johanna sah, wie er sich an ihrem Entsetzen weidete. Allein und ständig von Randolf und seinen Leuten umgeben, würde es nicht lange dauern, bis die Männer – erklärte Feinde ihrer Stiefeltern – über sie herfallen würden. Und niemand war in der Nähe, den sie um Hilfe bitten konnte.

»Willst du dich nicht bedanken für die Gnade?«, meinte Randolf schroff.

»Die Ehre ist zu groß für mich«, stammelte sie. »Ich bin ihrer nicht würdig. Ich stamme nicht aus edlem Haus. Vielleicht sollte ich besser in das Haus meines Bruders ziehen. Er kann mich beaufsichtigen.«

Randolf lachte. »Was soll so ein Schmied schon bewirken?« Wieder musterte er sie mit seinen eiskalten Augen.

»Nein, mein Vögelchen, nur bei mir bist du sicher aufgehoben. Der Pater will Gewissheit, dass du dich fromm und züchtig benimmst. Und Christian würde es mir nie verzeihen, wenn dir in seiner Abwesenheit etwas zustößt, nur weil ich mich nicht um dich gekümmert habe. Nicht wahr?«

Er sah sich unter seinen Männern um, die lachten und lautstark zustimmten.

»Um ganz sicherzugehen, dass jeder Makel von dir genommen wird, will ich sogar noch etwas tun«, verkündete Randolf.

Johanna hielt den Atem an.

»Ich werde dich einem meiner Getreuen zur Frau geben.«

Nein!, wollte Johanna schreien, doch Randolfs harter Blick erstickte den Laut in ihrer Kehle.

Der Burgherr ließ seine Blicke über die Männer schweifen, aber das Mädchen wusste, er hatte seine Wahl längst getroffen und abgesprochen.

»Wulf, du kannst sie haben.«

Ein Mann trat vor, dessen Anblick ihr ebenso viel Furcht wie Abscheu einflößte: ein vierschrötiger kahler Kerl, der mehr als einen Kopf größer als sie war und aus dessen Gesichtszügen unverhüllte Brutalität sprach.

»Danke, mein Herr«, sagte er, verbeugte sich und sah dann grinsend auf Johanna, wobei er eine Reihe schwarzer Zahnstummel zeigte. Ihr war, als würde er sie bereits mit seinen gierigen Blicken ausziehen.

»Er ist ein gestandener Kämpfer. Du darfst dich glücklich schätzen mit meiner Wahl«, erklärte Randolf.

Obwohl sich Johanna vor dem Hünen fast zu Tode fürchtete, widersprach sie standhaft. »Vergebt mir, Herr, aber nur mein Stiefvater kann eine Hochzeit für mich absprechen.«

»Unsinn. Christian ist nicht da, niemand weiß, wann und ob er wiederkommt. Eine Hochzeit ist der beste Weg, Pater Sebastian zu beschwichtigen und jeden Verdacht von dir zu nehmen. Ich werde dir sogar eine Mitgift geben als Zeichen meiner Fürsorge.«

Randolf beugte sich vor und wirkte dabei wie ein Raubtier kurz vor dem Sprung nach der sicheren Beute. »Du solltest dich etwas dankbarer zeigen. Denk daran, woher du stammst! Also zier dich nicht länger. Komm, zeig deinem Bräutigam dein Haar!«

Die Männer sahen sie mit drohenden Blicken an. Zögernd knotete Johanna das Tuch auf, das sie um den Kopf gebunden hatte. In ihr wuchs der Verdacht, dass Wulf nicht bis zur Hochzeitsnacht warten würde. Hier, in Randolfs Reich, würde niemand ihn hindern, wenn er sich schon vorher holte, was ihm sein Dienstherr zugesprochen hatte. Sie wusste nicht, was schlimmer war: der Gedanke daran, dass dieser Grobian bald ihren Körper in Besitz nehmen würde, oder die Vorstellung, dass er es als ihr Mann immer wieder tun könnte und sie ihm bis ans Lebensende ausgeliefert war.

»Was für eine Schönheit. Nicht wahr, Wulf?«

Der Vierschrötige grinste dümmlich, während die anderen Männer lachten.

»Morgen wird geheiratet, dann gehört sie dir«, meinte Randolf. »Bis dahin bringt sie in eine unserer besonderen Gästekammern, damit ihr Ruf gewahrt wird.«

Johanna wollte fliehen, als zwei der Männer auf sie zutraten, aber plötzlich standen zwei weitere hinter ihr und schnitten ihr den Weg ab.

Einer packte sie fest am Arm und zerrte sie aus dem Bergfried hinaus und über den Hof zu Randolfs Haus.

Mit hängendem Kopf ließ sie sich von ihm führen und sah dabei verstohlen um sich, ob sie irgendjemanden entdeckte, der ihr helfen würde. Aber niemand schien von ihr Kenntnis zu nehmen, weder die Bauleute noch die kleine Magd, die sich gerade mit zwei Eimern Wasser abschleppte.

Ihr Bewacher brachte sie in eine winzige Kammer. Nachdem er

die Tür geschlossen hatte, hörte sie, wie von außen ein Riegel vorgeschoben wurde.

Ein flackerndes Binsenlicht beleuchtete den Raum, der kein einziges Fenster besaß und auch keine weitere Tür. In ihrer Angst tastete Johanna über die Wände auf der Suche nach einer Fluchtmöglichkeit, doch das Mauerwerk war festgefügt.

Schließlich kauerte sie sich auf das Bett, den einzigen Gegenstand in der Kammer, umklammerte die angezogenen Beine und überdachte ihre Lage. Doch sie kam immer wieder nur zu einem Ergebnis: Christian musste tot sein, sonst hätte sich Randolf nicht so verhalten.

Jetzt konnte auch Kuno ihr nicht mehr helfen. Und was sollte er denn tun? Randolf hatte bestimmt Vorkehrungen getroffen, um ihre Flucht zu verhindern. Vielleicht benutzte er sie sogar als Köder, um Kuno und seine Freunde zu einer Unvorsichtigkeit zu treiben und bestrafen zu können.

Es gab keine Hoffnung mehr. Christian würde nicht zurückkommen, das Dorf würde nun wieder völlig Randolf ausgeliefert sein. Und sie würde ab morgen diesem abscheulichen Wulf gehören – falls er nicht schon heute Nacht über sie herfiel.

Es dauerte nicht lange, bis der Riegel quietschte. Erschrocken sprang Johanna vom Bett auf und presste sich an die hintere Wand, als der Burgvogt ihr winziges Gefängnis betrat.

»Ich wollte mich nur davon überzeugen, dass du gut untergebracht bist«, sagte er gönnerhaft, während er langsam auf sie zutrat. »Was für ein appetitliches Täubchen! Viel zu schade für den Kahlkopf. Weißt du, er steht in dem Ruf, mit den Frauen ein bisschen zu grob umzuspringen.«

Johanna wich einen Schritt zur Seite aus und starrte ihn mit aufgerissenen Augen an.

»Schönes, goldenes Haar … Komm, zeig deinem Herrn dein Haar, löse den Zopf.«

Mit zittrigen Fingern gehorchte Johanna. Der massige Burgvogt stand nun direkt vor ihr und ließ ein paar der langen blonden Strähnen durch seine Finger gleiten.

»Hat dich dein Rotschopf schon besprungen?«

Sie erstarrte bei diesen Worten.

Randolf legte seine Pranken auf ihre Schultern und ließ die schwieligen Daumen über ihren Hals gleiten. Johanna konnte ein ängstliches Wimmern nicht mehr unterdrücken.

»Wohl nicht, du benimmst dich immer noch wie eine Jungfrau«, meinte Randolf zufrieden. Er spürte ihr Zittern, er roch ihre Angst und berauschte sich daran.

Langsam schloss er die Finger um ihren Hals. Nur eine winzige Anstrengung, und sie würde unter seinen Händen röchelnd verenden. Er könnte ihr auch mit Leichtigkeit das Genick brechen. Aber er hatte Besseres vor. Heute Nacht würde er mit ihr fortsetzen, was er mit ihrer Stiefmutter begonnen hatte. Sozusagen eine Familientradition.

Richenza hatte unbestritten ihre Vorzüge. Im Bett war sie unersättlich und hemmungslos, an Skrupellosigkeit war sie ihm ebenbürtig, im Spinnen von Intrigen sogar überlegen.

Aber er brauchte wieder einmal etwas Junges, Unschuldiges. Er wollte die Angstschreie dieses blonden Engels hören, wenn er sich auf sie warf und sie sich zu Willen zwang.

Und das Schöne daran: Ganz gleich, was er tat – niemand würde ihm etwas anderes als Fürsorge für sein neues Mündel nachsagen können, solange er nur ihr Kleid nicht zerriss. Wulf würde auf seinen Befehl hin jeden Meineid schwören, dass das Mädchen in der Hochzeitsnacht noch unberührt gewesen war. Sie war wirklich zu schade für den Grobian. Vielleicht würde er sie für sich allein behalten, bis er sie satt hatte. Vielleicht würde er auch irgendwann zuschauen, wie Wulf sich über sie hermachte und ihr den Rest gab.

Randolf trat einen halben Schritt zurück.

»Nun zieh schon dein Kleid aus«, befahl er.

Das Mädchen erstarrte.

Er verpasste ihr eine so wuchtige Ohrfeige, dass sie zu Boden stürzte.

»Ich bin es gewohnt, dass meine Befehle befolgt werden«, sagte er drohend. »Oder soll ich meine Wachen holen, damit sie nachhelfen?«

Mühsam rappelte sich Johanna hoch und starrte ihn mit weit aufgerissenen Augen an.

Er zog eine Peitsche aus dem Gürtel und ließ sie ungeduldig auf seine flache Hand klatschen. »Wird's bald?!«

Schamröte schoss ihr ins Gesicht. Dann, unendlich langsam, streifte sie das Übergewand ab und faltete es sorgfältig zusammen.

Die Vorstellung von dem, was sie erwartete, erfüllte sie mit unsäglichem Grauen. Aber wenn auch die anderen verrohten Kerle hinzukämen, würde alles noch viel schlimmer werden.

»Los, jetzt den Rest«, befahl Randolf schroff.

Mit ängstlichen, eckigen Bewegungen legte sie auch das Unterkleid ab und strich hastig ihr langes Haar nach vorn, um ihre Brüste zu bedecken.

»Nackt wie Eva – und genauso verlockend.«

Randolf trat wieder auf sie zu und fegte ihr Haar beiseite. Dann packte er sie hart mit der linken Hand an der Schulter, so dass sie sich nicht rühren konnte, und schob die rechte zwischen ihre Beine.

Johanna schrie auf und begann vor Scham und Entsetzen zu weinen.

Zartes Fleisch, weich und warm … Ja, tatsächlich eine Jungfrau … und zu Tode verängstigt …

Wie hatte ihm das gefehlt! Seine Erregung wurde so groß, dass er es nicht mehr schaffte, sich rechtzeitig von seiner Bruche zu befreien. In fassungsloser Wut spürte er, wie sich sein Samen in das Leinen ergoss.

Verdammt! Und dummerweise hatte er jetzt nicht die Zeit, zu warten, bis er wieder bereit war. Der Blick, den ihm seine Frau zugeworfen hatte, als er aufgestanden war und die Halle verlassen hatte, war deutlich genug gewesen. Lästiges Weibsbild! Wie lange sollte er sich eigentlich noch in seinem eigenen Haus von ihr befehlen lassen?

Aber jetzt konnte er unmöglich länger fortbleiben und dann in ihr Bett steigen, wenn noch das Jungfernblut dieser Kleinen an seinem Schwanz klebte.

Er würde später wiederkommen müssen, wenn Richenza schlief, um sich an der süßen Unschuld schadlos zu halten. Was für eine Schande, im eigenen Haus heimlich herumschleichen zu müssen!

Wütend stieß er das Mädchen aufs Bett.

Nur ein Gedanke entschädigte ihn dafür, dass er sie nicht gleich packen und sich unterwerfen konnte: Ihr Grauen und ihre Angst würden ins Unermessliche wachsen, wenn er sie warten ließ, bis er zurückkam. Das wiederum würde seinen Genuss nur noch steigern.

»Du wartest hier, bis ich zurück bin«, sagte er drohend. »Und wage es ja nicht, dich zu bedecken oder wieder anzuziehen!«

Vielsagend zog er erneut die Peitsche aus dem Gürtel und hielt sie ihr vors Gesicht. Dann stürmte er hinaus. Johanna hörte, wie er draußen den Riegel wieder vorschob.

Als sie allein war, zog sie sofort ihre Kleider an. Dann suchte sie nach ihrem Essmesser am Gürtel und kauerte sich neben die

Tür. Wenn er kam, würde sie nicht nackt im Bett liegen und darauf warten, dass er sie schändete und dann seinen Männern überließ. Selbst wenn sie ihn mit dem kleinen Messer nicht ernsthaft verletzen konnte – zur Strafe für ihren Angriff würde er sie umbringen. Das war immer noch besser als das Schicksal, das er ihr zugedacht hatte.

Mit hämmerndem Herzen hockte sie an der Tür und wartete, dass sich Schritte näherten.

Johanna hatte das Haus kaum verlassen, da zog Mechthild los, um Kuno und Bertram zu suchen. Die beiden waren mit den verbliebenen Pferden ausgeritten, die dringend bewegt werden mussten. Als Mechthild sie entdeckte, winkte sie ihnen von weitem zu. Sofort änderten sie die Richtung und lenkten die Pferde zu ihr.

Kunos sommersprossiges Gesicht wurde blass, als die Köchin aufgeregt berichtete, was geschehen war. Christian hatte ihm Johannas Sicherheit anvertraut. Durch seine Nachlässigkeit befand sie sich jetzt in den Händen dieses Ungeheuers! Er hätte sie nie alleinlassen dürfen.

»Weiß jemand, was sie von ihr wollen?«

Doch Mechthild schüttelte nur den Kopf.

»Kann nichts Gutes sein«, meinte Bertram verbissen. Er nahm dem Freund die Zügel ab, nachdem sie abgesprungen waren. »Ich kümmere mich um die Pferde, geh ruhig schon ins Haus«, meinte er.

Stattdessen trat Kuno an den Haselnussstrauch vor Christians Anwesen, den Marthe gepflanzt hatte, und starrte angestrengt zum Bergfried, als könne er durch dessen dicke Mauern hindurchsehen. Am liebsten würde er schnurstracks dorthin marschieren und die Herausgabe des Mädchens fordern. Aber das würde ihm im besten Fall Hohnlachen einbringen, eher wohl eine kräftige Tracht Prügel und Bekanntschaft mit dem Verlies. Nein, hier brauchte er eine List, um zunächst einmal herauszufinden, wo sie steckte und welche Gefahr ihr drohte.

Er begann, nach Peter zu suchen. Der blies Trübsal, seit sowohl Christian als auch Marthe das Haus verlassen hatten. Er stromerte immer noch durchs Dorf, um Ausschau nach Melchiors Bande zu halten, auch wenn offiziell nun Randolfs Männer für die Sicherheit des Ortes zuständig waren. Aber heute, das wusste Kuno, hatte Mechthild ihm irgendwelche Arbeiten aufgetragen. Wo steckte der Bursche nur?

Kuno pfiff durchdringend, und wie auf Befehl tauchte Augenblicke später Peter vor ihm auf und starrte ihn fragend an.

»Arbeitet eure kleine Freundin noch in Randolfs Küche?«, wollte Kuno wissen. Richenza hatte sich bald nach ihrer Ankunft eines der Mädchen, die einst zu Melchiors Bande gehört hatten, als Magd geholt.

»Klar. Soll ich zu ihr gehen?«

Kuno überlegte einen Moment. Wenn Johanna Gefahr drohte, musste er sich irgendwie bei Randolf einschleichen. Zweimal würde ihm das kaum gelingen. Aber zuerst musste er in Erfahrung bringen, was dort vorging und wo sie war. Nur – durfte er den Jungen solcher Gefahr aussetzen?

Peter schien die Gedanken seines älteren Freundes zu erraten.

»Vergiss nicht, was ich gelernt habe! Mich erwischt schon keiner.«

Der einstige Dieb grinste und rief nach seiner Schwester.

»Borg mir mal dein Kleid, Anna.«

Die Kleine starrte ihn verwundert an, aber Peter nahm sie einfach an der Hand und zog sie zu den Ställen. Wenig später tauchten beide wieder auf: Peter in Annas Kleid, das ihr zu groß gewesen war und ihm gut passte, Anna, mit hochrotem Kopf, in eine alte Decke gewickelt.

»Was soll denn das?«, schimpfte Mechthild.

Peter grinste sie breit an, nahm aus dem Korb mit dem Flickzeug ein Tuch und band es sich um den Kopf. Dann hob er den Rock mit zwei Fingern leicht an, knickste tief, klimperte mit den Wimpern und piepste mit verstellter hoher Stimme: »Die edle Gemahlin des Burgvogts hat befohlen, dass ich ab heute in ihrer Küche helfen soll.«

Mechthild und Kuno starrten ihn an.

»Perfekt«, sagte Bertram, der inzwischen dazugekommen war. »So geht er wirklich als Küchenmagd durch.«

Mechthild, inzwischen vom Fieber genesen und mit altbekannter Energie, schob Anna vor sich her ins Haus. »Lass uns etwas für dich zum Anziehen suchen«, meinte sie kopfschüttelnd. »Du kannst doch weder in Hosen noch in einer Pferdedecke herumlaufen.«

Die beiden Älteren schärften Peter ein, ja aufzupassen, aber der lief schon los und wackelte ihnen zum Abschied frech mit dem Hintern zu.

»Irgendwann wird der mit seiner Dreistigkeit noch mal richtig auf die Fresse fallen«, meinte Bertram halb belustigt, halb verärgert.

»Hoffentlich nicht gerade heute«, erwiderte Kuno düster. »Was denkst du, wollen sie von ihr?«

»Ich schätze, wenn sie nicht bald zurückkommt, müssen wir warten, bis wir's von dem Prahlhans erfahren.«

Bertram ahnte, was in dem Freund vorging; er wusste, dass Kuno Johanna liebte und alles tun würde, um sie zu retten. Er selbst mochte das Mädchen auch. Ganz abgesehen davon, hatte Christian ihnen aufgetragen, für ihren Schutz zu sorgen. Das war eine heilige Pflicht. Und was würde erst Marthe sagen, wenn sie davon erfuhr? Doch Trübsal blasen brachte sie jetzt nicht weiter.

Mit gespielter Munterkeit klopfte er dem Freund auf die Schulter. »Lass uns für alle Fälle schon mal eine Verkleidung besorgen.« Er wollte ihn ins Haus ziehen, aber Kuno rührte sich nicht vom Fleck.

»Ich will von hier aus beobachten, ob sich dort etwas rührt. Und wir müssen überlegen, wo wir sie verstecken, falls das nötig wird.«

Erst einmal müssen wir sie da rausholen, dachte Bertram, aber das sprach er nicht aus. Ein Versteck zu finden war nicht leicht: Wenn Randolf sie suchte, würde er seine Leute sicher im ganzen Dorf das Unterste nach oben kehren lassen. Bei denjenigen, die zu Christians engsten Vertrauten gehörten wie Jonas und Karl, würden sie zuerst nachsehen, und die durften sie nicht in Gefahr bringen. Sie wogen ab, ob das Hurenhaus ein gutes Versteck wäre. Tilda würde ihnen bestimmt helfen. Aber das Risiko war zu groß, dass sich dort eines der Mädchen verplapperte oder sie vielleicht sogar absichtlich verriet. Und Johanna aus dem Dorf zu schaffen war angesichts dessen, dass im Wald vielleicht Gesetzlose lauerten, ebenfalls keine beruhigende Aussicht. So verwarfen sie eine Idee nach der anderen.

»Wo bleibt nur dieser nichtsnutzige Bengel?«, schimpfte Kuno.

»Ich bin zwar kein Nichtsnutz, aber wenn ihr mich meint – ich bin hier«, ertönte aus dem Gebüsch seitlich vor ihnen Peters Stimme.

Lachend trat er heraus, knickste und klimperte erneut mit den Wimpern.

»Na warte, Bursche!«, drohte Kuno, doch dann fuhr er sich erleichtert durchs rote Haar und winkte den Jungen heran. »Was weißt du inzwischen?«

»Sie wollen sie verheiraten«, berichtete Peter.

Kuno fuhr auf. »Wann? Mit wem? Nun red schon!«

Peter begriff, dass jetzt keine Zeit für Pausen war, um die Spannung zu erhöhen. »Schon morgen. Mit einem von Randolfs Wachleuten. Dem Kahlen. Und jetzt ist sie in einer Kammer eingesperrt.«

Als er sah, dass sein rothaariger älterer Freund vor Sorge fast verging, sprach er schnell weiter. »Aber ich weiß, wo. Ist auch nur ein Riegel davor. Ich hätte sie vielleicht sogar da rausholen können. Bloß, ich wusste nicht, wie wir dann unbemerkt an den Wachen vorbeikommen sollten.«

Kuno und Bertram ließen sich von ihm genau beschreiben, wie das Haus gegliedert und wo Johanna gefangen war.

Dann standen sie auf, um sich bei Mechthild Hilfe für den nächsten Teil ihres Planes zu holen.

Nur kurze Zeit später ließ Kuno seine eigene Verkleidung von der Köchin, Bertram, Peter und dessen nun wieder in ihre eigenen Sachen gekleidete Schwester begutachten. Er trug ein zerlumptes Kleid und ein unansehnliches Kopftuch, das er tief in die Stirn gezogen hatte; in sein Gesicht hatte er sich Schmutz gerieben, auf dem Rücken trug er eine altersschwache Kiepe. Ein Lumpenknäuel unter dem Kleid täuschte einen Buckel vor, dazu machte er sich krumm, stützte sich auf einen Stock und probierte ein paar kleine, schlurfende Schritte.

»Sieht echt aus«, versicherte Bertram.

»Ob ich mir noch ein Auge zubinde?«, meinte Kuno und befolgte seinen eigenen Vorschlag sogleich. Dann blinzelte er Mechthild zu. »Machen wir die Probe.«

Die Köchin ging nach draußen und rief dem Großknecht zu, er solle ihr eine der Gänse bringen, die bösartige alte.

Fluchend machte sich der Knecht ans Werk und brachte schließlich schweißüberströmt die wütend schnatternde Gans, die er unter den Arm geklemmt hatte und mit beiden Händen am Hals festhielt.

»Hoffentlich kommt sie endlich in den Topf«, murrte er.

»Nein, pack sie dem Mütterchen in den Korb, sie wird sie für uns verkaufen«, antwortete Mechthild.

Der Großknecht warf nur einen flüchtigen Blick auf das »Mütterchen«, dann stopfte er die krakeelende Gans in die Kiepe und half Kuno, sich den Korb auf die Schulter zu hieven.

»Danke, Söhnchen, Gott wird es dir lohnen«, lispelte Kuno mit zittriger Altweiberstimme.

»Das will ich hoffen nach der Schinderei«, brummte der Knecht.

»Pass nur auf, Großmütterchen, dass dir das tückische Biest nicht aus dem Korb springt.« Er nickte dem »Großmütterchen« und der Köchin zu, dann ging er wieder nach draußen, immer noch vor sich hin schimpfend.

Die anderen sahen sich an; Kuno konnte sich ein Grinsen nicht verkneifen. »Die Sache beginnt Spaß zu machen«, meinte er.

»Wenn ich das gesagt hätte, würdest du mir ein paar hinter die Ohren geben und mich ermahnen, mehr Vorsicht walten zu lassen«, beanstandete Peter mit frechem Grinsen und fing sich dafür wirklich eine Kopfnuss ein. Dann tauschten die Burschen ein Verschwörerlächeln, und Mechthild wünschte Kuno von ganzem Herzen Gottes Segen für das Gelingen seines Planes.

Wenig später stand der Rotschopf in seiner Verkleidung vor dem Eingang zu Randolfs Haus.

»Scher dich weg, Alte«, fuhr ihn eine der Wachen an. »Du hast hier nichts verloren.«

»Oh, bitte, bitte, jagt mich armes, altes Weib nicht davon«, jammerte Kuno mit verstellter Stimme und verbeugte sich demütig wieder und wieder. »Ich bring doch die Gans hier, die schöne

Gans. Soll sie in der Küche abliefern. Eure Herrin hat sie bestellt. Ich darf sie nicht verärgern.«

»Lass mal sehen, Alte.« Unwirsch kam der Soldat näher.

Kuno wich zurück und hielt den Arm ängstlich vors Gesicht, als ob er sich vor dem Mann fürchtete. Und das tat er auch wirklich, denn es war niemand anders als sein älterer Stiefbruder Martin.

Schande über dich, dachte er wohl zum tausendsten Mal bei dessen Anblick. Würde sein Bruder ihn erkennen? Er drehte sich flink mit dem Rücken zu Martin und reckte ihm die Tragekiepe unter die Nase. »Hier, seht selbst, mein tapferer Recke, schaut hinein. So eine schöne fette Gans, ein wahrer Festschmaus für den Herrn und seine edle Dame.«

Martin sah misstrauisch in den Korb und fuhr sofort zurück, weil ihn der bösartige Vogel anzischte.

Kuno lachte in sich hinein, denn seine List würde gelingen.

»Eine schöne Gans, schöne Gans«, wiederholte er mit zittriger Fistelstimme und wackelte dabei wie schwachsinnig mit dem Kopf.

»Hab ja gesehen, Alte«, brummte Martin. »Dann troll dich, ab in die Küche.«

»Danke, Söhnchen, danke«, lispelte Kuno. »Gott wird es dir lohnen.« Mit Ausschlag und mit Pestilenz, dachte er grimmig.

Einige Zeit später wurden die Wachen durch lautes Geschrei von ihrem Würfelspiel abgelenkt. Martin ging nach draußen, um zu sehen, was dort vor sich ging, und traute seinen Augen nicht: Ein Küchenjunge jagte der Alten über den Hof nach und beschimpfte sie, die Alte fiel hin und rappelte sich mühevoll wieder auf, während die Gans aus dem Korb entfloh und ihm laut schnatternd entgegenflatterte.

»Fang die Gans, fang die Gans!«, rief ihm der Küchenjunge zu, dessen Gesicht und Bundhaube mit Mehl bestäubt waren, und rannte selbst weiter lauthals schimpfend der Alten nach, die ihrerseits keifend und humpelnd davonlief.

Martin rief seine Kumpane heran und versuchte, die aufgebrachte Gans zu fangen, die mit vorgestrecktem Hals zischend auf sie zukam. Es dauerte eine ganze Weile, bis sie das zeternde Tier endlich erwischt hatten. Dabei entging ihnen völlig, dass weder der Küchenjunge noch die Alte wieder auftauchten.

Den ganzen Abend über hatte sich Randolf ausgemalt, wie das Mädchen nackt und zitternd auf dem Bett hockte, die Tür anstarrte und dabei aus Angst vor ihm verging.

Die Vorstellung, wie er sich auf sie warf und sie pflügte, dass ihr Hören und Sehen verging, während sie weinte und schrie, wurde dabei so übermächtig, dass er das Ziehen in den Lenden nicht mehr unterdrücken konnte. Bald war sein Glied so prall geschwollen, dass ihm gleichgültig wurde, was Richenza dazu sagen würde, wenn sie davon Wind bekäme.

Er war der Herr im Hause! Und er musste diese Kleine haben, jetzt sofort.

Seine Schritte wurden immer schneller, je mehr er sich der Kammer näherte, in der sie eingesperrt war. Ungeduldig zerrte er den Riegel beiseite und riss die Tür auf. Er hatte sich ein paar hämische Worte zurechtgelegt, um ihr noch mehr Angst zu machen, doch die erstarben auf seinen Lippen.

Das Bett war leer.

Und ein flüchtiger Blick sagte ihm, dass sich Christians Mündel auch sonst nirgendwo zwischen diesen engen Wänden befand. Die winzige Kammer bot keine Möglichkeit, sich zu verstecken, außer unter dem Bett, und da war sie nicht.

Wutentbrannt stürzte er hinaus und brüllte seine Wachen zusammen. »Das Mädchen ist weg! Durchsucht jeden einzelnen Raum!«

Eiligst stellte sein Hauptmann Trupps zusammen, die überall nachsahen, im Bergfried, den angrenzenden Gebäuden und den Stallungen.

»Keine Spur von ihr, es tut mir leid, Herr«, meldete sein Hauptmann einige Zeit später.

»Dann durchstöbert jedes Haus in diesem gottverdammten Nest!«, rief Randolf wütend. »Es ist mir egal, ob ihr dafür ein paar armselige Krämer aus den Betten scheuchen müsst. Ich will sie haben – und den Rotschopf gleich dazu. Jede Wette, dass er damit zu tun hat!«

Während seine Männer erneut ausschwärmten, stapfte Randolf wutentbrannt in die Küche, wo die Mägde noch bei der Arbeit waren.

»Du da!« Er winkte ein junges Mädchen heran, das jedes Mal ängstlich zusammenzuckte, wenn sein Blick auf sie fiel.

Kreidebleich huschte sie herbei und sank auf die Knie.

»Mitkommen!«, befahl er und stieß sie genau in die Kammer, in der Johanna eingesperrt gewesen war. Wenn er schon die blonde Unschuld nicht jetzt gleich haben konnte, wollte er sich wenigstens an der hier schadlos halten. Sie war zwar nicht so hübsch und hatte rauhe, wundgescheuerte Hände, aber sie würde bestimmt genauso flennen und um Gnade winseln, wenn sie erst einmal unter seinem massigen Leib lag.

Gnadenfrist

Hedwig hatte auf Marthes verzweifeltes Flehen hin doch noch jemanden nach Eisenach gesandt, um Erkundigungen einzuziehen. Ironie des Schicksals: Es war ausgerechnet Ulrich, ihr Schwiegersohn, den die Markgräfin um diesen Dienst gebeten hatte. Es sei ohnehin überfällig, dass er dem Thüringer einen Höflichkeitsbesuch abstatte, bevor er mit seinen Truppen dem Kaiser folge, hatte sie ihm und Otto gegenüber argumentiert. Ohne unbewiesene Verdächtigungen auszusprechen, könne er sich auf der Wartburg umhören. Schließlich müsse dem Landgrafen an guten Beziehungen zum nahen Böhmen gelegen sein.

»Wir verlassen uns darauf, dass Ihr zuverlässige Kunde bringt«, hatte Hedwig ihrem Schwiegersohn mit auf den Weg gegeben, dem nichts weiter übriggeblieben war, als mit einer vollendeten Verbeugung ihrer Bitte zu folgen und sich auf den Weg zu machen.

Ob Hedwig etwas von seinem ehrlosen Angebot ahnte?, überlegte Marthe, dankbar und beschämt zugleich. Und würde sie der Nachricht trauen können, die der junge Ulrich brachte? Als er die Halle verließ, um sich reisefertig zu machen, hatte er ihr einen vieldeutigen, finsteren Blick zugeworfen.

Am gleichen Tag traf ein verschwitzter Bote mit der Meldung ein, dass Arnulfs und Raimunds Truppen den Dieben den Silberschatz wieder abgejagt hatten, und das nur mit geringen Verlusten, während die Angreifer bis auf den letzten Mann niedergemacht worden seien.

Über alle Maßen erleichtert ließ Otto eine Dankmesse lesen.

Und Marthe umarmte Elisabeth, die vor Erleichterung darüber aufschluchzte, dass Raimund lebte.

»Kannst du meine Kinder mit dir nehmen, wenn du nach Hause reist?«, fragte Marthe die junge Frau. »Hier hören sie nur von Tod und Verderben, das will ich ihnen ersparen.«

Elisabeth stimmte sofort zu. »Natürlich. Ich sorge dafür, dass sie Ablenkung haben. Sie können mit meinen Kindern spielen,

Thomas wird sich wie üblich bei den Pferden herumtreiben ...
Du hast recht, das hier ist jetzt kein guter Ort für sie.«

Natürlich hatte Thomas aufgeschnappt, dass sein Vater tot sein sollte, und von Marthe Auskunft gefordert. »Es ist eine Lüge, dass Vater tot ist, nicht wahr?«, fragte er, und seine Augen bettelten um Bestätigung. »Sie haben ja damals auch gesagt, dass du tot bist. Und du bist wiedergekommen.«

Was sollte sie ihm antworten? Sie wusste ja selbst nicht, ob es eine Ahnung oder nur dumme, blinde, vergebliche Hoffnung war, dass sein Vater noch lebte.

Marthe war erleichtert, bald wenigstens ihre Kinder in besserer Umgebung zu wissen. Denn sie selbst fühlte sich aufgerieben zwischen Trauer und Schmerz.

Lukas, dessen Wunde nur langsam zu heilen begann, ging es kaum anders. Nur dass er sich zu alledem auch noch mitschuldig fühlte am Tod seiner Gefährten.

Beim Begräbnis von Gero, Richard, Herwart und den anderen standen sie beide nebeneinander. Jedes Wort blieb ihnen im Hals stecken, ihre Augen brannten, und ohne einen Blick zu wechseln, wussten sie, dass der andere das Gleiche dachte und den gleichen Schmerz fühlte. Neben ihnen stand Konrad, der vergeblich um Fassung kämpfte. Er hatte darauf bestanden, bis zu diesem Tag zu warten, bevor er auf die Order seines Vaters hin zu dessen Burg Landsberg ritt.

Die nächsten, sengend heißen Tage verstrichen, ohne dass es Neuigkeiten von Christian gab. Tage, während derer sie versuchten, mit dem Gedanken zu leben, dass so viele ihrer Vertrauten tot waren und Christian möglicherweise auch.

Eine Woche war seit dem Begräbnis von Christians Männern vergangen, als der Haushofmeister vor Marthe auftauchte, während sie gerade Lukas' Verband erneuerte.

»Dame Marthe, der Markgraf wünscht Euch unverzüglich zu sprechen.«

Die unerwartete Aufforderung ließ Marthe zusammenzucken. Hatte Otto Nachricht von Christian?

Lukas schüttelte kaum merklich den Kopf, als sie ihn fragend ansah. Er wusste nicht, was der Markgraf von ihr wollte, aber auch er befürchtete, dass es nichts Gutes sein könnte. Rasch strich er sich den Ärmel glatt und stand auf, um sie zu begleiten.

Im Palas wartete Otto schon, umgeben von einigen seiner Vertrauten, darunter zu Marthes Erstaunen auch Ekkehart. Er musste wohl gerade erst auf dem Burgberg eingetroffen sein.

Seine Anwesenheit verstärkte noch ihr ungutes Gefühl. Sie suchte Hedwigs Blick, die sie voller Mitgefühl ansah, und machte sich auf schlechte Neuigkeiten gefasst. Doch Ottos Worte kamen so unerwartet, dass sie sie wie ein Hammerschlag trafen.

»Dieser verdienstvolle Ritter und bewährte Kämpfer«, begann der Markgraf und wies mit dem Kinn auf Ekkehart, »hat mich um Eure Hand gebeten. Wir sollten nicht zu lange warten, Euch wieder zu verheiraten. Deshalb habe ich beschlossen, seinem Wunsch zu entsprechen. Eine überaus gute Verbindung für Euch. Und für mich die Gewähr, dass von nun an endlich Ruhe und Frieden in Christiansdorf herrschen.«

Marthe starrte erst den Markgrafen fassungslos an, dann Ekkehart, dessen ansonsten unbewegte Miene unverkennbar zufrieden wirkte.

Der Saal schien sich um sie herum zu drehen, bis sie sich für eine Antwort gesammelt hatte.

»Mein Fürst, ich *bin* verheiratet. Noch gibt es keine Gewissheit, dass Christian tot ist.«

Der Markgraf sah sie fast mitleidig an. Dann winkte er einen jungen Mann herbei, der – seiner staubigen Kleidung nach – womöglich gerade mit einer Botschaft angekommen war.

Otto räusperte sich fast verlegen. »Ich wollte Euch den Anblick ersparen, meine Liebe. Aber wenn es keinen anderen Weg gibt, Euch vom Tod Eures Mannes zu überzeugen …«

Er ließ sich von dem Boten ein Kästchen geben und bedeutete Marthe, es entgegenzunehmen. »Seht hinein.«

Mit zittrigen Händen öffnete Marthe das Kästchen und unterdrückte nur mit Mühe einen Schrei. Drinnen lag ein schrumpliges Stück Fleisch.

»Landgraf Ludwig hat uns auf Bitten meines Schwiegersohnes Christians Herz zugesandt. Euer Mann ist tot. Wir trauern mit Euch und bedauern den Verlust eines tapferen Ritters. Aber Ihr müsst Euch damit abfinden.«

Im ersten Moment war Marthe zumute, als würde der Boden unter ihren Füßen schwinden. Nur unbewusst nahm sie wahr, dass Lukas rasch an ihre Seite trat und ihren Arm ergriff, um sie zu stützen.

Ihr einziger Gedanke: Es ist eine Lüge! Dieses Herz könnte wer weiß wem gehören, es könnte sogar das Herz eines Tieres sein. Und Ulrich hat Grund, mich glauben zu lassen, Christian sei tot. Aber er ist nicht tot. Sonst wüsste ich es.

Sie gab sich alle Mühe, ihre Stimme nicht zittern zu lassen. »Verzeiht mir, mein Herr, ich kann keinen Beweis dafür erkennen, dass dies wirklich das Herz meines Mannes ist.«

Ottos Gesichtszüge erstarrten.

»Nur aus Mitgefühl für den Verlust entschuldige ich Eure Vermessenheit, das Wort eines Landgrafen in Frage zu stellen«, wies er sie unwirsch zurecht. »Ludwig schreibt, seine Männer hätten unterwegs einen Schwerverwundeten aufgelesen und ihn auf die Wartburg gebracht, um ihn gesundzupflegen. Trotz aller

Bemühungen sei der Mann, der seinen Namen noch nennen konnte, den Verletzungen erlegen. Die Sommerhitze gebot, den Leichnam schnell zu begraben, statt ihn hierher zu überführen. So wurde nur das Herz an Euch gesandt. Findet Euch damit ab. Wir alle trauern um Christian.«

Marthe sandte einen verzweifelten Blick zu Hedwig, doch die sah sie nur bekümmert an und machte eine hilflose Handbewegung.

»So lasst mir wenigstens ein Trauerjahr, wie es sich geziemt, um seinen Tod zu beklagen!«, flehte Marthe. Sie glaubte Otto kein Wort, aber sie musste Zeit gewinnen.

»Tut mir leid, meine Teure, darauf können wir keine Rücksicht nehmen«, entgegnete Otto in einem Tonfall, der keinen weiteren Widerspruch zuließ. »Die Lage erfordert, dass Christians Lehen umgehend wieder von starker Männerhand regiert wird. Ich könnte es – von Eurem Wittum abgesehen – auch so an Ekkehart geben. Er ist ein verdienstvoller Gefolgsmann. Außerdem bietet seine Freundschaft mit Randolf für mich die Gewähr, dass es nicht länger solche Streitereien in Christiansdorf gibt wie bisher. Ihr solltet dankbar sein, dass er um Eure Hand anhält.«

Der Markgraf beugte sich vor und fixierte sie scharf. »Ansonsten würde ich Euch mit einem anderen verheiraten, aber verheiraten werde ich Euch auf jeden Fall, und zwar schnell. Ihr braucht ein Auskommen, einen Beschützer und jemanden, der für Euch und Eure Kinder sorgt.«

»Ich danke Euch für Eure Fürsorge«, stammelte Marthe. »Und Euch« – mit hartem Blick zu Ekkehart – »für den ehrenvollen Antrag. Doch ich bitte nochmals inständig, vergönnt mir Zeit, meinen Mann zu betrauern!«

Er ist nicht tot, sagte sie sich zum wiederholten Mal und schloss mit einem lauten Geräusch den Deckel des Kästchens, bevor sie es mit schroffer Bewegung dem Boten zurückgab. Leider durfte sie hier, wo mit Sicherheit ein Spion des Bischofs zugegen war, nicht von Eingebungen und Visionen sprechen.

»Ihr habt eine Woche, dann wird Euch der edle Ekkehart als seine Gemahlin heimführen«, beschied Otto knapp und bedeutete ihr, dass sie gehen durfte.

In einer Woche schon! Wellen kalten Entsetzens stiegen in Marthe auf. Sie brachte es nicht über sich, zu Ekkehart zu sehen. Sein ungeheuerliches Ansinnen war ihr noch überdeutlich in Erinnerung, als er sie gebeten hatte, ihm aus freiem Willen zu gewähren, was er sich zuvor gewaltsam genommen hatte. Sie musste fliehen! Aber wohin?

Und was sollte aus ihren Kindern werden?

Lukas, der bisher schweigend an ihrer Seite verharrt hatte, löste seinen Arm von ihrem, trat vor und sank vor dem Markgrafen auf ein Knie.

»Mein Fürst, wenn Ihr die Dame Marthe unbedingt verheiraten wollt, so bitte ich Euch, gebt mir ihre Hand. Es war Christians Wunsch, dass ich mich ihrer annehme, sollte ihm etwas zustoßen.«

Marthe starrte erst auf Lukas, dann auf Ekkehart. Sie kam sich vor wie in einem Alptraum. Schlimm genug, dass Otto sie verheiraten wollte, noch dazu mit Ekkehart, aber dass Lukas ihr nun auch noch in den Rücken fiel! Warum benahmen sich alle so, als sei Christian wirklich tot?

Der Markgraf musterte mit überraschter Miene den jungen blonden Ritter, der vor ihm kniete.

»Hm. Ich will glauben, dass dies Christians letzter Wunsch war. Aber ich habe Ekkehart schon zugesagt.« Er strich sich übers Kinn. »Dieses Versprechen kann ich schlecht zurücknehmen. Es gibt eine Menge Gründe, die zugunsten Eures Rivalen sprechen.«

»Dann lasst es uns austragen wie Männer, mit dem Schwert«, forderte Lukas ungeduldig.

»Unfug. Ihr seid verletzt, ihr könnt gegen niemanden antreten«, meinte Otto. »Ich brauche Bedenkzeit. Hört morgen früh meine Entscheidung.«

Mit einer Geste entließ er Marthe und die beiden Männer, die um sie warben.

Fassungslos stürzte Marthe hinaus auf den Burghof und rannte dort beinahe eine Magd über den Haufen, die einen Korb Heu vor sich hertrug.

Lukas war ihr gefolgt und griff rasch nach ihrem Arm, um sie davor zu bewahren, zu stürzen.

Die Magd, die offensichtlich neu am Hof war, kauerte sich aus Angst vor Schlägen zusammen, während sie die verstreuten Halme auflas. Doch Marthe beachtete sie gar nicht, sondern drehte sich wütend zu Lukas um.

»Was hast du dir dabei gedacht?!«, fauchte sie. »Und ich hatte immer geglaubt, du wärst sein Freund!«

Lukas hob die Arme, erschrocken über ihre Reaktion. »Ich würde dich nicht anrühren, ich schwör's bei allen Heiligen«, beteuerte er hastig.

Dann senkte er seine Stimme und sprach beruhigend auf sie ein. »Ich glaube doch auch, dass Christian noch lebt. Ich will dir Zeit verschaffen und dich vor diesem Dreckskerl bewahren. Wenn wir die Ehe nicht vollziehen, kann sie jederzeit annulliert werden. So wärst du keine Bigamistin, wenn Christian zurückkehrt.«

»Er ist nicht tot, das weiß ich! Wie soll ich nur diese Hochzeit verhindern?«

Lukas zupfte vorsichtig ein paar trockene Halme von ihrem Ärmel, die nach dem Zusammenprall mit der Magd dort hängengeblieben waren.

»Ich glaube doch auch, dass er noch lebt«, wiederholte er mit leiser Stimme. »Vielleicht, weil ich es nicht wahrhaben will. So wie ich damals nicht geglaubt habe, dass du tot bist, als dich alle anderen schon aufgegeben hatten. Und dann bist du wie durch ein Wunder doch zurückgekommen.«

Er blickte kurz um sich, ob niemand in der Nähe war, der sie belauschen konnte, dann fuhr er leise fort: »Wenn du willst, helfe ich dir bei der Flucht. Danach wären wir beide in Ungnade, deine Kinder ebenso. Wir dürften uns nie wieder im Dorf blicken lassen. Und ich müsste den Platz verlassen, auf den mich Otto befohlen hat. Ich würde gerichtet, wenn sie mich erwischen. Aber wenn du es willst, tu ich es, ohne zu zögern.«

Achtlos warf er die zerknickten Halme zu Boden.

»Entschuldige«, brachte Marthe schließlich hervor, während sie mit den Tränen kämpfte. »Es war alles zu viel für mich ...«

Lukas hätte sie am liebsten in den Arm genommen, um sie zu trösten. Aber das durfte er hier in aller Öffentlichkeit nicht tun. Beunruhigt sah er um sich, ob sie schon Aufsehen erregten. Dabei fiel sein Blick auf ein wohlbekanntes Gesicht.

»Was macht der denn hier?!«, platzte er heraus. Marthe fuhr herum und glaubte ihren Augen nicht zu trauen. Verschwitzt, zerzaust und staubig von einem langen, schnellen Ritt, kam Kuno auf sie zugelaufen.

Kuno und sein Freund Bertram hatten nach hektischem Überlegen beschlossen, dass es doch am besten sei, Johanna nach Meißen zu bringen, sollte ihr kühner Handstreich gelingen.

Im Dorf war sie vor Verrat nicht sicher, und die Mönche im einige Meilen entfernt entstehenden Zisterzienserkloster gestatteten Frauen keinen Zutritt.

Sie mussten darauf vertrauen, dass ihnen unterwegs keine Wegelagerer auflauerten, da diese inzwischen dem Silberschatz nachjagten. So verabredeten sie mit dem Bergmeister einen Vorwand, um Kunos Abwesenheit zu erklären, denn zweifellos würde Randolf ihn zuerst verdächtigen.

Als sich Kuno in die Kammer schlich, in der Johanna eingeschlossen war, hätte die sich beinahe mit ihrem kleinen Messer auf ihn gestürzt. Fassungslos starrte sie auf das alte Weib mit dem Tragekorb, das anstelle des befürchteten Randolfs vor ihr stand, bis sie ein vertrautes Grinsen in dem Gesicht erkannte und die Augen aufriss.

Sie fiel Kuno um den Hals und begann vor Erleichterung zu weinen. Der Rotschopf gestattete sich einen Moment lang, die Berührung zu genießen. Noch nie war sie ihm so nah gewesen. Immerhin war sie keine einfache Bauerntochter mehr, sondern das Mündel von Ritter Christian. Dann zog er die Verkleidung für sie als Küchenjunge unter seinem alten, zerlumpten Rock hervor.

»Mach schnell, wir müssen uns beeilen«, flüsterte er ihr zu. Das wusste niemand besser als Johanna. »Randolf kann jeden Moment kommen«, flüsterte sie ängstlich zurück. Hastig erklärte Kuno ihr seinen Plan, und sie war sofort entschlossen, das Risiko einzugehen.

Er drehte sich um, damit sie die Kleider tauschen konnte, und ärgerte sich darüber, dass dabei flammende Röte in sein Gesicht stieg.

Nach ihrer vorerst unbemerkten Flucht vom Burggelände huschten sie zum Waldsaum am Dorfrand, wo Bertram sie bereits mit einem Pferd erwartete. Erleichtert drückte er seinem Freund Waffen und etwas Proviant in die Hand, nachdem Kuno und Johanna wieder ihre richtigen Kleider angezogen hatten.

Kuno war schon ein paarmal in Christians Gefolge nach Meißen geritten und hoffte nun inständig, den Weg auch im Dunkeln zu finden. Zum Glück war in ein paar Tagen Vollmond und der Himmel klar. Bertram verschränkte die Hände, damit Johanna zu Kuno aufs Pferd steigen konnte. Dann verabschiedete er die beiden und bereitete sich darauf vor, einem wutschnaubenden Randolf gegenüberzutreten zu müssen, der von ihm Auskunft über den Verbleib seines Freundes forderte.

Hoffentlich kommen sie unbehelligt nach Meißen. Und hoffentlich nimmt mir Randolf meine Geschichte ab, ohne mich zu erschlagen, dachte er bei sich, während er zurück zu Christians Haus lief.

Derweil trieb Kuno das Pferd voran in die heranbrechende Sommernacht.

Tapferes Mädchen, dachte er, während er Johanna festhielt. Falls sie sich fürchtet, lässt sie sich nichts anmerken.

Johanna hatte Kuno nichts von der demütigenden Szene mit Randolf erzählt; diese würde sie auf immer in ihrem Innersten begraben.

Jetzt mit ihm eine Nacht lang durch den Wald reiten zu müssen, wo vielleicht der Tod lauerte, bereitete ihr viel weniger Angst als das Schicksal, das ihr auf der Burg gedroht hätte. Sie verspürte noch nicht einmal Müdigkeit, so heftig pochte ihr Herz.

Als der Morgen graute – es waren die kürzesten Nächte des Jahres –, legte Kuno eine Rast ein, damit Johanna ruhen konnte. Ihm selbst fielen ebenfalls fast die Augen zu, aber es war undenkbar, dass er auch nur einen Moment schlief, solange sie nicht in Sicherheit war.

Während seine Blicke zärtlich auf dem Mädchen ruhten, kreisten seine Gedanken darum, ob Christian sie ihm wohl zur Frau geben würde.

Ob sich der Ritter wohlbehalten mit dem Silber zum Kaiser durchschlug? Aber was steckte dahinter, dass Randolf auf einmal beschlossen hatte, sich zum Vormund für Johanna zu erklären?

Kunos unerschütterliche Frohnatur verbot ihm, sich in finsteren Deutungen zu verlieren. Wartet nur, bis Christian zurück ist, dachte er grimmig. Dann werden wir ja sehen, wer hier wen heiratet.

Auf der letzten Wegstrecke schien die Sonne trotz der frühen Morgenstunde bereits kräftig. Seit Tagen war es ungewöhnlich heiß und trocken. In Meißen setzte Kuno Johanna unterhalb des Burgberges ab. Sie sollte sich unauffällig unter die vielen Mägde mischen, die dort Fisch und Fleisch für die Mahlzeiten ihrer Herrschaften einkauften, während er auf dem Burgberg nach Marthe suchen würde, um mit ihrer Hilfe einen Platz zu finden, wo Johanna in Sicherheit war.

Er hatte Glück, er sah sie sofort, als er das Burgtor durchschritten hatte. Doch bei ihr stand Lukas, allem Anschein nach verwundet. Was hatte das zu bedeuten? Sollte der nicht längst mit Christian unterwegs zum Kaiser sein? Auf einmal wurden ihm Arme und Beine bleiern schwer.

»Was ist los?« – »Was ist im Dorf geschehen?«, fragten Lukas und Marthe gleichzeitig, während sie Kuno entgegenliefen.

Der Rotschopf war so von Staub bedeckt, dass seine Sommersprossen nicht mehr zu erkennen waren und sein Haar grau statt rötlich wirkte. Er sah aus, als würde er vor Müdigkeit gleich umfallen, nur seine Augen blitzten hellwach. »Ihr müsst Johanna hier verstecken. Randolf hat sich zu ihrem Vormund ernannt und wollte sie heute mit einem seiner Tölpel verheiraten«, krächzte er, so ausgetrocknet war sein Mund. Er wagte nicht zu fragen, was Lukas' Anwesenheit hier bedeutete.

»Allmächtiger! Wo ist sie? Was hat er ihr angetan?«, rief Marthe erschrocken, während ihr die schrecklichsten Bilder vor Augen standen. Hatte Johanna dasselbe grausame Schicksal erleiden müssen wie sie einst?

»Keine Sorge; ich hab sie rechtzeitig da rausgeholt«, sagte Kuno ungewohnt ernst. »Sie wartet ganz in der Nähe. Bevor ich sie hierher bringe, wollte ich erst nach Euch suchen, damit niemand sie sieht. Gott sei gedankt, dass ich Euch gleich hier treffe.«

»Dann lass uns keine Zeit verlieren«, entschied Lukas rasch und war schon auf dem Weg zum Burgtor. Marthe schloss sich den beiden an und begann Kuno voller Sorge auszufragen, was genau geschehen war.

Doch als sie das Tor passieren wollten, trat einer der Wachleute Marthe in den Weg, ein älterer Soldat mit grauem Bart.

»Hohe Frau, wir haben Anweisung, dass Ihr den Burgberg nicht verlassen dürft«, sagte er höflich, doch entschieden. »Es ist zu Eurem eigenen Schutz.«

»Wer hat das angeordnet?«, forderte Lukas in gebieterischem Ton Auskunft.

»Der Hauptmann der Wache.«

»Unfug, Arnulf ist noch mit dem Silber unterwegs. Gib den Weg frei«, verlangte er und wollte den Mann einfach beiseite schieben. Doch der verneigte sich kurz und stemmte sich breitbeinig in den Boden. »Solange er fort ist, hat Ritter Ekkehart dieses Amt übernommen. Ich tue nur meine Pflicht.«

Lukas und Marthe wechselten einen Blick; er wütend, sie entsetzt.

»Warte bei den Ställen, ich bin gleich zurück«, sagte Lukas leise. Dort würden sie unbeobachtet sein. Dann folgte er Kuno zum Tor hinaus.

Wortlos machte Marthe kehrt, noch mutloser als zuvor.

Im nächsten Augenblick sah sie sich Ekkehart gegenüber. »Was soll das bedeuten? Bin ich schon wieder Eure Gefangene?«, fuhr sie ihn an.

Der Ritter mit dem kantigen Gesicht zog sie ein paar Schritte beiseite, damit niemand ihrer Unterhaltung lauschen konnte.

»Ich bitte dich, betrachte dich nicht als Gefangene, sondern wie damals schon als Ehrengast«, sagte er mit spröder und dennoch werbender Stimme, während er sie mit Blicken nahezu verschlang. »Verzeih mir, dass ich dir nicht in aller Form den Hof machen konnte, bevor ich beim Markgrafen um dich anhielt. Ich hatte Angst, du würdest mich abweisen oder ein anderer könnte mir zuvorkommen.«

»Und weil Ihr befürchtet, ich könnte Euch ablehnen, habt Ihr dafür gesorgt, dass mich Otto Euch zuspricht wie eine Kriegsbeute. Mich und Christians Dorf. Wie bequem!«, fauchte sie ihn an.

»Ich bin reich, ich habe Einfluss, ich kann dich vor einem Kirchengericht schützen«, beteuerte er.

»War es nicht Euer Wunsch, dass ich mich Euch aus freien Stücken hingebe? Und jetzt wollt Ihr mich wieder zu Willen zwingen!«

»Als meine Ehefrau in allen Ehren!«

»Was macht das für einen Unterschied«, meinte sie verächtlich, drehte sich um und ging, damit er ihre Tränen nicht sehen konnte.

So fassungslos Marthe war – zuallererst musste sie einen Ort finden, an dem sie Johanna verstecken konnte. Wenn Randolf von Ekkehart erfuhr, dass ihre Stieftochter hier war, würde er ihre Auslieferung fordern und zugleich nach demjenigen suchen, der sie hierher gebracht hatte. Da Christian als tot galt, würde ihre Stieftochter auf jeden Fall einen neuen Vormund bekommen – ob nun Randolf oder Ekkehart. Niemand würde Marthe dabei ein Mitspracherecht zubilligen.

Also suchte sie nach dem Küchenmeister.

Das steinerne Gewölbe war voller Rauch, schwitzende Küchenjungen und Mägde bereiteten das Frühmahl zu. Der Küchenmeister maß diesmal kostbare Gewürze ab. Respektvoll verneigte er sich vor Marthe, als er durch den dichten Qualm erkannte, wer die ungewöhnliche Besucherin war.

»Ich brauche deine Hilfe«, sagte Marthe leise zu ihm.

»Was immer Ihr wünscht«, versicherte der Küchenmeister und verschloss sorgfältig ein Kästchen mit Safran.

»Kannst du ein Mädchen als Magd bei dir aufnehmen? Sie ist fleißig und hat sich nichts zuschulden kommen lassen. Ich verbürge mich für sie. Aber niemand darf wissen, dass ich sie dir schicke.«

»Wenn ich Euch einen Gefallen damit tun kann.«

»Das tust du. Aber lass sie auf keinen Fall in der Halle auftragen.«

»Sie ist bei mir in Sicherheit, ich schwör's«, versprach der dünne Küchenmeister.

Marthe dankte ihm, ging hinaus und schlenderte über den Hof, bis sie sich unbeobachtet glaubte, um zu den Stallungen gehen zu können. Sie hatte dort eigentlich nichts mehr zu suchen, wenn sie den Burgberg nicht verlassen durfte, was sich sicher bereits herumgesprochen hatte.

Johanna sah genauso müde, staubig und dennoch entschlossen aus wie Kuno. Erleichtert und besorgt zugleich schloss Marthe sie in ihre Arme.

»Hat er dir etwas angetan?«, fragte sie und musterte ihre Ziehtochter aufmerksam.

»Nein.« Doch als Johanna Marthes prüfenden Blick auf sich spürte, senkte sie den Kopf. »Kuno ist gerade noch rechtzeitig gekommen«, flüsterte sie.

Lukas, der sah, dass Kuno die Fäuste ballte, legte ihm beruhigend die Hand auf die Schulter.

»Gut gemacht«, sagte er. »Christian wäre stolz auf dich.«

Zwei junge Gesichter leuchteten auf, um sich gleich darauf wieder zu verfinstern.

»Denkt Ihr, dass Christian noch lebt?«, fragte Johanna mit zittriger Stimme. Auf dem Weg hierher hatte Lukas ihnen in kurzen Worten berichtet, was geschehen war.

»Ja«, antwortete der blonde Ritter fest. »Aber jetzt müssen wir überlegen, wo wir euch beide verstecken.«

»Der Küchenmeister nimmt Johanna unter seinen Mägden auf«, berichtete Marthe. »Leg dir einen neuen Namen zu und lass dein Haar immer vollständig bedeckt. Dann wird dich niemand finden. Aber wir dürfen uns nicht vor aller Augen treffen«, warnte sie. »Ekkehart ist auch hier und wird mich nicht unbeobachtet lassen.«

Johanna nickte ernst. Ihr genügte es, zu wissen, dass jemand Randolfs Freund war, um ihn zu fürchten.

»Du kannst auch nicht zurück«, stellte Lukas mit Blick auf Kuno fest. »Randolf wird sich schnell ausrechnen, dass du mit ihrer Befreiung zu tun hast, wenn du heute nicht aufzufinden bist.«

»Oh, da haben wir vorgesorgt«, versicherte Kuno. »Ich muss zurück, ich kann die anderen nicht im Stich lassen.«

Lukas und Marthe tauschten einen Blick. Ihnen war nicht wohl dabei, den Jungen zurück ins Dorf zu schicken, wo Randolf vielleicht gerade nach Herzenslust wütete.

»Jetzt schlaf dich erst einmal aus«, meinte Lukas. Er winkte einen Stallknecht heran, der in respektvollem Abstand zu ihnen herumgewirtschaftet hatte, weit genug weg, um nichts zu hören, und warf ihm eine Münze zu. »Hol uns einen Eimer Wasser, und dann lass meinen Boten hier bis zum Mittag in Ruhe schlafen.«

Eilfertig bedankte sich der Bursche und ging Wasser holen.

Marthe hatte aus der Küche bereits einen Korb mit Brot, kaltem Fleisch und Bier mitgebracht.

Kuno und Johanna wuschen sich den Staub aus den Gesichtern und tranken etwas, aber zum Essen waren sie beide zu erschöpft und zu aufgewühlt.

»Du musst jetzt in die Küche«, sagte Marthe leise zu ihrer Stieftochter. Sie beschrieb ihr den Weg und auch den zu ihrer Kammer, sollte Johanna ihren Schutz brauchen. »Sonst lass mir über den Küchenmeister Nachricht zukommen.«

Nach einem scheuen und zugleich dankbaren Blick zu Kuno begab sich Johanna auf den Weg.

Kuno hingegen rollte sich auf einem Strohhaufen in der Stallecke zusammen und schlief sofort ein.

Schweigend sahen Marthe und Lukas sich an. Neben ihnen begann ein Schecke unruhig zu stampfen. Wo Sonnenstrahlen durch die Fensterluken drangen, tanzten unzählige Staubteilchen im Licht.

»Wenn Randolf das wagt, dann weiß er etwas über Christian. Er muss sich sicher sein, dass er nicht zurückkommt«, sprach Marthe schließlich das aus, was sie beide dachten.

»Was fühlst du?«

»Dass er lebt.«

»Vielleicht hält ihn der Landgraf gefangen. Ich reite hin und versuche, ihn zu finden.«

»Das schaffst du nie und nimmer in einer Woche!«

»Dann versuche du, beim Markgrafen Zeit zu gewinnen.«

»Die wird er mir nur unter einer Bedingung gewähren«, sagte Marthe und biss sich auf die Lippe.

»Ich weiß«, meinte Lukas bitter. »Indem du ihm die Entscheidung ersparst, entweder öffentlich gegen Christians letzten

Willen zu verstoßen oder seine Zusage an Ekkehart zurückziehen zu müssen.«

Er sah sie bekümmert an und holte tief Luft. »Es besteht sowieso keine Aussicht, dass Otto sich für mich entscheidet. Er glaubt, es gibt Ruhe im Dorf, wenn er Ekkehart auf Christians Platz stellt.«

»Das wäre meine Bedingung … an Ekkehart.«

»Willst du wirklich mit so großem Einsatz spielen?«

»Christian hätte es so gewollt.«

Entsetzt starrte Lukas sie an. »Nie und nimmer! Christian hätte gewollt, dass du glücklich bist!«

»Er ist mit den Siedlern in den Dunklen Wald gezogen, damit sie hier ein besseres, freies Leben führen«, widersprach Marthe. »Wenn Randolf jetzt allein über das Dorf herrscht, war alles vergebens, was er getan hat.«

Sie richtete ihren Blick ins Leere, starrte auf einen unbestimmten Punkt im staubigen Gebälk des Stalls. »Ich wollte nie Macht haben, wollte nie wirklich annehmen, auf welchen Platz mich Gott gestellt hat … Das war falsch und feige. Wenn ich Ekkehart heirate, kann ich fordern, dass er Randolf im Zaum hält. Das wird meine Sühne.«

»Und mir traust du nicht zu, dass ich das schaffe?«, sagte Lukas bitter.

Sie sah ihm direkt in die Augen. »Doch, ich vertraue dir. Deshalb bitte ich dich ja, ihn zu suchen. Wenn er noch lebt, wirst du ihn finden.«

Gemeinsam gingen sie in den Palas, um beim Markgrafen vorzusprechen. Doch Otto war beschäftigt. Also baten sie darum, von Hedwig empfangen zu werden.

Die Markgräfin sah sie mitleidig an. »Wenn es um die Hochzeit geht – Ihr werdet ihn nicht umstimmen können.«

»Wir wissen, dass er sich bereits für Ekkehart entschieden hat«, sagte Marthe.

Hedwig nickte zustimmend. »Ekkehart scheint Euch sehr zu verehren«, sagte sie taktvoll. »Vielleicht ist er keine so schlechte Wahl, wie es Euch im Moment scheinen mag.«

Lukas entging nicht die Bitterkeit, die sich auf Marthes Gesicht zeigte. Was war da vorgefallen in der Zeit, als Ekkehart sie bei sich versteckt hielt?, dachte er beunruhigt.

»Es tut mir leid für Euch«, sagte Hedwig, an Lukas gewandt. »Mit der Entscheidung, Euch von Braut und Erbe zu trennen, habt Ihr Euch zu sehr geschadet, als dass mein Gemahl jetzt ein so wichtiges Lehen wie Christiansdorf an Euch vergeben würde. Meine Fürsprache – und Ihr hättet sie, ich schwöre es – würde ganz und gar nichts nutzen.«

»Wir wollen dem Markgrafen eine gütliche Einigung vorschlagen«, sagte Lukas, auch wenn ihn diese Worte hart ankamen. Er würde nicht nur freiwillig auf Marthe verzichten, sondern sie auch an Christians Todfeinde ausliefern, sollte er keinen Erfolg haben.

Überrascht zog Hedwig die Augenbrauen hoch. »Ich bin sicher, er wird gespannt sein, dies zu hören.«

Marthe und Lukas folgten Hedwig in den Palas. Dort war Otto in eine Besprechung vertieft, an der auch Ekkehart teilnahm. Hedwig berührte ihren Mann leicht an der Schulter und flüsterte ihm etwas ins Ohr. Der hörte mit sichtlich Verblüffung zu.

Dann befahl er allen außer Ekkehart, Lukas und Marthe, sich zu entfernen.

Beunruhigt sah Ekkehart zu seinem Rivalen. Du nimmst sie mir nicht weg, du nicht, dachte er wütend. Und wenn ich dich abstechen muss wie einen verlausten Dieb.

»Ihr seid also einverstanden damit, den edlen Ekkehart zu heiraten«, verkündete Otto zu dessen unendlicher Verblüffung und Freude.

»Sofern Ihr Ritter Lukas zwei Monate Zeit gewährt, um nach Christian zu suchen«, sagte Marthe so fest sie konnte. »Sollten er und Christian bis dahin nicht zurück sein, werde ich der Hochzeit zustimmen.«

Dabei zitterte ihre Stimme doch. Sie hoffte inständig, dass zwei Monate reichen würden.

»Ich gewähre Euch vierzig Tage Aufschub, keinen Tag länger«, verkündete der Markgraf.

Sie sah verzweifelt zu Lukas. Nur vierzig Tage! Aber er nickte ihr zu. Vielleicht konnte sie so mit mehr Erfolg ihre zweite Bedingung aushandeln.

»Dafür erbitte ich von meinem künftigen Gemahl auch ein Versprechen.«

Otto wirkte verblüfft. Mit einem Kopfnicken erlaubte er ihr weiterzusprechen.

»Wenn Ihr mir schwört, die Leute in meinem Dorf gegen jegliche« – sie betonte dieses Wort besonders und sah Ekkehart dabei fordernd in die Augen – »gegen jegliche Willkür zu schützen, verspreche ich, nach Ablauf der Frist Eure Gemahlin zu werden. Ohne Ausflüchte.«

»Seid Ihr einverstanden, Ekkehart?«, erkundigte sich Otto.

Randolfs Freund stimmte ohne Zögern zu. Da er der Erfüllung seiner Wünsche schon so nah gewesen war, würde es ihm weiß Gott schwerfallen, auch nur einen Tag länger zu warten. Und er war in Sorge, was Richenza inzwischen noch an Komplikationen heraufbeschwören konnte. Doch in vierzig Tagen würde Marthe unweigerlich ihm gehören. Denn dass Christian nie wieder zurückkam, dafür war gesorgt.

Randolfs Rache

Randolf schäumte vor Wut, als ihm seine Wachen am Morgen nach Johannas Verschwinden meldeten, dass ihre Suche im Dorf ergebnislos geblieben war. Was blieb ihnen auch groß zu tun, als ein paar Hütten zu durchstöbern und in der Kirche nachzuschauen, ob das Mädchen dort um Asyl nachgesucht hatte? Mit Pater Sebastian hätte man sicher reden können über ihre Auslieferung, aber das Dorf war viel zu groß, als dass sich dort nicht jemand hätte verstecken können, noch dazu im Dunkeln. Und die meisten Dorfbewohner waren keine Hörigen, mit denen sie nach Belieben umspringen durften, sondern angesehene Händler und Bergleute, die sich auf den Schutz des Markgrafen berufen konnten.

Diese Erklärungen trugen jedoch nicht im Geringsten dazu bei, Randolfs Ausbruch zu mildern.

»Und warum habt ihr Dummköpfe dann nicht den Rotschopf hergeschleppt?«, brüllte er seine Männer an. »Jede Wette, dass der damit zu tun hat. Ich werde es aus dem Bastard herausprügeln, bis er sich wünscht, nie geboren zu sein!«

»Er war nicht da«, verteidigte sich einer der Gescholtenen mit mürrischer Miene. »Sein Kumpan behauptet, der Bergmeister habe ihn zu den Mönchen geschickt, um …«

Randolfs Gesichtszüge liefen vor Wut puterrot an. »Nicht da?«, schrie er. »Und da kommt keiner von euch Tölpeln auf den Gedanken, dass er gerade das Mädchen wer weiß wohin schafft?! Weshalb bringt ihr dann nicht den anderen, damit ich stattdessen den totprügle?!«

»Reiß dich zusammen«, zischte ihm Richenza ins Ohr. »Noch ist es nicht so weit, dass du jemanden von Christians Leuten einfach so totschlagen kannst. Das würde dir der Markgraf nicht durchgehen lassen.«

Unwillig riss Randolf seinen Arm los, den sie umfasst hatte, um ihn zu besänftigen.

»Schafft mir den Schmied her, den jungen«, befahl er.

Als die Wachen die Halle verlassen hatten, knurrte er seine Frau mit gebleckten Zähnen an. »Hör endlich auf, Weib, dich in meine Angelegenheiten einzumischen, noch dazu vor meinen Männern!«

»Bisher bist du mit meinen Ratschlägen immer gut gefahren«, hielt ihm Richenza schnippisch vor. »Du bist doch nur so wütend, weil dir die blonde Unschuld entkommen ist. Hast es wohl nicht geschafft, sie zu besteigen?«

Wutentbrannt holte Randolf aus und verpasste seiner Frau eine wuchtige Ohrfeige. Sie presste ihre Hand auf die linke Wange, die sich rot verfärbte, und richtete einen Blick auf ihn, der jeden anderen in Eis verwandelt hätte.

»Überleg dir genau, mit wem du dich anlegst«, giftete sie. »Ohne mich bringst du dich um Kopf und Kragen in deiner Einfalt.«

»Pah! Wer soll mir jetzt noch in die Quere kommen? Ein Jahr musste ich darauf warten wie ein Hündchen mit eingezogenem Schwanz. Jetzt endlich kommt der Tag der Rache an alldem aufsässigen Gesindel.«

Karl ahnte nichts Gutes, als einer von Randolfs Knechten bei ihm auftauchte und ausrichtete, er solle sich unverzüglich auf der Burg melden.

Langsam ging er zum Wasserfass, tauchte seine Hände hinein und wusch sich Schweiß und Ruß vom Gesicht. Er streifte kurz die Lederschürze ab, zog einen Kittel über den nackten, von den Spuren grausamer Folter gezeichneten Oberkörper und band die schwere Schürze wieder um. Die Narben auf seinem Rücken von den sechzig Hieben, mit denen er auf Randolfs Befehl hin vor fünf Jahren halb totgeschlagen worden war, schienen auf einmal wieder zu brennen.

Karl gab seinem Gehilfen ein Zeichen, Jonas Bescheid zu sagen, und machte sich auf den Weg.

»Ihr habt mich rufen lassen«, sagte er mühsam beherrscht, als er vor dem Burgvogt stand. Dabei hatte er wenig Hoffnung, dass dieser ihn zu sich beorderte, um ein paar neue Hufeisen oder Messer in Auftrag zu geben. Hier ging es zweifellos um seine Schwester Johanna.

»Durch deine Schuld habe ich eines meiner Pferde verloren«, fuhr Randolf ihn an. »Du hast mit dem Hufnagel seine Vorderhand verletzt, so dass es nicht mehr zu gebrauchen ist. Den Schaden wirst du mir ersetzen.«

Karl wusste so gut wie jeder im Raum, dass das nicht stimmte. Keines der Pferde, die er für den Burgvogt beschlagen hatte, lahmte. Und das Geld für das Pferd eines Ritters würde er in seinem ganzen Leben nicht verdienen können. Doch noch bevor er etwas sagen konnte, hatten ihn schon zwei Wachen links und rechts gepackt, während ein Dritter mit aller Kraft auf ihn eindrosch.

Martin, erkannte Karl noch, bevor die Faust auf ihn zuflog. Jener Kerl, der ihn einst jämmerlich verprügelt hatte, als sie noch junge Burschen waren, weil er es gewagt hatte, Marthe ein Geschenk zu machen. Damals hatte Martin die junge Kräuterfrau für sich beansprucht, das einzige Mädchen in heiratsfähigem Alter, doch sie hatte ihn zurückgewiesen.

Eine Augenbraue platzte auf, Blut floss Karl übers Gesicht, ein wuchtiger Hieb in den Magen ließ ihn zusammensacken. Immer wieder hieb und trat Martin auf ihn ein, gnadenlos und ohne Pause.

Der Ältere hatte nicht nur eine Rechnung mit Karl zu begleichen, er wollte und musste auch vor Randolf seine Nützlichkeit unter Beweis stellen. Dass sein – wenn auch verhasster – jüngerer Stiefbruder im Verdacht stand, Karls Schwester befreit zu haben und er das nicht bemerkt haben wollte, warf kein gutes Licht auf ihn

Wie von fern hörte Karl Randolf befehlen: »In den Kerker mit ihm.«

Unter weiteren Hieben und Tritten zerrten die Männer den jungen Schmied zum Bergfried und stießen ihn durch eine Luke in das Verlies. Er fiel so hart, dass er fürchtete, sich ein paar Rippen gebrochen zu haben. Eine Leiter wurde hinabgelassen, dann stiegen zwei Wachen herab und schlossen um seine Handgelenke rostige Schellen, die an Ketten von der Decke hingen. Einer versetzte ihm genüsslich einen Tritt in den Unterleib. Stöhnend sackte Karl in seinen Ketten zusammen.

Noch während er nach Luft japste, wurde die Luke in der Decke erneut geöffnet. Diesmal war es Randolf selbst, der die Leiter herabstieg.

Karl kämpfte nur mit Mühe die Gefühle nieder, die sich in ihm breitmachten – Zorn und Angst. Nicht nur, weil der Vorwurf für seine Verhaftung erfunden war, sondern auch, weil er sich nur zu gut daran erinnerte, wie Randolf ihn und Jonas unter ebenso falscher Anschuldigung auspeitschen und für drei Tage bei sengender Sonne in den Block schließen ließ.

Auch Randolf schien daran zu denken. Demonstrativ zog er eine Peitsche aus dem Gürtel und hielt sie ihm unter die Nase.

»Ich kann dich hier bis ans Ende deiner Tage verrotten lassen, das weißt du so gut wie ich«, verkündete der Burgvogt grimmig. »Und ich werde dafür sorgen, dass du dieses Ende herbeisehnst. Es sei denn, du bist mir mit einer Auskunft nützlich.«

Karl schwieg.

Randolf ließ einen winzigen Moment verstreichen, ehe er losbrüllte: »Wo ist deine Schwester?«

»Seit Wochen schon mit Dame Marthe und ihren Kindern in Meißen, beim Markgrafen«, antwortete Karl mit gespielter Verwunderung, als ob er nicht genau wusste, dass es hier nicht um Marie ging.

Der Burgvogt rammte ihm die Faust ins Gesicht, so dass ihm Sterne vor den Augen erschienen und Blut aus seiner Nase strömte.

»Verkauf mich nicht für dumm, Bursche«, brüllte Randolf. »Ich meine die andere, die junge Kräuterhexe.«

Karl nahm seinen letzten Mut zusammen. »Habt Ihr sie nicht gestern in Eure Obhut genommen?«

Statt einer Antwort zog ihm Randolf die Peitsche quer übers Gesicht. Die Haut platzte auf, der Hieb brannte wie Feuer, und noch mehr Blut tropfte auf Karls Lederschürze.

»Wo ist sie?«, wiederholte Randolf.

»Weiß nicht«, brachte der Schmied zwischen zusammengebissenen Zähnen hervor.

Randolf winkte die beiden Wachen näher zu sich, die Karl in Ketten gelegt hatten.

»Zieht ihn höher«, befahl er. »Und runter mit den Sachen!«

Karl konnte das Stöhnen nicht unterdrücken, als sein ohnehin schon malträtierter Körper an den Armen so weit hochgezogen wurde, dass die Füße den Boden nicht mehr berührten. Die Wachen drehten ihn um, so dass er ihnen den Rücken zukehrte. Sie entblößten seinen kräftigen Oberkörper und beschwerten seine Füße fachmännisch mit einer kopfgroßen steinernen Kugel.

Dann begann Randolf ihn auszupeitschen, systematisch und mit Wucht.

Nach jedem Schlag hielt er inne und fragte: »Wo ist sie?«

Mit jeder ablehnenden Antwort holte der Burgvogt weiter aus, bis er schließlich selbst keuchte und schrie: »Antworte endlich,

ich frage zum letzten Mal! Sonst halte ich mich an deinem Weib schadlos!«

Atemlos und mit aufgerissenen Augen starrte Karl auf das Mauerwerk vor sich und betete stumm zu Gott und allen Heiligen.

Agnes hatte durch Jonas davon erfahren, dass ihr Mann auf die Burg befohlen worden war. Sie verbrachte einen halben Vormittag voller Unruhe und Angst, bis sie sich schließlich davon überzeugte, dass ihr Sohn tief und fest in seinem Weidenkörbchen schlief, und zu Emma lief, die selbst vor einer Woche mit Johannas Hilfe ein Töchterchen zur Welt gebracht hatte.

»Was soll ich nur tun?«, fragte sie verzweifelt. »Zur Burg gehen und fragen?«

»Auf keinen Fall!«, rief Emma erschrocken. Sie hatte vor Jahren ihre eigenen, leidvollen Erfahrungen mit Randolfs Männern machen müssen, als Jonas und Karl ihnen ausgeliefert waren.

»Aber ich vergehe vor Sorge«, jammerte Agnes. »Wenn ich mich nach ihm erkundige, müssen sie mir Auskunft geben.«

»Du gehst nicht dorthin«, sagte Emma in aller Entschiedenheit. »Du hast Randolf nie kennengelernt, wie er wirklich ist. Wie er ist, wenn Christian nicht da ist und ihn im Zaum hält.« Auch ihr Gesicht hatte sich verdüstert.

Ruhelos knetete Agnes ihre Hände.

»Bleib hier, ich werde nachforschen«, erklärte Emma entschlossen und war schon auf dem Weg hinaus. Agnes ignorierte ihre Worte und rannte ihr hinterher.

Sie liefen zu Jonas' Schmiede. Auch Jonas machte sich Sorgen über das Ausbleiben seines einstigen Gehilfen und jüngeren Freundes. »Ich habe Peter ausgeschickt, um heimlich Erkundigungen einzuholen«, flüsterte er Emma zu, während er ein rotglühendes Stück Eisen in einen Wasserbottich wuchtete, wo es zischend und qualmend versank. Niemand konnte wissen, wer von Randolfs Zuträgern gerade um die Schmiede schlich und an den Wänden lauschte.

Doch die Dorfbewohner, die fest zu Christian standen, hatten längst ein eigenes Spionage- und Informationsnetz aufgebaut. Allen voran Peter und seine eigene Bande, zu der nicht mehr nur die Kinder gehörten, die einst mit Melchior ins Dorf gekommen waren, sondern auch eine unbestimmte Zahl Gleichaltriger von den Scheidebänken und der kleine Christian, Berthas Sohn. Jonas bemerkte immer wieder mit Verwunderung und heimlichem Respekt, wie oft ein paar flinke kleine Gestalten bei Peter auftauchten, ihm etwas zuflüsterten und im nächsten Moment schon wieder verschwunden waren.

Wie aufs Stichwort stürmte der einstige Dieb in die Schmiede, diesmal ungewöhnlich ernst. »Sie haben ihn ins Verlies gesteckt, angeblich, weil er ein Pferd zuschanden gemacht hat. Der Burgvogt ist seitdem bei ihm«, berichtete der Junge.

Agnes fing an zu weinen. »Er schlägt ihn tot.«

Im gleichen Moment sahen sie Randolf und zehn seiner Männer auf Karls Hütte zugehen.

»Mein Kind!« Agnes stürzte nach draußen.

»Bleib, du rennst in dein Unglück!«, rief Emma und griff nach ihrem Arm, um sie aufzuhalten. Aber Agnes war schon weggelaufen.

Bestürzt sah Jonas ihr nach. Hastig drehte er sich zu Emma und Peter. »Lauf zum Dorfschulzen, sag ihm, er soll sofort kommen, und dann bring dich und die Kinder in Sicherheit«, befahl er seiner Frau, die sich umgehend auf den Weg machte.

»Und du holst, so schnell du kannst, den Bergmeister, dann Bertram und Christians Kaplan«, wies er Peter an, der nickte und losstürmte.

Es war ihm verboten, Waffen zu besitzen und zu führen, deshalb griff Jonas nach seinem großen Schmiedehammer und rannte zu Karls Kate. Er gab sich keiner Täuschung hin: Randolfs Männer würde er nicht aufhalten können bei dem, was sie vorhatten. Viel wahrscheinlicher würde er selbst im Kerker landen. Aber er konnte Agnes nicht ohne Schutz diesen Bestien ausliefern. Vielleicht schaffte er es, das Allerschlimmste zu verhindern, bis Verstärkung kam.

Agnes erschrak zu Tode, als sie die finsteren Gesichter von Randolf und seinen Begleitern sah.

»Dein Mann hat mein Eigentum beschädigt und schuldet mir fünfzig Mark Silber«, dröhnte Randolf, während er die Hütte betrat. Er musste den Kopf einziehen, um nicht an den Türbalken zu stoßen. Als alle seine Männer in dem Raum waren, blieb dort kaum noch Platz.

Agnes war ängstlich zurückgewichen. »So viel haben wir nicht, mein Herr«, wisperte sie erschrocken.

»Durchsucht die Hütte. Schaut zuerst nach, was sie unterm Herd vergraben haben«, befahl Randolf den Männern, die umgehend begannen, das Haus zu verwüsten.

»Wartet, wartet«, schrie Agnes, »Ich gebe Euch freiwillig, was wir besitzen.«

Mit zittrigen Händen kramte sie aus einem Kästchen eine Handvoll Silbermünzen hervor.

»Das reicht noch lange nicht«, meinte Randolf kühl, während er ihr das Geld abnahm und achtlos in seinen Beutel steckte.

Mit bebenden Fingern zog Agnes den Ring ab und löste den silbernen Kettenanhänger vom Band, den ihr Christian zur Heirat geschenkt hatte.

Randolf riss ihr den Schmuck aus der Hand und warf ihn hohnlachend auf den Boden. »So billig kommt ihr nicht davon! Du kannst die Schulden als Hure bei uns abarbeiten.«

Er gab seinen Leuten ein Zeichen. Die packten die junge Frau und warfen sie auf den Tisch. Agnes wollte schreien, doch einer der Männer hielt ihr mit seiner schmutzigen Pranke den Mund zu. Sie versuchte, in die Hand zu beißen, und bekam dafür eine heftige Ohrfeige, die ihr vor Schmerz die Tränen in die Augen trieb.

»Stopf ihr das Maul«, hörte sie eine Stimme, »damit sie nicht das ganze Dorf zusammenschreit.«

In ihrer Angst wehrte sich Agnes, so gut sie konnte. Doch die Männer pressten sie mit Bärenkräften auf das blankgescheuerte Holz des Tisches. Mit entsetzt aufgerissenen Augen sah sie, wie der Burgvogt sich bereitmachte, sie vor den Augen seiner Männer zu nehmen.

Noch während Jonas auf Karls Haus zurannte, hörte er schon von draußen einen erstickten Angstschrei und anfeuernde Rufe, die an Eindeutigkeit nichts zu wünschen übrig ließen.

Das ließ ihn alle Vorsicht vergessen.

Mit aller Wucht ließ er den Schmiedehammer gegen einen Tür-balken von Karls Haus krachen und brüllte: »Was geht hier vor?«

Das reichte, um ihm in dem Tumult Aufmerksamkeit zu ver-schaffen. Ein paar der Männer drehten sich zu ihm um und zo-gen ihre Schwerter. Doch sein Blick war auf die Mitte des Raumes gerichtet.

Er schien im letzten Augenblick gekommen zu sein, um Agnes vor der Schande zu bewahren. Sie lag wimmernd auf dem Tisch, festgehalten von zwei Männern, aber ihre Kleider waren noch heruntergeschlagen und unversehrt.

»Hast du mir irgendetwas zu melden, Schmied?«, fragte Ran-dolf mit gefährlich zusammengekniffenen Augen, während er das hochgeschlagene Vorderteil seines Bliauts wieder fallen ließ.

»Niemand hat das Recht, so etwas zu tun, nicht einmal Ihr«, hielt Jonas ihm laut vor.

»Das Recht hier bin ich. Daran solltest du dich eigentlich noch erinnern, Schmied«, drohte Randolf.

»Ihr wurdet bestraft für Eure Bluttaten«, widersprach Jonas, während er verzweifelt dachte: Wo bleiben nur die anderen? Lange kann ich die hier nicht mehr aufhalten. »Auch ein Vogt darf nicht ungestraft vor aller Augen schänden und grundlos foltern.«

»Gut, dass du mich daran erinnerst«, höhnte Randolf. »Nicht vor aller Augen … Und das hier war nicht für deine Augen bestimmt.« Zu seinen Männern gewandt, befahl er: »Bringt ihn zum Schweigen!«

Einer von den beiden, die Jonas am nächsten standen, zielte mit der Schwertspitze auf seine Kehle.

»Nein, nicht hier«, befahl Randolf. »Nehmt ihn mit. In einem hat er recht; eine Leiche dürfen wir hier nicht hinterlassen.«

Einer der Bewaffneten zog einen Strick aus seinem Beutel.

Jonas hob den Hammer.

»Ergib dich, oder wir holen uns dein Weib auch noch«, drohte Randolf. Jonas zögerte einen Moment, warf einen Blick nach hinten, ob endlich Verstärkung kam, und ließ den Hammer fallen.

Sofort stürzten sich drei Mann auf ihn, schlugen ihn zu Boden und traten auf ihn ein. Jemand zerrte seine Hände auf den Rücken und schnürte sie fest zusammen.

»Los, aufstehen«, befahl Randolf. »Wenn du erst im Verlies bei den blutigen Überresten deines Freundes bist, kommt dein Weib von ganz allein und winselt um Gnade.«

Er lachte dem Schmied höhnisch ins Gesicht, dann befahl er seinen Männern den Aufbruch.

»Und die hier?«, fragte einer und zeigte auf Agnes.

»Nehmt sie auch mit. Wir richten ihr eine Hurenkammer ein, da kann sie ihre Schulden abarbeiten.«

Agnes und Jonas wurden grob gepackt und vorwärtsgestoßen in Richtung Burg.

Peter erreichte zuerst Christians Haus und berichtete Bertram und dem Kaplan.

Bertram schnallte mit einem flauen Gefühl im Magen sein Schwert um. Er hoffte, nicht allein einer solchen Übermacht kampferfahrener und rücksichtsloser Männer gegenübertreten zu müssen. Doch er konnte die anderen in ihrer Not nicht im Stich lassen.

Der Kaplan griff nach einem großen hölzernen Kreuz. Gemeinsam gingen sie los, während Peter weiterrannte. Ihm war der Gedanke gekommen, auch noch Agnes' Vater zu holen, den angesehenen Obersteiger. Möglicherweise würden sich ihm noch ein paar seiner Männer anschließen, wenn sie erfuhren, was gerade geschah.

Währenddessen hatte Emma ihre Kinder in aller Eile Mechthild anvertraut und rannte zu Meister Josef, so schnell sie konnte.

Doch der Dorfschulze lehnte Emmas Aufforderung einzugreifen schlichtweg ab.

»Du musst mich nicht an meine Pflichten erinnern, Frau Schmiedin«, sagte er kühl, als sie ihm fassungslos vorhielt, er habe geschworen, für die Belange der Dorfbewohner einzutreten. »Wenn sich der junge Schmied etwas zuschulden kommen ließ, muss er die Folgen tragen. Sollte er sich ungerecht behandelt fühlen, kann er hinterher seine Klage bei mir vortragen.«

Wütend machte Emma kehrt, schlug die Tür hinter sich zu und rannte zurück.

Auf halbem Weg traf sie den Bergmeister, Bertram und den

Kaplan, die sich mit eiligen Schritten auf sie zubewegten. Ihnen allen bot sich eine schreckenerregende Szene dar: Randolfs Männer zerrten den blutig geschlagenen Jonas Richtung Burg, ein anderer hatte die sich heftig sträubende Agnes über die Schulter geworfen.

Emma stöhnte vor Entsetzen. Gott, nicht noch einmal, diesmal wird er ihn nicht am Leben lassen!

Der Bergmeister packte sie kurz an der Schulter. »Bring dich in Sicherheit, du darfst ihnen nicht auch noch in die Hände fallen. Ich tu, was ich kann, um ihnen zu helfen.«

Ängstlich nickte Emma und rannte zurück zu Christians Haus. An der Tür wäre sie beinahe mit Mechthild zusammengeprallt.

»Diese Bastarde«, brummte die Köchin und stieß einen gotteslästerlichen Fluch aus. »Ich hole Karls Kleinen. Hoffentlich haben sie ihm nichts angetan.«

Emma zuckte zusammen. Aber schon wenig später kam die resolute Mechthild mit dem Körbchen aus Karls Hütte. Ihr Gesichtsausdruck verriet, dass zumindest dem Säugling nichts geschehen war.

Noch bevor Randolf mit seinen Leuten die Burg erreichte, trat ihm der Bergmeister in den Weg. Direkt hinter ihm bauten sich Bertram mit dem Schwert in der Hand und der Kaplan mit einem emporgereckten hölzernen Kreuz auf.

»Was haben sich diese Menschen zuschulden kommen lassen?«, forderte Hermann Auskunft und wies auf Jonas und Agnes.

»Geht mir aus dem Weg, Bergmeister«, befahl Randolf. »Wenn Ihr eine Beschwerde vorzutragen habt, sucht mich morgen auf.«

»Ich glaube nicht, dass die Angelegenheit so lange warten kann«, sagte Hermann fest.

»Geht mir aus dem Weg, oder ich lasse Euch von meinen Männern beiseiteräumen«, drohte Randolf. Auf sein Zeichen hin zogen die Bewaffneten die Schwerter. Bertram zögerte keinen Augenblick, es ihnen gleichzutun, und auch Hermann legte die Hand an den Griff des langen Dolches, den er am Gürtel trug.

Das irritierte Randolf; damit hatte er nicht gerechnet. Das Bürschchen stellte keine Gefahr dar, aber er konnte unmöglich in aller Öffentlichkeit mit Waffen gegen den Bergmeister und einen Mann Gottes vorgehen.

»Sprecht nachher in der Burg vor«, knurrte er die drei an und gab seinen Leuten ein Zeichen, die Schwerter wieder in die Scheiden zu stecken.

Mit ein paar Schritten stapften sie um die Protestierenden herum, die kurz einen Blick miteinander wechselten und sich dann ohne Zögern dem Zug anschlossen.

»Ins Verlies mit dem Schmied«, befahl Randolf, als sie die Halle erreicht hatten.

Erneut trat der Bergmeister vor. »Was hat er verbrochen? Und welche Anklage gibt es gegen den jungen Karl und sein Weib?«

Mit aufreizend gelangweilter Stimme wiederholte Randolf die falschen Vorwürfe. Agnes schluchzte leise.

»Ich sehe auf Eurem Hof kein Pferd, das lahmt«, wandte Hilbert ein. »Seid Ihr bereit, auf das Kreuz zu schwören, dass Eure Anschuldigung wahr ist?«

»Zweifelst du etwa an meinem Wort, Pfaffe?«, brüllte Randolf.

»Soll ich dem Markgrafen berichten, dass die Förderung stockt, weil meine Männer Euretwegen kein Gezähe haben?«, hielt der Bergmeister dagegen.

Dass Richenza ihn verächtlich ansah, brachte Randolf nur noch mehr in Rage. Doch bevor er etwas sagen konnte, betrat einer seiner Vertrauten mit unheilverkündender Miene die Halle und flüsterte ihm etwas ins Ohr.

Randolf fuhr auf, doch schon einen Moment später erblickten auch die anderen die Ursache seiner Fassungslosigkeit: Mit festem Schritt und finsterem Gesicht durchquerte Lukas die Halle. Dichtauf folgte ihm Kuno.

Der Herr sei gepriesen, dachte Bertram erleichtert, ohne darüber nachzudenken, wieso Lukas hier war anstatt auf dem Weg nach Trifels und weshalb er einen Verband trug.

»Lass die Schmiede frei«, forderte Lukas.

»Seit wann hast du mir irgendetwas zu sagen?«, stieß Randolf zwischen zusammengebissenen Zähnen hervor.

»Lass die Schmiede frei. Und die junge Frau«, wiederholte Lukas.

»Misch dich nicht ein in Dinge, die dich nichts angehen«, fauchte der Burgvogt, der wusste, dass Dutzende Augenpaare die Auseinandersetzung verfolgten.

»Das geht mich durchaus etwas an«, meinte Lukas lässig. »Ich komme direkt vom Markgrafen, der übrigens weiß, wo ich bin, falls du auf den unklugen Gedanken kommen solltest, mich kurzerhand erledigen zu lassen. Und wir wissen ja, dass du zwar groß und stark, aber nicht übermäßig klug bist.«

Mit erneut aufflammender Wut griff Randolf nach seinem Schwert. »Reize mich nicht. Hast du nicht begriffen, dass eure Tage vorbei sind – die deines Kumpans Christian und die deiner Freunde? Jetzt herrsche ich hier! Und du Bettelritter ohne Land und Namen kannst deine paar Lumpen zusammenpacken und dich trollen.«

»So weit ist es noch lange nicht«, gab Lukas zurück. Niemand konnte ihm seine Unruhe anmerken. Denn insgeheim wog er die Wahrscheinlichkeit ab, sich mit Randolf schlagen zu müssen. Unter anderen Umständen hätte er es darauf ankommen lassen, aber jetzt war seine Wunde für einen harten Kampf noch nicht gut genug verheilt, und wenn er versagte, lieferte er Marthe und Christian einem schlimmen Schicksal aus.

»Lass die Schmiede frei – oder ich schicke Otto umgehend eine Nachricht, dass du die Silberförderung sabotierst«, wiederholte er. »Übrigens: Draußen stehen der Vater dieser jungen Frau und mit ihm zwei Dutzend wirklich schlechtgelaunter Bergleute mit ihren Keilhauen. Ich glaube nicht, dass die noch lange ruhig dort draußen warten.«

»Das ist Aufruhr!«, brüllte Randolf.

»Noch nicht«, widersprach Lukas. »Noch hast du die Chance, die Angelegenheit einigermaßen glimpflich zu beenden.«

Er trat ganz nah an Randolf heran und sagte leise nur zu ihm: »Sonst erfährt der Markgraf auch, was du mit Christians Mündel vorhattest.«

Er trat einen Schritt zurück und starrte dem Burgvogt ungerührt in die eisblauen Augen. »Das gilt auch, wenn sonst noch jemandem aus Christians Haushalt etwas zustoßen sollte.«

Randolf spürte Richenzas kalten Blick, der ihn noch mehr reizte als die unausweichliche Niederlage, und befahl mürrisch, die Gefangenen freizulassen.

Jonas konnte schon wieder auf eigenen Beinen stehen, als sie nach draußen gingen, Bertram stützte Agnes, die vor Schrecken über die Gefahr, der sie knapp entronnen war, und vor Sorge um Karl zitterte. Doch als Hilbert und der Bergmeister den furchtbar zugerichteten Karl nach draußen brachten, gab es ein vielstimmiges Murren und Drohrufe unter den Männern, die dort warteten.

Lukas hob den Arm, um sie zur Ruhe zu bringen, auch wenn

ihm die Bewegung heftige Schmerzen verursachte. »Ihr alle seid Zeugen«, rief er. »Ihm wird Gerechtigkeit zuteil werden. Aber nicht heute. Heute dürft ihr euch nicht provozieren lassen, wenn es kein Blutbad geben soll.«

»Damit sich der Vogt morgen den Nächsten holt und so zurichtet?«, rief ein junger Mann, dessen Augen zornig blitzten.

»Ihr habt viel Mut bewiesen«, sprach Lukas weiter, als hätte er den Einwurf nicht gehört. »Nur wenn ihr Ruhe bewahrt und weiter zusammenhaltet, werdet ihr die Tage überstehen, bis Christian wiederkommt.«

»Wann wird das sein?«, rief ein anderer ungeduldig. »Wann sorgt er hier endlich wieder für Frieden und Gerechtigkeit?«

»Bald, so Gott es will«, antwortete Lukas und verbannte dabei mit Mühe jede Bitterkeit aus seiner Stimme. Er betete stumm, dass er Christian rechtzeitig finden würde und dass sein Freund nicht doch tot war.

»Solange müsst ihr allein auskommen. Der Obersteiger und drei von euch sollen mir folgen, wir werden gemeinsam beraten. Ihr anderen geht jetzt wieder an die Arbeit.«

In Christians Haus saßen die Männer zusammen, während Mechthild der schreckensbleichen Agnes, die zu ihrem Kind gestürzt war und es an sich presste, einen großen Becher Bier zur Beruhigung einschenkte und sich dann gemeinsam mit Emma um Karls Wunden kümmerte.

»Ich muss heute noch abreisen. Ihr seid für die nächste Zeit auf euch allein gestellt«, eröffnete Lukas das Gespräch. Bewusst verschwieg er den anderen, dass Richard, Gero, Herwart und all ihre Männer tot waren. Er war jetzt nicht bereit, darüber zu reden, denn er fürchtete, diese Schreckensnachricht würde den Kampfesmut der Christiansdorfer zum Erlöschen bringen.

Sie überlegten eine Reihe Vorsichtsmaßnahmen: geheime Verstecke, Nachrichtenketten, Späher.

Falls die Lage außer Kontrolle geriet, sollten der Bergmeister und Hilbert nach Meißen reiten und bei Otto vorsprechen.

»Ihr dürft eure kleine Freundin jetzt nicht mehr allein auf der Burg lassen«, warnte der junge Ritter Peter.

Der grinste frech. »Ich habe schon längst drei von meinen Leuten dort eingeschleust, die ein Auge auf sie haben«, erwiderte er, während er mit vollen Backen kaute und sich hinter den abstehenden Ohren kratzte.

»Gut gemacht!«, lobte Lukas und konnte sich ein Grinsen nicht verkneifen. »Aber wenn es ernst wird, hol sie schnell dort raus. Randolf wird sich jetzt in seiner Wut zuerst an denen schadlos halten, die sich nicht wehren können.«

Er ermahnte alle nochmals, sich nicht provozieren zu lassen, dann ließ er sich von Mechthild Proviant zusammenpacken und bat Till zu einem Gespräch in seine spartanisch eingerichtete Kammer.

»Ich bitte dich, begleite mich nach Eisenach. Du kennst dich aus auf der Wartburg, du hast dort vor ein paar Jahren einige Zeit verbracht. Vielleicht kann uns das bei der Suche nützlich sein.«

»Ich schulde Euch mein Leben – und Christian noch viel mehr«, sagte Till nur. »Wann brechen wir auf?«

»Sofort. Die Zeit wird knapp, für Christian und für Marthe.«

Noch am gleichen Tag verließen Lukas und Till das Dorf.

Die Christiansdorfer wappneten sich für kommendes Unheil. Denn den meisten war klar geworden, dass Randolfs Übergriffe gegen Johanna, Agnes und die Schmiede nicht von ungefähr kamen. Der Hüne musste sich seiner Sache sicher sein, wenn er sich plötzlich so gebärdete. Die Frauen riefen ihre Kinder ins

Haus und verriegelten die Türen, wenn Randolfs Männer durchs Dorf streiften, und die jungen Mädchen wurden ermahnt, sich nicht draußen blicken zu lassen, wenn sie unterwegs waren.

Die unbeherrschte Wut des Burgvogts bekamen nun bevorzugt dessen eigene Leute zu spüren: das Gesinde wurde bei den geringsten Vergehen unnachgiebig verprügelt, auch die Reisigen mussten so manchen Hieb einstecken. Und es bereitete Kuno und Karl nicht unbeträchtliche Schadenfreude, zu sehen, dass auch Martin seinen Teil abbekam und neuerdings mit einer Zahnlücke mehr als zuvor und zugeschwollenem Auge durchs Dorf humpelte.

Beim Wallbau wurde die geringste Nachlässigkeit bestraft. Wer immer konnte, schickte einen Knecht zu dieser Arbeit, sofern er das nicht schon längst getan hatte.

Wenn hingegen Pater Sebastian beim Gottesdienst von den Dorfbewohnern Gehorsam und Demut gegenüber denen forderte, die Gott über sie gestellt hatte, machte sich so mancher seine eigenen Gedanken und betete stumm, dass Christian bald wiederkäme.

Die Hochzeit

Der für die Hochzeit von Marthe und Ekkehart angesetzte Tag rückte näher ohne auch nur das geringste Anzeichen dafür, dass Christian und Lukas zurückkehren würden. Die Burgbewohner gewöhnten sich daran, dass Marthe von Tag zu Tag mehr Zeit auf den Zinnen des weißen Turmes verbrachte, um Ausschau zu halten – vergeblich. Doch sie weigerte sich nach wie vor, an Christians Tod zu glauben, und es kümmerte sie nicht, ob die anderen sie deshalb für töricht hielten.

Mit jedem Tag wurde Marthe verzweifelter.

Hatte sie mit zu hohem Einsatz gespielt? Sie fürchtete sich davor, mit Ekkehart verheiratet zu werden, aber noch mehr vor etwas anderem: Wie Christian reagieren würde, sollte er heimkehren, nachdem sie erneut vermählt worden war.

Der Gedanke, dass ihr Otto keine Wahl gelassen hatte, dass sie auf Befehl des Markgrafen schon längst Ekkeharts Frau wäre, hätte sie ihm nicht eine Gnadenfrist abgerungen, konnte sie nicht trösten. Ich verrate Christian. Und vielleicht habe ich auch noch Lukas in den Tod geschickt mit meinem Starrsinn, dachte sie wieder und wieder.

Wenigstens waren ihre Kinder weit weg von hier bei Elisabeth gut aufgehoben. Wie hätte sie ihrem Sohn verständlich machen sollen, dass sie womöglich in wenigen Tagen einen anderen Mann heiraten musste, obwohl sie an die Rückkehr seines Vaters glaubte?

Nachts sann sie über Fluchtpläne nach. Dabei wusste sie, dass sie nicht fliehen würde. Wegen ihrer Kinder, wegen Johanna, die vorerst immer noch unerkannt in der Küche arbeitete, und wegen der Menschen im Dorf musste sie bleiben.

Ekkehart warb in aller Förmlichkeit um sie, aber in der unverkennbaren Gewissheit, dass diese Hochzeit stattfinden würde und er den Tag kaum erwarten konnte. Er ließ ihr Geschenke bringen: Schmuck, einen seidenen Schleier, ein kostbar verziertes Schmuckkästchen.

Marthe wies seine Aufmerksamkeiten stets mit den gleichen höflichen Worten ab: Sie seien eine angemessene Morgengabe, aber solange die vereinbarte Frist nicht abgelaufen sei, betrachte sie sich noch als verheiratet mit Christian und dürfe nicht die Geschenke eines anderen Mannes annehmen.

Eines Tages sprach er sie in aller Öffentlichkeit darauf an, vor dem halben Hofstaat. »Warum beleidigt Ihr mich, indem Ihr meine Brautgeschenke zurückweist, Dame Marthe?«

Die Anwesenden begannen sofort zu tuscheln.

Marthe fühlte unzählige Augenpaare auf sich gerichtet. Ohne Ekkehart anzusehen, sagte sie, die Lider gesenkt: »Wenn Ihr mir wirklich ein Geschenk machen wollt als mein künftiger Gemahl ...«

»Sagt mir, was Ihr wünscht, und ich lege es Euch zu Füßen, sofern es in meiner Macht steht«, fiel Ekkehart in die Pause ein, die sie bewusst zwischen ihren Worten gemacht hatte. Dabei legte er die Hand aufs Herz und verneigte sich vor ihr.

Hinter sich hörte sie ein paar Damen sehnsuchtsvoll seufzen, jemand hauchte leise, aber vernehmlich: »Wie rührend! Ein wahrer Edelmann!«

Nun blickte Marthe auf, direkt in Ekkeharts Augen. »Dann macht Euren Einfluss auf den Vogt von Christiansdorf geltend, damit er die Menschen im Dorf nicht länger schindet.«

Entrüstete Ausrufe mischten sich in das Gemurmel im Palas. Ekkehart, der sie ansah, als hätte sie einen Bottich kalten Wassers über ihm ausgegossen, richtete sich schroff auf.

»Dir geht es nur darum, nicht wahr?«, zischte er ihr wütend zu. »Nur um dein Bauernpack! Nur deshalb willst du mich heiraten.«

»Darf ich Euch daran erinnern, dass ich Euch nicht heiraten will, sondern muss«, flüsterte sie zurück. »Um mich zu bekommen, habt ihr geschworen, das zu tun, worum ich Euch gerade bat.«

Mit versteinerter Miene verneigte sich Ekkehart knapp vor ihr und stürmte nach draußen, während die Hofgesellschaft erneut zu wispern begann.

In ihrer Verzweiflung suchte Marthe drei Tage vor Ablauf der Frist den Diakon des Bischofs auf, einen Mann, der für seine

Strenge bekannt war. Sie war sich sicher, dass man sie vorlassen würde, denn Bischof Martin würde nicht vergessen haben, dass sie ihm noch Aufklärung über ihr rätselhaftes Verschwinden aus dem Kerker schuldete.

Beklommen kniete sie nieder, genau in jenem Saal, wo sie einst blutig geschlagen und gefesselt verhört worden war.

»Ehrwürdiger Vater, ich suche Euren Rat in großer Not«, begann sie, als er ihr huldvoll, aber mit unverkennbarer Neugier erlaubte zu sprechen.

»Ich fürchte mich davor, eine schreckliche Sünde zu begehen. Ich soll verheiratet werden. Aber was ist, wenn mein Mann noch gar nicht tot ist? Dann breche ich das Ehegelübde.«

Enttäuscht lehnte sich der Geistliche zurück. »Mir ist dein Fall bekannt, meine Tochter. Es gibt sichere Beweise für den Tod deines früheren Mannes. Also steht einer Neuvermählung nichts im Wege. Und falls Christian wirklich noch am Leben sein sollte, wird der Allmächtige schon dafür sorgen, dass er rechtzeitig zurückkommt, um dich aus dem Zwiespalt zu erlösen.«

Der Mann betrachtete selbstgefällig seine mit Ringen geschmückte Hand und ließ dann seine kalten Blicke über Marthe wandern. »Sei unbesorgt. Solange du nicht aus sündiger Wollust heiratest, sondern aus Gehorsam gegenüber deinem Herrn, hast du nichts zu befürchten und wirst Gnade vor Gottes Augen finden.«

Lässig wedelte er mit der Hand, zum Zeichen, dass die Audienz beendet war. Wankend erhob sich Marthe und ging hinaus.

Es gab kein Entrinnen. Ihrer letzten Hoffnung beraubt, suchte sie nach Susanne, um sich bei der einzigen Freundin, die sie derzeit hier am Hofe hatte, die Augen auszuweinen.

Einen Tag vor der Hochzeit traf Markgraf Dietrich mit größerem Gefolge auf den Burgberg ein. Bevor er den Kaiser auf den

Italienfeldzug begleitete, wollte er die Schwertleite seines Sohnes feiern, der mit ihm gekommen war. In drei Tagen sollte Konrad Ritter werden – vor der Zeit, üblicherweise geschah dies erst im Alter von zwanzig Jahren, aber die Lage erforderte, dass Dietrichs Sohn als Mann zurückblieb, während sein Vater in den Krieg zog.

Zu der feierlichen Zeremonie und dem danach angesetzten Turnier trafen schon seit Tagen immer mehr Gäste auf dem Burgberg ein.

Bald nach seiner Ankunft ließ Dietrich Marthe in den Palas rufen. Neben ihm saßen Hedwig und Konrad, der Marthe fassungslos ansah.

»Ich bedaure zutiefst Euren Verlust«, sagte Dietrich, während sich sein Gesicht verdüsterte. »Ritter Christian war ein tapferer Mann von edler Gesinnung. Es gibt nicht viele wie ihn.«

Marthe senkte den Kopf, um zu verbergen, dass sich ihre Augen mit Tränen füllten.

Dietrich gehörte zu den wenigen, die wussten, dass Marthe über die Gabe des zweiten Gesichtes verfügte. »Besteht noch Hoffnung?«, fragte er leise.

Langsam hob sie den Kopf. »Ich kann nicht glauben, dass er tot ist.«

»Könnt Ihr nicht oder wollt Ihr nicht?«, fragte Dietrich, und seine Worte hatten nichts Strenges an sich, sondern waren Ausdruck seiner eigenen Hoffnung.

»Ich will nicht«, antwortete sie leise. »Aber so viel Zeit ist vergangen … Mit jedem Tag, der vergeht, stirbt ein Stück von mir … Und Euer Bruder hat befohlen, dass ich morgen wieder heirate.«

Überrascht sah Dietrich auf. »Wen hat er für Euch ausgewählt?«

Als Marthe die Stimme versagte, kam ihr Hedwig zu Hilfe. »Ritter Ekkehart.«

Nun drückte sich fast so etwas wie Widerwillen in Dietrichs bis eben noch mitfühlenden Zügen aus. »Ihr heiratet Randolfs Freund?«

»Ich musste es schwören. Das ist der Preis für Frieden in unserem Dorf«, sagte Marthe mit gesenktem Kopf.

Dietrich räusperte sich. »Ich verstehe.«

Er schwieg einen Augenblick, dann fuhr er fort: »Ich bewundere Euren Mut. Wärt Ihr ein Ritter, würde ich sagen, ihr verhaltet Euch wie ein Mann von Ehre.«

Er wandte sich an seinen Sohn. »Du solltest die Dame Marthe in die Kirche begleiten und mit ihr für Christians Seelenheil beten.«

Wortlos erhob sich Konrad.

Dietrich ließ seinen Blick auf Marthe ruhen, bis sie die Halle verlassen hatte, dann sagte er leise zu Hedwig. »Sie hätte wirklich ein besseres Schicksal verdient. Wie du auch.«

»Während der Hochzeit wird er mit den anderen in der Halle trinken. Ich werde mich zeitig zurückziehen«, raunte sie fast unhörbar. »Ich schäme mich fast dafür. Wir nutzen das Elend dieser jungen Frau für unser eigenes Glück.«

»Wir waren lange genug unglücklich«, bekam sie zur Antwort. Niemand konnte sie hören, und in dem Kuss, den Dietrich auf Hedwigs Hand hauchte, konnten Beobachter nichts anderes als eine vollendete höfische Geste sehen. Doch Hedwig fühlte bei seiner Berührung erneut einen Schauer durch ihren Körper rinnen.

Die Nacht vor dem für die Hochzeit angesetzten Tag verbrachte Marthe in der Kirche und betete verzweifelt um Christians und Lukas' Rückkehr. Vergeblich.

Auch nach der Frühmesse blieb sie dort, während alle anderen gingen, kniete vor dem Altar nieder und flüsterte inbrünstige Gebete.

Eine Kammerfrau, die in einigem Abstand respektvoll gewartet hatte, hüstelte schließlich und trat näher. »Ihr werdet erwartet ... Wir sollen Euch für Eure Vermählung ankleiden.« Taumelnd erhob sich Marthe und folgte ihr. In der Kammer hatten ihr die Mägde bereits ein Bad vorbereitet, sie wuschen und kämmten ihr Haar.

Als Marthe aus dem Zuber stieg, hielt ihr die Kammerfrau ein prächtiges Gewand entgegen: Es war von einem tiefen Rot, hatte grüne und goldene Stickereien und ein grünes Unterkleid. »Dies schickt Euer künftiger Gemahl mit ergebenen Grüßen.«

Das Kleid musste ein Vermögen gekostet haben und passte wie angegossen. Doch nicht genug damit, hatte Ekkehart ihr auch noch einen filigran gearbeiteten Goldreif fertigen lassen, an dem sie den neuen, seidenen Schleier befestigen konnte.

Steif und starr stand Marthe da, während die Kammerfrau sie herausputzte.

»Ihr seht aus wie eine Königin, eine wahre Schönheit«, sagte die Zofe begeistert. »Seht selbst!« Sie hielt ihr einen kupfernen Spiegel hin, doch Marthe warf nur einen gleichgültigen Blick hinein.

Ihre Hände waren eiskalt, ihr Magen ein steinerner Klumpen, ihre Kehle wie zugeschnürt, als Marthe zur Kirchentür geführt wurde. Dort warteten schon der Priester und ihr künftiger Gemahl.

Ekkehart verschlug es bei Marthes Anblick sichtlich die Sprache. Er trat aus der Gruppe der Männer heraus, die um ihn standen, ging ihr entgegen, beugte sich über ihre Hand und küsste sie.

»Ich bin überwältigt«, sagte er und starrte auf ihre schmale Erscheinung, ihr schneeweißes Gesicht, das von den kastanienbraunen Locken umrahmt wurde und auf dem der schmale Goldreif hervorragend zur Geltung kam.

»Und ich hoffe, ihr haltet Euren Teil des Handels«, sagte sie leise, aber mit Nachdruck.

»Das Verlies in Christiansdorf ist leer, ebenso der Schandpfahl«, antwortete Ekkehart, während sich seine Gesichtszüge verhärteten.

Der Priester räusperte sich. Ekkehart trat zurück, und alle stellten sich auf für die Zeremonie vor der Kirchentür.

Doch Marthe erstarrte zu Stein: Gleich neben Ekkehart standen Randolf, Elmar und Giselbert und blickten sie mit hässlichem Grinsen an.

Während der Priester Marthe das Gelöbnis abnahm, dem Edlen Ekkehart ein Leben lang ein gehorsames Eheweib zu sein, ihm untertan zu sein mit ihrer Arbeit und mit ihrem Leib, fühlte sie wie Messerspitzen die Blicke der Männer auf sich, die sie einst gemeinsam mit ihrem neuen Ehemann geschändet hatten.

»Endlich gehörst du mir«, raunte ihr Ekkehart mit freudigem Triumph zu, als der Priester sie gesegnet hatte. Er nahm ihren Kopf in beide Hände und küsste sie. Marthe wehrte sich nicht. Sie hatte es geschworen.

Die Hochzeitsgäste – allesamt Freunde Ekkeharts, denn die ihren waren tot oder fort – johlten und brachten Hochrufe auf die Jungvermählten aus.

Das Festmahl fand in Ottos Halle statt. Der Markgraf hatte für seinen verdienten Ritter und nunmehrigen Befehlshaber der Wache und die Braut, die er ihm zugesprochen hatte, die Tafel üppig decken lassen.

»Möge Eure Ehe Frieden bringen und mit vielen Kindern gesegnet sein«, brachte er als Trinkspruch auf das Brautpaar aus.

Marthe zwängte sich ein höfliches Lächeln ins Gesicht. Dass sie auf keinen Fall Kinder von Ekkehart haben würde, hatte sie längst beschlossen. Aber Frieden, Frieden für Christiansdorf, ja – der sollte kommen. Sonst wäre alles umsonst gewesen.

Die Markgräfin umarmte sie mit einem wehmütigen Lächeln.

»Ich hatte so gehofft, wieder Christian an Eurer Seite zu sehen. Aber vielleicht wird Euch auch mit Ekkehart etwas Glück beschieden«, raunte sie ihr tröstend zu.

Wenn Ihr wüsstet, wem ich gerade zugesprochen wurde, dann würdet Ihr anders reden, dachte Marthe bitter. Je näher die Brautnacht rückte, umso mehr verdrängten die Gewalttaten in ihrer Erinnerung das Wissen, dass sie Ekkehart die Rettung vor dem Tod bei der Wasserprobe und aus dem Kerker verdankte. Alles in ihr verkrampfte sich bei der Vorstellung, sich ihm hinzugeben zu müssen.

Um es noch schlimmer zu machen, saß Randolf als bester Freund des Bräutigams direkt neben ihr und bleckte hohngrinsend die Zähne. »Was für ein Glück für dich, meine Liebe! Endlich kriegst du einen richtigen Mann zwischen die Schenkel«, raunte er ihr zu, als Ekkehart abgelenkt war durch einen Pagen, der ihm eine Schüssel mit Rosenwasser zum Händewaschen hinhielt.

»Weißt du noch …?« Unmissverständlich legte er seine Pranke auf ihr Knie und ließ sie aufwärtsgleiten. Das löste sie aus ihrer Erstarrung. Blitzschnell ließ sie ihr Essmesser unter dem Tisch verschwinden und drückte die Spitze auf Randolfs Handrücken.

»Nehmt sofort Eure Finger von mir, oder ich ramme Euch mein Messer hinein«, fauchte sie.

Mit seiner Linken packte der Hüne ihr Handgelenk so heftig,

dass sie nur mit Mühe einen Schmerzensschrei unterdrückte und das Messer fallen ließ.

»Das wirst du noch heute Nacht bereuen«, zischte er ihr mit hasserfülltem Blick zu. »Dann wirst du sehen, was ich in dich ramme!«

Um nicht den geringsten Zweifel an seinen Absichten zu lassen, zog er ihre Hand zu sich herüber und legte sie auf seinen Schritt. Dann erst stieß er sie weg und brach in Gelächter aus.

Marthe blickte starr geradeaus, rieb sich verstohlen das schmerzende Handgelenk, das bereits rot anlief, und versuchte, sich über Randolfs Drohung klarzuwerden.

Hatte Ekkehart sie getäuscht, bis sie glaubte, dass seine Liebesbezeugungen ehrlich gemeint waren? Wusste er von Randolfs Plänen?

Sie würde sich nicht einmal dagegen wehren können. Sie war nun Ekkeharts Frau, seinem Willen auf Gedeih und Verderb ausgeliefert.

»Du siehst bleich aus«, meinte ihr Bräutigam, als er sich ihr wieder zuwandte. »Trink. Der Wein wird dir guttun.«

Er reichte ihr den Becher, den sie sich während des Festmahles teilten.

Marthe schüttelte stumm den Kopf.

Ekkehart beharrte darauf, dass sie trank. »Das mildert die Aufregung. Du musst keine Angst haben.«

Doch der misstrauische Blick, den er einen winzigen Moment lang Randolf und Richenza zuwarf, besagte etwas anderes.

Wegen der bevorstehenden Schwertleite und des Turniers hatten sich Gaukler und Spielleute auf der Burg eingefunden, die nun die Hochzeitsgäste unterhielten. Die meiste Aufmerksamkeit zog dabei ein Mann auf sich, der einen Tanzbären mit sich führte. Dem massigen Tier mit glanzlosem, räudigen Fell hatte er einen Ring durch die Nase gezogen und zwang es durch ruckartige Bewegungen der Kette, sich aufzurichten und zu drehen.

Geht es uns Frauen nicht wie dieser geschundenen Kreatur?, dachte Marthe bitter, während sie auf die kleinen, böse funkelnden Augen des Bären starrte. Man zieht uns zwar keinen Ring durch die Nase, aber auch wir müssen uns wie Gefangene dorthin führen lassen, wo die Männer uns haben wollen.

Die Gäste an der Hochzeitstafel schlemmten und machten anzügliche Scherze über die Jungvermählten.

Marthe hingegen bekam keinen Bissen hinunter bei der Vorstellung, dass sich alle bald erheben würden, um die Frischvermählten zum Brautbett zu begleiten. Sie blickte immer wieder auf den Eingang des Saales, in der Hoffnung, Lukas und Christian würden dort erscheinen. Aber es waren nur Mägde mit neuen Speisen und Krügen, die die Halle betraten.

Ekkehart, unverkennbar stolz, konnte sich indessen kaum noch zügeln vor Ungeduld. Er presste seinen Schenkel an ihren und starrte immer öfter auf den Ansatz ihrer Brüste im Ausschnitt des prachtvollen Kleides, das er ihr geschickt hatte.

Schließlich wechselte er einen einvernehmlichen Blick mit dem Priester, stand auf und legte seinen Arm um Marthe.

»Pater, wollt Ihr die Güte haben, unser Brautlager zu segnen?«

Die Hochzeitsgesellschaft johlte. Eilig erhoben sich die Gäste und folgten ihnen in dichtem Gedränge zu der Kammer, die der Haushofmeister dem Brautpaar zugewiesen hatte.

Was habe ich nur getan?, dachte Marthe entsetzt, während sie mühsam einen Fuß vor den anderen setzte.

Christian, vergib mir!

Der Priester sprach einen Segen und sprenkelte Weihwasser auf das Laken. Danach wurden alle Gäste bis auf eine Kammerfrau hinausgeschickt.

Ekkehart entledigte sich rasch seiner Kleider, legte sich aufs Bett und ließ keinen Blick von Marthe, während diese von der Kammerfrau entkleidet wurde.

Rot vor Scham kroch sie hastig unter die Decke und zog sie hoch bis zum Hals. Nur ein Gedanke hämmerte immer wieder durch ihren Kopf: Das ist nicht wahr, das ist nicht wahr, das ist alles nur ein böser Traum.

Ekkehart beugte sich zu ihr hinüber. Sie sah die Narben auf seiner Brust, die von der alten Verletzung herrührten, die sie einst hatte behandeln müssen, blickte auf seine Hände, groß und schwielig vom Umgang mit dem Schwert, und dachte nur: Ich darf jetzt nicht feige sein.

Ein angstvoller Blick auf die Mitte seines Leibes verriet ihr, dass er längst bereit war.

Inzwischen hatte die Kammerfrau Marthes Kleidung in eine Truhe gepackt, zupfte die Decke über dem Hochzeitspaar gerade und wollte nun auch Ekkeharts Sachen beiseite räumen.

»Bist du immer noch nicht fertig?«, fuhr er sie an. »Du kannst gehen.«

Hastig ließ sie die Sachen fallen und öffnete die Tür, um den Priester und die Zeugen der Brautlegung hereinzulassen.

Vor den gaffenden Zuschauern besprenkelte der Pater die Brautleute mit geweihtem Wasser und segnete sie. Marthe nahm das alles kaum wahr; so sehr fühlte sie sich durch die gierigen Blicke der Fremden erniedrigt.

Doch die Demütigung war noch nicht zu Ende. Während die meisten Gäste mehr oder weniger willig den Priester auf dessen Aufforderung nach draußen begleiteten, unternahmen Randolf und seine Freunde keinerlei Anstalten, die Kammer zu verlassen.

Im Gegenteil, Giselbert und Elmar machten es sich auf den steinernen Sitznischen am Fenster so bequem wie möglich, wobei der Feiste Mühe hatte, seinen massigen Körper dort unterzubringen. Randolf hingegen lehnte lässig an der Wand und ließ seinen kalten, bedrohlichen Blick nicht von Marthe.

Auch Richenza hatte bleiben wollen, doch Randolf befahl ihr zu gehen. Bevor sie die Kammer verließ, sah sie Ekkehart triumphierend lächelnd an. Ja, gleich würde er ihre Rache dafür erleben, dass er sie zurückgewiesen hatte. Sie hatte das alles zusammen mit ihrem Mann ersonnen, wenngleich Randolf ihre wahren Motive nicht kannte. Es würde ihr nicht einmal viel ausmachen, wenn ihr eigener Mann Christians Witwe bestieg – der Gedanke, wie sehr Marthe es verabscheuen würde und trotzdem nicht um Hilfe rufen durfte, gefiel ihr zu gut.

Vor allem aber wollte sie Ekkehart demütigen. Sie war Frau genug, um zu merken, wie sehr ihm die kleine Hexe den Kopf verdreht hatte. Es würde ihm nicht gefallen, sie mit seinen Freunden teilen zu müssen.

Und wenn Randolf sie jetzt hinausschickte – sollte es ihm tatsächlich peinlich sein, eine andere Frau vor ihren Augen zu nehmen? –, für sie gab es noch mehr zu tun auf dem Burgberg. Ihr war aufgefallen, dass Hedwig und ihr feiner Schwager Dietrich für einen winzigen, scheinbar unbeobachteten Moment einen sehr merkwürdigen Blick miteinander ausgetauscht hatten. Zwischen den beiden gab es ein Geheimnis, ein gefährliches Geheimnis, das hatte sie schon länger vermutet. Jetzt war sie sich ganz sicher. Der Sache würde sie sofort nachgehen.

Mit forschem Schritt und hocherhobenem Haupt verließ Richenza die Kammer, nicht ohne noch einmal das Paar mit süßlichem Lächeln aufzufordern, nun getreulich seine Pflicht zu erfüllen.

Marthe hätte aufspringen und ihr folgen wollen, als sie merkte, dass Randolfs Kumpane offensichtlich vorhatten zu bleiben.

Aber auch Ekkehart schien über die Anwesenheit seiner Freunde beunruhigt.

Er räusperte sich und versuchte einen krampfhaften Scherz. »Ihr müsst nicht warten, meine Freunde. Wie ihr seht« – dabei wies er auf die Ausbeulung unter der Decke – »wird es bestimmt länger dauern, bis ich mit meiner schönen Braut meine Pflicht erfüllt habe.«

Randolf lächelte gelassen und wechselte das Standbein. »Du solltest besser Zeugen haben für den Vollzug der Ehe. Schließlich ist sie keine Jungfrau mehr und kann kein blutiges Laken vorweisen. Und bei diesem durchtriebenen Weib kannst du nicht sicher sein, ob sie am Ende nicht alles abstreitet.«

Marthe gefror das Blut in den Adern. Dennoch sah sie, dass auch Ekkehart diese Wendung der Dinge nicht gefiel. Zum ersten Mal berührte sie ihn freiwillig, griff zaghaft nach seinem Arm. »Bitte«, flüsterte sie. »Ich werde tun, was Ihr wünscht. Aber schickt diese Männer hinaus. Bitte!«

Ekkehart sah die Not in ihren Augen und begann zu ahnen, was seine Freunde vorhatten. Er räusperte sich.

»Meine Braut ist etwas schüchtern. Seid so gut, lasst uns jetzt allein.«

»Was heißt hier schüchtern?«, höhnte Giselbert. »Als ob wir alle die kleine Hure nicht schon oft genug besprungen hätten!«

Mit mühsam verhohlener Wut richtete sich Ekkehart auf.

»Sie ist jetzt meine Frau, also sprich gefälligst mit Respekt von ihr!«

Vom Bett aus griff Ekkehart nach seinem Geldbeutel, der zwischen den hastig abgelegten Sachen begraben war. Er warf ihn Elmar zu. »Hier, davon könnt ihr euch eine Woche lang jeden Tag die besten Huren von Meißen kaufen. Nehmt es und geht!«

Randolf stieß sich von der Wand ab und trat zwei Schritte auf das Brautbett zu. Dabei musterte er Ekkehart mit hartem Blick. »Als ob ich es nicht geahnt hätte! Die Hexe hat dich tatsächlich um den Finger gewickelt. Aber deshalb sind wir hier, dafür hat man schließlich Freunde. Wir werden den Vollzug der Ehe bezeugen. Es ist nur zu deinem eigenen Vorteil.«

Er umrundete das Bett und setzte sich auf die Truhe, in der Marthes Kleider lagen.

»Und dann sind wir dran«, verkündete Elmar. »Haben wir sie nicht auch immer mit dir geteilt?«

Ekkehart merkte, dass sein Glied erschlaffte, während sein Blut durch die Adern pulsierte wie bei einem bevorstehenden Kampf. Er sah sich kurz um. Seine Waffen waren unerreichbar bis auf den Dolch, der zwischen seinen Kleidern auf dem Boden lag. Allein konnte er es nicht mit den dreien aufnehmen. Dennoch war er entschlossen, ihnen Marthe nicht kampflos zu überlassen – jetzt, wo sie ihm endlich allein gehörte.

»Ihr werdet sie nicht bekommen«, erklärte er den anderen fest. »Als ihr Ehemann werde ich ihre Ehre verteidigen.«

»Wie rührend!«, rief Giselbert meckernd.

Randolf stand auf, löste seinen Schwertgurt und ließ ihn fallen. »Los, bespring sie endlich, oder ich tu es an deiner Stelle!«

VIERTER TEIL

Auf Leben und Tod

Auf der Suche

Lukas trieb seinen Hengst so eilig Richtung Eisenach, dass Till Not hatte, ihm zu folgen, obwohl er für die Suche das ausdauerndste Pferd bekommen hatte, das noch in Christians Ställen stand.

An einem späten Nachmittag hielten sie am Fuß des Bergrückens, auf dem die mächtige Wartburg des Thüringer Landgrafen thronte. Finster starrte Lukas auf die steinernen Warttürme, als könnte sein Blick die dicken Mauern durchdringen. Ob Christian hier in einem der Verliese steckte? Aber weshalb? Welches Interesse konnte der Landgraf an dem ihm unbekannten Ritter haben? Warum hatte er Otto die Nachricht von Christians Tod zukommen lassen?

Und wenn sein Freund noch lebte – wie mochte es ihm gehen? Wurde er gefoltert? War seine Wunde brandig und vielleicht sein Bein schon abgenommen worden?

Er und Till brachten in Erfahrung, dass sich der Landgraf in dem prächtigen Palas aufhielt, den Ludwigs Vater hatte errichten lassen. Prunkvoll wie eine große Kirche oder eine

Kaiserpfalz sei er, hatte der Spielmann berichtet, mit Adlern, Löwen und Pfauen an den Kapitellen der Säulen. Und nicht nur die Kemenate, sondern sogar der Aufenthaltsraum der Ritter verfüge über einen Kamin – eine Verschwendung, die Lukas zu anderer Gelegenheit eher absonderlich gefunden hätte. Doch derzeit bewegten ihn dringendere Sorgen als die, ob Ludwigs Ritter froren oder in beheizten Räumen verweichlichten.

Nach Lukas' Plan sollte sich Till zuerst allein auf der Burg umhören, die er von einem früheren Aufenthalt her kannte und wo er noch Vertraute unter dem Gesinde hatte. Vielleicht fand er etwas über Christians Schicksal heraus. Wenn dort ein Ritter des Meißner Markgrafen auftauchte und nachfragte, würde der Landgraf sicher nicht von der Geschichte abweichen, die er durch den Böhmen übermitteln hatte lassen. Falls Till auch nur den geringsten Anhaltspunkt dafür fand, dass Christian noch lebte und auf der Wartburg gefangengehalten wurde, würde sich Lukas als Soldat ohne Anstellung ausgeben und versuchen, sich bei den Wachen zu verdingen. Irgendwie würde er dann schon in die Verliese kommen, um Christian zu suchen.

Es bestand kaum Gefahr, dass Ulrich ihn erkennen würde; der Böhme musste längst auf dem Heimweg sein, um sein Heer zu sammeln und zum Kaiser zu führen.

Das Einzige, das bei diesem Plan störte, war Lukas' Verletzung, die wieder heftig schmerzte, weil er den Arm durch den schnellen Ritt zu stark belastet hatte. Aber darauf konnte er keine Rücksicht nehmen. Wenn ihn der Hauptmann der Wache aufforderte, eine Probe seines Könnens abzuliefern, bevor er ihn in Dienst nahm, musste er eben das Schwert mit der Linken führen. Schließlich hatte ihm Christian auch das während der Knappenzeit gründlich beigebracht.

Lukas wollte nicht riskieren, zusammen mit Till auf der Burg gesehen zu werden, dessen Fragen nach einem verwundeten Meißner Aufmerksamkeit erregen könnten. Also suchte er sich in einer billigen Gastwirtschaft eine Kammer. Er sorgte dafür, dass der Spielmann ein kräftiges Mahl erhielt, aß selbst aber nur wenig. Niemand wusste, wie viel Geld die Suche noch verschlingen würde, sei es für Proviant, Pferdefutter oder Bestechung.

»Marthe sagt immer, Verletzungen heilen schneller, wenn man nicht zu üppig isst«, wehrte er ab, als Till seine Portion mit ihm teilen wollte. Dann wünschte er dem Begleiter Erfolg auf seinem Erkundungsgang und klopfte ihm aufmunternd mit der Linken auf die Schulter.

Lukas hatte längst seine Kleidung gegen die eines einfachen Soldaten ausgetauscht, die Haare zusammengebunden und unter einer Bundhaube verborgen. Nur Männer von Stand trugen das Haar schulterlang; wenn er sich wirklich bei der Wachmannschaft verdingen musste, würde er es kürzer schneiden müssen, um sich nicht zu verraten. Doch damit wollte er noch warten, bis er wieder von Till hörte. Gut möglich, dass es die Umstände doch erforderten, als Ritter aufzutreten.

Nach Tills Aufbruch ging Lukas die hölzerne Stiege hinauf in die Kammer, die er mit mehreren Leuten würde teilen müssen. Wenigstens hatte er ein Strohlager für sich allein und ließ sich erschöpft daraufsinken. Kurz darauf fuhr er jedoch fluchend wieder hoch und begann, Jagd auf das Ungeziefer zu machen, das über ihn herfiel. Doch bald gab er auf; es war müßig, der Plage Herr werden zu wollen. Außerdem machten ihm andere Dinge viel mehr zu schaffen als die Legion hungriger Flöhe und Wanzen.

Mit zusammengebissenen Zähnen löste er den festgeklebten Verband von der Wunde, um nachzuschauen, welchen Schaden die Belastung angerichtet hatte. Auf einer Seite war der Schorf aufgebrochen und Blut herausgesickert. Doch noch deutete nichts auf eine Entzündung oder gar Wundbrand hin. Erleichtert stieß er den angehaltenen Atem aus. Er würde später die Frau oder eine Tochter des Wirtes bitten, ihm den Verband wieder anzulegen.

Vorsichtig wickelte sich Lukas in seinen Umhang, streckte sich aus und überlegte, während er an die grobbehauenen hölzernen Deckenbalken starrte.

Es blieb nur noch wenig Zeit. Aber vielleicht war die Suche morgen schon beendet, und er konnte Christians Befreiung vorbereiten. Oder aber er bekam Gewissheit, dass sein Freund tot war.

Dann würde Marthe Ekkehart heiraten.

Zum dritten Mal musste er dann mitansehen, wie ein anderer Mann sie bekam. Er gab sich keinen Illusionen hin. Marthe würde bis zu ihrem Tod um Christian trauern, auch wenn er sie hätte heiraten dürfen. Aber ausgerechnet Randolfs Kumpan? Wie musste ihr erst dabei zumute sein?

Sosehr er sich diese Gedanken verbot, er konnte ein Bild nicht aus seinem Kopf verscheuchen: Ekkehart, der Marthe im Brautbett in Besitz nahm. Würde er ihr Gewalt antun oder sie liebkosen? Würde sie stumm weinen, sich wehren oder ihn lächelnd empfangen? Er konnte nicht ehrlich sagen, welche Vorstellung schlimmer für ihn war.

Wütend über sich selbst schüttelte er den Kopf, um die lästigen Gedanken loszuwerden, die sich einfach nicht vertreiben lassen wollten.

Ein betrunkener Zimmergenosse riss ihn aus seinen Grübeleien. Der Mann stolperte laut vor sich hin lallend in die Kammer und torkelte zur Wand. Als er Anstalten machte, sich aus dem Fenster zu erleichtern, packte Lukas ihn kurzerhand, drehte ihn um und schob ihn mit einem deftigen Hinweis auf den Abtritt im Hof wieder nach draußen.

Bald trafen unter Poltern und Fluchen auch die anderen Mitschläfer ein und ließen sich auf die Strohlager fallen.

Niemand nahm übermäßig Rücksicht auf den jungen Mann, den die anderen für einen Boten oder Soldaten ohne Stellung halten mussten.

Es dauerte nicht lange, bis vielstimmiges Schnarchen, Röcheln und andere unliebsame Geräusche den engen Raum erfüllten.

Missgelaunt gab sich Lukas wieder seinen Grübeleien hin.

Am Morgen suchte er die Wirtin auf, um sie zu bitten, ihm einen neuen Verband anzulegen. Nur unter Zureden und mit Hilfe eines Hälflings zusätzlich zu dem Preis für das Essen und die Schlafkammer konnte er sie dazu bewegen. Als er sie gar noch bat, sich die Hände zu waschen, bevor sie die Wunde versorgte, sah sie ihn so entrüstet an, als würde sie ihn am liebsten mit dem Besen aus dem Haus jagen.

Aber auch Lukas konnte furchterregend blicken, wenn es nötig war. Kopfschüttelnd und unter leisem Gebrabbel über zerlumpte Fremde mit merkwürdigen Wünschen ging sie hinaus zum Brunnen. Immerhin – als sie wiederkam, waren ihre rissigen Hände und Fingernägel fast sauber. Lukas bat sie, etwas von der Tinktur aufzutragen, die Marthe ihm mitgegeben hatte, und reichte ihr das saubere Verbandszeug, das er ebenfalls auf Marthes Betreiben hin im Reisegepäck hatte.

Trotz der Schimpferei der Wirtin saß der neue Verband fest. Zufrieden krempelte Lukas den Ärmel herunter und ließ sich Bier, Brot und Käse bringen. Er kümmerte sich selbst darum, dass die Pferde gut versorgt waren, dann machte er sich auf den Weg hinauf zur Burg. Zu Fuß, denn als Soldat ohne Anstellung würde er kaum ein Pferd besitzen.

Till hatte ihm ein Versteck beschrieben, in dem sie sich treffen wollten, ein winziger Durchlass im Gestrüpp entlang des steilen, gewundenen Weges hinauf zur Burg, der zu einem Hohlraum führte; vielleicht ein heimliches Liebesnest.

Lukas blickte hinter sich, ob ihn jemand beobachtete, und vertrödelte einige Zeit, um zwei schwatzende Mägde mit Körben voll Kohl vorbeigehen zu lassen. Dann schlüpfte er in den Durchlass, der nur für den zu erkennen war, der an dieser Stelle danach suchte. Ob wohl Ludmillus hier einst ein heimliches Stelldichein gehabt hatte?, überlegte Lukas, der den früheren Spielmann in Gedanken immer noch bei diesem Namen nannte. Auf die Wartburg, wo gute Spielleute gerngesehene Gäste waren, war er vor Jahren geflüchtet, nachdem ihm in Meißen wegen eines gefährlichen Geheimnisses drei Mörder aufgelauert hatten. Nur das Eingreifen von Lukas hatte ihn gerettet, und er hatte mit seiner Familie und Hilarius sofort die Stadt verlassen.

»Fragt auf der Wartburg nach dem Spielmann Reinhardt«, hatte er Lukas und Marthe bei seiner überstürzten Flucht zugerufen, für den Fall, dass sie ihn als Zeugen brauchten, um Christian von der falschen Anklage zu befreien. Doch jeder von ihnen wusste: Ein Spielmann galt als unehrlich Geborener, niemand würde seinem Wort Bedeutung beimessen. Christian erkämpfte sich seinen Rang und guten Namen mit dem Schwert zurück.

Reinhardt, Ludmillus, Till, überlegte Lukas. Ein Mann mit vielen Namen.

Es raschelte im Gebüsch, jemand näherte sich. Lukas umfasste den Griff seines Dolches. Doch es war tatsächlich der Erwartete.

»Er war hier«, berichtete Till sofort, und seine Augen leuchteten für einen Moment wie noch nie, seit er allein und voller

Bitterkeit in Christiansdorf aufgetaucht war. »Aber sie haben ihn von hier aus fortgeschafft nach Dankwarderode.« Das Leuchten erlosch. »In Fesseln und mit verbundenen Augen.«

»Ist das sicher?«, fragte Lukas, gleichzeitig verwundert und enttäuscht. Wenn er noch nach Braunschweig auf Herzog Heinrichs Stammburg reiten musste, um dort von vorn mit der Suche zu beginnen, würde die Zeit für Marthe knapp werden. Ganz abgesehen davon, dass er sich fragte, wieso sich ausgerechnet der Löwe für Christian interessieren sollte.

Doch Till nickte heftig. »Ich habe hier jemanden wiedergetroffen, ein Mädchen«, sagte er auf einmal verlegen. »Sie war damals Hilarius' Liebste. Jedenfalls« – er schien sich selbst wieder zur Ordnung zu rufen und sprach hastig weiter –, »ihr Vater war Feldscher, und seit seinem Tod ruft man sie, wenn Wunden zu versorgen sind. Ihr Bruder, bei dem sie lebt, hat weder Lust noch Talent, das Gewerbe ihres Vaters zu übernehmen. Sie haben sie in die Verliese zu einem Gefangenen mit einer Pfeilwunde am Bein geschickt. ›Sorg dafür, dass er lebend auf Dankwarderode ankommt.‹ Genau das hat man ihr gesagt. Und ihre Beschreibung passt genau auf Christian.«

»Du bist dir absolut sicher, dass sie die Wahrheit sagt?«, drängte Lukas. Sie konnten sich keinen Fehler erlauben. Wenn Christian wirklich in Braunschweig war, musste er sofort aufbrechen. Doch wenn er sich irrte und fortritt, während der Freund noch hier war, dann hatte er den Fehler seines Lebens begangen.

»Unbedingt«, versicherte Till. »Sie hat ihn genau beschrieben und erzählt, dass der Gefangene sie daran gehindert hat, ihm heißes Pech auf die Wunde zu streichen. Er verlangte, dass sie sie ausbrennt, sonst würde sie in zwei Tagen brandig werden. Er hat trotz der Ketten seinen Knöchel umklammert, damit er das Bein stillhält, während sie das Kautereisen aufdrückte.«

Lukas fluchte stumm vor sich hin. Ja, das klang nach Christian.

»Was hat sie noch gesagt? Wie geht es ihm?«

»Sie hielten ihn in Ketten und Stricken gefangen wie ein wildes Tier, wohl aus lauter Furcht, er könnte fliehen und vorher noch ein halbes Dutzend Männer niedermachen. Unterwegs hierher muss es einen Zwischenfall gegeben haben. Dafür haben sie ihn übel zugerichtet. Doch die Männer hatten strikten Befehl, dafür zu sorgen, dass er lebend in Braunschweig ankommt.«

Das wird immer rätselhafter, dachte Lukas.

Gefangengenommene Ritter wurden nicht von fremden Wachleuten zusammengeschlagen. In Ketten gelegt – das kam vor, aber ansonsten hatten sie Anspruch auf eine ihrem Stand angemessene Behandlung.

Und Gefangene wurden gemacht, um Lösegeld zu fordern oder gegen andere Gefangene eingetauscht zu werden. Doch für einen solchen Handel zwischen Eisenach, Braunschweig und Meißen war Christian längst nicht bedeutend genug. Weder würde Otto ein hohes Lösegeld zahlen, noch für ihn eine bedeutende Geisel freilassen. Zumal der Meißner Markgraf nach Lukas' Wissen derzeit niemanden in den Verliesen hatte, der in Diensten des Löwen stand. Genauso wenig war Christian im Besitz irgendwelcher Geheimnisse, die für den Herzog interessant sein könnten.

»Und das Mädchen hat mitangesehen, wie sie Christian fortgeschafft haben?«

Till nickte. »Mehr tot als lebendig und in schweren Ketten. Aber sie hat versichert, zumindest sein Bein würde er behalten.«

Lukas stand auf, was unter den tiefhängenden Zweigen nicht einfach war. »Dann reite ich sofort nach Braunschweig. Ich nehme beide Pferde mit. Du musst dich, so schnell es geht, zu Fuß nach Meißen durchschlagen. Erzähl Marthe, was du weißt. Sie wird froh sein über jedes Lebenszeichen. Und sie muss Otto bewegen, die Frist zu verlängern und die Hochzeit aufzuschieben. Denn nun gibt es Gewissheit, dass Christian noch lebt.«

Zumindest vor ein paar Tagen noch lebte, korrigierte er sich düster, ohne es auszusprechen.

Er legte dem Schreiber die Hand auf die Schulter. »Pass gut auf dich auf, damit du heil in Meißen ankommst. Du weißt, was davon abhängt.«

Doch Till zögerte, zu gehen. »Ich wollte Euch noch fragen … bitten … Ich würde das Mädchen gern mitnehmen.«

So verlegen hatte Lukas ihn noch nie erlebt. »Sie hat geweint über Hilarius' Tod. Ich hab sie gehalten, um sie zu trösten … und da ist es passiert. Wir haben einander Halt gegeben … und zueinandergefunden.«

Der junge Mann wirkte auf einmal so glücklich, dass Lukas in ihm den Ludmillus früherer Jahre wiedererkannte.

»Ist sie frei oder eine Hörige?« Er konnte nicht riskieren, dass sich eine Gruppe Bewaffneter auf ihre Spuren heftete, die eine entlaufene Hörige wieder einfangen wollten. Denn wenn sie Wunden versorgen konnte, war sie zweifellos von besonderem Wert für ihren Herrn.

»Sie muss nur ihren Bruder um Erlaubnis fragen. Das wollten wir zusammen tun, wenn Ihr es gestattet.«

»Wir holen sie, wenn das hier ausgestanden ist, du hast mein Wort«, versprach Lukas. »Dann schicke ich dir auch jemanden mit, der euch auf dem Weg beschützt.«

»Darf ich wenigstens noch hingehen und ihr Bescheid geben? Sie wartet auf mich«, bat der frisch Verliebte enttäuscht.

»Dann lass sie nicht warten. Du hast heute noch eine lange Wegstrecke vor dir.« Er drückte dem Spielmann eine volle Pfennigschale in die Hand. »Damit du schneller vorankommst. Marthe vergeht vor Sorge.«

Till bedankte sich überschwenglich und kroch aus dem Gebüsch.

Lukas ließ ihm einen reichlichen Vorsprung, bevor er sich selbst aus dem Versteck zwängte, um zu seinem Quartier zurückzukehren.

Er konnte nicht ahnen, dass der Spielmann nicht mehr dazu kam, sich von seiner neuen Liebe zu verabschieden. Noch ehe sich Ludmillus dem Tor der Wartburg nähern konnte, traf ihn ein Dolchstoß in den Rücken. Er spürte nicht einmal mehr, dass ihn jemand an den Beinen packte und ins Gebüsch zerrte, damit niemand den reglosen Körper fand.

Lukas holte beim Wirt ohne jede weitere Erklärung beide Pferde ab, bezahlte seine Zeche und brach auf. Kaum hatte er Eisenach hinter sich gelassen, tauschte er seine Verkleidung wieder gegen das Rittergewand und ließ das Haar wie gewohnt auf die Schulter fallen. Als Ritter zu reisen erhöhte die Wahrscheinlichkeit, schnell und unbehelligt ans Ziel zu kommen. Erst kurz vor Braunschweig würde er sein Aussehen wieder verändern.

Da er die Pferde wechseln konnte, wenn das Tier ermüdete, das ihn trug, gönnte er sich nur dann eine Rast, wenn die Hengste fressen mussten. Einen Sack Hafer hatte er noch vor dem Aufbruch gekauft.

Während er die Tiere Richtung Harz trieb und Meile um Meile hinter sich ließ, kreisten seine Gedanken mehr und mehr um den Verrat, der fast alle seine Freunde und Kampfgefährten das Leben gekostet hatte. Die Angreifer hatten genau gewusst, dass der Silberschatz des Kaisers weder von Raimunds noch von Arnulfs Trupp befördert wurde. Dass Randolf oder einer seiner Verbündeten dahintersteckte, daran gab es für ihn keinen Zweifel. Doch er brauchte einen Beweis. Und was, um alles in der Welt, wollte jemand in Braunschweig mit Christian als Gefangenem?

Nur noch dreizehn Tage bis zum Ablauf der Frist, rechnete Lukas besorgt, als er die Stadt des Löwen erreichte. Eine Unglückszahl. Wenn sich Otto nicht dazu überreden lässt, die Hochzeit zu verschieben, dann würde Marthe in zwei Wochen schon Ekkeharts Frau sein.

Der Gedanke daran verdüsterte sein derzeit ohnehin finsteres Gemüt von Tag zu Tag mehr. Ihm blieben kaum mehr als zwei oder drei Tage, Christian ausfindig zu machen und seine Flucht zu bewerkstelligen.

Als er die Stadttore passierte, begann es bereits zu dämmern.

Lukas hatte beschlossen, sich an diesem Abend noch als Ritter zu erkennen zu geben. So würde ihm niemand Fragen stellen, wenn er zwei Pferde mit sich führte und beim Geldwechsler eine größere Menge Eisenacher Pfennige gegen hiesige eintauschte. Um Anstellung nachsuchen konnte er ohnehin erst am nächsten Morgen.

Die Stadt war riesig – angeblich die bedeutendste Stadt im Norden des Kaiserreiches, hatte er gehört – und voller Menschen, die geschäftig durch die engen, verwinkelten Gassen liefen. Die Straßen waren wie in jeder anderen Stadt auch mit Unrat übersät, der Gestank der Kloaken drang in der Hitze des Sommers aus den Hinterhöfen bis in die Gassen und vermischte sich dort mit dem beißenden Geruch der Abfälle, die aus den Häusern geschüttet worden waren.

Doch Braunschweig war unverkennbar eine sehr wohlhabende

Stadt, davon kündeten allein schon die vielen Kirchen. Kein Wunder, dass die Braunschweiger ebenso wie die Lübecker fest zum Löwen stehen, der sich sonst fast überall im Land nur Feinde gemacht hat, dachte Lukas angesichts der prächtigen Häuser. Er hat ihre Städte zum Blühen gebracht.

Indem Heinrich die Burg Dankwarderode – die bezeichnenderweise nach dem Beispiel der Königspfalzen erbaut worden und prächtiger als jede Pfalz war, die Kaiser Friedrich je hatte errichten lassen – zu seinem ständigen Sitz machte, brachte er neuen Aufschwung für Fernhändler, geschickte Handwerker und Kaufleute. Der Löwe hatte die Stadt sogar noch um einen ganzen Bezirk erweitert, den Hagen. Er hatte flämische Siedler kommen lassen, die den Wald nordöstlich der Burg rodeten, und dort Handwerker aus dem ganzen Land angesiedelt.

Ja, die Braunschweiger profitierten unübersehbar von Heinrichs Machtanspruch und seiner aufwendigen Hofhaltung.

Und der Löwe gewann durch das Wachstum der Städte, erkannte Lukas, während er seine Pferde über steingeschotterte Wege durch das Wohnquartier der wohlhabendsten Bürger lenkte. Hier standen Häuser mit mehreren Stockwerken und reichverziertem Fachwerk, einige sogar aus Stein. Sie drängten sich nicht dicht an dicht und schief aneinander wie die Katen der kleinen Handwerker, sondern waren auf großzügig angelegten Grundstücken erbaut, mit eigenen Beeten, Brunnen und Ställen.

Vielleicht lag in den Städten die Zukunft? Christian zumindest schien davon überzeugt zu sein.

Einem Straßenjungen, dessen gewitzter Gesichtsausdruck, unter unzähligen Schichten Schmutz verborgen, Lukas an Peter erinnerte, versprach er einen Hälfling, wenn er ihn zum Geldwechsler führte und dort auf seine Pferde aufpasste. Der Bursche willigte sofort in das Geschäft ein. Die Pferde zu stehlen würde ihm ohnehin nur den Strick einbringen.

Da Lukas genug Eisenacher Pfennige eingetauscht hatte, konnte er diese vorlegen statt der Meißner, so dass niemand seine wahre Herkunft zu erraten vermochte.

Nachdem er bei dem Geldwechsler – ein Jude, da fromme Christen diese Arbeit nicht ausüben durften – sein Geld eingetauscht und den Jungen entlohnt hatte, suchte Lukas die größte und prächtigste Kirche auf, die er finden konnte.

Die Abendmesse musste gerade zu Ende sein. Überwiegend gutgekleidete Bürger traten aus dem Gotteshaus und warfen den Bettlern, die in großer Zahl vor dem Eingang warteten, Münzen zu. Zwei Mägde kamen und teilten körbeweise mit Bratensaft durchtränkte Brotscheiben aus, die zuvor als Unterlage für ein üppiges Mahl gedient hatten.

Lukas zwängte sich durch den Strom der herauseilenden Menschen. Die Kirche hatte sich inzwischen fast völlig geleert bis auf ein paar einzelne Männer und Frauen, die vor Altären in den Seitennischen beteten.

Er entzündete eine Kerze und schritt zu einem Altar mit einem farbenprächtigen Bild des Drachentöters. Dort kniete er nieder und senkte den Kopf. Heiliger Georg, Schutzpatron der Ritter, hilf mir, einen tapferen Mann zu retten, den du gewiss gern an deiner Seite hättest. Er hätte es gewagt, gegen den Drachen anzutreten. Doch seine Gegner zeigen sich nicht im offenen Kampf. Hilf mir, ihn zu finden und zu befreien, und ich werde damit noch eine gequälte Seele aus großer Not retten können. Die Frau, die ich liebe und die doch nie einen anderen lieben wird als ihn.

Als er die Kirche verließ, war es bereits fast völlig dunkel. Er musste sich beeilen, wenn er noch ein Quartier finden wollte, in dem er auch seine Pferde unterstellen konnte.

Deshalb ritt er zurück in eines der Viertel nahe der Stadtmauer. Das dicht am Wendentor gelegene Wirtshaus, das er auswählte – weder zu vornehm noch so heruntergekommen, dass er in der Nacht um seinen Besitz fürchten musste –, wurde zu seiner Überraschung von einer noch jungen, energischen Wirtin geführt.

»Ich will meine Pferde für drei Tage bei dir lassen«, stellte er ihr in Aussicht. »Versorge sie gut, dann werde ich dich auch gut entlohnen.«

Die Wirtin, zufrieden mit seiner Anzahlung – vielleicht war sie dergleichen von solch vornehmer Kundschaft nicht gewöhnt –, versicherte ihm, er könne seine Pferde beruhigt bei ihr lassen. Sie forderte ein paar Gäste in der brechend vollen Schankstube auf, gefälligst zusammenzurücken und Platz zu machen für den edlen Herrn, dann brachte sie ihm unaufgefordert Bier und ein gebratenes Hähnchen.

Ein gutgenährter Mann, vielleicht ein Böttcher wegen der Späne auf seinem Kittel und des Rauchgeruchs, der aus seinen Kleidern und Haaren stieg, wollte protestieren, doch die Wirtin wies ihn zurecht. »Du kannst warten, bist sowieso schon fett genug. Aber der junge Ritter hier, der sieht aus, als wenn er einen weiten Weg hinter sich hat. Ihr nehmt mir das doch nicht übel, Herr?«, fragte sie vorsichtig.

Lukas hob abwehrend die Hände. Vielleicht hätte er doch als einfacher Soldat hier auftauchen sollen. Aber dann hätte es Verdacht erregt, dass er zwei Pferde mit sich führte. Zum Glück schienen hier fast ausschließlich Handwerker zu verkehren und niemand aus dem Burgbezirk.

Das Hähnchen schmeckte ausgezeichnet. Erst jetzt merkte er, wie ausgehungert er war. Solange er unterwegs gewesen war, hatte er zumeist von kargen Rationen gelebt, um nicht noch mehr Zeit mit der Suche nach einer Garküche oder einem Wirtshaus zu verlieren. Ohnehin hatte ihn der größte Teil des Weges durch einsame Wälder geführt.

Während er aß und trank, beobachtete er, wie die resolute Wirtin, die von allen Maria gerufen wurde, ihre Kundschaft gewitzt in Schach hielt. Den Reden der Gäste nach war sie erst unlängst verwitwet, auch wenn sie dieser Umstand anscheinend eher befriedigte als betrübte. Noch bevor er mit dem Essen fertig war, bekam sie ein halbes Dutzend lautstark vorgetragener Heiratsanträge, die meisten davon offenkundig nicht zum ersten Mal, und lehnte jeden mit einem kecken Spruch ab, der die gesamte Kundschaft – die Heiratswilligen eingeschlossen – zum Lachen brachte.

Als sie sah, dass Lukas fertiggegessen hatte und nichts mehr trinken wollte, wischte sie sich die Hände an ihrer Schürze ab und erbot sich, ihm eine Kammer zu zeigen, in der er übernachten konnte.

Sie schickte eine Magd nach einem Krug Wasser und einer Schüssel, damit der junge Edelmann sich waschen könne, und breitete eigens für den blonden Ritter ein Laken über dem Strohsack aus.

»Ich kann nicht lange wegbleiben, Ihr seht ja selbst, was unten los ist«, meinte sie entschuldigend. »Aber wenn es Euch an etwas fehlt, lasst mich rufen.«

»Ich brauche jemanden, der mir einen Verband wechselt«, sagte er.

»Dann bringe ich gleich sauberes Leinen, Herr«, versprach sie. »Vorher muss ich unten nur noch das Rudel hungriger Wölfe bändigen.« Entschuldigend hob sie die Arme. »Es ist nicht leicht für eine Frau allein.«

Sie wirkte nun fast verlegen.

»Warum nimmst du dir nicht wieder einen Mann?«, scherzte er. »An Bewerbern mangelt es doch nicht.«

»Noch so einen, der selbst seine beste Kundschaft ist und um die Arbeit einen großen Bogen schlägt, kann ich nicht gebrauchen«, antwortete sie schnippisch. »Solange es geht, will ich die Wirtschaft alleine betreiben. Über kurz oder lang wird mich mein Bruder sowieso mit einem seiner nichtsnutzigen Freunde verkuppeln, damit sie dann das zusammen verprassen können, was ich mit meinen Händen erarbeite.«

Die bis eben noch so energische Wirtin wirkte plötzlich sehr verletzlich. Sie biss sich auf die Lippen, weil sie schon zu viel verraten hatte, dann lief sie hinaus und hinunter zu ihren lärmenden Gästen.

Durch die dünnen Holzwände, die das Obergeschoss in verschieden große Kammern unterteilten, konnte er hören, wie sie in der Schankstube die größten Krakeeler zur Ruhe brachte und dann Aufträge an die Mägde und Schankjungen verteilte.

Wenig später klopfte es, und auf sein Zeichen hin betrat sie die Kammer erneut. Sie hatte eine saubere Schürze umgebunden, ihre Hände waren gewaschen und die Leinenstreifen so weiß, dass sie mondscheingebleicht sein mussten.

»Wo seid Ihr verwundet?«, erkundigte sie sich.

Lukas setzte sich auf den einzigen Schemel in der Kammer und schob den Ärmel hoch. Mit geschickten Händen begann die Wirtin, den Verband zu lösen, der während seines Gewaltrittes sichtlich gelitten hatte. Doch die Verletzung war besser geheilt, als er zu hoffen gewagt hatte wegen der Schmerzen, die sie ihm immer noch bereitete.

»Wie habt Ihr Euch diese böse Wunde geholt?«, fragte die Wirtin mitfühlend.

»Ein Pfeilschuss, die Spitze steckte noch drin.« Mehr wollte er nicht sagen, die Erinnerungen an den Tod seiner Gefährten waren zu bitter. Und gleichzeitig merkte er, dass ihn die Nähe der jungen Frau und die Berührung ihrer geschickten Finger mehr und mehr verwirrten.

Ihr schien es ähnlich zu gehen, und Röte zog über ihre Wangen.

»Fertig!«, sagte sie verlegen, als sie den Verband feststeckte. Doch sie trat nicht zurück, sondern blieb mit gesenkten Lidern bei ihm stehen.

Sie ist einsam und wirkt, als hätte sie etwas Freude nötig, dachte Lukas und schluckte. Und ich hab seit Wochen keine Frau mehr gehabt.

Mit beiden Händen griff er um ihre Taille und zog sie noch etwas dichter zu sich heran.

»Ich bin keine Hure«, sagte sie leise.

»Das weiß ich«, antwortete er mit werbender Stimme. »Wenn du gehen willst, geh!«

Sie rührte sich nicht von der Stelle. Da zog er sie auf seinen Schoß und küsste sie.

Sie seufzte sehnsüchtig auf, als seine Hände sanft ihre Brüste zu streicheln begannen. Bald stöhnte sie begierig nach mehr, und schließlich raffte sie ihre Röcke, spreizte die Beine und ließ sich langsam auf sein Glied sinken, das sie zuvor mit ungeduldigen Händen aus der Bruche befreit hatte.

Der Alchemist

Gleich am Morgen begab sich Lukas zum Burgbezirk, noch bevor die anderen Gäste der Schenke erwachten und sich darüber wundern konnten, dass der gestern eingetroffene Ritter auf einmal die Kleider eines einfachen Soldaten trug und die Haare unter einer Bundhaube versteckte.

Die Pferde ließ er in der Obhut der Wirtin. Die Nacht war kurz geworden – nachdem die letzten Zecher das Haus verlassen hatten, war sie noch einmal zu ihm gekommen.

Lukas fühlte sich nicht müde, nur dankbar für ihre Zärtlichkeiten und erleichtert. Doch je mehr er sich dem Burgbezirk näherte, desto heftiger überfielen ihn wieder die alten Sorgen und Ängste.

Ein paar Schritte neben der Burg herrschte geschäftiges Treiben. Dort ließ Herzog Heinrich seit seiner Rückkehr aus dem Heiligen Land eine prachtvolle Stiftskirche errichten. Lukas staunte über die Größe der entstehenden Kathedrale.

Und dann stand er zum ersten Mal vor dem Standbild, das in allen deutschen Landen für Aufsehen gesorgt hatte: die Bronzeskulptur eines Löwen, jenes fremdländischen, gefährlichen Tieres, das sich auf einem steinernen Sockel dem Betrachter entgegenreckte, mächtig, wachsam, mit geöffnetem Maul und deutlich sichtbaren Fangzähnen.

Ein Kunstwerk, ein Symbol, eine Warnung; von Heinrich dem Löwen vor ein paar Jahren als Zeichen seiner Macht aufgestellt.

»Was glotzt du so?«

Ein Fremder rempelte Lukas an, der reflexartig zum Schwert greifen wollte und sich im letzten Moment besann. Er trat hier schließlich nicht als Ritter auf, sondern als jemand, der um eine Anstellung als Wachsoldat nachsuchen wollte.

»Sind die echten Bestien auch so groß?«, fragte er den Mann und spielte den andächtig staunenden Fremden.

»Dreimal größer«, behauptete der andere. »Bist wohl nicht von hier?«

Lukas gab ein dümmliches Grinsen von sich. »Nee. Gerade eingetroffen. Such 'ne neue Anstellung.«

»Auf der Burg? Als Wache?«, erkundigte sich der andere, nachdem er Lukas' Aufmachung gemustert hatte.

»Genau. Kannst du mir helfen, da unterzukommen?«

Der Rempler gab sich großzügig. »Klar, ich bring dich zum Hauptmann. Aber das kostet dich was.«

»Wenn's klappt, trinken wir ein Bier auf meine Kosten.«

»Na, dann komm mal mit!«

Der Hauptmann der Wache musterte Lukas mit skeptischem Blick. »Warum bist du entlassen worden?«, wollte er wissen.

»Hab mich selbst entlassen«, gab Lukas Auskunft. »Mein Herr ist gestorben, Gott sei seiner Seele gnädig. Irgend so eine tückische Krankheit. Leibschmerzen, Fieber, und schon war er tot. Und jetzt regiert die Witwe auf der Burg. Würdet Ihr Euch von einem Weib befehlen lassen? Das kann nie und nimmer gutgehen.«

Verständnisvoll stimmte der Hauptmann ihm zu. Dann rief er einen seiner Leute heran, einen Kerl mit breiten Schultern und Beinen wie Baumstämmen.

»Das ist meiner bester Mann. Wenn du länger als zwanzig Haue gegen ihn durchhältst, nehme ich dich unter meinen Leuten auf.«

Lukas nickte.

Sein Kontrahent grinste ihm zu, wobei er etliche Zahnlücken entblößte. »Lass mal sehen, Bürschlein, ob du das Schwert überhaupt halten kannst!«

Schon holte er aus zu einem wuchtigen Oberhau, aber Lukas parierte, griff seinerseits an, wurde wieder angegriffen und wehrte erneut ab.

Siebzehn, achtzehn, neunzehn, zählte er mit, bestrebt, weder zu viel noch zu wenig von seinem Geschick zu zeigen, um keinen Verdacht zu erwecken. Mit dem zwanzigsten Hieb entwaffnete er den Breitschultrigen, der ihn daraufhin verblüfft anstarrte.

»Tut mir leid«, meinte Lukas versöhnlich. Er musste die Probe zwar eindeutig bestehen, durfte sich den anderen aber nicht zum Feind machen.

»Es tut ihm leid!« Der Hauptmann grinste und begann zu lachen. Die anderen fielen ein, auch der Mann, den Lukas besiegt hatte.

Der kam auf ihn zu und klopfte ihm auf die Schulter. »Das wird dir schon noch leid tun, Bursche«, meinte er grinsend, doch ohne Boshaftigkeit. »Wenn du deine Zeit erst bei Humbert absitzt.«

»Am liebsten würde ich dich gleich zu meinen Leuten hier draußen nehmen«, erklärte der Hauptmann. »Aber bei uns gibt es ein ungeschriebenes Gesetz: Jeder Neue schiebt erst einmal einen Monat lang Wache bei den Gefangenen.«

Besser hätte es nicht gehen können, dachte Lukas und richtete ein stummes Dankgebet zum Himmel.

Er hatte fest darauf gehofft, dass man ihn für die Bewachung der Gefangenen einteilen würde. Das waren überall die unbeliebtesten Dienste: eintönig, man hockte ständig im dunklen, muffigen Keller und musste gelegentlich oder öfter – je nach Veranlagung des Kerkermeisters – auch noch die Schmerzensschreie der Gefangenen ertragen. Aufgebessert wurde dieser öde Dienst nur durch die Gelegenheit, heimlich Bestechungsgelder einzunehmen von Leuten, die hier ihre Verwandten besuchen und ihnen ein besseres Essen als die Kerkerkost bringen wollten. Ansonsten rissen sich um diesen Dienst nur jene verrohten Gestalten, die ihren Spaß daran hatten, wehrlose Opfer zu quälen.

Jemand führte ihn in die Wachstube am Eingang zu den Gefangenenverliesen. Dort hockten drei Männer beieinander und würfelten.

»Hier, der Hauptmann schickt euch einen Neuen«, erklärte Lukas' Begleiter.

»Das trifft sich gut. Morgen ist Vollmond«, meinte einer von ihnen, ein Grauhaariger mit struppigem Bart.

»Wieso? Was gibt es hier bei Vollmond?«, fragte Lukas beiläufig.

»Nichts Besonderes«, beeilte sich der Grauhaarige zu versichern. »Wirst schon sehen. Setz dich her und spiel mit.«

»Hab aber nicht viel Geld«, wandte Lukas ein.

»Na und – entweder hast du heute Abend gar keines mehr oder doppelt so viel. Hier brauchst du keines. Ich zeig dir später, wo du schläfst.«

Lukas saß wie auf glühenden Kohlen, während er den halben Tag beim Würfelspiel mit den anderen Wächtern verbrachte. Gelegentlich versuchte er, die Sprache auf die Gefangenen zu bringen, aber Humbert, der graubärtige Kerkermeister, schien wenig Lust zu verspüren, darüber zu reden.

»Das war mein letzter Hälfling«, verkündete Lukas schließlich mit gespieltem Bedauern.

»Na, dann verdien dir mal das Geld fürs nächste Spiel«, brummte Humbert. Er wies mit dem Kopf auf einen Korb voller Brotkanten und einen Krug mit so dünnem Bier, dass es fast aussah wie Wasser. Beides hatte schon vor einer ganzen Weile ein Küchenjunge mit schweißglänzendem Gesicht gebracht.

Endlich!, dachte Lukas. Dass man ihn allein zu den Gefangenen schickte, machte seine Sache noch leichter, sollte Christian hier sein.

»Wie viele Gäste habt ihr denn hier?«, erkundigte er sich.

»Ach, im Moment ist nicht viel los«, meinte der Graubart, nachdem er sich über das Wort »Gäste« köstlich amüsiert hatte. »Das Übliche: 'n paar Mörder, zwei Pferdediebe, einen Sodomiten. Die warten alle auf die Hinrichtung.«

Ohne sich etwas von seiner Unruhe anmerken zu lassen, ging

Lukas von einer Zelle zur nächsten und teilte Brot und Bier an die Gefangenen aus. Christian war nicht unter ihnen.

»Sind das schon alle?«, fragte er, als er von seiner Runde zurückkam.

»Alle. Bis auf den Ehrengast.« Humbert deutete mit dem Kopf auf eine massive Tür am Ende des Ganges.

»Bekommt der nichts zu essen?«, fragte Lukas.

Der Graubart senkte die Stimme. »Der braucht bald nichts mehr. War wohl ein Geschenk für den Truchsess. Und der hat ihn dann dem Alchemisten überlassen.«

Lukas spürte, wie die anderen schauderten, der Jüngste bekreuzigte sich hastig.

Sie tauschten vielsagende Blicke untereinander aus, dann räusperte sich Humbert. »Spätestens heute Abend musst du es sowieso erfahren, da kann ich es dir auch gleich sagen. Also: Kurz nach Sonnenuntergang wird jemand kommen, der als Alchemist und Sterndeuter beim Herzog in Dienst ist. Du lässt ihn zu dem da hinten rein, und wenn er sagt, er braucht deine Hilfe, dann tust du, was er will. Aber du darfst niemandem erzählen, was du dort siehst!«

Der Graubart schlug ein Kreuz, und die anderen beeilten sich, es ihm nachzutun.

»Spätestens morgen, vielleicht auch schon heute, wenn der arme Kerl da zu nahe am Verrecken ist, wird er die Sache wohl zu Ende bringen.«

Er beugte sich zu Lukas hinüber und raunte: »Ein Herz, bei Vollmond aus dem lebendigen Leib geschnitten, ist eine mächtige Zutat für seine Tränke und Pulver.«

Er richtete sich wieder auf. »Glaub mir, Freundchen, genauer willst du es gar nicht wissen. Jedenfalls, die nächsten Nachtschichten übernimmst du, zusammen mit dem da!«

Er wies auf einen sehr mageren jungen Burschen.

Der rutschte auf seinem Schemel hin und her. »Muss ich diesmal wirklich dabei sein?«

»Ja, ohne Ausflüchte«, meinte Humbert barsch. »Du hast dich schon letztes Mal gedrückt, dich mit irgendwelchen Wehwehchen herausgeredet. Heute nicht!«

Am liebsten wäre Lukas aufgesprungen und in das hintere Verlies gestürmt. Aber so schwer es ihm auch fiel, er musste wohl warten bis zum Abend.

Nach der Abendmahlzeit gingen Humbert und der zweite ältere Wächter. Lukas blieb mit dem Mageren allein. Der schien sich immer mehr zu fürchten.

»Sei ja vorsichtig, wenn der Alchemist kommt«, wisperte er und blickte ängstlich zu Lukas. »Ein falsches Wort, und er verwandelt dich in eine Kröte oder noch Schlimmeres.«

Wieder bekreuzigte er sich mit fahrigen Bewegungen.

Lukas überlegte, ob er den Burschen gleich niederschlagen und in das hintere Verlies gehen sollte. Aber wenn der geheimnisvolle Sterndeuter bald kommen und das Verschwinden des Gefangenen bemerken würde, blieb ihm keine Zeit, einen guten Fluchtweg für sich und Christian auszukundschaften. An dieser Stelle hatte sein Plan zugegebenermaßen noch Lücken.

Er fragte sich immer noch, woher er die Gewissheit nahm, dass ausgerechnet Christian hinter der dicken Tür am Ende des Ganges saß. Welches Interesse konnte Jordan von Blankenburg, der mächtige Truchsess des Löwen, an Christian haben?

Als sie leichte Schritte die Treppe herunterkommen hörten, begann sich der magere Bursche vor Unbehagen zu winden.

»Das ist er«, wisperte er. »Geh schon mal vor. Hier ist der

Schlüssel.« Er streckte Lukas einen großen Metallring entgegen, an dem etliche Schlüssel hingen. Einen davon suchte er heraus. »Der hier.«

»Kannst ruhig hierbleiben, ich übernehme das«, erklärte Lukas, sehr zur Beruhigung des Burschen.

Der nächtliche Besucher kam ihnen bereits mit leise schlurfenden Schritten entgegen. Als Lukas ihn sah, stockte sein Herz, und er war dankbar für das spärliche, flackernde Licht in der Wachstube. Der Sterndeuter war schwarz gewandet, sein Kopf war kahl, und am Kinn trug er einen fingerdicken langen Bart.

Doch nicht sein Aussehen ließ Lukas innerlich zusammenzucken, sondern der Umstand, dass er diesen Mann kannte. Es war Aloisius, der vor ein paar Jahren noch als Astrologe in Diensten von Markgraf Otto stand, bis er von Christian als Verräter und Urheber eines Giftanschlags auf Hedwig enttarnt wurde. Bei einem Überfall verschwand er auf geheimnisvolle Weise, bevor Otto über ihn richten konnte. Er habe sich durch einen mächtigen Zauber unsichtbar gemacht, wurde damals auf dem Burgberg gewispert, während Lukas und Christian eher vermuteten, er sei unbemerkt von seinen geheimen Auftraggebern befreit worden.

Kein Wunder, dass Aloisius nun ein besonderes Interesse an dem Gefangenen hatte, wenn es tatsächlich Christian war. Lukas betete stumm, dass der Schwarzgewandete in dem neuen Wachsoldaten mit der Bundhaube über dem Haar nicht den früheren Knappen seines Feindes erkennen würde.

Doch Aloisius warf nur einen flüchtigen Blick auf ihn, offenbar in Gedanken bereits bei seinem nächtlichen Vorhaben.

Er winkte Lukas heran, drückte ihm ein Bündel in die Hand und befahl: »Trag das und schließ auf!«

Lukas nahm das Bündel, in dem es geheimnisvoll klirrte, und

ging voran, froh darüber, dass der andere so sein Gesicht nicht sehen konnte.

Das Schloss klemmte, aber beim zweiten Versuch schaffte er es, den Schlüssel herumzudrehen und die Tür zu öffnen.

»Schließ die Tür, hol die Schüssel aus meinem Bündel und fang damit das Blut auf«, befahl Aloisius, nachdem sie beide das Verlies betreten hatten. Dann zog er einen Dolch und ging auf den Gefangenen zu, der im Sitzen an die Mauer gekettet war, so dass er sich nicht rühren konnte. Seine Arme voller blutverkrusteter Schnitte hingen ausgebreitet in Schellen, die direkt in die Wand eingelassen waren, um seinen Leib war eine Kette gelegt, auch seine Füße waren zusammengekettet.

»Und du dachtest einmal, du könntest mir drohen. So ändern sich die Zeiten«, zischte der Schwarzgewandete voller Häme, während er den Dolch genüsslich vor dem wehrlosen Opfer drehte und wendete. »Soll ich dir in allen Einzelheiten erzählen, wie du heute jämmerlich endest, um mir noch im Tod zu dienen?«

»Das will hier niemand wissen«, sagte Lukas grimmig, während er den Hals des Sterndeuters von hinten mit dem linken Arm umklammerte und ihm zielsicher mit der Rechten den Dolch ins Herz stieß. Dann ließ er den Leichnam einfach fallen und schob ihn angewidert mit dem Fuß beiseite.

»Erzähl's dem Teufel in der Hölle!«

Er versuchte, sich nichts von seiner Verstörung anmerken zu lassen, als er neben Christian niederkniete, um den Freund von den Ketten zu befreien.

Was ihn erschreckte, war weniger Christians Aussehen: totenbleich, abgemagert, mit struppigem Bart, im eigenen Schmutz und voller Peitschenstriemen. Damit hatte er gerechnet, so hatte er den Freund schon einmal aus dem Kerker befreien müssen. Aus Randolfs Kerker. Was ihn erschreckte, war, dass

Christian anscheinend schon mit seinem Leben abgeschlossen hatte.

»Ich bin's wirklich«, versicherte Lukas dem Geschundenen, während er die kleineren Schlüssel an dem Bund durchprobierte, um die Ketten zu lösen. »Ich geb zu, ich hätte eher kommen können, aber immerhin bin ich gerade noch zur rechten Zeit eingetroffen.«

Endlich schien die Erkenntnis zu Christian durchzudringen. »Sie haben gesagt, du wärst tot. Es seien alle tot«, ächzte er.

»Du weißt doch, dass du solchem Pack nicht glauben kannst«, entgegnete sein Freund lässig.

»Wer hat noch überlebt von unseren Leuten?«, fragte Christian, obwohl er so ausgedörrt war, dass er kaum noch sprechen konnte.

»Endlich, das ist der richtige Schlüssel«, verkündete Lukas, froh über die Gelegenheit, sich vorerst um eine Antwort drücken zu können.

Christian verzog qualvoll das Gesicht, als seine über Tage festgebundenen Arme nach unten sackten. Schnell griff Lukas erst nach dem rechten Arm, dann nach den linken, und rieb die verkrampften Muskelstränge, um sie zu lockern.

»Kannst du aufstehen?« Er half dem Freund hoch, aber der wankte und sackte wieder in sich zusammen.

»Der da hat mir fast alles Blut aus den Adern gezapft«, keuchte Christian, und seine Stimme wurde immer leiser. »Mit mir kommst du nicht raus aus der Burg. Geh und kümmere dich um Marthe.«

Ihm trat kalter Schweiß auf die Stirn vor Anstrengung. »Aber dass du den hier zur Hölle geschickt hast, macht es mir leichter …«

Lukas half Christian, sich wieder hinzusetzen, und lehnte ihn vorsichtig gegen die Wand. »Das freut mich, aber er ist der Einzige, der heute hier stirbt«, entgegnete er unwirsch. Er verspürte nicht die geringste Lust, jetzt mit ihm über Leben und Tod zu diskutieren.

Ohne ein weiteres Wort ging er nach draußen zu dem mageren Wächter. Der sah ihn mit unübersehbarem Grauen an. »Ich muss doch nicht auch da rein?«

»Musst du nicht«, beruhigte ihn Lukas. »Ich mach das schon. Ist schaurig genug. Ich soll nur ein neues Licht holen. Aber dafür schuldest du mir was.«

Der Magere atmete erleichtert auf, doch er konnte seine Freude nicht lange genießen. Als Lukas hinter ihm stand, angeblich um ein Talglicht zu suchen, hieb er ihm mit verschränkten Händen in den Nacken, so dass er zu Boden sackte.

Lukas griff ihm unter die Arme und zog ihn in das hinterste Verlies. »Tut mir leid, Kumpel, aber du würdest sowieso nicht gern sehen, was da passiert ist«, murmelte er.

In der Zelle fesselte und knebelte er den bewusstlosen Wächter. Dann betrachtete er Christian, der sich mit geschlossenen Augen gegen die Wand lehnte, und kam zu dem Schluss, dass es sein Freund nicht schaffen würde, auf eigenen Beinen den Burgbezirk zu verlassen. Also blieb ihm nur eine Möglichkeit zur Flucht. Es war leider auch die riskanteste, aber die Furcht der Männer vor dem unheilvollen Treiben des Alchemisten würde die Erfolgsaussichten verbessern.

»Du spielst jetzt toter Mann. Dürfte dir nicht schwerfallen«, sagte er zu Christian.

Er riss die Reste von dessen Ärmeln ab, so dass die blutverkrusteten Arme unbedeckt waren, und hievte ihn sich über die Schulter. Dann verschloss er das Verlies sorgfältig und steckte den Schlüsselbund ein.

Vor dem Morgen würde sich aus Furcht vor dem unheimlichen Treiben des Astrologen bestimmt niemand hier freiwillig blicken lassen, und bis sich Humberts Leute dazu durchrangen, die Tür aufzubrechen, um mit eigenen Augen zu sehen, was der Alchemist mit dem Gefangenen angestellt hatte, würde im günstigsten Fall auch noch einige Zeit vergehen.

Manchmal versteckt man etwas am besten für alle sichtbar, sprach er sich selbst Mut zu und ging mit seiner Last ganz offen zum Tor.

»Ich bin's, der Neue«, meldete er sich bei demjenigen, der ihm dort zuerst entgegenkam. Es war sein breitschultriger Gegner vom Morgen.

Lukas senkte die Stimme und sagte unheilvoll: »Der Gelehrte ist fertig mit dem da ... Ich soll die Leiche verschwinden lassen, damit niemand sieht, was er alles mit ihm gemacht hat. Und glaub mir, du willst es auch nicht wissen.«

»Das glaub ich dir gern«, meinte der andere düster mit einem Blick auf die blutverkrusteten Arme und schlug hastig ein Kreuz. Er griff hinter sich und gab Lukas ein paar Stricke. »Hier, bind Steine um die Leiche und wirf sie in die Oker. Das ist am besten.«

»Mach ich. Und ich glaube, dann muss ich erst mal schnell was trinken. War ganz schön unheimlich da unten.«

»Geht klar, Kumpel. Die jetzt noch übrig sind, die laufen uns nicht weg.« Wieder lachte der Mann.

Lukas sprach in Gedanken ein stummes Dankgebet, als er mit seiner schweren Last unbehelligt das Burgtor passieren konnte. Vorerst würde keiner mit seiner baldigen Rückkehr rechnen. Jetzt musste er nur noch ungesehen von Nachtwächtern und Dieben, die sich heimlich auf den Straßen herumtrieben, durch die Stadt kommen.

Er hatte mit Maria ein Zeichen verabredet, damit sie ihn nachts einließ, unbemerkt von allen anderen.

Es dauerte eine Weile, bis die junge Wirtin endlich die Tür öffnete. Ihre Freude über seine Rückkehr wich unversehens dem Erschrecken über die Last, die er trug.

»Ein Freund von mir, dem übel mitgespielt wurde«, flüsterte er. »Kann ich auf deine Hilfe zählen?«

Hastig ließ sie ihn ein und lief voraus zu seiner Kammer. Oben angelangt, bettete er Christian auf das Strohlager, während sie ein Talglicht entzündete. Bei Christians Anblick zuckte sie zusammen.

»Allmächtiger! Wer hat ihm das angetan?«

»Er ist ein Ritter und ein guter Mann«, versicherte Lukas ihr. »Kannst du mir einen Eimer Wasser bringen? Verbandszeug und ein Rasiermesser?«

Sie nickte und verschwand, um wenig später mit dem Gewünschten wieder aufzutauchen. »Ich denke, er könnte auch etwas zur Stärkung vertragen«, meinte sie zögernd.

»Ja, vor allem viel zu trinken«, bat Lukas. Nicht nur, weil Christian völlig ausgedörrt war. Er erinnerte sich noch gut, wie heftig Marthe darauf bestanden hatte, dass er große Mengen trank, nachdem er bei dem Angriff auf den Silbertransport so viel Blut verloren hatte. Den Schnitten auf Christians Armen nach musste ihm Aloisius tatsächlich immer wieder Blut abgelassen haben, ohne die Wunden zu verbinden.

Ein Wunder, dass er nicht verblutet war. Aber wahrscheinlich hatte Aloisius das bewusst so eingerichtet, um sein Opfer länger quälen zu können.

Er lehnte Christian wieder an die Wand und wollte ihm den Becher an die Lippen setzen, doch Christian nahm den Becher trotz seiner Schwäche in die eigenen Hände und trank vorsichtig, Schluck für Schluck, um nicht alles wieder herauszuwürgen. Dass er die Selbstbeherrschung dazu aufbrachte, hielt Lukas für ein gutes Zeichen.

Die Wirtin kam erneut und brachte Biersuppe.

Unsicher sah sie zu Lukas. »So wie er zugerichtet ist, wird Euer Freund mindestens eine Woche brauchen, bis er fortreiten kann«, meinte sie. »Ich vermute, nach ihm wird gesucht. Aber wenn Ihr solange bleiben wollt, ich werde Euch nicht verraten …«

Maria zögerte, dann sagte sie leise: »Wenn er Euer Freund ist, muss er ein guter Mann sein …«

Ja, wir sind schon prächtige Kerle, dachte Lukas grimmig. Nur leider bringt uns das regelmäßig in den Kerker, während die Schurken und Verräter ungestraft wüten dürfen.

»Wir müssen morgen früh fort, gleich bei Tagesanbruch müssen wir am Stadttor sein«, erklärte er der jungen Wirtin.

»Das schafft er nie und nimmer, so wie er zugerichtet ist«, erwiderte sie entgeistert.

»Glaube mir, er schafft es«, versicherte Lukas. »Jetzt lass uns allein. Ich muss ihm die Kleider vom Leib schneiden, die sind ohnehin unwiderruflich verdorben.«

Als Maria gegangen war, drehte Christian den Kopf zu seinem Freund.

»Und woher nimmst du die Gewissheit?«, fragte er mit zynischem Spott.

Lukas kramte aus seinem Bündel, das die Wirtin für ihn bewacht hatte, neue Kleider hervor, ebenso Christians Schwert, das er damit umwickelt hatte.

»Ehrlich gesagt, fürchte ich, sie hat recht. Aber dir bleibt keine Zeit fürs Krankenlager. Wenn du nicht in elf Tagen in Meißen auftauchst, verheiratet Otto deine Frau mit Ekkehart.«

Christian starrte den Freund an. Dann sagte er nur: »Hilf mir auf.«

Es dauerte fast bis zum Morgengrauen, bis Christian gewaschen, rasiert und in saubere Sachen gekleidet war. Den Bart hatte

Lukas ihm völlig abgenommen. Er würde wieder nachwachsen, bis sie in Meißen waren, und ohne Bart würde er schwerer wiederzuerkennen sein, falls nach ihm gesucht wurde.

Maria brachte ihnen noch Proviant und musterte Christian aufmerksam. »Er ist zwar noch totenbleich und mager, aber jetzt sieht man ihm wenigstens wieder an, dass er ein Ritter ist.«

Lukas entschädigte sie großzügig für ihre Hilfe.

»Das hier ist für dein Stillschweigen«, erklärte er verlegen, um keine Irrtümer darüber aufkommen zu lassen, wofür er ihr den doppelten Preis zahlte. Flammende Röte zog über Marias Gesicht, dennoch lächelte sie ihn an. »Gott beschütze Euch auf dem Weg.«

»Und schenke dir einen guten Ehemann.«

Unversehens erwachte ein Stück alter Spottlust in ihr. »Da steht er vor einer schwierigen Aufgabe …«

Sie öffnete die Tür zu dem Stall, in dem reisende Gäste ihre Pferde und Maultiere unterstellen konnten.

Lukas hatte Zweifel, ob Christian, der sich kaum auf den Beinen halten konnte und außerdem wegen der Pfeilwunde noch hinkte, es aus eigener Kraft aufs Pferd schaffen würde. Er hatte schon gesattelt und wartete nun, um helfend einzuspringen, wenn Christian das wollte. Aber der zog sich mit zusammengebissenen Zähnen in den Sattel. Er wankte, als er oben saß, doch er gab Lukas das Zeichen zum Aufbruch.

Sie gehörten zu den Ersten, die an diesem Morgen am östlichen Stadttor eintrafen, um Braunschweig zu verlassen. Entweder wurde Christian noch nicht gesucht, oder niemand erkannte in den zwei Rittern einen säumigen Gefangenenwächter und einen Gefangenen, der nach allgemeiner Auffassung die Nacht nicht überlebt haben konnte. Lukas zählte darauf, dass niemand mehr übergroßes Interesse an Christian hatte, da der gefürchtete Alchemist tot war.

»Geht es Eurem Begleiter nicht gut?«, erkundigte sich der Torwächter höflich, nachdem er das Fallgitter hochgezogen hatte. Lukas blickte skeptisch zu Christian, der totenbleich auf dem Pferd saß und bedrohlich wankte. Er grinste, so unverfänglich er konnte. »Ihr habt guten Wein hier in Braunschweig …«

Die Umstehenden lachten, und unbehelligt verließen Lukas und Christian die Stadt.

Fünf Meilen hinter Braunschweig legten sie eine Rast ein. Lukas hatte schon seit einiger Zeit befürchtet, der Freund könne vor Schwäche einfach vom Pferd kippen, aber Christian hielt sich mit verbissenem Starrsinn aufrecht. Doch als sie die Pferde ein Stück weg von der Straße lenkten, um ungesehen zu rasten, sah Lukas, dass Christians Arme und Beine vor Anstrengung zitterten.

Lukas bestand darauf, dass sein Freund ein wenig von dem kalten Huhn aß, das Maria ihnen mitgegeben hatte, und alles Bier trank, das sie hatten. Bier nährte und war ein kräftigendes Getränk. Er würde unterwegs wieder welches besorgen.

Mit mehr Sorge, als er sich eingestehen wollte, fragte Lukas schließlich, ob sie nicht doch besser einen halben Tag Rast einlegen sollten. Immerhin seien sie in der Nacht kaum zum Schlafen gekommen.

»Ich halte schon durch«, behauptete Christian mit zusammengebissenen Zähnen. »Aber vielleicht solltest du mir erzählen, was sich inzwischen alles ereignet hat.«

Lukas verschwieg dem Freund bewusst, wie Randolf inzwischen wieder im Dorf gewütet hatte. Doch er kam um das Eingeständnis nicht herum, dass die gesamte Geleitmannschaft des Silbers bis auf ihn selbst und den jungen Meißner tot waren. Dabei wusste er, dass die Nachricht Christian schwer zu schaffen machen und er die Schuld bei sich selbst suchen würde.

»Darüber kannst du später nachgrübeln«, meinte er schroff. »Wichtiger ist, dass wir noch vor dieser Hochzeit in Meißen ankommen.«

Ohne ein weiteres Wort stand Christian auf und humpelte zu seinem Pferd, um es loszubinden und aufzusitzen.

Gelobt sei seine Sturheit, dachte Lukas. Denn Christian schien bald nur noch von Willenskraft auf den Beinen gehalten zu werden.

Unterwegs entlockte er dem Freund Stück für Stück, was während der Gefangenschaft geschehen war. Christian war tatsächlich dem Thüringer Landgrafen vom Truchsess des Löwen abgekauft worden.

»Nimm mir das nicht übel, aber wieso sollte sich Jordan von Blankenburg für dich interessieren?«, meinte Lukas skeptisch.

»Jemand hat ihm zugeraunt, ich sei derjenige, der für den Tod seiner Spionin in Meißen vor ein paar Jahren verantwortlich war.«

»Wieso?«, wunderte sich der Jüngere. »Du warst doch damals auf dem Weg zum Landding, um dich vor Otto von der falschen Anklage zu befreien. Marthe und ich haben sie nach Ludmillus' Informationen enttarnt, und ich habe verhindert, dass sie den jungen Konrad tötete, aber abgestochen hat sie Randolf.«

»Ja, das ist eine interessante Konstellation, über die nachzugrübeln ich viel Zeit hatte«, meinte Christian zynisch. »Jordan ließ Aloisius rufen und fragte ihn, wer ich sei. Der Scharlatan jubelte natürlich über den Zufall, der ihm da in die Hände gespielt hat. Er erzählte dem Truchsess, aus meinem Blut könne er ein mächtiges Elixier brauen, und der Truchsess überließ mich kurzerhand dem Giftmischer. Seitdem hat Aloisius sich alle Mühe gegeben, mein Sterben so lange wie möglich in die Länge zu ziehen.«

Sie ritten Meile um Meile, Tag um Tag. Lukas hatte gehofft, dass Christian allmählich wieder zu Kräften käme, doch das harte Tempo, das sein Freund ohne Rücksicht gegen sich selbst anschlug, setzte ihm zu. Obwohl sie sich nur kurze Pausen gönnten, zweifelte Lukas immer mehr daran, dass sie es noch rechtzeitig vor Ablauf der Frist bis nach Meißen schaffen würden. So betete er, dass Ludmillus sich bis zum Burgberg durchgeschlagen hatte und Marthe dem Markgrafen einen Aufschub abringen konnte.

Die Rückkehr

»Los, bespring sie endlich, oder ich tu es an deiner Stelle!«
Drohend stand Randolf neben dem Brautlager, nur zwei Schritte von Marthe entfernt, die sich die Decke bis zum Hals hochgezogen hatte und den Hünen mit schreckensweiten Augen ansah.
Ekkehart fasste einen Entschluss. Er schwang sich über Marthe hinweg aus dem Bett und baute sich vor Randolf auf. Seine Nacktheit kümmerte ihn nicht im Geringsten. Sein Körper war sehnig und muskulös, sein Geschlecht auch erschlafft von respektabler Größe. Das Einzige, was ihn störte, war der Umstand, dass seine Waffen außer Reichweite waren.
Er überrumpelte Randolf, indem er ihm den Dolch aus dem Gürtel zog, und hoffte, dass Marthe jetzt das Richtige tat. Sie rutschte auf die andere Seite des Bettes, anscheinend, um außer Reichweite des Weißblonden zu geraten. Doch dann beugte sie sich blitzschnell hinab und raffte Ekkeharts auf dem Boden liegenden Sachen zusammen, mit ihnen auch sei-

nen Dolch. Noch ehe sich Elmar und der feiste Giselbert von ihren Sitzen stemmen konnten, hatte sie schon den Dolch gezogen und hielt ihn fest in der Rechten, während sie mit der Linken immer noch die Decke umklammerte, die ihre Blöße bedeckte.

Sie hat reagiert wie ein Mann im Kampf, dachte Ekkehart anerkennend, der die Bewegung aus dem Augenwinkel mitbekommen hatte. Wir werden eine wunderbare Ehe führen. Ich werde sie mit Schmuck und schönen Kleidern überhäufen und jede Nacht bei ihr liegen. Und sie wird mir prächtige Söhne gebären. Vorausgesetzt, wir überleben das hier.

»Sie gehört jetzt mir allein«, sagte er zu allem entschlossen zu Randolf. »Wenn du nicht willst, dass unsere Freundschaft durch Blut entweiht wird, dann verlasst jetzt alle drei das Brautgemach. Ihr werdet sie nicht bekommen. Nur über meine Leiche.«

Elmar und Giselbert traten an Randolfs Seite, jeder die Hand am Knauf seines Schwertes. »Verriegelt die Tür«, befahl der Hüne. Elmar ging, um den Riegel von innen vorzuschieben, und stellte sich dann wieder neben dem Hünen auf.

Einen Moment lang herrschte atemlose Stille in der Kammer.

»Wegen dieser Hure würdest du deine Freunde verraten?«, keifte Randolf dann. »Mein Weib hat es vorausgesagt, aber ich wollte nicht glauben, dass du so tief sinken könntest.«

Marthe suchte kniend hinter Ekkeharts Rücken Schutz, in die Decke gehüllt und den Dolch fest in der Hand.

Bevor Ekkehart etwas erwidern konnte, näherte sich Lärm von draußen, dann pochte jemand lautstark an die Tür.

»Haltet ein! Diese Ehe darf nicht vollzogen werden«, rief eine befehlsgewohnte Männerstimme. »Ritter Christian ist zurückgekehrt!«

Befreit schrie Marthe auf, während Ekkehart zusammenfuhr.

»Die üblichen Scherze, die mit Neuvermählten gespielt werden«, meinte Randolf ungerührt.

Er gab seinen Freunden ein Zeichen, mit ihm an die Tür zu treten. Alle drei zogen ihre Schwerter.

»Los, mach endlich! Wir sorgen dafür, dass dich niemand stört, bis du fertig bist. Vergessen wir fürs Erste den Streit.«

Ekkehart wirkte für einen Augenblick unentschlossen. Dann warf er den Dolch beiseite und wandte sich Marthe zu. Sie flüchtete aus dem Bett ans Fenster. »Ihr habt es gehört! Mein Mann ist zurück! Lasst mich sofort zu ihm!«

»Selbst wenn das stimmt – ich glaube nicht, dass er dich jetzt noch haben will, wo du im Hochzeitsbett mit einem anderen liegst«, höhnte Giselbert mit lauter Stimme, um das ununterbrochene Klopfen und die Rufe von draußen zu übertönen.

Ekkehart ging auf Marthe zu, die sich an die Wand presste und ihm den Dolch entgegenreckte.

»Du bist jetzt *meine* Frau. Gib mir die Waffe!«

Er griff nach ihren Handgelenken und drückte sie gegen die Wand. Es kümmerte ihn nicht, dass sie ihm dabei eine Schnittwunde am Arm zufügte. Er presste sich gegen sie und versuchte sie zu küssen. Doch sie wandte sich ab, so dass seine Lippen nur ihre Wange trafen.

Das Pochen von draußen wurde immer heftiger.

»Öffnet sofort die Tür, oder ich exkommuniziere euch beide!«

Ekkehart erkannte die Stimme des Priesters, der sie getraut hatte, und stieß einen Fluch aus.

Wütend ließ er von Marthe ab und ging zur Tür.

»Das ist eure Schuld«, fuhr er seine Freunde an. »Ohne eure Einmischung läge ich längst zwischen ihren Schenkeln, und niemand könnte die Ehe in Frage stellen!«

Dann schob er den Riegel zurück.

Der Priester warf einen empörten Blick auf den nackten Körper, dann trat er ein.

»Die Ehe darf nicht vollzogen werden. Der Ehemann dieses Weibes lebt«, wiederholte er.

»Wie könnt Ihr das wissen? Irgendjemand hat Euch einen Bären aufgebunden, um meine Hochzeit zu stören«, schnauzte Ekkehart den Priester an, vor lauter Wut und Enttäuschung unfähig zu dem respektvollen Ton, den der Geistliche erwarten durfte.

Anstelle einer Antwort drängte sich Christian zwischen den Menschen hindurch, die dem Priester gefolgt waren.

Marthes Herz hatte vor Freude und Erleichterung einen Sprung gemacht, als sie hörte, dass Christian noch am Leben war. Doch während er nun leicht hinkend und mit dem Schwert in der Hand auf sie zukam, wäre sie vor Angst und Scham am liebsten im Boden versunken.

In seiner Phantasie hatte sich Christian die schlimmsten Bilder ausgemalt, als sie trotz des scharfen Ritts Meißen erst zu einer Zeit erreichten, zu der Marthes Vermählung gerade stattfinden musste, falls Till nicht für Aufschub sorgen konnte. Nur knapp hatten sie es geschafft, noch vor Einbruch der Dunkelheit in die Stadt eingelassen zu werden und den Burgberg hinaufzureiten. Sie waren sofort in Ottos Halle gestürzt, in der Hoffnung, dort die Hochzeitsgesellschaft noch vorzufinden, sofern die Heirat nicht verschoben worden war. Doch als sie hörten, das junge Paar habe sich schon in sein Gemach zurückgezogen und das Ehebett segnen lassen, hätte er am liebsten aufgeschrien wie ein waidwundes Tier.

Otto, der nach der Brautlegung wieder zur Tafel zurückgekehrt war, bemerkte ihn und starrte ihn an wie einen Geist. Christian wurde sich verzweifelt bewusst, dass er zuerst vor seinen

Dienstherrn treten musste. Leise bat er Lukas: »Such jemanden, der ihn aufhält!«

Sein Freund verstand sofort und stürzte los.

Auch Otto hielt sich nicht lange mit Reden auf, nachdem er sich vergewissert hatte, dass sein totgeglaubter Ritter zwar abgemagert und verwundet, aber dennoch leibhaftig vor ihm stand. Er begleitete ihn sogar zur Kammer des Paares, dessen Hochzeit er angewiesen hatte und die nun annulliert werden musste.

Dort standen bereits viele Menschen im Gang, während ein Geistlicher in Lukas' Begleitung energisch an die Tür pochte und Zutritt forderte.

Zügellose Wut und Eifersucht überfielen Christian. Als er den völlig unbekleideten Ekkehart vor sich sah, zog er sein Schwert und nahm kaum wahr, dass ein paar Leute um ihn herum aufschrien, ihm jemand sogar in den Arm fallen wollte, den er abschüttelte wie eine lästige Fliege.

Doch dann sah er Marthe: kreidebleich an die Wand gepresst, in eine Decke gehüllt und einen Dolch in der Hand.

Erleichtert ließ er sein Schwert sinken und stürzte auf sie zu.

»Dir ist nichts geschehen?«

Sie rutschte zu Boden und barg das Gesicht in den Händen.

»Ich hatte gehofft, dass es nie dazu kommen würde … dass Lukas dich rechtzeitig findet«, flüsterte sie, ohne zu wagen, ihn dabei anzusehen. »Verzeih mir!«

Dann wurde sie von einem Weinkrampf geschüttelt.

Er hüllte sie in seinen Umhang und half ihr hoch.

Noch bevor er sie hinausführen konnte, trat der Priester auf ihn zu. »Ihr habt Euch von diesem Weib fernzuhalten«, befahl er.

»Sie ist meine Frau!«, fuhr Christian auf – Worte, bei denen Marthe ein Stein vom Herzen fiel. Doch die nächste Äußerung des Geistlichen versetzte sie erneut in angstvolle Starre.

»Darüber muss erst beraten und befunden werden«, sagte er

kühl. »Schließlich habe ich sie selbst heute vor Gott auf Lebenszeit mit einem anderen Mann verbunden.«

»Diese Ehe wurde nicht vollzogen«, protestierte Marthe schniefend.

»Schweig, sündiges Weib«, wies der Priester sie streng zurecht. »Bis die Kirche zu einem Urteil gekommen ist, welche ihrer beiden Ehen für gültig erklärt wird, schafft sie in die Frauengemächer und achtet darauf, dass sich ihr kein Mann nähert«, verkündete er dann in die Runde.

Marthe sah völlig entgeistert erst zu ihm, dann zu Christian.

Konnte es tatsächlich sein, dass man sie trotz Christians Rückkehr Ekkehart zusprach?

»Und Ihr bedeckt endlich Eure Blöße«, wies der Geistliche den wütenden Bräutigam an. »Ich erwarte Euch und Euch« – er warf einen finsteren Blick auf Christian – »morgen noch vor der Frühmesse beim Bischof.«

Er winkte eine der Wachen herbei, die ihm gefolgt waren. »Schaff sie fort und sorge dafür, dass kein Mann sie sehen oder sprechen kann.«

Marthe verzichtete bewusst darauf, Ekkeharts kostbares Hochzeitskleid aus der Truhe zu holen. Sie zog sich Christians Umhang noch enger um die Schultern und bedeckte ihr Haar mit der Kapuze. Nach einem letzten, verzweifelten Blick auf Christian ließ sie sich fortführen.

Otto befahl Christian, Ekkehart und Lukas, ihm zu folgen.

Die Menschenmenge zerstreute sich, aufgeregt über den unglaublichen Zwischenfall debattierend. Doch Christian entging nicht der gleichermaßen fassungslose wie hasserfüllte Blick, mit dem ihn Randolf anstarrte.

Schon im Gehen, wandte sich der Markgraf zu dem Hünen um. »Randolf, gesellt Euch zu uns. Schließlich geht es hier nicht nur um die leidige Frage, welche Ehe nun Gültigkeit behält, sondern um die Zukunft meines Silberdorfes. Aber vorher seid so gut und sucht jemanden, der meine Gemahlin aufweckt und zu uns schickt.«

Vielleicht gelingt es ihr, zwischen den Streithähnen zu vermitteln, dachte er bei sich.

Hedwig und Dietrich hatten sich kurz hintereinander unter einem Vorwand von der Tafel entfernt: Hedwig, weil sie sich angeblich nicht wohl fühlte, und Markgraf Dietrich, um noch einmal mit seinem Sohn zu sprechen, bevor der die Nacht im Gebet in der Kirche verbrachte, um sich auf die Schwertleite vorzubereiten.

Sie wussten beide, dass es sträflicher Leichtsinn war, was sie da taten, doch sie konnten nicht anders. Unmittelbar nach Konrads Aufnahme in den Ritterstand musste Dietrich zum Kaiser aufbrechen, um ihn über die Alpen zu begleiten. Niemand konnte wissen, wann und ob er je von diesem Feldzug zurückkehren würde.

Wieder trafen sie sich in der Gästekammer, die Hedwig bewusst frei gehalten hatte, obwohl es auf der Burg von Gästen nur so wimmelte. Sie stürzten aufeinander zu und küssten sich leidenschaftlich. Schließlich löste sich Dietrich von ihr, entkleidete seine Geliebte und begann, jeden Zoll ihres Körpers zu liebkosen. Hedwig stöhnte vor Sehnsucht und Begehren auf. Sie hatte sich eine halbe Ewigkeit danach verzehrt und wollte keinen Augenblick länger warten.

Doch er ließ sich nicht beirren, obwohl auch sein Verlangen übermächtig war. Zum ersten Höhepunkt wollte er sie nur mit seinen Händen und seinen Lippen treiben. Bald fühlte er ihren Körper erbeben. Noch während er sanft an ihren Brustwarzen sog, zog sie ihn begehrend über sich. Da gab er seine Zurückhaltung auf und drang tief in sie ein, langsam und voller Hingabe.

Und dann übermannte ihn die Leidenschaft. Während er immer weiter ausholte, wölbte sie sich ihm entgegen und folgte seinem schneller werdenden Rhythmus. Schließlich drehte er sie um, spreizte ihre Beine mit dem Knie und umklammerte ihre Hüften. Statt an seiner Schulter, erstickte sie ihre leidenschaftlichen Schreie im Kissen.

Länger konnte er seinen Höhepunkt nicht mehr zurückhalten. Doch er wusste, er hatte sie schon dreimal über die Grenze getrieben, als er sich endlich in sie ergoss.

Wortlos ließen sie sich beide auf das Laken fallen. Sie strich sanft mit der Hand über seine Wange, während sie tapfer versuchte, ihre Tränen zurückzuhalten – Tränen des Glücks und der Verzweiflung, weil ihnen dieses Glück immer nur so kurz und für einen hohen Preis vergönnt war.

Sie erschraken beide, als es leise an der Tür klopfte.

»Mein Herr«, ertönte von draußen eine gedämpfte Stimme. »Kommt schnell!«

Selbst in dem flackernden Kerzenlicht konnte Dietrich erkennen, wie Hedwig erblasste. Hastig streifte er sein Bliaut über, ging nach draußen und wechselte ein paar kurze Worte mit seinem treuesten Gefolgsmann, der jedes Mal unauffällig dafür sorgte, dass sie unentdeckt blieben, wenn er sich heimlich mit Hedwig traf.

Dann kam er in die Kammer zurück. »Otto sucht nach dir, du musst sofort gehen«, sagte er.

Mit geschickten Händen half er ihr, das Kleid zuzuschnüren, legte ihr den einfachen Umhang um und zog ihr die Kapuze tief ins Gesicht. »Mein Ritter wird dafür sorgen, dass du unbemerkt bis in die Nähe deiner Kammer kommst. Denk dir einen Grund aus, warum du nicht dort warst, dann geh in die Halle. Ich bleibe noch einen Augenblick, damit uns niemand zusammen sieht.«

Mit schreckensstarrer Miene nickte Hedwig ihm zu und verließ die Kammer. Sie hatte immer befürchtet, dass dieser Augenblick kommen würde. Im Gang wartete Dietrichs Ritter auf sie, ohne zu erkennen zu geben, dass er wusste, wer vor ihm stand.

»Der Weg zur Treppe ist frei«, raunte er. »Ich folge Euch in einigem Abstand. Sollte Euch jemand entdecken, bevor Ihr den Gang zur Halle erreicht, steche ich ihn nieder.«

Hedwig nickte ihm stumm zu und lief, so schnell sie konnte, nach vorn. Unbehelligt gelangte sie zur Treppe, wo sie ihren bestickten Umhang verborgen hatte, schob stattdessen die einfache Verkleidung in das Versteck, huschte die Stiege hinab und zwang sich, ruhig und gelassen zu wirken.

Als Erste kam ihr ausgerechnet Richenza entgegen.

»Meine Herrin, wir haben überall nach Euch gesucht. Wo wart Ihr nur?«, säuselte sie scheinbar besorgt.

»Auf der Heimlichkeit, wo sonst?«, entgegnete Hedwig mit mühsam gespielter Kühle. »Hat sich nicht bis zu Euch herumgesprochen, dass mir das Mahl nicht bekommen ist? Ich glaube nicht, dass ich Euch Rechenschaft über meine Verdauung schulde!«

»Natürlich nicht, Fürstin«, hauchte Richenza respektvoll und verneigte sich.

Sie sah der Markgräfin nach, bis sie in der Halle verschwunden war, dann überlegte sie kurz, in welche Richtung sie ihren Erkundungsgang fortsetzen sollte.

Seit Randolf sie aus der Brautkammer geschickt hatte, war sie durch den Palas gestreift, um herauszufinden, wohin Hedwig und Dietrich verschwunden waren. Die Vorstellung davon, was Christians Witwe inzwischen blühte, beflügelte ihre Phantasie und berauschte sie geradezu vor Häme.

Sie schaute zurück und überlegte: Woher mochte die Markgräfin gekommen sein, wenn nicht von der Heimlichkeit? Es blieb nur der Weg die schmale Treppe hinauf. Neugierig stieg sie nach oben, um im nächsten Augenblick innerlich vor Freude zu jubeln.

Sie kannte den Mann, der am oberen Treppenabsatz stand und sie voller misstrauischer Wachsamkeit anstarrte: Es war ein Vertrauter von Markgraf Dietrich. Bestimmt lauerte sein Herr hinter einer dieser Türen und wartete darauf, ungesehen verschwinden zu können. Wenn sie ihn hier fand statt bei seinem Sohn in der Kapelle … Dann hatte sie genug Verdachtsmomente, so dass Randolf den Markgrafen dazu bringen könnte, seiner Hure von Frau und seinem verräterischen Bruder ein paar unbequeme Fragen zu stellen.

»Was sucht Ihr hier? Habt Ihr Euch verlaufen?«, fragte Dietrichs Gefolgsmann misstrauisch.

»Oh, Ihr werdet einer Dame doch nicht so eine beschämende Frage stellen?«, sagte sie, während sie ihn mit betörendem Blick ansah. »Ich wollte nur etwas Ruhe hier oben finden. Mir schmerzt der Kopf von dem Lärm und Qualm in der Halle. Dass ich dabei auf so einen stattlichen Ritter wie Euch treffe, hätte ich nicht zu hoffen gewagt.«

Doch ihr verführerisches Lächeln schien bei diesem Mann seine Wirkung zu verfehlen. »Begebt Euch besser wieder nach unten, bevor jemand etwas vermutet, das Eure Tugendhaftigkeit in Frage stellen könnte«, antwortete er unwirsch.

Hier verbirgt sich also wirklich ein Geheimnis, dachte sie triumphierend. Und ich würde mich sehr wundern, wenn dieses Geheimnis nicht darin besteht, dass es die schöne Hedwig und ihr feiner Schwager blutschänderisch hinter Ottos Rücken miteinander treiben. Um nichts in der Welt würde sie sich jetzt von diesem Gang wegbewegen. Ewig konnte Dietrich nicht hinter der Tür warten.

Sie legte eine Hand auf die Stirn. »Mir ist nicht wohl. Seid so gut, geleitet mich an das Fenster dort, vielleicht hilft die kühle Abendluft ...«

Hilfesuchend griff sie nach dem Arm des Mannes, der sie unwillig zu einer Fensterluke führte und sich dann von ihr losriss.

Richenza tat, als ob sie seinen Unwillen nicht bemerkte, und griff erneut nach seinem Arm. »Ich bitte Euch, haltet mich, bevor ich noch in Ohnmacht falle.« Sie ließ sich gegen ihn sinken und richtete es dabei so ein, dass ihr Busen seinen Arm streifte.

Bei jedem anderen hätte das Wirkung gezeigt, davon war Richenza überzeugt, aber dieser hier tat, als hätte er glühendes Eisen berührt. Er griff hart nach ihrem Arm und schob sie Richtung Treppe. »Ich werde Euch nach unten geleiten, dann könnt Ihr jemanden herbeirufen, der sich um Euch kümmert«, erklärte er.

Randolfs Frau wurde sich mit jedem seiner Worte sicherer: Hinter einer dieser Türen steckte der Beweis dafür, dass Hedwig den Markgrafen mit ihrem Schwager betrog.

Harte Tritte polterten die Treppe herauf. Verblüfft starrte Richenza auf die Gestalt, die sich ihr mit wütender Miene näherte. Wieso war ihr Mann jetzt nicht in Ekkeharts Kammer und ergötzte sich an den Angstschreien der Kräuterhexe?

Randolf kochte vor Zorn und hatte jede Gewalt über sich verloren. Erst stellte sich Ekkehart gegen seine Freunde – noch dazu mit *seiner* Waffe! – und verdarb ihm das Vergnügen, sich endlich wieder Christians Weib gefügig zu machen. Und dann tauchte der Bastard auch noch selbst auf, obwohl er doch längst tot sein müsste!

Es kümmerte ihn nicht, ob Ekkehart das Weib bekam, wenn er

sie nicht mit ihm teilen wollte. Aber hatte Christian sieben Leben wie eine Katze?

Zu guter Letzt machte ihn Otto auch noch zum Laufburschen und schickte ihn aus, um diese lästige Hedwig zu holen. Auf dem Weg zur Halle traf er die Markgräfin, die ihm kurz angebunden mitteilte, er solle besser auf seine Gemahlin achtgeben, die ihren Ruf gefährde, indem sie allein durch dunkle Gänge streife.

Und es war tatsächlich Richenzas Stimme, die er schon von unten erkannte und die sich eindeutig danach anhörte, als wollte sie einen Mann betören. Sollte er an diesem gottverdammten Unglückstag auch noch zum Hahnrei gemacht werden?!

Nicht mit ihm!

Wutentbrannt polterte er die Treppe hinauf und bekam gerade noch mit, dass der andere Mann Richenza zurechtwies, während diese weiter verführerisch auf ihn einsprach. Hure!

»Randolf, mein Liebster! Endlich kommst du«, strahlte sie ihn an. »Mir war nicht wohl, aber dieser edle Ritter war so gütig, mir seine Hilfe anzubieten.«

Randolf erkannte den Mann, einen Vertrauten von Ottos Bruder, und er sah, wie angewidert dieser auf seine Frau blickte.

»Kümmert Euch um Eure Gemahlin. Sonst wirft Ihr Benehmen am Ende noch ein schlechtes Licht auf Euch«, forderte ihn Dietrichs Ritter auf.

Das brachte für Randolf das Fass zum Überlaufen. Mit einem Satz nahm er die letzten Stufen und stürzte auf Richenza zu, um ihr eine wuchtige Ohrfeige zu verpassen.

»Verräterische Hure!«

Sie prallte hart gegen die Wand und sackte zu Boden.

»Du Narr!«, ächzte sie.

Jetzt wird niemand Hedwigs Geheimnis enthüllen, war ihr letzter Gedanke.

Randolf drehte sich abrupt um, doch er wurde von dem Landsberger zurückgerufen, der stumm auf die kleine Blutlache an Richenzas Hinterkopf deutete.

Immer noch voller Zorn, blickte Randolf auf seine reglose Frau, die in seinen Augen durch ihr Verhalten in letzter Zeit die Prügel mehr als verdient hatte.

»Ihr solltet sie nach unten bringen und den Wundarzt rufen«, riet Dietrichs Gefolgsmann leise, der im Gegensatz zu Randolf erkannte, dass hier womöglich jede Hilfe zu spät kam.

»Das ist nur wieder eines ihrer Täuschungsmanöver«, grollte der Hüne. »Lasst sie hier liegen, irgendwann wird sie es schon leid werden, wenn niemand sie beachtet.«

Verächtlich drehte er sich um und polterte die Treppe hinab. Schließlich gab es bei Otto Wichtigeres zu bereden.

Dietrichs Gefolgsmann wartete, bis Randolf fort war, dann gab er seinem Herrn das Zeichen, dass er gehen konnte, und schickte nach jemandem, der die Tote nach unten trug.

Christian versuchte, Herr über das Gefühlschaos zu werden, das in ihm herrschte, als er zusehen musste, wie Marthe von ihm weggeführt wurde.

Von Lukas erklärt zu bekommen, dass Otto die Hochzeit befohlen hatte, war eine Sache – zu wissen, dass Marthe hinter jener verschlossenen Tür mit Ekkehart im Brautbett lag, eine andere. Und dann noch Randolf und dessen Freunde dort zu erblicken, trieb ihn zu rasender Wut.

Erst als er seine Frau mit einem Dolch in der Hand stehen sah, um die Männer fernzuhalten, beruhigte er sich ein wenig. Anscheinend war noch nichts von dem geschehen, was er befürchtet hatte.

Ottos tiefe Stimme riss ihn aus seinen Gedanken.

»Wir mussten Euch für tot halten«, sagte der Markgraf und räusperte sich mit einem Anflug von Verlegenheit.

Mittlerweile war die Runde vollständig, die er zusammengerufen hatte: Christian und Lukas, Ekkehart und Randolf sowie Hedwig, die beunruhigt wirkte, auch wenn sie sich glücklich über die Rückkehr des Totgeglaubten gezeigt hatte.

Als der Priester mitbekam, dass Otto mit den Männern beraten wollte, hatte er darauf bestanden, dabei zu sein, und stand nun in einigem Abstand von den Rittern, da ihn niemand aufforderte, näher zu treten oder gar Platz zu nehmen.

»Wollt Ihr uns berichten, wie Eure wundersame Rückkehr zustande kam?«, forderte der Markgraf Christian auf.

Der Priester mischte sich ein. »Der Bischof wird wenig erfreut sein, zu hören, durch Euer Weib« – er sah abwechselnd zu Christian und Ekkehart – »schon wieder vor eine schwierige Entscheidung gestellt zu werden.«

»Die Entscheidung kann ich ihm abnehmen«, knurrte Christian und blickte auffordernd zu Ekkehart. »Bist du bereit, die Sache mit dem Schwert auszutragen?«

»Jederzeit«, antwortete der. »Sobald du genesen bist. Ich trete nicht gegen einen Gegner an, der nach einer Kampfverletzung noch hinkt.«

»Mach dir darum keine Sorgen!«, herrschte ihn Christian an. »Ich will meine Frau wieder für mich allein. Und zwar heute noch!«

»Schluss damit«, ging Otto mit donnernder Stimme dazwischen. »Sosehr wir uns freuen, Euch wieder bei uns zu wissen, Christian – kaum seid Ihr wieder da, geht das Gezänk los. Ich dulde nicht, dass meine Ritter, noch dazu so verdiente wie Ihr beide, gegeneinander zu einem Kampf antreten, nach dem nur einer den Platz lebend verlässt. Spart Euren Mut und Euer Blut für unsere Feinde auf. Ist das klar?«

Grimmig sah er die Rivalen an, ohne ihnen Zeit für eine Entgegnung zu lassen.

»Die Ehe wurde nicht vollzogen?«, fragte er dann Ekkehart. Der behielt diesmal nur mit Mühe seine Gesichtszüge unter Kontrolle. »Nein.«

»Berichtet das dem Bischof. Und nun lasst uns allein. Wir haben hier zutiefst weltliche Dinge zu besprechen«, erklärte Otto dem Geistlichen. Dem blieb nichts anderes übrig, als nach diesem mehr oder weniger höflichen Rauswurf zu gehen.

»Christian, wie kommt es, dass Ihr lebt, da uns Landgraf Ludwig doch Euren Tod vermelden ließ?«, verlangte der Markgraf zu erfahren.

»Er schickte uns sogar Euer Herz – oder jedenfalls etwas, das er dafür ausgab«, fügte Hedwig hinzu.

»Der Landgraf hat mich an den Herzog von Sachsen verkauft«, sagte Christian knapp.

»Wieso sollte der sich für dich interessieren?«, warf Randolf mit gewohnter Häme ein.

»Das habe ich mich auch gefragt, während ich in Ketten lag«, antwortete Christian scharf. »Und es gibt dafür nur eine Erklärung: Jemand, der alle Einzelheiten über die Geleittrupps kannte, hat ihm einen Hinweis gegeben. Jemand, der zugleich wusste, dass Aloisius, Euer früherer Astrologe, mein Fürst, auf Dankwarderode Unterschlupf gefunden hat.«

Wenn diese Worte Christians schon für Aufruhr in Ottos Zügen sorgten, so bewirkten seine nächsten Sätze einen Tumult.

»Ihr seid verraten worden. Ein Verrat, der vielen guten Männern das Leben und Euch beinahe das Silber und die Gunst des Kaisers gekostet hätte. Fragt Euch, wer aus dieser Runde all das wusste, Verbindung nach Braunschweig hat und von dem Verrat profitieren konnte.«

Er hatte seinen Blick auf Randolf gerichtet. Der sprang auf, zog seinen Dolch und stieß ihn in den Tisch. »Das muss ich mir von diesem Dahergelaufenen nicht bieten lassen!«

Er wandte sich an Otto. »Mein Fürst, er hat vor Euren Augen meine Ehre besudelt. Das kann ich nicht hinnehmen. Es ist mein Recht, ihn zu fordern.«

»Ebenso meines. Ich fordere ein Gottesurteil, einen Kampf auf Leben und Tod!«, erklärte Christian ebenso nachdrücklich.

»Genug!«, donnerte der Markgraf. »Randolf, zieht gefälligst Eure Waffe aus meinem Tisch! Und Ihr, Christian, unterlasst solche haltlosen Beschuldigungen!«

Ein Page trat ein und blieb eingeschüchtert an der Tür stehen.

»Was ist?«, fuhr der Markgraf ihn an, entrüstet über die Störung.

Der Page verneigte sich tief und wich ängstlich einen Schritt zurück. Dann sagte er: »Ritter Randolfs Gemahlin wurde tot aufgefunden.«

Für einen Augenblick herrschte Stille in der Runde.

Randolf schüttelte sich wie benommen, dann sah er von einem zum anderen. »Aber das ist unmöglich ... Es war doch nur ein einziger Hieb ...«

»Offensichtlich ist sie unglücklich gestürzt und hat sich den Kopf aufgeschlagen. Sie wird gerade in der Kapelle aufgebahrt«, erklärte der Page, während er ängstlich auf den Hünen starrte.

»Geht zu ihr, Randolf«, forderte Otto ihn auf.

Wie betäubt verließ der Weißblonde die Kammer.

Als er die Tür hinter sich geschlossen hatte, wandte sich der Markgraf Christian zu. »Von Euch möchte ich kein einziges Wort mehr hören, mit dem Ihr solch ungeheuerliche Verdächtigungen gegen einen meiner getreuesten Gefolgsleute äußert«, sagte er scharf. »Sonst mache ich die Drohung wahr, die ich ausgesprochen habe, als ich Randolf zum Burgvogt ernannte. Ihr werdet jetzt seine Trauer respektieren und danach weiter mit ihm zusammen für reiche und sichere Silberausbeute in Eurem Dorf sorgen.«

Er blickte mürrisch zu Ekkehart und Lukas. »Und das gilt auch für Euch. Keiner von Euch wird beim morgigen Turnier antreten, um vielleicht versehentlich den anderen beim Buhurt zu töten.«

Er schüttelte den Kopf. »Ich weiß nicht, was aus meinen Rittern geworden ist: schlimmer zerstritten als ein Haufen Marktweiber. Geht jetzt, es ist spät genug. Und morgen will ich nichts von Eurem Streit hören und sehen. Die Schwertleite meines Neffen soll uns allen als prächtiges Fest in Erinnerung bleiben – und nichts weiter! Über alles andere reden wir später.«

Christian, Lukas und Ekkehart erhoben sich und gingen nach einer steifen Verbeugung hinaus. Doch die Feindseligkeit zwischen ihnen hätte sogar ein Blinder erkennen können.

Das Turnier

Die Burg des Meißner Markgrafen hatte sich bereits in den vorangegangenen Tagen mit angesehenen Besuchern gefüllt, die zur Schwertleite von Markgraf Ottos Neffen und dem danach angesetzten Turnier angereist waren. Selbst in der Halle schliefen Gäste, wo immer auf dem Burghof sich noch Platz fand, standen Zelte, und in der Stadt war kein freies Quartier mehr zu bekommen.

Doch an diesem Morgen drehten sich die meisten Gespräche auf dem Burgberg nicht wie zu erwarten um die feierliche Aufnahme des jungen Konrad in den Ritterstand und um den anschließenden Wettkampf, sondern um die unerhörten Geschehnisse des Vortages: Eine Hochzeit, die unterbrochen werden musste, weil der erste Mann der vermeintlichen Witwe sehr lebendig mitten ins Brautgemach platzte, und der plötzliche Tod der Frau eines angesehenen Ritters. Widersprüchliche Gerüchte gingen um: Hatte er seine schöne Frau aus Eifersucht erschlagen? Oder war sie unglücklich gestürzt? Von der finsteren Miene des jäh Verwitweten ließ sich leider keine Antwort ablesen.

Viel mehr aber beschäftigte die Menschen die Geschichte von Marthe und Christian. Klang das nicht wie aus einem dieser Ritterromane, die neuerdings in Mode gekommen waren? Eine Frau in Bedrängnis, ein verlorengeglaubter Held, der von seinem Freund aus dem Kerker befreit wird, und eine Rettung im letzten Augenblick?

Marthe, Christian und Lukas, aber auch Ekkehart und Randolf konnten keinen Schritt mehr auf dem Burgberg gehen, ohne dass sich Dutzende Augenpaare auf sie richteten und die Menschen anfingen, zu wispern und zu tuscheln.

Ekkehart, der seit Wochen an nichts anderes hatte denken können als an die sehnlichst erwartete Hochzeitsnacht mit Marthe, verkraftete den unerwarteten Ausgang des Tages und die noch weniger erwartete Rückkehr seines Rivalen nicht. In maßlosem Zorn war er am späten Abend in das Hurenhaus gegangen, zu dessen Stammgästen er schon seit Monaten zählte. Dort griff er nach der erstbesten Frau, die ihm über den Weg lief, und nahm sie mit solcher Härte, dass sie bald vor Schmerz wimmerte, obwohl sie von ihren Kunden einiges gewohnt war. Als er sich endlich abreagiert hatte, warf er sie aus dem Bett, brüllte nach Wein und betrank sich bis zur Besinnungslosigkeit.

Am Morgen wachte er mit hämmerndem Kopf inmitten zertrümmerter Gegenstände auf. Wortlos drückte er dem Hurenwirt den doppelten Preis in die Hand und ritt zurück auf den Burgberg, bereit, den Erstbesten zu Boden zu schlagen, der ihn hinter seinem Rücken auslachen oder bemitleiden sollte.

Elmar und Giselbert hatten die Nacht damit verbracht, Randolf mit viel Wein über den Verlust seiner Frau hinwegzutrösten. Der war sich über seine Gefühle selbst noch nicht klar. Er hatte Richenza nicht töten wollen, schließlich war sie die Mutter seines Sohnes. Doch je länger er darüber nachdachte und je mehr er trank, umso größer wurde sein Zorn auf die Tote.

Ja, sie war unweigerlich eine Hure, lästig und dreist. Er wusste nicht mit Sicherheit, ob sie ihm Hörner aufgesetzt hatte – den Tag, an dem er das erfuhr, hätte sie nicht überlebt. Aber je mehr sie sich in seine Angelegenheiten einmischte, umso mehr war er ihrer überdrüssig geworden. Was sie im Bett zu bieten hatte, das konnte er in jedem Hurenhaus haben. Zur Hölle mit ihrer schwarzen Seele!

Niemand würde ihn dafür zur Rechenschaft ziehen, dass er seine Frau verprügelt hatte. Das war sein gutes Recht, und sie hatte es längst verdient.

Um seinen Sohn kümmerte sich ohnehin die Kinderfrau, bis er alt genug war, das Reiten und den Schwertkampf zu üben.

Jetzt war er frei, frei von Richenzas lästigen Einmischungen und ihren kontrollierenden Blicken, mit denen sie ihm nur Zügel anlegen wollte. Aber er, Randolf, ein Kerl wie ein Baum, ließ sich nicht zügeln! Von niemandem!

Mit seinen Freunden trank er die halbe Nacht hindurch, und je mehr er trank, desto lebhafter malte er sich aus, wie er nun ungehemmt in seinem Silberdorf wüten würde.

Erst als er am Morgen mit dröhnendem Kopfschmerz ins dämmernde Tageslicht blinzelte, drang die Erkenntnis allmählich zu ihm durch, dass Christian lebend zurückgekehrt war. Schlagartig wurde er wach. Er tauchte den Kopf in einen Bottich mit kaltem Wasser und strich sich die klatschnassen Haare aus dem Gesicht. Jetzt brauchte er einen klaren Kopf, um sich gegen alle Verdächtigungen zu behaupten und dann endgültig ein paar Leute zu beseitigen, die ihm seit langem schon im Weg waren.

Christian und Lukas hatten sich nach dem Rauswurf durch Otto in ihr Quartier zurückgezogen. Sie waren erschöpft vom langen, harten Ritt, aber an Schlaf war für sie nicht zu denken.

Sie mussten beide erst einmal den Anblick verkraften, der sich ihnen in der Hochzeitskammer dargeboten hatte, und die Erkenntnis, dass sie wirklich keinen Moment später hätten kommen dürfen.

Wo, um alles in der Welt, war nur Ludmillus abgeblieben?

Während Lukas dennoch wenigstens etwas Erleichterung verspürte, brodelte Christian innerlich vor Eifersucht und Zorn darüber, dass er seine eigene Frau nicht sehen durfte.

»Du darfst es ihr nicht vorwerfen. Otto hat ihr keine Wahl gelassen«, sagte Lukas schließlich, nachdem sie eine ganze Weile stumm nebeneinander gebrütet hatten.

Dieses Gespräch hatten sie lange vor sich hergeschoben. Jeder hatte wohl gehofft, sie könnten zeitig genug auf dem Burgberg eintreffen, damit es überflüssig würde.

Als Christian beharrlich weiter schwieg, meinte Lukas schroff: »Wäre es dir lieber gewesen, ich hätte sie geheiratet, während du im Kerker verrottest?«

»Sie hätte fliehen sollen!«, hielt Christian ihm zornig entgegen.

»Das habe ich ihr vorgeschlagen. Und glaub mir, ich hätte

bereitwillig alle Konsequenzen auf mich genommen. Aber sie meinte, du würdest wollen, dass sie bleibt.«

Fassungslos starrte Christian den Freund an. »Sie glaubt, ich würde wollen, dass sie ausgerechnet Ekkehart heiratet?!«

»Für sie war das der einzige Weg«, versuchte Lukas zu erklären. »Nur so konnte sie die Menschen im Dorf schützen. Sie trotzte Ekkehart das heilige Versprechen ab, Randolf im Zaum zu halten. Und denk, was du willst – er hat Wort gehalten.«

Lukas holte tief Luft, dann fuhr er fort: »Sie meinte, nur so könne sie noch bewirken, dass dein Traum von einem besseren Leben in unserem Dorf nicht ganz begraben werden muss.«

Als diese Worte endlich zu Christian durchdrangen, vergrub er erschüttert die Hände in seinem Haar.

Er ahnte nicht, dass sich Lukas genauso wie er darüber klar war, welches Opfer Marthe bereit war zu bringen. Dass Lukas längst erraten hatte, welch bitteren zusätzlichen Grund Marthe hatte, Randolf und seinen Freunden aus dem Weg zu gehen, und was es für sie bedeutet haben muss, sich ihnen freiwillig auszuliefern.

Marthe hatte geglaubt, nach alldem kein Auge zuzubekommen. Immer wieder zogen die Bilder vor ihren Augen vorbei: die Hochzeit, Randolfs unverhüllte Drohung an der Tafel, Ekkeharts Begehren und seine unerwartete Bereitschaft, sie gegen seine Freunde zu verteidigen. Dazwischen schob sich Christians Anblick bei seiner unverhofften Rückkehr: verletzt, erschöpft und mit einem so vorwurfsvollen, ja, hasserfüllten Blick, dass sie am liebsten im Boden versunken wäre. Trotz ihrer Freude darüber, dass er noch lebte, war sie erleichtert, ihn vorerst nicht sehen zu dürfen. Sie wusste nicht, wie sie ihm nun noch gegenübertreten sollte, nachdem er sich von ihr verraten fühlen musste.

Doch dann forderte die vorangegangene Nacht, in der sie kein Auge zugetan, sondern um Christians und Lukas' Rückkehr gebetet hatte, ihren Tribut. Sie sank in einen tiefen, erschöpften Schlaf, der erst gegen Morgen von schrecklichen Träumen zerrissen wurde.

Eine Kammerfrau weckte sie und drängte sie zur Eile. »Der ehrwürdige Bischof wünscht Euch zu sehen, noch vor der Frühmesse.«

Mit einem Mal schien sich ihr Magen in einen Eisklumpen zu verwandeln. Sie ließ sich beim Ankleiden helfen und schlüpfte nun wieder in eines der Kleider, die Christian ihr geschenkt hatte, dann verbarg sie das Haar unter dem Schleier.

Vor dem Palas wartete bereits ein Diener, der sie zum Bischof führte.

Auf dem Weg sah sie Lukas, der ihr aufmunternd zulächelte. Aber ihr war einfach nur kläglich zumute.

Christian und Ekkehart warteten bereits mit versteinerten Mienen. Sie wagte keinen von beiden anzuschauen, während sie den Saal durchschritt und niederkniete.

Bischof Martin betrachtete sie scharfäugig. Sie fühlte sich von seinen Blicken gemustert wie ein lästiges Insekt. Der Bischof legte die Fingerspitzen beider Hände aneinander und neigte den Kopf.

»Wie mir mein Diakon berichtet, den du vor drei Tagen um Rat batest, meine Tochter, hast du nicht aus Wollust, sondern aus Gehorsam gegenüber deinem Herrn in diese Hochzeit eingewilligt. Die reichlich verfrüht war, wie sich nun zeigte.«

Niemand im Saal sagte etwas, jeder wartete angespannt auf die nächsten Worte des Geistlichen.

»Die Angelegenheit ist so eindeutig, dass ich nicht einmal eine höhere Instanz einschalten muss. Da die zweite Ehe nicht vollzogen wurde, erkläre ich sie für ungültig.«

Marthe wagte kaum zu atmen, und auch die beiden Männer neben ihr beherrschten sich vollkommen, so schwer ihnen dies auch zu fallen schien.

»Ekkehart, Ihr habt Anspruch auf die Rückgabe aller Brautgeschenke. Es steht Euch frei, Euch nun eine neue Frau zu nehmen. Christian, Ihr dürft dieses Weib mit vollem Recht als Eures betrachten.«

Der Bischof schwenkte die Hand als Zeichen dafür, dass die Audienz beendet war. Es kümmerte ihn nicht, dass er die gestern geschlossene Ehe nicht allein hätte auflösen dürfen. Viel wichtiger war, dieses Weib, das immer wieder für Ärger sorgte, schnell wieder unter dem Befehl eines Mannes zu wissen. Sonst nutzte sie die Zeit vielleicht noch, darüber nachzugrübeln, was ihr nach ihrer Verhaftung widerfahren war. Und das durfte nie ans Tageslicht kommen. Die Gelegenheit, sie unauffällig aus dem Weg zu räumen, war mit Christians Rückkehr ohnehin vertan. Doch der Ritter würde klug genug sein, seine Frau zum Schweigen zu veranlassen, sollte die Erinnerung zurückkehren.

Wortlos verneigten sich die Männer.

Christian wartete, bis Marthe aufgestanden war, dann reichte er ihr den Arm, um sie hinauszugeleiten.

Ekkehart warf einen hasserfüllten Blick auf beide und ging mit großen Schritten voran.

Wortlos und mit erstarrter Miene ließ sich Marthe von ihrem Mann führen. Auch er sagte kein Wort. Gemeinsam gingen sie zur Frühmesse.

Das Schweigen zwischen ihnen wurde immer zermürbender. Aber sie waren ständig von Menschen umgeben, und vor so vielen neugierigen Beobachtern konnten sie nicht besprechen, was zu bereden war. Als die Kirchgänger nach der Messe zum

Frühmahl strömten, zog Christian Marthe beiseite und schob sie in den Kräutergarten, den der Koch hinter dem Palas hatte anlegen lassen.

Dort drehte er sie zu sich um. »Was ist los? Was haben sie dir angetan?«

»Nichts.« Immer noch hielt sie den Blick gesenkt, nun schlug sie die Hände vors Gesicht. »Ich schäme mich so. Ich fürchte mich davor, dass du mir das nie vergeben wirst. Dass du nichts mehr von mir wissen willst. Oder mich sogar verachtest oder hasst.«

Betroffen schwieg Christian für einen Augenblick. Dann löste er ihre Hände von ihrem Gesicht, zog sie an sich und strich ihr beruhigend über den Rücken. »Nichts davon musst du fürchten, ich schwör's. Ich hatte nur Angst um dich, riesige Angst.«

Ungläubig sah sie zu ihm hoch, aber sie wirkte immer noch gequält.

»Lukas hat mir ins Gewissen geredet«, gab er dann zu, mit mattem Lächeln. »Und zwar ganz gewaltig.«

Er zog sie eng an sich und küsste ihre Schläfe. »Ich kenne keine Frau, die so mutig ist wie du.«

Immer noch beklommen, zuckte sie die Schultern. »Was sollte ich denn sonst tun? Otto hat mir keine Wahl gelassen.«

»Und du hast mit ihm geschachert wie auf dem Markt.«

Nun konnte er sich ein Grinsen nicht verkneifen. »Das hätte ich erleben wollen.«

Er lenkte sie zur Halle. »Komm, lass uns zum Frühmahl gehen. Ich bin hungrig wie sieben Wölfe. Und dann wollen wir Konrad begrüßen und ihm Glück wünschen. Heute ist sein großer Tag!«

Christian war zweierlei klargeworden: Er würde in Zukunft auch Ekkehart dringend im Auge behalten müssen. Und er musste seine geheime Eifersucht bezwingen, damit Marthe ihre Bedenken verlor und ihm wieder vertraute.

Das Frühmahl hatte längst begonnen, doch noch bevor sie sich niedersetzen konnten, gab es eine überraschende, freudige Begegnung: Raimund und Arnulf waren aus Trifels zurückgekehrt, wo sie das Silber des Kaisers unbeschadet abgeliefert hatten.

Erleichtert umarmte Christian den Freund und begrüßte seinen alten Lehrmeister. Dann setzten sie sich nebeneinander und gedachten stumm ihrer erschlagenen Kameraden.

»Gott erbarme sich ihrer Seele. Es waren gute Männer«, sprach Arnulf aus, was alle an ihrem Tisch dachten. Die Waffengefährten schlugen ein Kreuz, Marthe sprach ein Gebet für die Toten.

Dann endlich schien sich die Spannung zu lösen. Sie aßen und erzählten von dem, was sie in den letzten Wochen erlebt hatten. So schrecklich manches auch war, was Marthe da zu hören bekam, so erlangte sie doch Stück für Stück ein wenig von der früheren Unbefangenheit und Vertrautheit mit Christian zurück.

»Ich sollte nach deinen Verletzungen sehen«, meinte sie. »Und auch nach Lukas' Wunde.«

Verwundert sah sie sich um. »Wo steckt er eigentlich?«

Auch Christian schien das Fehlen des Jüngeren jetzt erst zu bemerken.

»Vielleicht gibt er Konrad noch ein paar weise Worte über ritterliches Betragen mit auf den Weg«, mutmaßte er, ebenso verwundert.

»Da ist der arme Junge aber genau an den Richtigen geraten«, spottete Raimund.

Christian sah nach vorn, zur hohen Tafel, wo Otto neben Hedwig, dem Kaplan, Dietrich und seinen inzwischen angereisten

Brüdern saß: Heinrich von Wettin, Friedrich von Brehna und der durch seinen gewaltigen Körperumfang nicht zu übersehende Dedo von Groitzsch.

In diesem Moment erhob sich Otto und bot Hedwig seinen Arm. Also durften auch sie jetzt den Saal verlassen.

»Kommt, wir suchen nach den beiden«, sagte Christian. Er hatte Konrad seit seiner Rückkehr noch nicht gesehen, denn der Sitte entsprechend hatte der Junge die Nacht vor seiner Schwertleite fastend und im Gebet vor dem Altar verbracht.

Sie arbeiteten sich durch das Gewühl in der Halle, in der wegen des bevorstehenden Festes noch mehr Menschen als sonst aneinandergedrängt saßen, viele davon in farbenprächtigen Kleidern.

Raimund entdeckte Konrad zuerst. Bleich und angespannt stand er bereits in seinen Festgewändern inmitten einer Gruppe auf dem Hof.

Als Konrad sie entdeckte, hellte sich sein Gesicht auf. »Ich bin so froh, Euch lebend wiederzusehen«, sagte er. Und dann, zu Marthe gewandt: »Und Euch nicht als Gemahlin des Ekkehart.«

Christian wehrte die Fragen seines Schützlings nach dem Geschehenen ab. »Heute ist dein Tag. Gott schütze dich bei allem, was du künftig als Ritter und Erbe deines Vaters zu bestehen hast. Ich bin sicher, du wirst ihm Ehre machen.«

»Ich wünschte, ich könnte Eure Zuversicht teilen«, wehrte Konrad düster ab. »Einerseits kann ich es kaum erwarten, in den Ritterstand aufgenommen zu werden. Doch wenn ich all diese bewährten Männer hier sehe, denke ich, noch ein, zwei Jahre unter Eurer Anleitung hätten auch ihr Gutes. In den letzten Wochen bei meinem Vater hatte ich wieder wie früher das Gefühl, ich könnte ihm nie gerecht werden.«

Christian legte ihm beruhigend die Hand auf die Schulter. »Du warst ein guter Schüler. Und wenn du meinst, dann und wann noch ein paar Übungskämpfe zu brauchen – jederzeit und gern.«

»Wo ist deine Mutter? Ist sie nicht zu deinem großen Tag gekommen?«, wollte Marthe wissen. Sie hatte Dobronega, Markgraf Dietrichs Gemahlin, noch nie an dessen Seite gesehen.

»Nein, sie blieb auf ihrem Landgut«, antwortete Konrad. »Sie hält sich immer von meinem Vater fern. Eigentlich kenne ich sie kaum. Seit ich als Page zu meinem Onkel geschickt wurde, habe ich sie nicht mehr gesehen. Und vorher auch nicht so oft, wenn ich mich recht erinnere.«

Als er das Mitgefühl in Marthes Augen sah, sagte er rasch: »Für mich ist meine Tante immer wie eine Mutter gewesen.«

Der prächtig gekleidete Haushofmeister drängte sich zu ihnen durch, um Konrad fortzuführen. Gleichzeitig verkündeten Hornstöße, dass das Fest nun beginnen würde.

Für die feierliche Schwertleite war ein hölzernes Podest auf dem Burghof errichtet worden, auf dem nun die vornehmsten Gäste Platz nahmen. Mit bewegten Gesichtern sahen Dietrich, Hedwig und auch Christian, der als einer der Lehrmeister Konrads dort stehen durfte, wie Markgraf Otto seinem Neffen mit feierlichen Worten sein neues, mit Edelsteinen am Knauf verziertes Schwert umgürtete, ihm Lanze, Sporen und Kettenhelm überreichte.

Die Menschen jubelten, als sie den schlanken jungen Mann in dieser Pracht vor sich sahen. Nachdem Otto den jungen Ritter ermahnte, stets die Pflichten und Tugenden seines Standes zu erfüllen und zu wahren, trat ein Priester vor und segnete die blitzenden Waffen.

Als die Zeremonie endlich vorbei war, schritt Markgraf Dietrich als Erster auf seinen Sohn zu und umarmte ihn.

»Ich bin stolz auf dich«, sagte er, und Konrads Augen leuchteten. Christian beglückwünschte seinen einstigen Schüler nicht weniger herzlich zu der neu erlangten Würde.

»Ich stehe in Eurer Schuld«, sagte Konrads Vater zu Christian. »Was er durch Euch an Geschicklichkeit mit dem Schwert gewonnen hat, ist beeindruckend.«

»Ihr werdet nie in meiner Schuld stehen«, wehrte Christian ab. »Dazu bin ich Euch und dem Hause Wettin viel zu sehr verpflichtet.«

Dem jungen Ritter wurde eine üppige Mahlzeit gereicht. Schließlich hatte er seit dem Vortag gefastet. Diener schenkten Wein an die hohen Gäste aus, die ihre Becher auf das Wohl Konrads erhoben. Erst danach sollte sich die ganze Festgesellschaft zur Turnierwiese begeben.

Auch Christian trank seinem jungen Schützling zu.

Immer mehr Gratulanten drängten sich zu dem jungen Ritter durch.

Als sich das Gewühl allmählich lichtete, entdeckte Christian jemanden, mit dem er nicht gerechnet hatte: Jakob, seinen früheren Knappen.

Jakob verbeugte sich höflich vor Christian und Marthe, ging dann auf seinen einstigen Gefährten zu und umarmte ihn.

»Ich soll nächste Pfingsten in den Ritterstand erhoben werden«, berichtete er stolz. »Aber so Gott will, bringt mir meine junge Frau noch vorher einen gesunden Erben zur Welt.«

»Nun, da bist du mir wenigstens in dieser Hinsicht voraus«, erwiderte Konrad lachend und schlug dem Kameraden auf die Schulter.

Lukas, der sich inzwischen mit finsterer Miene zu ihnen gesellt hatte, musterte seinen jüngeren Bruder verächtlich, was diesem nicht entging.

»Stimmt es, dass fast alle von euren Leuten auf dem Silbertransport abgestochen wurden?«, fragte er den Älteren herablassend.

»Da hast du mich so getrieben mit deiner angeblichen Überlegenheit im Umgang mit dem Schwert. Und am Ende wart ihr doch nicht gut genug, um gegen ein paar zerlumpte Strauchdiebe zu bestehen.«

In maßlosem Zorn packte Lukas seinen Bruder am Bliaut.

»Das waren ehrbare Männer, Leute, mit denen du an einem Tisch gesessen hast und die mit dir ihre Mahlzeiten teilten. Männer, von denen jeder Einzelne mehr Anstand im kleinen Finger hatte, als du je haben wirst.«

Wütend stieß er ihn zu Boden, wischte sich unsichtbaren Schmutz von den Händen, drehte sich um und ging.

»Das hättest du nicht sagen dürfen«, wies Konrad Jakob leise zurecht. Er streckte dem Gleichaltrigen die Hand entgegen, um ihm aufzuhelfen. »Du kanntest sie alle. Und es war kein ehrlicher Kampf. Sie sind feige in einen Hinterhalt gelockt worden und hatten keine Chance gegen die Übermacht.«

Jakob klopfte sich den Staub vom Bliaut. Doch stärker als seine Verlegenheit war sein Hass auf den älteren Bruder. »Hast du vergessen, wie sehr er uns immer getrieben hat? Wie oft er mich demütigte und meinte, aus mir würde nie ein guter Kämpfer werden?«, stieß er hervor.

»Das rechtfertigt deine Worte nicht«, wies ihn Konrad in ungewohnt würdevoller Strenge zurecht. »Neid und Hass sind keine guten Ratgeber.«

»Du tust so, als ob das alles so einfach wäre«, hielt Jakob dagegen. »Wie Christian! Wohin hat ihn denn sein Gerede von Ehre und Lehnstreue gebracht? In den Kerker und beinahe ins Grab!«

»Doch, es ist so einfach«, widersprach Konrad leidenschaftlich. »Entweder man hält sich an die Ehrenregeln der Ritterschaft oder nicht. Und wenn du dich dagegen entscheidest, weil das bequemer ist, stehst du unweigerlich auf der gleichen Seite wie Randolf.«

Jakob starrte ihn ungläubig an. Dann erst fragte er, beinahe schüchtern: »Darf ich dir trotzdem beim Turnier als Knappe zur Seite stehen? Deshalb war ich eigentlich gekommen.«

Konrad grinste verwegen. »Die Erinnerung daran werde ich für den Rest meines Lebens genießen. Folge mir, Knappe!«

Christian und Marthe hatten die Szene beobachtet. So zornig Christian über die Worte seines ehemaligen Knappen war, so sehr erfüllte ihn mit Stolz, wie ihn Konrad zurechtgewiesen hatte.

Lukas hatte sie inzwischen wieder eingeholt. »Dreckskerl«, stieß er zwischen den Zähnen hervor. »Ich hab ihn vorhin schon entdeckt, vor der Zeremonie, und da hatte er nichts Eiligeres zu tun, als vor mir zu prahlen, was für ein toller Kerl er sei, als Ehemann und Erbe der Ländereien.«

Christian wollte den Freund trösten, doch seine Worte blieben ihm im Hals stecken, als sein Blick Marthe streifte: Schneeweiß im Gesicht starrte sie ins Leere.

Er packte sie fest an den Schultern und drehte sie zu sich herum. »Was ist los?«

Marthe rang verzweifelt nach Worten. »Konrad darf heute nicht zum Turnier antreten! Du musst mit Markgraf Dietrich sprechen.«

»Das ist undenkbar! Wenn er nicht teilnimmt, macht er sich zum Gespött der ganzen Ritterschaft.«

»Aber ich habe wieder dieses Bild vor Augen ... dass er blutend auf einer Turnierwiese liegt ...«, flüsterte Marthe kreidebleich.

Jeder von ihnen wusste: Sie war die Letzte, die von Vorahnungen sprechen durfte. Und es gab keinen einzigen Grund, Konrad vom Turnier auszuschließen.

Christian zögerte nicht länger. Er nahm Marthe am Arm und bedeutete Lukas, ihnen zu folgen. »Wir müssen versuchen, Dietrich unauffällig allein zu sprechen.«

Als die Sonne im Zenit stand, kündeten Ausrufer den nahenden Beginn des Turniers an. Die gesamte Festgesellschaft, viele von weither angereiste Ritter und Zuschauer von Rang zogen als farbenprächtige Menschenmenge zur Turnierwiese.

Nur Geistliche waren diesmal keine dabei. Schon vor Jahrzehnten hatte die Kirche Turniere strikt verboten. Die Teilnahme käme der vielen Unfälle wegen einem Selbstmord gleich, was letztlich die schlimmste Sünde überhaupt sei, außerdem würden Turniere Todsünden wie Wollust, Eitelkeit, Habgier, Hass und Neid fördern und nicht zuletzt so manchen Ritter samt seiner Familie in den Untergang treiben, wenn der Besiegte dem Sieger Waffen, Ross und Kettenpanzer überlassen musste.

Doch das Verbot kümmerte keinen der Anwesenden. Zu groß war die Verlockung, beim ritterlichen Waffenspiel vor den Augen unzähliger Zuschauer sein Kampfgeschick zu beweisen, Ruhm zu ernten und die Gunst der schönen Frauen zu erringen. Ganz zu schweigen von den ausgesetzten Belohnungen. Und zu groß und unwiderruflich die Schmach, in den Ruf eines Feiglings zu geraten.

Als Erstes, so kündigte der Ausrufer an, sollte ein Buhurt stattfinden, ein Massenkampf zweier »gegnerischer« Parteien zu Pferde, an dem auch der soeben in den Ritterstand erhobene Sohn des Markgrafen der Ostmark teilnehmen würde.

Begeisterte Rufe waren zu hören, als Konrad in seinem glänzenden Kettenpanzer über dem farbenprächtigen neuen Bliaut auf das Kampffeld ritt.

Es war bereits ausgelost worden, wer von den vier Dutzend Teilnehmern auf welcher Seite kämpfen sollte.

Jede Mannschaft stellte sich in einer breiten Front nebeneinander auf, Pferd an Pferd.

Christian, der auf Befehl des Markgrafen ebenso wie Lukas, Randolf und Ekkehart am Buhurt nicht teilnehmen durfte, weil der befürchtete, sie könnten das Durcheinander für ihre privaten Feindseligkeiten ausnutzen und sich gegenseitig erschlagen, hatte Konrad noch alle guten Segenswünsche für seinen ersten Kampf mitgegeben. Wohl war ihm nicht dabei, da er nicht unmittelbar an der Seite seines Schützlings reiten konnte. Zu sehr lag ihm Marthes Warnung auf der Seele. Aber Markgraf Otto war nicht zum Einlenken bereit.

Die Zuschauer jubelten, als der Turniervogt das Zeichen gab und die beiden Reitergruppen mit ihren Lanzen aufeinander zupreschten.

Kettenhemden und Helme blitzten im Sonnenlicht, Hufe donnerten, Menschen schrien vor Begeisterung. Doch als sich die gegnerischen Kämpfer einander näherten, verdeckte der von den Pferdehufen aufgewirbelte Staub für die Zuschauer einen Großteil des Geschehens, der vom Wind in Richtung der Tribüne getrieben wurde, auf der das Markgrafenpaar und die hochrangigen Gäste saßen.

Christian, Marthe und Lukas hatten sich in die Nähe der Schranken gestellt, die das Kampffeld begrenzten, um genau verfolgen zu können, wie sich Konrad schlug. Christian ließ die Hand nicht vom Schwert. Er war bereit, notfalls auch über die Schranken zu springen und einzugreifen, sollte dem Jungen ernste Gefahr drohen – selbst wenn ihm das einen Platzverweis und Konrad vielleicht Häme und Spott eintragen sollte. Aber es beruhigte ihn, zu wissen, dass Raimund an Konrads Seite ritt und nicht von ihm weichen würde.

Nach allem, was sie in den letzten Wochen erlebt hatten, schlossen sie nicht aus, dass jemand ein scharfes Schwert unter die vorgeschriebenen stumpfen Waffen geschmuggelt hatte oder auf andere Weise Markgraf Dietrichs Sohn nach dem Leben trachtete.

Mit Getöse stießen die Parteien aufeinander, Lanzen splitterten, Pferde wieherten, Körper stürzten zu Boden.

Erst als sich der Staub lichtete, weil die im Sattel gebliebenen Reiter zunächst weiterritten, dann ihre Pferde wendeten und wieder Aufstellung nahmen, konnten die Zuschauer erkennen, was geschehen war. Eine Partei hatte drei Kämpfer verloren, die zu Boden gestürzt waren, die andere fünf. Aber Konrad hielt sich immer noch im Sattel. Er musste sogar einen Gegner mit der leicht zerbrechlichen Lanze getroffen haben, denn schon lief Jakob herbei, um ihm eine neue zu reichen.

Die Zuschauer jubelten. Sechs der Gestürzten humpelten mehr oder weniger lädiert vom Kampffeld, die anderen zwei hatten ernstere Verletzungen erlitten und wurden in ein Zelt getragen. Dort wartete bereits der Wundarzt, dessen Geschicklichkeit Marthe und Lukas erlebt hatten, als er dem blonden Ritter die Pfeilspitze aus dem Muskelfleisch gezogen hatte.

Die verbliebenen Kämpfer stellten sich wieder in zwei Reihen auf und stürmten auf das Zeichen des Turniervogts von neuem aufeinander zu.

Immer mehr lichteten sich die Reihen. Konrad hielt sich wacker unter den Kämpfenden, behielt zu Christians Zufriedenheit und Erleichterung die völlige Kontrolle über sein Pferd und auch die »Gegner« im Auge.

Nach vier Lanzengängen waren alle Reiter der einen Partei besiegt, von der anderen waren noch vier übrig, unter ihnen auch Konrad und Raimund.

Marthe atmete tief durch, als der Ausrufer das Ende des Kampfes und den Sieg der Mannschaft verkündete, zu der Konrad gehörte.

Die Zuschauer jubelten, als die vier Sieger mit gesenkten Lanzen vor der Schaubühne Aufstellung nahmen, auf der die besonders hohen Gäste saßen. Hedwig verteilte kostbare Preise an die Sieger.

Erneut brandete begeisterter Jubel auf, dann ritt die Kavalkade mit Ottos gerade zum Ritter ernannten Neffen vom Turnierplatz.

Während Helfer eilig die zersplitterten Lanzenreste aufsammelten, kündigte der Ausrufer an, dass als Nächstes bewährte Ritter aus edlem Hause zum Tjost antreten würden, zum Zweikampf zu Pferd mit der Lanze.

Konrad hatte nur Augen für seinen Vater gehabt, als er aus Hedwigs Händen den Siegerpreis entgegennahm. Markgraf Dietrich hatte vor dem Kampf so besorgt gewirkt, dass Konrad von neuen Selbstzweifeln geschüttelt wurde. Traute sein Vater ihm gar nichts zu?

Doch nun sah er in das strahlende Gesicht seines Vaters, sah die stolzen Mienen seiner Onkel und war überglücklich, die erste Bewährungsprobe im Ritterleben bravourös bestanden zu haben. In diesem Moment fühlte er sich in der Lage, Berge zu versetzen.

Dann suchte sein Blick nach Christian. Er entdeckte ihn und freute sich über die anerkennende Miene seines Lehrmeisters. Das, so dachte er überschwenglich, ist der schönste Tag meines Lebens!

Glücklich ritt Konrad zu einem der Zelte, in denen sich die Kämpfer aus den Kettenpanzern schälen, umziehen und den Staub abspülen konnten.

Dort wartete schon Jakob auf ihn, bereit, ihm Kettenhemd, Helm und Gambeson abzunehmen.

»Du warst unglaublich! Wie der heilige Georg höchstpersönlich!«

»Und du übertreibst schamlos«, erwiderte Konrad lachend.

»Aber ich hab mich wirklich gefühlt wie in einem echten Kampf. Und ich bin froh, im Sattel geblieben zu sein.«

»Das ist keine Kunst, wenn alle angehalten sind, Euch nur mit Scheinangriffen zu attackieren und dafür zu sorgen, dass Euch kein Haar gekrümmt wird, während Eure Gegner bei der ersten Berührung den Kampf aufgeben sollten«, tönte hinter ihnen eine kühle Stimme.

Beide fuhren herum und starrten auf die Gestalt, die das Zelt unbemerkt betreten hatte.

»Ihr lügt!«, fuhr Konrad den Eindringling an. »Das wäre unehrenhaft.«

»Euer Vater und Euer Onkel fürchteten wohl viel mehr die Schande, wenn Ihr aus Ungeschicklichkeit schon beim ersten Lanzengang aus dem Kampf geschieden wärt«, widersprach der Mann.

»Mir mag es noch an Kampferfahrung fehlen, doch ich hatte einen guten Lehrer«, entgegnete Konrad, so ruhig er konnte.

»Meint Ihr? Mir ist er nur als Versager bekannt. Bisher hat sich fast jeder, den er ausgebildet hat, abschlachten lassen müssen, und er selbst verbringt auffallend viel Zeit in fremden Kerkern, weil er sich bei jedem ernsthaften Kampf gefangennehmen lässt.«

»Ihr beleidigt einen ehrenhaften, tapferen Mann! Nichts von dem, was Ihr sagt, ist wahr!«, brauste Konrad auf.

»So? Dann beweist es doch«, schlug der Ritter gelassen vor. »Beweist, wie gut er Euch mit Schwert und Lanze unterrichtet hat. Und diesmal nicht in einem Kampf, bei dem alle heimlich angewiesen sind, Euch zu behüten wie ein kränkelndes Pflänzchen, sondern beim Tjosten, Mann gegen Mann! Aber dafür fehlt Euch der Mut.«

Der Eindringling schnaubte verächtlich und wandte sich zum Gehen.

»Ich werde es tun«, rief Konrad ihm nach und griff nach der Kettenhaube, um sie wieder aufzusetzen. »Und Ihr werdet Euch für Eure Beleidigung entschuldigen müssen, bei mir und bei Christian!«

Jakob fiel ihm in den Arm. »Tu das nicht, er will dich nur provozieren. Du hast dich heute schon bewiesen, lass es gut damit sein!«

Nach dem für seinen Sohn so glücklichen Ausgang des Buhurts zwängte sich Markgraf Dietrich durch die Menschenmenge, um seinen Sohn zu suchen und zu beglückwünschen.

Diesmal ist die böse Vorahnung nicht eingetroffen, dachte er erleichtert. Die Warnung von Marthe und Christian hatte ihn zutiefst beunruhigt. Doch es gab keinen ehrenhaften Weg, Konrad vom Wettkampf fernzuhalten. Also hatte er schweren Herzens auf das Kampfglück seines Sohnes und sein Geschick vertraut und stumm ein inbrünstiges Gebet gesprochen.

Nun wollte er nichts mehr, als seinen Sohn in die Arme zu schließen und ihm zu sagen, wie stolz er auf ihn war.

Doch im Zelt fand er ihn nicht vor. Dort stand nur jener Bursche, der einst einen Teil seiner Knappenzeit gemeinsam mit Konrad bei Christian verbracht hatte. Jakob, erinnerte sich der Landsberger.

»Wo ist mein Sohn?«, fragte er ungeduldig.

Der Knappe wurde noch blasser, als er ohnehin schon war, und sank auf ein Knie. »Verzeiht mir, hoher Herr ... er hat sich einfach nicht aufhalten lassen ...«

»Aufhalten – wobei? Kannst du mir nicht vernünftig Rede und Antwort stehen?!«

Nun wich das letzte bisschen Blut aus Jakobs Zügen. »Er will sich melden ... zum Lanzenstechen ...«

Für einen Augenblick erstarrte Markgraf Dietrich, dann stürmte er aus dem Zelt. Dort traf er schon nach wenigen Schritten auf Marthe, Christian und Lukas.

»Kommt schnell, wir müssen meinen Sohn aufhalten«, rief ihnen Dietrich zu. »Er will tjosten! Wir müssen den Turniervogt sprechen, bevor Konrad eine Dummheit begeht und sich für einen Zweikampf meldet!«

Marthe konnte einen Angstschrei nicht unterdrücken, die beiden Ritter kehrten sofort um und begannen, durch die Menschenmenge einen Weg für den Markgrafen zu bahnen.

Doch sie kamen zu spät. Noch bevor sie nah genug an der Kampfbahn waren, hörten sie die Stimme des Ausrufers.

»Zum Zweikampf mit der Lanze gemeldet hat sich der Edle Konrad, Sohn des Markgrafen der Ostmark, heute in den Stand eines Ritters erhoben und soeben bereits ruhmreich im Buhurt bewährt!«

Während die Zuschauer jubelten, drängten sich Dietrich und seine Begleiter zur Tribüne durch. Verzweifelt begann Dietrich auf seinen Bruder einzureden. »Du musst das verhindern! Er hat sich heute ehrenhaft geschlagen, das muss genügen!«

Inzwischen rief der Turniervogt Konrads Gegner in die Schranken, einen unbekannten Ritter, der eigens aus Schwaben zu diesem Turnier angereist war.

Dietrich und Christian, beide erfahren im Kampf, sahen sofort, dass dieser Mann ein gefährlicher Gegner war. Er hatte einen massigen Körper und damit viel Kraft, einen Entgegenreitenden aus dem Sattel zu heben, und sein Pferd schien ihm auf Schenkeldruck zu gehorchen.

Sie tauschten einen zutiefst beunruhigten Blick. Doch es gab jetzt kein Zurück mehr für Konrad. Wenn angesichts dieses Gegners der Kampf abgesagt wurde, würde sofort der Vorwurf der Feigheit die Runde machen.

Jeder der beiden Reiter ließ sich eine Lanze mit einem stumpfen Krönchen statt einer Spitze reichen.

»Der Edle Konrad hat verkündet, zu Ehren der Dame Marthe zu reiten, der Gemahlin des Ritters, der ihn erzog. Der Edle Kilian widmet seinen Kampf der hohen Frau Hedwig, der schönen Gemahlin unseres Fürsten«, gab der Ausrufer bekannt.

Hedwig und Marthe, die eine zutiefst besorgt, die andere in Todesangst um Konrad, mussten den Gepflogenheiten Genüge tun. Sie erhoben sich von ihren Plätzen und warteten, dass die Kontrahenten zur Tribüne ritten und vor ihnen ihre Lanzen senkten.

»Gott schütze dich«, flüsterte Marthe. Konrad strahlte sie an, und sie gab sich alle Mühe, zurückzulächeln, um den jungen Ritter nicht durch ihre Angst zu verunsichern.

Beide Gegner wendeten ihre Pferde und ritten zu ihren Ausgangspositionen. Ein Wimpel wurde gesenkt, dann setzten sie ihre Hengste in Bewegung und ritten mit waagerecht ausgestreckten Lanzen aufeinander zu, von denen jede mehr als eine Pferdelänge maß.

Marthe wusste von Christian, dass es zwei Möglichkeiten gab, den Gegner aus dem Sattel zu heben: entweder auf Kopf oder Hals zu zielen, die bei dem Tempo der Pferde und dem Gewicht der Lanze sehr schwer zu treffen waren, oder auf die Schwachstelle des Schildes: dort, wo der Griff angebracht war. Entweder stürzte der Gegner, oder die Lanze zerbrach, was in beiden Fällen den Sieg bedeutete.

Unbewusst hielt sie die Luft an, und Hedwig und Dietrich blieben nur mit Mühe auf ihren Plätzen sitzen.

Im ersten Durchgang gelang keinem der Wettkämpfer ein Treffer. Die Zuschauer schrien und stöhnten vor Aufregung, als die Reiter sich nur knapp verfehlten.

Konrad und der Schwabe wendeten und nahmen erneut innerhalb der Schranken Aufstellung.

Wieder ritten sie an, und diesmal trafen beide zugleich. Konrads Lanze zersplitterte am Schild des Kontrahenten, doch dessen Lanzenkrone prallte mit voller Wucht gegen seine Schulter. Er verlor den Halt und stürzte nach hinten, während sein rechter Fuß noch im Steigbügel hing, so dass ihn das galoppierende Pferd mit sich schleifte.

Ein vielstimmiger Aufschrei ertönte. Christian zögerte keinen Augenblick, sondern sprang von der Tribüne, rannte dem Pferd entgegen und brachte es mit aller Kraft zum Stehen.

Dann löste er den Fuß seines Schützlings aus dem Steigbügel und bettete ihn vorsichtig auf den staubigen Boden.

Aus Konrads Mundwinkel sickerte ein schmales Rinnsal Blut.

Helfer kamen herbeigerannt, um ihn zum Feldscher zu tragen, doch Marthe zwängte sich zwischen ihnen hindurch. »Lasst mich erst sehen, ob er überhaupt bewegt werden darf!«

Auf einen Blick von ihr schob Christian die Helfer zurück. Marthe kniete an Konrads Seite nieder und fasste nach seiner Hand. »Kannst du sprechen?«

»Tut weh …«, röchelte Konrad, und rosa Schaum trat auf seine Lippen.

Bemüht, sich nichts von ihrer Verzweiflung anmerken zu lassen, richtete sich Marthe auf. »Schafft ihn zum Wundarzt! Aber vorsichtig! Legt ihn auf eine harte Unterlage, am besten auf ein breites Brett!«

Inzwischen war auch Markgraf Dietrich gekommen und richtete mit einem einzigen, verzweifelten Blick seine stumme Frage an Marthe.

Sie wandte sich ab, damit Konrad sie nicht sehen konnte, und sagte leise: »Wie es aussieht, ist seine Lunge durchbohrt. Vielleicht von einer Rippe, vielleicht von einem Stück Lanze.«

Sie zögerte. »Ich weiß noch nicht, wie schwer die Verletzung ist ... Aber ... Ihr solltet einen Priester holen.«

Fassungslos starrte Dietrich sie an. Dann drehte er sich zu Christian um: »Sprecht mit meinem Bruder ... er muss einen Priester gewinnen. Ich will meinen Sohn jetzt nicht allein lassen.«

Christian nickte und lief wortlos zur Tribüne. Otto und Hedwig waren von ihren Plätzen aufgesprungen und hörten entsetzt zu, was er berichtete.

Jeder von ihnen wusste, dass sich kein Geistlicher bereit erklären würde, Konrad die Beichte abzunehmen und den Trost der Sterbesakramente zu gewähren. Turnierteilnehmer standen unter Kirchenbann, ihnen wurde sogar ein christliches Begräbnis verwehrt, wenn sie beim Wettkampf starben. Das bedeutete ewige Verdammnis.

Otto und Hedwig tauschten einen Blick im stummen Einverständnis, dann ließ sich Hedwig von Christian zu Dietrich und Konrad begleiten, während Otto in Begleitung seiner anderen Brüder den Geistlichen aufspüren ging, der am Morgen Konrads Waffen gesegnet hatte. Bei jeder anderen Gelegenheit hätte er ihn zu sich gerufen, aber diesmal musste er ihn wohl selbst und zu Fuß aufsuchen, wenn er vor dem Mann Gottes Gnade für seinen Neffen finden wollte.

Marthe bangte mit jedem Moment mehr um Konrads Leben. Auch der Wundarzt hatte erklärt, nichts für den jungen Markgrafen tun zu können. »Entweder es heilt, oder er stirbt«, erklärte er finster.

Dietrich kniete am Lager seines Sohnes, hielt seine Hand und sprach leise zu ihm.

Marthe und Christian hatten sich ein paar Schritte zurückgezogen, um ihnen diesen Moment der Vertrautheit zu gewähren, starrten auf den Eingang des Zeltes und warteten, ob ein Priester kommen würde oder nicht.

Hedwig stand mit tränenüberströmtem Gesicht neben ihnen. Sie mochte Konrad nicht nur deshalb, weil er das jüngere Ebenbild seines Vaters war. Oft hatte sie sich gewünscht, dass ihr Ältester, Albrecht, auch nur halb so viel ritterliches Verhalten an den Tag legen würde wie sein Vetter Konrad.

Endlich wurde der Zelteingang zur Seite geschlagen, und gemeinsam mit Otto und seinen Brüdern trat ein Geistlicher ein.

Ohne sich mit Fragen aufzuhalten, stellte er sich neben den Schwerverletzten.

»Du weißt, mein Sohn, dass du gegen das Gebot der Kirche verstoßen hast und ich dir keine frommen Segnungen spenden darf?«, fragte er streng.

Konrad wollte etwas sagen, bekam aber nur ein Röcheln zustande.

»Ich bitte Euch, Pater, habt ein Nachsehen mit meinem Sohn!«, flehte Dietrich, der nur noch mit Mühe an sich halten konnte. »Er hat die ganze letzte Nacht gebetet und gefastet, er hat gebeichtet und Absolution für seine Sünden erteilt bekommen. Gewährt ihm jetzt die letzte Gnade, schließt ihn von dem Kirchenbann aus, damit ihm ein christliches Begräbnis zuteil wird, falls der Herr ihn abberuft! Ich schwöre, weder er noch ich werden je wieder an einem Turnier teilnehmen, sollte er durch Gottes Barmherzigkeit am Leben bleiben!«

»Er ist doch noch so jung. Zu jung, um schwere Sünden begangen zu haben«, mischte sich nun auch Hedwig ein.

Der Priester sah sich unentschlossen um. Schließlich sagte er: »Gut. Lasst uns allein.«

Die anderen verließen das Zelt, zutiefst aufgewühlt und unfähig, ihr Entsetzen und ihre Verzweiflung in Worte zu fassen.

Unendlich viel Zeit schien zu vergehen, bis der Priester aus dem Zelt kam.

»Er ist von seinen Sünden losgesprochen. Ihr solltet ihm jetzt Beistand leisten.«

Dietrich, Otto und Hedwig traten an das Lager des Sterbenden, im Hintergrund standen Christian, Lukas und Marthe und beteten.

Marthe hatte kaum das dritte Ave-Maria aufgesagt, als Konrad seinen letzten Atemzug tat.

Der Zweikampf

»Es ist meine Schuld. Gott straft mich für meine Sünden«, klagte Markgraf Dietrich mit erstickter Stimme. Er kniete neben dem Leichnam seines Sohnes, die rechte Hand über den Augen, um seine Tränen zu verbergen.

Das Turnier war abgebrochen, der Tote gewaschen, neu gekleidet und aufgebahrt worden.

Hilflos standen Otto und seine anderen Brüder neben dem verzweifelten Dietrich. Der Tod ihres Neffen hatte sie alle schwer getroffen. Sein Vater hatte große Pläne mit Konrad gehabt! Nun blieb der Markgraf der Ostmark ohne legitimen Erben. Wenn er starb, würde seine Linie erlöschen.

Hedwig wäre am liebsten zu ihrem Geliebten gestürzt, um ihn tröstend in ihre Arme zu nehmen und gemeinsam mit ihm zu weinen. Doch seine letzten Worte ließen sie zurückschrecken.

Dietrichs unbestreitbar größte Sünde war sein Verhältnis mit ihr. Trug sie Mitschuld an Konrads Tod? Oder sogar die Hauptschuld? Hätte sie ihren und Dietrichs heimlichen, verbotenen Wünschen nicht nachgegeben, würde Konrad dann noch leben? Er war für sie wie ein Sohn gewesen. Und vielleicht würde auch Dietrich ihr die Schuld an seinem Tod geben und sie von sich stoßen.

Marthe, Christian und seine Freunde hielten einige Schritte Abstand von Konrads Vater und seinen Verwandten, doch auch sie waren vor Entsetzen und Trauer wie gelähmt.

Der Diakon des Bischofs betrat den Raum und machte sich mit einem wenig taktvollen Hüsteln bemerkbar.

»Was gibt es?«, fuhr Otto ihn an.

Der Diakon setzte eine gewichtige Miene auf. »Der Bischof hat angewiesen, dass dem Toten kein christliches Begräbnis zuteil wird. Ebensowenig darf er in einem Gotteshaus aufgebahrt werden.«

Hedwig stieß einen entsetzten Schrei aus, Dietrich fuhr herum, während die letzte Farbe aus seinem Gesicht wich.

An Ottos Stirn begann eine Ader verräterisch zu pochen, deutliches Anzeichen eines bevorstehenden ungebändigten Ausbruchs.

»Ihr wagt es, hierherzukommen und mir das ins Gesicht zu sagen?!«, brüllte er. »Dieser Emporkömmling von einem Bischof glaubt befehlen zu können, dass mein Neffe, ein Ritter von fürstlichem Geblüt, abseits des Gottesackers verscharrt wird wie ein Dieb oder eine Kindesmörderin? Dass er ewiger Verdammnis anheimfällt?!«

Er stieß den Diakon beiseite und stürmte zur Tür. »Kommt mit«, rief er seinen Brüdern und Hedwig zu.

Als sie fort waren, trat Christian an die Bahre und kniete an der Seite des Toten nieder, wie eben noch dessen Vater.

»Warum nur hast du das getan? Dein junges Leben leichtfertig aufs Spiel gesetzt?«, fragte er leise, als könnte Konrad ihm antworten.

»Ich weiß es«, ertönte von der Tür her eine zaghafte Stimme.

Die Trauernden drehten sich um und starrten ungläubig auf Jakob, der offensichtlich gekommen war, um von seinem Freund Abschied zu nehmen.

»Ich weiß es«, wiederholte er und trat zögernd näher, ohne den Blick von dem Toten abzuwenden.

»Weshalb?«, fragte Marthe. Sie wollte, dass Jakob redete, bevor ihn sein Bruder packen und hinauswerfen konnte oder bevor Jakob von selbst flüchtete. Denn neben Trauer stand ihm unverkennbar Scham ins Gesicht geschrieben.

»Er ist aufgestachelt worden … Er wollte seine und Eure Ehre verteidigen«, erwiderte Jakob gequält. »Und ich habe es nicht geschafft, ihn davon abzuhalten.«

Christian erhob sich rasch und hielt Lukas zurück, der auf seinen Bruder losgehen wollte.

»Wirst du es erzählen, um dein Gewissen zu erleichtern?«, forderte er seinen einstigen Knappen mit ruhiger Stimme auf.

Jakob begann stockend zu berichten, beschämt und fassungslos. Während er sprach, hielt er den Blick gesenkt, und wenn es ihm an Worten fehlte, richteten sich seine Augen wie von selbst auf das fahle, leblose Gesicht seines früheren Gefährten.

Als er geendet hatte, senkte sich bleiernes Schweigen über den Raum.

Dann endlich sagte Christian, so beherrscht er konnte: »Du wirst Markgraf Otto und Konrads Vater berichten müssen. Allein. Uns würde Otto nicht glauben.«

Jakob sah verängstigt von einem zum anderen.

»Jetzt kannst du beweisen, wie viel Mut wirklich in deinen Knochen steckt«, herrschte Lukas ihn voller Bitterkeit an. »Denkst du nicht, dass du das deinem toten Freund schuldig bist?«

Jakob blickte noch einmal auf Konrads Leichnam, dann nickte er stumm und ging mit schleppenden Schritten hinaus.

Otto und seine Brüder hatten unverzüglichen Einlass beim Bischof gefordert. Niemand von den niederen Geistlichen getraute sich, sie aufzuhalten. So stürmte der Markgraf von Meißen voran in den Audienzsaal des Bischofs.

»Ist es wahr?«, brüllte er. »Ihr wagt es, meinem Neffen ein christliches Begräbnis zu versagen? Obwohl er doch auf dem Sterbelager die Beichte abgelegt und die Sakramente empfangen hat?!«

Scheinbar gelassen betrachtete Bischof Martin die aufgeregten Wettiner, die ohne Einladung seinen Palas betreten hatten: zwei Markgrafen und drei Grafen, dazu noch dieses Weib, diese Hedwig, aber die zählte letztlich nicht.

Dabei verbarg er nur mit Mühe seinen Triumph. Sie hatten immer wieder geglaubt, ihm in seine Angelegenheiten hineinreden zu können. Stets aufs Neue versuchten sie, die weltliche über die kirchliche Macht zu stellen. Wie viel Streit und Schacher hatte es gekostet, bis sie ihm endlich den Schockzehnten aus den Dörfern überließen, der schließlich der Kirche zustand! Aber heute war der Tag, an dem er sie in ihre Schranken weisen konnte.

Welch köstliche Ironie des Schicksals, dachte er: Eine Redewendung von der Turnierwiese als Umschreibung für etwas, das auf einer Turnierwiese seinen unheilvollen Lauf genommen hatte.

Er legte die Fingerspitzen beider Hände übereinander, eine Geste, die er sich angewöhnt hatte, weil er fand, dass sie ihm gut stand.

»Ihr solltet mit mehr Demut vor einen hochrangigen Diener der heiligen Mutter Kirche treten«, wies er Otto kühl zurecht. »Denn damit zeigt Ihr Demut vor Gott. Und wie sonst wollt Ihr Gnade vor Seinen Augen finden?«

Markgraf Dietrich trat vor seinen Bruder und sank auf die Knie.

»Ihr seht vor Euch einen Vater, der gerade seinen einzigen Erben verloren hat«, sagte er mit brüchiger Stimme. »Mein Sohn war ein gottesfürchtiger junger Mann, der all sein Tun darauf gerichtet hat, ein Leben nach Gottes Gebot und den Regeln des Rittertums zu führen.«

Dietrich unterbrach sich, weil seine Stimme versagte. Erst nach einem Moment unheilvollen Schweigens fuhr er, die Arme ausgebreitet, fort: »Wollt Ihr ihn wirklich der ewigen Verdammnis ausliefern? Wollt Ihr seinem verzweifelten Vater auch noch diese Last aufbürden?«

Er blickte um sich, sah kurz zu Hedwig und seinen Brüdern.

»Hier knie ich vor Euch mit den engsten Verwandten des Toten und flehe Euch an: Lasst Gnade walten für meinen Sohn!«

Auch Hedwig kniete nun nieder und senkte demütig den Kopf, dann taten es ihr Otto und seine Brüder gleich.

Ewige Verdammnis ist ein zu furchtbares Schicksal für den Jungen, dachte Otto voller Grauen. Selbst wenn ich mich vor diesem Pfaffen demütigen muss, um Konrads armer Seele das zu ersparen, tu ich es, so schwer es auch fällt.

Doch der Bischof zeigte sich unbeeindruckt. »Schon vor mehr als drei Jahrzehnten hat das päpstliche Konzil den Bann über jeden ausgesprochen, der sich an einem dieser gottlosen Turniere beteiligt. Und Erzbischof Wichmann, der sogar Euer Verwandter ist, hat diesen Bann bekräftigt. Ihr alle wusstet es.«

Nun hob Bischof Martin seine Stimme. »Ihr habt geglaubt, Euch über die Kirche hinwegsetzen zu können. Also tragt die Konsequenzen. Ihr habt sie Euch selbst zuzuschreiben. Der Tod Eures Sohnes ist ein klares Zeichen Gottes für alle, die glauben, das Wort des Papstes ignorieren zu können.«

Mit tiefer Befriedigung ließ Martin seine Blicke über die vor ihm knienden, verzweifelten Fürsten gleiten, von denen mancher nur mit Mühe die Tränen zurückhielt.

»Mir sind die Hände gebunden. Reist zum Erzbischof nach Magdeburg und tragt ihm den Fall vor. Mag sein, er entscheidet zu Euren Gunsten. Doch solange kommt Euer Sohn nicht in geweihten Boden.«

Mit langsamen, hölzernen Bewegungen erhob sich Dietrich. Seine Brüder und Hedwig taten es ihm gleich. Wortlos verließen sie den Bischofspalast.

Otto legte seinem am Boden zerstörten Bruder den Arm um die Schultern und ging mit ihm und den anderen in sein Privatgemach.

Dietrich ließ sich auf eine Bank sinken und verbarg das Gesicht in den Händen. »Es ist meine Schuld«, stöhnte er erneut. »Die Strafe für meine Sünde.«

Dann war es mit seiner Beherrschung vorbei, und er konnte sein Schluchzen nicht länger zurückhalten.

Hedwig biss sich auf die Lippen und sah verzweifelt zu Boden, während ihr die Tränen über die Wangen liefen.

»Wir werden zu Erzbischof Wichmann reisen, alle gemeinsam, und ihn bitten, den Bann aufzuheben«, erklärte Otto und blickte Bestätigung suchend zu seinen anderen Brüdern. Diese nickten zustimmend.

»Er ist unser Vetter; wir standen ihm zur Seite, als er mit Hedwigs Vater die Rebellion gegen den Löwen anführte. Er wird nicht zulassen, dass sein Großneffe ein solch furchtbares Schicksal erleidet.« Otto schien sich selbst mit diesen Worten Mut machen zu wollen.

Dietrich hob den Kopf und wischte sich mit dem Ärmel übers Gesicht. »Ich bin mir nicht sicher«, sagte er mit tränenerstickter Stimme. Dann holte er tief Luft und sammelte sich, um weiterzusprechen. »Ich bin mir nicht sicher, wie weit wir überhaupt noch auf ihn zählen können. Während der Löwe im Heiligen Land war, hat Wichmann seine Ländereien behütet. Jetzt bedrängt er den Kaiser, sich mit Papst Alexander zu versöhnen.«

»Dass sein Dompropst eine Tochter hat, kümmert ihn nicht«, schnaubte Otto. »Doch für meinen Neffen will er keine Gnade kennen?«

Dietrich schien die Worte seines Bruders nicht gehört zu haben. »Ich muss dem Kaiser Nachricht senden, dass ich ihm erst später nach Italien folgen kann.«

Wieder senkte sich Schweigen über die Runde. Jeder hing seinen eigenen, düsteren Gedanken nach.

Ein zaghaftes Klopfen unterbrach die Stille.

Unwillig hob Otto den Kopf. »Was ist?«, knurrte er.

Ein Page öffnete schüchtern die Tür und wagte kaum einzutreten. »Der Knappe, der Eurem Neffen heute beim Turnier gedient hat, wünscht Euch zu sprechen. Er sagt, er habe Euch etwas Wichtiges mitzuteilen.«

Otto sah seinen Bruder Dietrich fragend an, der nickte in gespannter Erwartung.

Auf das Zeichen des Meißner Markgrafen hin betrat Jakob den Raum und kniete nieder.

»Was hast du uns zu melden?«, schnappte Otto.

Jakob holte tief Luft und senkte den Blick. »Ich wollte Konrad aus der Rüstung helfen. Doch dann kam ein Ritter und provozierte Euren Neffen. Er schmähte ihn und seinen Lehrmeister Christian. Nur wenn Konrad wagen würde, auch zum Tjost anzutreten, könne er seine und Christians Ehrenhaftigkeit beweisen. Also lief Konrad los, um sich zum Lanzenstechen zu melden.«

»Wer war dieser Mann?«, fragte Dietrich mit versteinertem Gesicht.

Jakob schluckte. »Ritter Randolf.«

Für einen Moment herrschte Stille im Raum.

»Hat dich Christian geschickt? Ist das ein neuer Versuch von ihm, mich gegen einen Getreuen aufzuhetzen?«, fragte Otto grollend.

»Mein Fürst, er hat mich geschickt. Aber erst, nachdem ich ihm davon berichtet habe. Er meinte, das sei ich Konrad schuldig«, antwortete Jakob. Zaghaft erklärte er: »Ihr müsst wissen, dass ich seit Monaten schon nicht mehr zu Christians Haushalt gehöre. Ich habe mich mit ihm und meinem Bruder überworfen, nachdem mir das Erbe meines Vaters zugesprochen wurde.«

»Ich will Wort für Wort hören, was nach dem Buhurt im Zelt gesprochen worden ist«, verlangte Markgraf Dietrich.

Jakob berichtete. Als er fertig war, ließ Otto nach Christian rufen.

Christian hielt immer noch zusammen mit Marthe und seinen Freunden Totenwache bei Konrad. Dabei quälte er sich mit Selbstvorwürfen. Hatte er den Jungen nicht gut genug ausgebildet? Doch beim Tjosten verletzten sich nur zu oft auch bewährte, erfahrene Ritter. Hätte er nicht wenigstens schneller bei ihm sein müssen, um ihn von der Dummheit abzuhalten, die ihn das Leben gekostet hatte?

Marthe hat es geahnt, warf er sich mit gnadenloser Unerbittlichkeit vor. Sie hat es gewusst, auch wenn sie es vor den anderen nicht aussprechen durfte. Und ich hätte damit rechnen müssen, dass die Gefahr mit dem glücklichen Verlauf des Buhurts noch nicht vorbei war.

Jemand näherte sich auf leisen Sohlen. Unwillig fuhr Christian herum, um zu sehen, wer ihn in seiner Trauer störte.

Es war ein Page, ein sehr junger, kaum älter als acht Jahre.

»Ritter Christian, der Markgraf wünscht Euch zu sprechen«, sagte er mit heller, wenn auch gedämpfter Stimme, nach einem scheuen Blick auf den aufgebahrten Leichnam. »Allein«, fügte er noch eilig hinzu.

Christian erhob sich und folgte dem Jungen, ohne einen Blick zurückzuwerfen.

Es überraschte ihn nicht, Otto und dessen Brüder gemeinsam mit Hedwig in der Kemenate zu sehen. Auf den Gesichtern der trauernden Fürstenfamilie sah er Verzweiflung, Abscheu und Hass.

Otto kam ohne Umschweife zur Sache. »Christian, Ihr habt mir einst geschworen, Randolf so lange nicht zu töten, wie ich es nicht will«, begann er. »Ich entbinde Euch von Eurem Eid. Ich will, dass Ihr ihn tötet. Seid Ihr bereit, Randolf zum Zweikampf auf Leben und Tod zu fordern?«

»Ja«, erwiderte Christian ohne Zögern.

Es kümmerte ihn nicht, dass er nach dem Kerkeraufenthalt noch nicht wieder bei vollen Kräften war, dass er wegen der Fleischwunde am Unterschenkel immer noch leicht humpelte. Zu lange hatte er auf diesen Tag gewartet.

»Gut«, sagte Otto. »Wir werden offiziell den Abbruch des Turniers bekanntgeben. Dann habt Ihr Gelegenheit, ihn zu einem Gottesurteil herauszufordern. Um ihn als Verräter vor Gericht zu stellen, reichen die Beweise nicht. Aber ein Gottesurteil wird seine Schuld aufzeigen.«

Der Markgraf zögerte einen Moment, dann überwand er sich zu dem Eingeständnis: »Ich tat Euch Unrecht, als ich in all den Jahren Euren Vorwürfen gegen Randolf keinen Glauben schenkte. Ich hielt ihn für einen Mann von Ehre, einen treuen Gefolgsmann. Aber er ist ein Verräter und der Mörder meines Neffen.«

Mit zorniger Stimme wiederholte er: »Ich will, dass Ihr ihn tötet!«

Dann fuhr er ruhiger fort: »Meine Brüder und ich werden heute Nacht für Konrads Seelenheil und Euren Sieg beten.«

Bei Sonnenaufgang sollte der Zweikampf zwischen Christian und Randolf beginnen. Auf der Turnierwiese war ein quadratisches Feld mit hölzernen Schranken abgegrenzt worden, das die Kämpfer nicht verlassen durften. Die Regeln sahen vor, dass beide Gegner ohne Kettenpanzer antraten und keine Waffen außer einem Schwert und einem hölzernen Schild bei sich tragen durften.

Das Kampffeld befand sich genau vor der Schaubühne, von der aus vor einem halben Tag Hedwig nach dem Buhurt Konrad freudestrahlend seinen Preis überreicht hatte.

Auf den gegenüberliegenden Seiten waren die Kontrahenten hinter zwei Schirmen verborgen, so dass keiner den anderen sehen und im Zorn vorzeitig über ihn herfallen konnte. Daneben standen die Bahren, die jeder von ihnen mitzubringen hatte, da schließlich nur einer den Platz lebend verlassen würde.

Unzählige Menschen hatten sich versammelt, um den Kampf auf Leben und Tod mitzuerleben. Alle von Ottos Rittern, die wussten, dass es eine schon viele Jahre während, unerbittliche Feindschaft zwischen Christian und Randolf gab, waren gekommen. Und auch viele der noch nicht abgereisten Gäste, die gehört hatten, hier solle ein Gottesurteil aufzeigen, ob einer der engsten Vertrauten des Meißner Markgrafen ein Verräter war. Zudem wurde gemunkelt, das Ganze habe etwas mit dem Tod des unglücklichen jungen Markgrafensohnes zu tun.

Der Turniervogt trat vor. Sofort verstummten die Gespräche der Schaulustigen.

»Zum Zweikampf auf Leben und Tod treten heute zwei Ritter an, die im Dienste unseres Fürsten Otto, Markgraf von Meißen, stehen«, verkündete er laut. »Herausforderer ist Christian von Christiansdorf. Er bezichtigt den Edlen Randolf, seinen Dienstherrn verraten und dafür gesorgt zu haben, dass für den Kaiser bestimmtes Silber geraubt wurde. Auch wenn der Schatz später zurückerobert werden konnte, hat der Überfall mehr als einem Dutzend guter, kampferfahrener Männer das Leben gekostet. Da sich der Vorwurf trotz hinlänglicher Verdachtsgründe nicht klar beweisen und sich anders keine Einigung erzielen lässt, soll der Ausgang des Kampfes zeigen, welcher der beiden Ritter die Wahrheit sagt. Der Besiegte gilt als schuldig und wird unverzüglich hingerichtet, sollte er nicht schon auf dem Kampffeld den Tod finden. Seine Lehen werden eingezogen.«

Die Todfeinde wurden aufgefordert, einzeln vorzutreten, und jeder musste aufs Kreuz schwören, dass seine Sache gerecht und die des anderen unehrenhaft sei.

Von der linken Seite kam Randolf und leistete den Schwur. Er hatte längst gesehen, dass sein Gegner noch abgemagert von der Kerkerhaft war und das eine Bein nachzog.

Eid hin oder her, Randolf baute auf seine körperliche Überlegenheit und war sich seines Sieges sicher. Wenn auch Richenza eine Hure war, in einem hatte sie recht: Da seine Freunde an seiner Statt die Botschaften auf die Wartburg und nach Dankwarderode gesandt hatten, konnte ihm genaugenommen niemand vorwerfen, seinen Schwur gebrochen zu haben.

Heute endlich durfte er den Verhassten aus dem Weg räumen, ganz öffentlich und ein für alle Mal. Dass er sich damit zugleich von allen Verdächtigungen reinwusch, machte die Sache noch triumphaler.

Er würde den Bastard mit seinem Schwert in Stücke hauen und dafür sogar als Held gefeiert werden. Dann gehörte das reichste Dorf der Markgrafschaft endgültig ihm. Und wenn Ekkehart immer noch verrückt nach der frischgebackenen Witwe war – nun, so sollte er es sich etwas kosten lassen, sie zu bekommen.

Randolf trat zurück hinter den Schirm, damit auch sein Gegner den Schwur leisten konnte. Christian legte die Hand auf das Kreuz und sprach mit fester Stimme seinen Eid.

Obwohl die Regeln für solche Zweikämpfe bekannt waren, rief der Turniervogt sie aus, um der Form Genüge zu tun.

»Niemand darf aus den Schranken fliehen, sonst gilt er als besiegt. Wer zu Boden stürzt, ist besiegt. Ist der Kläger der Sieger, darf er den Unterlegenen zum Eingeständnis seiner Schuld auffordern. Siegt der Beklagte, kann er den Besiegten auffordern, sich zu ergeben. Der Sieger darf den Unterlegenen aber auch sofort töten.«

Er legte eine kurze, doch wirkungsvolle Pause ein, dann rief er: »Möge uns Gott durch den Ausgang des Kampfes die Wahrheit enthüllen!«

Die gesamte Zuschauerschaft stimmte mit ihm in ein Gebet ein.

Ein Hornstoß eröffnete den Kampf. Die Gegner traten in das Geviert, jeder für sich grimmig entschlossen, den anderen zu töten.

Christian packte das Schwert fest mit der Rechten und fixierte Randolf mit eiskaltem Blick. Er wusste, dass er dem Hünen gegenüber körperlich im Nachteil war durch die Folgen seiner Verletzungen im Gefecht und im Kerker, aber das kümmerte ihn nicht.

Zu lange hatte er auf diesen Tag gewartet.

Um sich für das zu rächen, was Randolf Marthe angetan hatte, dafür, wie er vor Jahren in seinem Dorf gewütet hatte, für die Gefangenschaft und Folter in Randolfs Kerker, für den Tod seiner Freunde und Gefährten auf dem Weg nach Trifels und für das, was er in den vergangenen Wochen Johanna, Karl, Agnes und Jonas an Leid zugefügt hatte. Von diesen jüngsten Grausamkeiten hatten ihm Marthe und Lukas erst erzählt, als er sie am Abend von dem bevorstehenden Kampf auf Leben und Tod unterrichtete.

Dabei hatte ihn Marthe einmal mehr in Erstaunen versetzt, als er ihr von Ottos Entscheidung berichtete. Er war sicher, sie würde aus Angst und Sorge um ihn anfangen zu weinen und ihm vorhalten, dass er in seinem derzeitigen Zustand keine Chance gegen den hünenhaften Gegner hatte. Doch sie hatte ihm nur in die Augen geblickt, gefasst und ruhig.

»Töte ihn.« Mehr sagte sie nicht.

Sie glaubte an ihn; das war alles, was er wissen musste.

Auch sie wollte, dass die alte Grete, Berthas Mann und all die anderen gerächt wurden, die von Randolf ermordet worden waren oder durch ihn schweres Leid erfahren hatten. Vor allem aber wollte sie wie er, dass Konrad gerächt wurde, ihr Schützling, ein junger, pflichtbewusster Mann, der von Randolf mit hinterlistigen Worten in den Tod getrieben worden war. Sie beide trugen schwer an seinem Tod und noch schwerer an dem Gedanken, dass ihm nach der Entscheidung des Bischofs ewige Verdammnis beschieden sein sollte.

Auch Lukas und Raimund hatten keinerlei Zweifel an seinem bevorstehenden Sieg aufkommen lassen. Raimund, weil er fest davon überzeugt war, dass Gott auf Christians Seite stand und so viel Verderbtheit wie bei Randolf nicht ungesühnt lassen würde.

Lukas dachte nüchterner: Mochte der Gegner auch größer sein, Christian war einfach der Bessere mit dem Schwert. Und er hatte mehr als einen guten Grund und viel zu lange darauf warten müssen, dem anderen endlich seine Untaten heimzuzahlen.

Die Freunde hatten Christian zum Schwertfeger begleitet, um seine Waffen schärfen zu lassen, und ihm ein paar Übungskämpfe zum Aufwärmen angeboten, doch das hatte er abgelehnt. Er wollte das verwundete Bein nicht zu sehr beanspruchen. Denn eines war ihm klar: Er musste diesen Kampf schnell beenden, wenn er ihn gewinnen wollte.

Marthe hatte einen Ehrenplatz auf der Schaubühne zugewiesen bekommen, direkt an der Seite von Markgraf Dietrich. Viel lieber wäre sie unten neben Lukas und Raimund geblieben, um gemeinsam mit ihnen Gott um Christians Sieg anzuflehen und von den Freunden Trost und Beistand zu erfahren.

Stattdessen wurde nun von ihr erwartet, dass sie sich wie eine Dame benahm, sittsam sitzen blieb und die Hände auf dem Schoß liegen ließ, während dort unten ihr Mann, ihre Liebe, auf Leben und Tod kämpfte. Am liebsten wäre sie weinend davongerannt.

Es hatte sie alle Kraft gekostet, sich vor Christian nichts von ihrer Angst anmerken zu lassen. Sollte sie ihn gleich wieder verlieren, da er doch gerade erst allen Todesnachrichten zum Trotz wieder zurückgekehrt war?

Aber sie durfte nicht zweifeln. Krampfhaft vermied sie den Blick auf die Bahre, die ihr Mann hatte mitbringen müssen, damit im Falle einer Niederlage sein Leichnam darauf fortgetragen werden konnte. Christian würde siegen. Das Recht war auf seiner Seite. Und dann wäre der Alptraum namens Randolf für sie und für ihr Dorf auf alle Zeit vorbei.

Die Schwerter aufreizend lässig über die Schulter gelegt, umkreisten sich die Gegner mit hasserfüllten Blicken zwei, drei Mal, ohne sich aus den Augen zu lassen, jeder in der Erwartung, einen guten, vielleicht schon alles entscheidenden Hieb plazieren zu können.

Dann stürmte Randolf mit einem wuchtigen Oberhau auf Christian ein. Der riss den Schild hoch, um den Schlag abzufangen, doch die Wucht des Hiebes ließ ihn straucheln. Mit aller Kraft drückte Randolf sein Schwert auf Christians Schild, bis sein Gegner in die Knie sank. Die Zuschauer schrien auf, doch Christian hörte nichts davon, sondern hieb aus dem Handgelenk mit dem Schwert gegen Randolfs linkes Bein. Der Hüne brüllte auf vor Schmerz und Wut, taumelte und sank nun selbst für einen Moment in die Knie.

Christian war währenddessen schnell aufgestanden und setzte mit einem Sprung zurück. Auch Randolf stand nun wieder. Mit wutverzerrtem Gesicht stürzte er auf Christian zu und ließ sein Schwert erneut mit einem gewaltigen Oberhau auf den Schild des Gegners krachen. Doch diesmal ließ Christian den Aufprall abgleiten, indem er den hoch erhobenen Schild nach links kippte. Er sprang zur Seite und hieb mit aller Macht von außen auf eine nun von allem Schutz entblößte Stelle des Todfeindes – dort, wo Schulter und Hals ineinander übergingen.

Randolf schrie auf und sackte in die Knie, voller Staunen auf das Blut blickend, das aus seiner klaffenden Wunde sprudelte. Mit letzter Kraft holte er zu einem Hieb gegen Christians Beine aus. Der wehrte den Schlag mühelos ab und schlug mit der flachen Seite so kräftig gegen Randolfs Brust, dass der Hüne hintenüberfiel.

Christian trat neben ihn und zielte mit der Spitze seines Schwertes auf die Halsgrube unterhalb des Kehlkopfes.

»Ritter Christian ist der Sieger«, rief der Turniervogt, doch Christian hörte nichts davon, ebenso wenig wie von den Rufen der Zuschauer.

In ihm lagen der Wunsch, Randolf zu töten, und der Widerwille, einen am Boden liegenden Mann einfach abzuschlachten, im Widerstreit. Sollten das doch die Büttel des Markgrafen tun. Sollte Randolf noch ein paar Augenblicke länger um sein Leben zittern und zu seiner eigenen Schande zum Richtplatz geschleift werden.

»Na, los! Bist du selbst dazu noch zu feige?«, zischte ihm Randolf voller Hass zu. »Oder willst du von mir noch ein paar Geschichten hören, wie ich dein Liebchen …«

Er kam nicht dazu, den Satz zu Ende zu sprechen, denn genau diese Worte veranlassten Christian, ihm mit aller Wucht das Schwert in den Körper zu stoßen.

Einen Augenblick lang zerfloss für ihn die Umgebung zu einem einzigen, bedrohlichen Rot. Dann zog er mit einem Ruck das Schwert aus dem Leichnam und drehte sich um, den Blick auf die Tribüne gerichtet.

Er hörte nicht die Worte des Turniervogtes und den Jubel der Menschen um ihn herum, er sah nur Marthes kreidebleiches, erleichtertes Gesicht, über das die Tränen liefen, die zufriedene Miene Ottos und die grimmige Genugtuung Markgraf Dietrichs.

Es war vorbei.

Erst allmählich drang der Tumult der Zuschauer zu Christian durch. Er breitete die Arme aus und hob sein Schwert, um den

Jubel entgegenzunehmen, dann sprang er über die Schranken, trat vor die Tribüne und kniete mit gesenktem Kopf nieder.

Ein Page rannte herbei und richtete ihm den Wunsch Markgraf Ottos aus, zu ihm zu kommen.

Wie betäubt erhob sich Christian und ging über eine kleine hölzerne Stiege hinauf auf das Podest. Otto und Dietrich hatten sich erhoben, mit ihnen pflichtgemäß auch alle anderen, die sich dort aufhielten.

Konrads Vater, an dem er zuerst vorbeikam, legte ihm die Hand auf die Schulter. »Ich danke Euch, dass Ihr meinen Sohn gerächt habt. Das macht ihn zwar nicht wieder lebendig, aber es tut gut, zu wissen, dass sein Mörder nun in der Hölle büßt.«

Christian verneigte sich. Dann wollte er vor Otto niederknien, wie es seine Pflicht war. Doch der Markgraf hinderte ihn daran, indem er ihn an den Oberarmen packte.

»Ich werde Euch das nie vergessen«, sagte er.

Auf ein Zeichen Ottos hin verstummte die jubelnde Menschenmenge.

»Der Ausgang des Kampfes ist eindeutig«, verkündete der Markgraf. »Der Verräter ist bestraft. Meinen treuen Ritter Christian werde ich zum Dank für seine Dienste so belohnen, wie er es verdient.«

Er legte eine Pause ein und tauschte einen Blick mit Hedwig. Sie würde zufrieden mit ihm sein, wenn sie seinen Entschluss vernahm.

»Mit dem heutigen Tag ernenne ich diesen Ritter zum Vogt der Christiansdorfer Burg.«

Wieder ertönte Jubel. Doch die meisten Menschen vermochten nicht zu erfassen, was diese Worte für Christian, Marthe und ihre Freunde bedeuteten.

Ja, jetzt konnten sie wieder an die Verwirklichung ihres Traumes gehen, des Traumes von einem besseren Leben für alle, die unter großen Wagnissen in den Dunkelwald gezogen waren und dort Land urbar gemacht hatten: ihre neue Heimat.

Das Glück würde nicht ungetrübt sein. Nach wie vor würde Pater Sebastian auf der Lauer liegen, um jedem Missliebigen – allen voran Marthe – eine schlimme Verfehlung nachzuweisen. Neue Diebe würden kommen, und so mancher Wankelmütige, Heuchler oder Verräter würde Misstrauen säen und ihr Vorhaben erschweren. Aber nun hatten sie es in der Hand, das Beste daraus zu machen. Willkür und Blutherrschaft sollten ein Ende finden.

Christian taumelte, als Otto ihn umdrehte, damit die Menschen ihm zujubeln konnten.

Alles, was dann geschah, rauschte an ihm vorbei, bis er endlich zu Marthe gehen durfte. Sie fiel ihm um den Hals und weinte vor Erleichterung. »Es ist vorbei«, schluchzte sie. Genau diese Worte hatten noch vor wenigen Augenblicken sein Denken ausgefüllt.

Die Menschen gingen zurück zum Burgberg, während sich ein paar Reisige daranmachten, Randolfs Leichnam beiseite zu zerren.

Herr und Herrin von Christiansdorf

Mit Rücksicht auf den toten Konrad fand weder eine Feier noch ein Festmahl statt; Dietrich und seine Brüder hatten gelobt zu fasten, bis entschieden war, dass ihr Sohn und Neffe auf christlichem Boden bestattet werden durfte.

Die markgräfliche Familie, aber auch Christian, Marthe und ihre Freunde verbrachten die Nacht gemeinsam bei der Totenwache. Niemand sprach ein Wort, abgesehen von leise geflüsterten inbrünstigen Gebeten.

Die verbliebenen Turniergäste wurden am nächsten Morgen verabschiedet. Markgraf Dietrich schickte einen Boten mit einem Brief zum Kaiser, in dem er das Vorgefallene schilderte und um Verständnis bat, dass er ihm erst über die Alpen folgen könne, wenn er für das Seelenheil seines einzigen legitimen Erben gesorgt hätte.

Dann brachen Otto, Dietrich und ihre Brüder nach Magdeburg auf, um bei Erzbischof Wichmann vorzusprechen und ihn zu bitten, den Bann aufzuheben und zu erlauben, dass sein Großneffe in geweihtem Boden zur Ruhe gebettet wurde.

Auch Raimund ritt zu seinen Ländereien, um Elisabeth endlich von der Ungewissheit zu erlösen, ob er lebend und gesund zurückgekehrt war. Er bekam sogar sein Pferd zurück, das er Christian geliehen und das Ulrich von Böhmen bei seiner Rückkehr aus Eisenach mitgebracht hatte. So konnte Christian wieder seinen Rappen reiten. Raimund versprach Christian und Marthe, umgehend und höchstpersönlich und zusammen mit Elisabeth die Kinder Thomas und Clara zurück zu ihren Eltern zu bringen.

Christian, Marthe und Lukas schlossen sich auf dem ersten Teil der Wegstrecke der markgräflichen Gesandtschaft an. Johanna war bei ihnen, überglücklich, dass sie sich nicht mehr verstecken und vor Randolf und seinen Männern fürchten musste. Eine größere Gruppe Reisiger begleitete sie – Männer, die Arnulf dafür ausgewählt hatte, die Christiansdorfer Burg und das Silber zu beschützen, da Christians Männer fast alle niedergemacht worden waren.

Nach einem halben Tagesritt bog Christians Gruppe Richtung Süden ab, um dem Pfad zu folgen, der in ihr Dorf führte.

Kaum jemand sprach ein Wort. Jeder hing seinen eigenen Gedanken nach – an Konrad, Christians Sieg über Randolf, die Zukunft ihres Dorfes.

Johanna hingegen war ganz von der Vorstellung erfüllt, wie wohl ihr Wiedersehen mit Kuno ausfallen würde, und immer wieder huschte verlegene Röte über ihr hübsches Gesicht.

Wer wird uns diesmal wohl zuerst entdecken?, überlegte Christian, als sie sich dem Dorf näherten.

Plötzlich ertönte ein gellender Pfiff, Augenblicke später stand Peter atemlos vor ihnen und fiel mit ausgebreiteten Armen auf die Knie. »Endlich seid Ihr zurück, Herr«, rief er strahlend. »Das wird aber auch Zeit!«

Schon tauchten auch Kuno und Bertram auf, die durch Peters Signal alarmiert worden waren.

Kuno schaffte es nur mit Mühe, den Blick von Johanna loszureißen und seinem Dienstherrn Bericht zu erstatten.

»Randolf und seine Ritter sind nicht da«, verkündete er. »Seine Reisigen hausen wie gewohnt, aber sie wagen es nicht mehr, sich an unseren Leuten zu vergreifen. Sie lassen auch die Schmiede in Ruhe. Nur die kleine Hanne, die mussten wir aus der Küche herausholen. Der Bergmeister hat sie als Magd genommen, Bertha kümmert sich um sie.«

»Gut gemacht«, lobte Christian. »Und nach Randolf müsst ihr nicht mehr Ausschau halten. Er wird nicht zurückkommen. Nie mehr.«

Kuno und Bertram starrten ihn mit aufgerissenen Augen an, aber niemand wagte zu fragen. Ihr Herr würde es schon erklären, wenn der Moment dafür gekommen war. Peter hingegen wollte mit einer Frage herausplatzen und wurde von Bertram durch einen kräftigen Stoß in die Rippen daran gehindert.

Marthe und Lukas tauschten einen belustigten Blick über den Eifer des einstigen Diebes, Christian verkniff sich mit Mühe ein Grinsen. Dann setzten sich die Pferde für das letzte Stück Wegstrecke in Bewegung.

Lukas ritt mit erhobenem Schwert voran ins Dorf.

»Macht Platz für den Herrn und die Herrin von Christiansdorf«, rief er, so laut er konnte.

Erschrocken schauten die Menschen von der Arbeit auf.

»Begrüßt den Herrn und die Herrin von Christiansdorf«, rief Lukas dann, und auf seinen Befehl hin eilten die Dorfbewohner herbei und knieten nieder.

»Der Allmächtige sei gepriesen, Ihr seid zurück!«, erklangen erleichterte Rufe.

Mechthild arbeitete sich durch die Menge, um den Ankömmlingen einen Willkommenstrunk zu reichen.

Während Christian einen kräftigen Schluck nahm und dann den Becher weitergab, ließ Marthe nachdenklich den Blick über die Menschen wandern, die da vor ihr knieten.

»Die Herrin von Christiansdorf«, hatte Lukas gerufen. Immer noch verspürte sie Unbehagen, so genannt zu werden. Sie wollte keine Herrin sein, sie wollte nicht, dass die Menschen vor ihr auf die Knie fielen, die vor ein paar Jahren noch ihre Gefährten, Gleichgestellte waren. Macht konnte jeden Menschen verderben.

Doch sie hatte ihre Lektion gelernt. Sie und Christian würden den neuen Rang brauchen, um sich und die Menschen in ihrer Obhut zu schützen. Macht warf man nicht einfach so weg. Es lag allein bei ihr, ob sie sich davon verderben lassen würde.

Christian erwiderte die Willkommensgrüße der Dorfbewohner und lenkte dann zur allgemeinen Verwunderung den Rappen nicht zu seinem Haus, sondern zur Burg.

»Der Burgvogt ist nicht da«, beschied ihm einer von Randolfs Reisigen mit misstrauischer Miene.

»Der Burgvogt steht genau vor dir«, entgegnete Christian herrisch. »Lass uns ein und ruf die Mannschaft zusammen!«

Der Reisige riss die Augen auf und wollte etwas erwidern, aber nach einem Blick auf Christians grimmiges Gesicht überlegte er es sich schnell anders und lief los.

Diejenigen Dorfbewohner, die Christian bis hierher begleitet hatten, begannen angesichts dieser Neuigkeit aufgeregt zu wispern. Schließlich rannten die Jüngeren von ihnen los, um so viele Freunde wie möglich herbeizuholen, damit sie das Schauspiel nicht verpassten, das sich nun wohl gleich bieten würde.

Christian, immer noch auf seinem Rappen, ließ die Wachmannschaft vor sich antreten.

»Ihr seid allesamt aus dem Dienst entlassen«, verkündete er. »Sucht euch einen neuen Dienstherrn. Randolf ist tot. Markgraf Otto hat mich zum Burgvogt ernannt.«

Als die Reisigen ihn erstaunt, verunsichert oder mürrisch anblickten, erstickte er jeden Widerspruch. »Wenn ihr klug seid, verschwindet ihr sofort. Bevor ich die Dorfbewohner frage, was ihr ihnen alles angetan habt und euch dafür zur Rechenschaft ziehe. Oder bevor sie es euch selbst heimzahlen. Glaubt mir, ich würde niemanden daran hindern.«

Sofort gingen die Ersten zum Tor, während ein paar andere noch rasch zur Wachkammer liefen, um ihr Bündel zu packen.

Auf Christians Zeichen hin stellten sich Kuno und Bertram an den Ausgang, um den Männern die Waffen abzunehmen.

»Glückliche Reise, Mistkerl!«, verabschiedete Kuno seinen Stiefbruder Martin mit unverhohlener Schadenfreude. »Besser, du lässt dich nie wieder hier blicken. Ich kenne einen Schmied, der dir nur zu gern den Rücken weichklopfen würde. Genaugenommen zwei, wenn ich es mir richtig überlege.«

Hastig sah Martin sich um, ob Gertrud ihm folgte, dann stolzierte er mit hochmütiger Miene vom Burghof. Doch schon nach ein paar Schritten wurde er immer schneller, bis er schließlich rannte, um außer Sichtweite zu kommen. Die hinter ihm gingen, taten es ihm nach, bis schließlich unter dem Spott und befreienden Gelächter der Dorfbewohner die ganze Mannschaft davonrannte.

Christian saß ab und übergab das Pferd einem Stallburschen.

Sofort eilten Hildebrand und Griseldis herbei, knieten nieder und hielten ihm einen weiteren Willkommenstrunk entgegen. »Dürfen wir in Euren Diensten bleiben, Herr? Wir haben hier die Aufsicht über das Gesinde geführt«, fragte der Kahlkopf unterwürfig.

Christian blickte mit regloser Miene auf die beiden, die es nie verwunden hatten, dass Hildebrand nicht mehr Dorfältester war. Sie hatten sich Randolf angebiedert, um wenigstens ein paar Menschen befehligen zu können.

Griseldis schien seine Gedanken zu erraten. »Ihr müsst das verstehen, Herr. Wir sind in die Dienste des Vogts getreten, um das Gesinde zu schützen. Um für gut Wetter zu sorgen«, versicherte sie händeringend.

»Kannst du mir einen Knecht oder eine Magd nennen, die ihr vor seinen Prügeln bewahrt habt?«, verlangte Christian zu wissen.

Das beschämte Schweigen der beiden war Antwort genug.

»Ich will hier um mich herum nur Leute sehen, von denen ich sicher weiß, dass sie treu zu mir halten«, verkündete er. »Ihr habt zu früh die Seiten gewechselt. Vielleicht hat der Bergmeister Verwendung für euch.«

Ohne ein weiteres Wort verließen die beiden den Hof.

Christian sah um sich. Dann rief er einen jungen Burschen heran, von dem er wusste, dass der zu Peters heimlicher Truppe gehörte, und ließ ihn den Koch holen.

»Wie sieht es aus: Gibt die Vorratskammer Essen und ausreichend Bier für ein paar Dutzend Leute her?«

Doch noch ehe der Küchenmeister zu einer Antwort ausholen konnte, winkte er ab. »Ach was, tu dich mit Mechthild und Hiltrud zusammen, setzt einen großen Kessel Brei auf und stecht ein Fass Bier an. Heute Abend gibt es ein Fest für alle, die mit uns feiern wollen!«

Unter dem Jubel der Umstehenden begann nun jeder, die ihm zugewiesenen Aufgaben zu erfüllen.

Christian wollte mit Lukas und Marthe ungestört die Vorhaben für die nächsten Tage besprechen. So gingen sie zu dritt in die Kemenate von Randolfs Haus – jenen Raum, den die beiden Männer schon einmal betreten hatten, als sie von dem drohenden Überfall aufs Dorf erfahren hatten.

Marthe sah sich um und zog fröstelnd die Schultern hoch.

»Werden wir hier leben müssen?«, fragte sie, und ihr Unbehagen war nicht zu übersehen. Die Vorstellung, mit Christian in dem Bett zu liegen, das bis vor kurzem noch Randolf gehört hatte, erfüllte sie mit Abscheu.

Christian verstand, auch ohne dass sie noch etwas hinzufügte.

»Wir bleiben vorerst in unserem Haus, bis alles hier so weit hergerichtet ist, wie wir es haben wollen. Und das Prunkstück« – er wies mit dem Kopf auf das mit schweren Vorhängen umgebene Bett – »überlassen wir dem Pater; natürlich nur für seine hohen Gäste.«

Er lächelte Marthe aufmunternd zu, und sie lächelte mühsam zurück. Vielleicht würden sie nach all den Geschehnissen einige Zeit brauchen, um wieder zu der alten Vertrautheit zurückzufinden. Vielleicht aber genügten auch nur ein paar Augenblicke zu zweit. Das würde die Zukunft bald zeigen.

Diesmal waren auf dem Burghof Tische und Bänke aufgebaut, um die unverhoffte Rückkehr von Christian, Marthe und Lukas und vor allem Christians Ernennung zum Burgvogt zu feiern.

Der neue Vogt und seine Frau ließen lächelnd die Segenswünsche und Hochrufe über sich ergehen. Dann erhob sich Christian von seinem Platz. Rasch verstummten Gelächter und Gespräche, alle Augen richteten sich auf ihn.

Seine Miene wurde unversehens ernst.

»Ich bitte euch, sprecht mit mir ein Gebet für das Seelenheil des jungen Konrad«, bat er. »Am Tag seiner Erhebung in den Ritterstand, der der bisher schönste Tag in seinem jungen Leben werden sollte, fand er durch Ränke den Tod.«

Diese Nachricht erschütterte viele der Festgäste, die den höflichen, stets diensteifrigen Neffen des Meißner Markgrafen in guter Erinnerung hatten. Sie schlugen ein Kreuz und begannen gemeinsam zu beten. Mechthild wischte sich über die Augen.

»Gedenken wir der Ritter Richard und Gero und derer, die verraten wurden und ihr Leben ließen, damit es den Männern und Burschen hier erspart bleibt, in den Krieg ziehen zu müssen. Sie haben ihr Leben gegeben, um euch zu schützen.«

Gemeinsam sprachen die Dorfbewohner ein Gebet auch für diese Toten.

Christian sah zu Marthe, dann zu Lukas. Nur sie allein wussten, was in den letzten Wochen alles geschehen war. Und nur sie konnten erahnen, was in der nächsten Zeit auf sie alle zukommen würde.

Auf Lukas konnte er zählen.

Aber ob Marthe dafür genug Kraft aufbringen würde? Ob sie je ihr Lachen wiederfinden würde, das sie nach dem durchlebten Grauen verloren hatte?

Sein Blick wanderte über die Dorfbewohner. Er entdeckte Jonas und Emma, die ihm zulächelten, Karl, der schützend seinen Arm um Agnes gelegt hatte, Kuno und Bertram, die zu allem bereit in der Nähe standen, den Bergmeister und seine Vertrauten, die beiden Fuhrleute, die mit Bertha scherzten. Einer von Peters Freunden flüsterte Lukas gerade etwas zu, vielleicht eine Botschaft von Kathrein, die ihn erwartete.

Der Dorfschulze hatte sich bezeichnenderweise entschuldigen lassen, da er krank sei. »Schlechtes Gewissen, ganz sicher schwer ansteckend«, hatte Lukas mit seinem typisch frechen Grinsen geraunt, als sie die Nachricht erhielten.

Und auch der Pater war nicht zu sehen. Wer weiß, ob er nicht irgendwo in der Nähe steckte und alles heimlich beobachtete. Irgendwann würden sie alle wieder aus ihren Löchern gekrochen kommen, alte und neue Feinde, Feiglinge, Verräter und Heuchler.

Und morgen schon musste er sich mit den Rittern auseinandersetzen, die Randolf in Dienst genommen hatte und von denen einige bereits im Burglehen wohnten – ob sie ihm Treue schworen oder den Dienst aufkündigten.

Doch heute wollte er mit seinen Freunden feiern.

Christian hob erneut seinen Becher. »Jeder von uns ist hierhergezogen, um sich ein besseres Leben aufzubauen. Wir wussten alle, der Weg ist voller Gefahren und nicht leicht. Ob es uns gelingt, liegt zuallererst an uns, an jedem Einzelnen von euch.« Er blickte fest auf die Menschen vor sich.

»Ich schwöre euch, für Gerechtigkeit zu sorgen. Lasst uns heute gemeinsam feiern und der Toten gedenken. Morgen aber beginnen wir von neuem, das zu verwirklichen, was wir uns erträumt und gewünscht haben.«

Die Dorfbewohner brachten Hochrufe aus und tranken ihm zu.

Christian setzte sich und ließ seinen Blick erneut über die Dorfbewohner schweifen. Er atmete tief durch. Einmal, zweimal. Hatte er zu viel versprochen? Die Verantwortung für all die Menschen lastete schwer auf seinen Schultern.

Marthe sah ihn stumm an, dann griff sie nach seiner Hand und drückte sie verstohlen. Er blickte zu ihr, und sie lächelte wissend zurück.

Epilog

Januar 1176 in Chiavenna

Wochenlang war Christian unterwegs gewesen, hatte sich den Weg durch die verschneite Landschaft Bayerns und über die im Winter kaum passierbaren Alpenpässe gebahnt.

Nun endlich lag sein Ziel vor ihm: Das Städtchen Chiavenna, an der Straße nach Italien gelegen, das dem Bischof von Como gehörte und wo der Kaiser sein Lager aufgeschlagen hatte, um sich hier mit Heinrich dem Löwen zu treffen.

Staunend ließ Christian seine Blicke über die fremdartige, sonnenbeschienene Landschaft schweifen, die Palmen und anderen Pflanzen, die er bisher nur von Malereien in großen Kirchen kannte. Wie würde sich Marthe freuen, das zu sehen, dachte er bei sich, während er den erschöpften Rappen über das letzte Stück Weg lenkte. Doch abgesehen davon, wie heikel der Auftrag war, mit dem ihn Otto ausgesandt hatte, konnte sie ihn auch wegen ihrer fortgeschrittenen Schwangerschaft nicht begleiten.

Vielleicht bin ich inzwischen schon zum dritten Mal Vater geworden, dachte Christian voller Vorfreude und sprach ein stilles Gebet, dass Marthe die Entbindung heil überstand und das Kind gesund war, ganz gleich, ob Sohn oder Tochter. Marthe, die sonst so sicher war mit ihren Vorhersagen, ob es ein Mädchen oder ein Junge würde, hatte sich diesmal geweigert, das Geheimnis zu lüften.

Der Weg zur Residenz des Kaisers war nicht zu verfehlen; eine große Koppel mit Hunderten von Pferden und die farbenprächtigen Zelte wiesen ihm die Richtung.

Auf dem Hof kam ihm ein Knappe entgegen, der sechzehn oder siebzehn Jahre alt sein mochte.

»Ihr seid Christian von Christiansdorf?«, begrüßte er ihn ehrfürchtig, während er das Pferd am Zaumzeug packte, damit Christian absitzen konnte.

»Woher kennst du meinen Namen?«, erkundigte sich Christian verblüfft. Er konnte sich nicht erinnern, den Jungen schon einmal gesehen zu haben.

»Ich war mit meinem Herrn bei dem Turnier in Meißen und habe miterlebt, wie Ihr dort diesen Hünen im Zweikampf besiegt habt«, bekannte der Knappe und geriet unversehens ins Schwärmen. »Und das mit nur zwei Hieben! Ihr wart großartig! Dabei hätte anfangs keiner von uns auch nur einen Hälfling darauf gewettet, dass Ihr gewinnt. Wochenlang haben wir über nichts anderes geredet.«

Endlich schien sich der Junge wieder auf seine Pflichten zu besinnen. Er pfiff einen Stallbuschen

heran, der Christian den Rappen und das Packpferd abnahm und fortführte. Dann verbeugte er
sich. »Der Markgraf der Ostmark erwartet Euch.
Es ist mir eine Ehre, Euch zu ihm zu geleiten.«
Dietrichs Gesicht hellte sich auf, als er Christian
sah.

»Ihr kommt genau zur rechten Zeit«, rief der
Landsberger aus. »Wenn mich nicht alles täuscht,
werdet Ihr noch heute Augenzeuge eines denkwürdigen Ereignisses. Kurz vor Euch ist der
Löwe eingetroffen.« Und nach einer bedeutungsschweren Pause fügte er hinzu: »Ohne sein Heer.
Das lagert jenseits der Alpen.«

Doch gerade dieses Heer war es, auf das der Kaiser hoffte, wie sie beide wussten.

Friedrich Barbarossas Italienfeldzug hatte fulmi-
nant begonnen. Wie ein Strafgericht Gottes war
er über die Lombarden hergefallen. Zuerst brannte er Susa nieder, jene Stadt, die ihn einst gedemütigt hatte und nicht aus ihren Mauern lassen wollte, so dass er sich verkleiden und fliehen musste,
während die Kaiserin zur Täuschung ausharrte.
Asti, gegen das er als Nächstes vorrückte, ergab
sich sofort. Etliche der lombardischen und pie-
montesischen Verbündeten, die sich dem Lombardischen Bund hatten unterwerfen müssen,
wechselten wieder zu Kaiser Friedrich über. So
gewann er Alba, Pavia, Acqui und Como.

Also konzentrierte der Lombardische Städtebund
seine Verteidigung auf Alessandria, jene Stadt, die
zum Hohn für Barbarossa den Namen des Papstes
erhielt, den Friedrich nie anerkennen wollte.

Und an der Belagerung Alessandrias biss sich der Kaiser die Zähne aus. Seine eigenen Reihen begannen sich zu lichten; viele Söldnertrupps zogen ab, darunter auch ein Teil von Ulrichs Böhmen. Die hatten schon auf dem Weg hierher für mehr Ärger als Hilfe gesorgt, als sie unterwegs mit den Ulmer Bürgern in Streit gerieten, wobei es unzählige Tote gab. Und wenn das böhmische Heer auch verspätet angerückt war – die Polen kamen erst gar nicht.

Vor Alessandria, so schien es, hatte das Kriegsglück den Kaiser verlassen. Monatelange Verhandlungen führten zu keiner Einigung. Jeder wusste: Wenn der Kaiser das Blatt noch zu seinen Gunsten wenden wollte, brauchte er ein starkes Heer. Ein so starkes, wie es nur der Löwe schicken konnte. Doch der tat nichts dergleichen.

So bat der Kaiser um ein Treffen hier in Chiavenna. Das durfte der Herzog, sein Vetter, über den der Kaiser trotz aller seiner Verfehlungen immer eine schützende Hand gehalten hatte, nicht verweigern.

Hier und jetzt würde sich entscheiden, ob der Kaiser weiter zum Löwen hielt oder ob es zum Bruch zwischen ihnen kam.

Markgraf Otto wollte die Neuigkeiten aus erster Hand erfahren. Denn sollte der Kaiser für seine Unterstützung Heinrich vielleicht sogar noch mehr Macht zusprechen, hätte das unabsehbare Folgen für das Kräfteverhältnis im Reich. Deshalb hatte er Christian auf den beschwerlichen Weg über die Alpen geschickt, obschon der als Burgvogt genug zu tun hatte. Aber der Markgraf hatte erklärt, wenn er jemandem zutraue, eine höchst geheime Botschaft, die um keinen Preis in fremde Hände fallen durfte, zuverlässig auch im Winter über die Alpen zu bringen, dann Christian.

Also hatte Christian vorübergehend Lukas die Verantwortung über die Burg und das Dorf übertragen, sich von Marthe und seinen Kindern verabschiedet und war losgeritten.

Dankbar nahm Christian einen Becher Wein entgegen, dann händigte er Dietrich den versiegelten Brief aus, in dem Otto über die neuesten Entwicklungen unter seinen potentiellen Verbündeten berichtete. Sie alle standen bereit, sollte es zum Zerwürfnis zwischen dem Kaiser und dem Löwen kommen.

Während Dietrich las, trank Christian von dem köstlichen Burgunder und beobachtete den Markgrafen der Ostmark. Der Landsberger war düsterer geworden seit dem Tod seines Sohnes. Er und seine Brüder hatten quälende Monate hinter sich, bis Erzbischof Wichmann endlich erlaubte, dass Konrad in geweihtem Boden bestattet wurde.

Das christliche Begräbnis, an dem auch Marthe und Christian teilnahmen, riss die alten Wunden wieder auf.

Markgraf Dietrich war nicht der Einzige, der am Grab in Tränen ausbrach, und niemand wunderte sich, als ihn schließlich seine Schwägerin Hedwig mit Ottos Erlaubnis tröstend in den Arm nahm.

Zum Totenmahl hatte Christian einen verlorengeglaubten und unverhofft wieder aufgetauchten Freund aus alter Zeit mitgebracht: Ludmillus, den Spielmann.

Nachdem er in Eisenach niedergestochen worden war, hatte ihn sein Mädchen nach langer Suche gefunden und gesundgepflegt. Erst später erfuhr er, dass es ihr Bruder gewesen war, der ihn töten wollte, um zu verhindern, dass seine Schwester fortzog und er den Lohn ihrer Arbeit einbüßte. Ludmillus lag so lange auf den Tod, dass er keinen Boten nach Meißen schicken konnte. Und es dauerte Monate, bis er weit genug wiederhergestellt war, um die Heimreise anzutreten und bei seiner Ankunft zu seiner großen Erleichterung Christian und Marthe gemeinsam und bei bester Gesundheit anzutreffen. Nachdem ihn der Kaplan mit dem Mädchen vermählt hatte, das ihn begleitete, begann er auch wieder zu singen und seinen Spielmannsnamen zu führen. So sang er ein Lied zu Ehren des toten Konrad, eines jungen Ritters voller Mut und Ehrgefühl, das alle Anwesenden zutiefst berührte.

Markgraf Dietrich hatte zu Ende gelesen. Mit zufriedener Miene warf er das Pergament in die Flammen.

»Unsere Verbündeten stehen bereit«, erklärte er. »Kommt es heute zum Bruch zwischen dem Kaiser und dem Löwen, wird sich Heinrich einer Übermacht gegenübersehen, gegen die er keine Chance hat.«

Er stand auf und warf einen Blick aus dem Fenster.

»Die Zusammenkunft beginnt. Begleitet mich.«

Christian sah mit skeptischem Blick an seinem Umhang hinab, der während der langen, strapaziösen Reise sichtlich gelitten hatte. »Ich fürchte, in diesem Aufzug kann ich nicht vor den Kaiser treten.«

Dietrich rief einen Diener herbei und ließ Christian einen neuen Umhang bringen. »Das muss genügen. Haltet Euch im Hintergrund; wir sollten vermeiden, dass Euch Jordan von Blankenburg wiedererkennt.« Der Landsberger kannte inzwischen die Geschichte von Christians Gefangenschaft und Befreiung. »Ich will, dass Ihr meinem Bruder als Augenzeuge berichten könnt, was jetzt geschieht.«

Das bedeutungsschwere Gespräch zwischen dem Kaiser und Herzog Heinrich verlief nicht etwa im kleinsten Kreis, sondern vor versammeltem Hofstaat. Wie Dietrich durchblicken ließ, hatte die Kaiserin dazu geraten. Beatrix traute dem Löwen schon längst nicht mehr, während der Kaiser anscheinend immer noch auf die Treue und Zuverlässigkeit seines Freundes und Vetters baute.

Beatrix, die mit ihrer Schönheit und ihrem Lächeln oft den ganzen Saal verzaubert hatte, saß diesmal steif und mit undurchdringlicher Miene an Friedrichs Seite. Ihr Blick ruhte kühl auf Heinrich, der seinen stämmigen Körper aufrichtete und mit herablassendem Stolz in die Runde sah.

Den Kaiser mit den sonst so vollendeten Manieren schien die letzte Äußerung Heinrichs aus der Fassung gebracht zu haben. »Was soll das heißen, Vetter: Du seist zu alt für einen Feldzug? Wenn ich mich recht entsinne, bist du um einige Jahre jünger als ich!«

Im Saal erklang verhaltenes Lachen.

»Aber ich fühle mich älter. Außerdem habe ich in meinen beiden Herzogtümern viel zu viel zu tun, um jetzt auch noch an einem Feldzug teilzunehmen.«

Einen Moment lang herrschte Stille im Saal, während sich auf dem Gesicht des Kaisers Fassungslosigkeit ausbreitete. »Und verdankst du diese beiden Herzogtümer nicht mir, dem Kaiser? Habe ich sie dir nicht gegen alle Widerstände zugesprochen? Ist das der Dank?«

Als der Herzog mit stolzer Miene die Antwort verweigerte, beschwor ihn Friedrich fast flehentlich: »Vetter, ich brauche dein Heer, um den Lombardischen Städtebund zu bezwingen. Habe ich dich nicht auch immer unterstützt gegen Neider und Gegner, gegen jene, die sich bei mir über dich beschwerten, gegen Erzbischöfe und Fürsten?«

Wieder schwieg der Herzog und verschränkte die Arme vor der Brust.

Nun flammte Zorn in den Gesichtszügen des Kaisers auf. »Was muss ich noch tun, damit du mir deine Treue erweist? Mir, deinem Kaiser?«, fragte er mit ungewohnt schroffer Stimme. »Soll ich etwa vor dir auf die Knie fallen?«

Diese Äußerung sorgte für helles Aufsehen im

Saal, überall begannen Höflinge und Fürsten aufgeregt zu wispern.

Herzog Heinrich trat einen Schritt vor. »Gib mir Goslar zurück, Vetter. Dann schicke ich dir mein Heer.«

Totenstille senkte sich über den Saal.

Das einzige Geräusch war das leise Rascheln von Beatrix' seidenem Kleid. Die Kaiserin hatte sich zu Friedrich gebeugt und legte ihre Hand beschwichtigend auf seinen Arm. Jede Farbe war aus Friedrichs Gesicht gewichen.

Der Vorfall war beispiellos, das wusste auch Christian. Hielt sich Heinrich wirklich für so mächtig und unersetzlich, dass er vor dem gesamten Hofstaat einen Kaiser zu erpressen wagte?

Friedrich Barbarossa hatte dem Löwen bald nach seiner Wahl zum Kaiser die reiche Silberstadt überlassen. Doch nach seiner Unterstützung für Heinrich gegen dessen Widersacher im ganzen Land, darunter auch Otto und seine Brüder, hatte er vor ein paar Jahren die Stadt zurückverlangt. Wenn er ihm jetzt Goslar erneut zusprach, würde er vor seinen sämtlichen Vasallen das Gesicht verlieren. Und Heinrich, noch zusätzlich mit dieser schier unerschöpflichen Silberkammer beschenkt, wäre eine Macht, gegen die niemand im Land mehr ankäme, selbst der Kaiser nicht.

Friedrich schüttelte Beatrix' Arm ab und erhob sich.

Jedermann im Saal hielt den Atem an.

»Ihr vergesst, vor wem Ihr steht, Herzog!«, verkündete der Kaiser eiskalt, wobei er vom brüderlichen Du zur formellen Anrede und dem Pluralis Majestatis überging. »Wir, Kaiser von Gottes Gnaden, lassen Uns von Unseren Vasallen keine Bedingungen diktieren. Ihr dürft Euch entfernen, Herzog.«

Nun war es Heinrich, der erbleichte.

Noch ehe er etwas sagen oder gehen konnte, zog Friedrich seinen Umhang um sich und stürmte aus dem Saal. Beatrix folgte ihm, nachdem sie einen verächtlichen Blick auf den Löwen geworfen hatte.

Kaum hatte das Kaiserpaar den Raum verlassen, erfüllte lautes Stimmengewirr die Halle. Der Löwe sah sich auf einmal allein, nur sein Truchsess stand noch an seiner Seite. Er warf einen wütenden Blick um sich, dann raffte auch er seinen kostbaren Umhang und stapfte hinaus. Jordan von Blankenburg folgte ihm.

Markgraf Dietrich ließ sich nicht auf die aufgebrachten Dispute der Umstehenden ein. Er tauschte ein paar Blicke und ein kaum erkennbares Nicken mit einigen der hochrangigen Gäste, dann gab er Christian das Zeichen, ihm in sein Quartier zu folgen.

Den Pagen schickte er hinaus, um für sich und den Gast einen Imbiss zu besorgen, nachdem der Junge Wein eingeschenkt hatte.

»Es hätte nicht besser laufen können«, frohlockte Dietrich, während er sich an den Tisch setzte und ein leeres Pergament hervorsuchte. »Heute noch werden Boten ausreiten und im ganzen Land verkünden, der Kaiser sei vor dem Löwen auf die Knie gesunken und der hätte ihm trotzdem die Unterstützung versagt.«

Der Markgraf blickte nur kurz auf Christians verwundertes Gesicht. »Ich weiß, was Ihr sagen wollt – so war es nicht. Aber wen kümmert das? Wie wollt Ihr den einfachen Leuten sonst klarmachen, was Heinrichs Forderung nach Goslar bedeutet? Der Effekt bleibt der gleiche: Niemand wird nun noch daran zweifeln, dass der Löwe seinen Kaiser gedemütigt und verraten hat und dass das nicht ungestraft bleiben darf.«

Er griff nach Feder und Tinte und begann zu schreiben. Normalerweise hätte er den Brief diktiert, doch niemand durfte wissen, auf wen das fälschlich verbreitete Gerücht zurückging. Hauptsache, es ließ sich nicht zum Kaiser zurückverfolgen. Und schon gar nicht zur Kaiserin, die diesen Plan gemeinsam mit einigen treuen Verbündeten, darunter auch Dietrich, ersonnen hatte. Friedrich musste in den Augen aller rein wie frisch gefallener Schnee dastehen, als Herrscher, der sich die Dreistigkeit seines undankbaren Vasallen nicht länger bieten lassen durfte.

Heinrich sollte von nun an im ganzen Land als ruchlos gebrandmarkt sein. Beatrix hatte längst erkannt, welches Spiel der Löwe spielte, welch ungeheure Macht er angehäuft hatte und deshalb zur Bedrohung geworden war. Im Gegensatz zu ihrem Mann vermochte sie dem Braunschweiger schon lange kein Vertrauen mehr entgegenzubringen. Und da sie den Ablauf des Gespräches vorausgeahnt hatte, traf sie ihre eigenen heimlichen Absprachen – hinter Friedrichs Rücken, aber zu seinem Schutz. Sein Bruch mit dem treulosen Vetter sollte endgültig sein.

»Schaut mich nicht so vorwurfsvoll an, Christian«, meinte Dietrich, während er Siegelwachs auf das Pergament tropfen ließ. »Politik ist ein schmutziges Geschäft. Heute werden hier Dutzende solcher Briefe geschrieben und in alle Lande geschickt. Diesen hier bringt zu meinem Bruder.«

Er drückte seinen Ring in das Wachs und reichte Christian den Brief. »Es tut mir leid, dass ich Euch sogleich wieder auf die Reise schicken muss. Doch die Zeit drängt. Die Kunde muss unter die Leute, es darf für den Kaiser kein Zurück geben, kein Einlenken, keine Versöhnung mit dem Löwen. Sonst bekommen wir Zustände im Land, die uns allen zum Schaden gereichen.«

In den Stallungen herrschte reger Betrieb. Offenkundig wurden zeitgleich mit Christian etliche Boten losgeschickt, um das Gerücht vom angeblichen Kniefall des Kaisers zu verbreiten.

Was wird nun auf uns zukommen?, überlegte Christian, während er sein Pferd zurück über die unwegsamen Alpenpässe trieb. Doch er kannte die Antwort bereits.

Auf dem harten Ritt nach Meißen durfte er sich nicht einmal Zeit für einen Abstecher in sein Dorf nehmen, um zu erfahren, dass Marthe wohlauf war und ihm einen kräftigen, gesunden Sohn geboren hatte.

Als er endlich den Burgberg erreichte, wurde er sofort zu Otto vorgelassen. Der rollte das Pergament auseinander und überflog es. Dann zeichnete sich Triumph auf seinem Gesicht ab, und er sagte genau die Worte, mit denen Christian gerechnet hatte: »Die Löwenjagd hat begonnen! Stellt mir Truppen, Christian, wir ziehen in den Krieg!«

Nachbemerkungen

Dieses Buch erzählt die Geschichte weiter, die ich in meinem Roman »Das Geheimnis der Hebamme« begonnen habe. Als ich mich vor einigen Jahren an das Abenteuer wagte, in Romanform die Geschehnisse um die Siedlerzüge in die Gebiete östlich von Saale und Elbe, die ersten Silberfunde im Erzgebirge und die Entstehung der künftigen Stadt Freiberg niederzuschreiben, merkte ich bald, dass ein oder auch zwei Bücher dafür nicht reichen würden.

Die Besiedlung des Ostens im 12. Jahrhundert war eine gewaltige Umwälzung. Nach Meinung von Historikern zogen damals 200 000 Menschen gen Osten, um in der Fremde Land urbar zu machen und sich ein besseres Leben aufzubauen. Was sie dafür auf sich nahmen, können wir heute nur schwer nachvollziehen.

Als 1168 in einem der so entstandenen Dörfer in der Mark Meißen, das nach dem Anführer der Siedler den Namen Christiansdorf erhielt, Silbererz von außerordentlicher Qualität gefunden wurde, stellte dies einen Wendepunkt in der sächsischen Geschichte dar. Heute noch verkünden die Freiberger mit Stolz, dass das Freiberger Silber und die nachfolgenden Funde im Erzgebirge den legendären Reichtum der sächsischen Herrscher begründeten.

In weniger als zwanzig Jahren wurde aus dem verlassenen Weiler im Dunklen Wald eine Stadt – eine vor allem für mittelalterliche Verhältnisse rasante Entwicklung, in deren Folge nicht zuletzt auch die Siedler, einstige Knechte, lernen mussten, Bürger zu werden.

Dies alles geschah vor dem Hintergrund der Auseinandersetzung vieler deutscher Geistlichen und Fürsten, darunter auch der Meißner Markgraf Otto von Wettin und seine Brüder, mit dem mächtigsten Mann nach Kaiser Barbarossa – Herzog Heinrich dem Löwen.

Die Quellen zum 12. Jahrhundert sind rar und nicht selten widersprüchlich. Trotzdem habe ich mich bemüht, so viel wie möglich von dem, was wir heute darüber wissen, diesem Buch zugrunde zu legen. So sind zum Beispiel die Rezepturen Marthes an die Medizin der Hildegard von Bingen angelehnt, einer Zeitgenossin Barbarossas.

Den bekannten Fakten entsprechen sowohl die Einzelheiten zur Entstehung Freibergs als auch die Teilnahme der hier vorkommenden historischen Persönlichkeiten an Hoftagen oder kriegerischen Auseinandersetzungen.

Einige schriftstellerische Freiheiten habe ich mir allerdings herausgenommen, über die ich den Lesern Rechenschaft schulde.

Konrad, der Sohn von Dietrich, dem Markgrafen der heutigen Niederlausitz, ist tatsächlich bei einem Turnier umgekommen. Allerdings geschah das 1175 und nicht wie hier dargestellt 1174. Doch wie geschildert wurde Konrad mit Verweis auf den Kirchenbann zunächst ein christliches Begräbnis verweigert. Dietrich, Otto und ihre Brüder mussten zu Erzbischof Wichmann reisen, um auf einer Synode in Halle von ihm »unter Tränen«, wie die Lautersberger Chronik des Hauses Wettin berichtet, die Aufhebung des Banns zu erwirken. Der Streit darum zog sich Monate hin, die für Konrads Angehörige sehr quälend gewesen sein müssen. Erst danach, gegen Ende des Jahres 1176, folgte Dietrich dem Kaiser nach Italien.

Dietrichs Verhältnis mit Hedwig ist frei erfunden. In alten – durchweg von Männern geschriebenen – Quellen kommt Hedwig als »zänkisches Weib« ziemlich schlecht weg. Doch die Zukunft sollte zeigen, dass sie recht hatte mit dem, was sie Otto nahelegte. Ich habe den dringenden Verdacht, dass ihr die – durchweg männlichen – Chronisten übelnahmen, sich in Ottos Geschäfte eingemischt zu haben.

Auch dass der Thüringer Landgraf Ludwig III., der später wegen seiner Großzügigkeit gegenüber der Kirche wirklich den Beinamen »der Fromme« erhielt, Ottos Silber rauben wollte, ist nicht belegt und also eine Unterstellung von mir. Doch es ist überliefert, dass es schon in früher Zeit immer wieder Überfälle auf Christiansdorf bzw. Freiberg und das dortige Silber gab. Und tatsächlich hat sich Ludwig gleich nach seiner Machtübernahme nicht nur in militärische Auseinandersetzungen mit den Askaniern verstrickt, insbesondere mit Hedwigs Brüdern Hermann von Weimar-Orlamünde und Bernhard von Aschersleben, sondern auch sehr bald schon mit dem Meißner Markgrafen. 1184 nahm Ludwig den Wettiner Otto sogar gefangen und hielt ihn auf der Wartburg fest.

Ottos und Hedwigs Tochter Sophia war vermutlich älter als vier Jahre, als sie mit Ulrich von Böhmen vermählt wurde. Die Geburtsdaten der frühen Wettiner sind nicht überliefert. Für Ottos Alter gibt es Schätzungen anhand seines ersten Auftretens bei einem Hoftag gemeinsam mit seinem Vater, daran habe ich mich bei der literarischen Ausgestaltung gehalten. Das Alter von Hedwig und ihren Kindern habe ich für die Romanhandlung so »festgelegt«, dass ich den künftigen Bruderstreit zwischen Albrecht und Dietrich schon im ersten Band andeuten konnte. Das heißt, Albrecht durfte zu Beginn der Handlung nicht älter als sieben oder acht Jahre sein, sonst wäre er bereits als Page an einen anderen Hof geschickt worden. Jedoch sind solche »Kindhochzeiten« beim Hochadel nicht selten gewesen.

Bei der Figur des Sebastian habe ich mich von der Person des Konrad von Marburg inspirieren lassen, des Beichtvaters der heiligen Elisabeth von Thüringen, die später eine Verwandte der Wettiner werden sollte.

Einige Bemerkungen noch zum Stichwort Hexenprozesse.

Das gängige Bild von Inquisition, grausamer Folter und unweigerlicher Hinrichtung auf dem Scheiterhaufen trifft erst ab dem 15. Jahrhundert zu. Die Mehrzahl der grausamen Hexenprozesse erfolgte nicht im als dunkel verpönten Mittelalter, sondern in der Neuzeit, und das auch nicht in allen Teilen Deutschlands. Für Kursachsen sind »nur« 900 Fälle belegt, von denen lediglich ein Teil mit der Todesstrafe endete.

Doch Vorläufer gab es längst, wenngleich in anderer Form. Geklagt wurde damals vor allem wegen Schadenszauber und Aberglaubens. Die Verfahren wurden ursprünglich oft eingeleitet, um den oder die Beklagten vor Lynchjustiz zu schützen. So wurden beispielsweise in Freising 1090 drei Wettermacherinnen verbrannt – gegen den Willen der Kirche. In dem im Jahr 906 verfassten »Canon episcopi«, einer für Jahrhunderte verbindlichen Rechtsordnung, werden der Hexenflug und die Verwandlung von Menschen in Tiere als vom Teufel vorgespiegelte Wahnvorstellungen definiert.

Der Kläger hatte die Beweispflicht, sonst fiel die Strafe auf ihn zurück. Doch wie beweist man, dass die böse Nachbarin der Kuh die Milch weggezaubert hat? Nicht selten wurden solche Vergehen lediglich mit einer Geldbuße geahndet. Bekam es allerdings das Opfer mit einem religiösen Eiferer zu tun, so hatte es keine Chance.

Um 1150 wird die Verbrennung in Nordfrankreich und Deutschland die übliche Strafe für Ketzer, die damals noch »Häretiker« genannt wurden. Auch Eike von Repgows »Sachsenspiegel« von 1225, der übliches, seit langem praktiziertes Recht zusammenfasst, setzt für Ketzerei und Zauberei die Todesstrafe fest.

Die »Probe auf dem kalten Wasser« wurde später tatsächlich in Sachsen abgeschafft. Und für spätere Zeiten ist in Sachsen auch belegt, dass Adlige ohne Zustimmung des Fürsten weder der Ketzerei angeklagt noch der Folter unterzogen werden durften.

Der Kniefall des Kaisers vor Heinrich dem Löwen 1176 in Chiavenna ist eine Legende, die insbesondere in Erzählungen und Monumentalgemälden des 19. Jahrhunderts immer wieder dargestellt wird, aber bezweifelt werden darf. Erste Berichte darüber tauchen erst etliche Jahre nach dem vermeintlichen Ereignis auf und haben unübersehbar vor allem den Zweck, Heinrich zum Erzschurken abzustempeln.

Dennoch muss es damals zum offenen Bruch zwischen dem Kaiser und dem Löwen gekommen sein. Bis dahin hatte Friedrich Barbarossa immer seine schützende Hand über den Vetter gehalten, sooft dieser auch das Recht brach. Heinrich war zu mächtig geworden und hatte wohl geglaubt, dem Kaiser Zugeständnisse – in diesem Fall das reiche Goslar mit seinen Erzgruben – abpressen zu können. Doch damit überschritt er eine unsichtbare Grenze. Der Kaiser ließ ihn fallen und ging daran, dem Herzog von Sachsen und Bayern in aller Form den Prozess zu machen und ihn zu entmachten, wobei Markgraf Dietrich eine besondere Rolle spielte. Dazu kann ich den Lesern nur sagen: Fortsetzung folgt …

Von den Wettinern ist nachweislich keiner im Januar 1176 in Chiavenna gewesen. Otto hatte sich wie geschildert vom Feldzug freigekauft, Dietrich war zu jener Zeit noch damit beschäftigt, für das christliche Begräbnis seines Sohnes zu sorgen.

In meinem Roman habe ich mir dennoch erlaubt, ihn und Christian dorthin zu schicken. Ich wollte die Leser das spektakuläre Ereignis als »Augenzeuge« miterleben lassen. Und da der Kniefall zwar eine berühmte Legende ist, sich aber sicherlich nicht so zugetragen hat wie üblicherweise geschildert, habe ich eine eigene Version ersonnen, die Legende und »hohe Politik« miteinander verbindet.

Es wäre nicht der einzige Fall, wo auch schon unter Barbarossas Herrschaft manipuliert und intrigiert wird, um politische Ziele zu erreichen.

Für die Unterstützung bei meinen Recherchen danke ich Dr. André Thieme vom Institut für Sächsische Geschichte und Volkskunde Dresden, den Bergbauexperten Dr. Rainer Sennewald, Jens Kugler und Dr. Manfred Jäkel, dem Freiberger Numismatiker Hans Friebe für seine umfassenden Informationen zum Geld- und Münzwesen im Mittelalter und den Stuntleuten der Prager Fechterschule »Merlet« für ihre Hinweise zum Schwertkampf. Weiterer Dank geht an den Rektor der TU Bergakademie, Prof. Georg Unland, für die angebotene Unterstützung und an Ilse Wagner für ihr sorgfältiges Lektorat. Herzlich danken möchte ich außerdem den Experten der Schwertkampfschule »Pax et Codex« in Landsberg bei Halle, die mir einige bemerkenswerte Einzelheiten zum Ablauf von Turnieren erzählten und unter anderem auch die »Choreographie« für den Zwei-kampf zwischen Christian und Randolf ent-warfen.

Ganz besonderer Dank geht außerdem an Angela Kießling vom Freiberger Altertumsverein und Gabriele Meißner, die mich an ihren umfassenden Kenntnissen zum Thema Hexen und Hexenpro-zesse teilhaben ließen und sich mit großer Sorgfalt auch durch halbfertige Manuskriptfassungen ar-beiteten, um mir als sachkundige Leserinnen wert-volle Hinweise zu geben.

Zeittafel

1152	Friedrich I., genannt Barbarossa, wird zum König gewählt.
1155	Kaiserkrönung Barbarossas in Rom.
1156	Friedrich I. heiratet Beatrix von Burgund.
1157	Der Wettiner Konrad der Große entsagt der weltlichen Macht und zieht sich ins Kloster zurück. Sein Land teilt er unter den fünf Söhnen auf, wobei Otto mit der Markgrafschaft Meißen den bedeutendsten Teil erhält.
1158	Gründung Münchens und zweite Gründung Lübecks durch Heinrich den Löwen.
1162	Otto stiftet das Zisterzienserkloster Marienzell (heute Altzella) bei Nossen.
um 1165	Otto verleiht das Stadtrecht an Leipzig.
um 1166	Heinrich der Löwe lässt auf dem Burghof von Dankwarderode das Löwenstandbild aufstellen.
1167	Der Meißner Markgraf und seine Brüder schließen sich der Verschwörung gegen Heinrich den Löwen an, an der unter anderem Albrecht der Bär,

Ludwig der Eiserne von Thüringen, Erzbischof Wichmann von Magdeburg und der Kölner Erzbischof Rainald von Dassel maßgeblich beteiligt sind.

1168   Beim 4. Italienfeldzug Barbarossas sterben vor Rom mehr als 2000 Ritter. Der Tod ereilt auch Rainald von Dassel, womit die Fürstenverschwörung gegen Heinrich praktisch zusammenbricht. Nur mit Mühe gelingt dem Kaiser die Rückkehr aus Italien.

1168   Heinrich der Löwe heiratet Mathilde, die Tochter des englischen Königs Heinrich II. Plantagenet.

1168   Erste Silberfunde in Christiansdorf, dem späteren Freiberg.

1168   Beim Hoftag in Würzburg erzwingt der Kaiser einen Waffenstillstand zwischen Heinrich dem Löwen und seinen Gegnern. Im Gegenzug fordert er vom Löwen die reiche Stadt Goslar zurück.

1170   Barbarossas Sohn Heinrich VI. wird bereits im Kindesalter zum deutschen König gekrönt.

nach 1170   Chemnitz, Altenburg und Zwickau erhalten vom Kaiser das Stadtrecht.

1172	Heinrich der Löwe bricht zu einer Pilgerreise nach Jerusalem auf.
1172	Nach dem Tod Ludwig des Eisernen wird Ludwig III. Landgraf von Thüringen.
1173	In Christiansdorf lässt Markgraf Otto mit dem Bau einer Burg beginnen.
1174	Barbarossa bricht zu seinem 5. Italienfeldzug auf; Markgraf Otto nimmt an diesem Feldzug nicht teil. Wie viele andere deutsche Fürsten hat er sich davon freigekauft.
1175	Das Zisterzienserkloster Marienzell (heute Altzella), das Markgraf Otto gestiftet hat, wird bezogen und geweiht.
1176	Zwischen dem Kaiser und Heinrich dem Löwen kommt es zum Bruch. Bei der darauffolgenden Schlacht von Legnano erleidet Barbarossa ohne Heinrichs Unterstützung eine verheerende Niederlage.
1179	Dietrich von Landsberg fordert auf dem Hoftag zu Magdeburg Heinrich den Löwen zum Zweikampf heraus.
1180	Auf dem Reichstag in Gelnhausen wird Heinrich der Löwe geächtet. Seine Herzogtümer werden aufgeteilt.

1184   Mainzer Hoffest: Mit einem überaus
            prachtvollen Fest feiert Barbarossa die
            Schwertleite seiner Söhne Heinrich
            und Friedrich.

1186 (?)   Christiansdorf erhält Stadtrecht und
            wird bald »Freiberg« genannt.

1190   Barbarossa ertrinkt im Fluss Saleph
            während des dritten Kreuzzuges.

1190   Markgraf Otto stirbt. Später erhält
            er den Namen »Otto der Reiche«.
            Die Mark Meißen geht an seinen
            ältesten Sohn Albrecht.

Glossar

Bergregal: Recht zum Abbau von Bodenschätzen

Bliaut: Übergewand

Bruche: eine Art Unterhose, an der die Beinlinge
befestigt wurden

Burgwartei, Burgward: Burgbefestigung
und Landbezirk mit mehreren Dörfern.
Solche Burgwarde wurden im Zuge der
Ostexpansion unter Otto I. eingerichtet,
später verloren sie ihre Bedeutung.

Buhurt (gelegentlich auch Buhurd geschrieben):
Massenkampf bei einem Turnier, bei dem
zwei »gegnerische« Parteien gegeneinander
antraten

Gambeson: gepolstertes Kleidungsstück, das
unter dem Kettenhemd getragen wurde

Geldverrufung: jährlicher Zwangsumtausch
alter gegen neue Pfennige, in der Regel am
Lichtmesstag, wobei drei neue für vier alte
Pfennige gezahlt wurden. Der Vierte ging
als Steuer an den jeweiligen Fürsten.
Erzbischof Wichmann von Magdeburg soll
wegen seiner aufwendigen Hofhaltung und
Kriegszüge sogar zweimal jährlich Geld
verrufen haben.

Gezähe: Werkzeug der Bergleute

Hälfling: halber Pfennig

Haspel: u. a. Hebevorrichtung im Bergbau

Häuer (auch: Hauer): Bergmann, der in der Grube Erz abbaut

Heimlichkeit: mittelalterlicher Begriff für Abort

Hufe: mittelalterliches Flächenmaß, beschrieb etwa so viel Land, wie eine Familie für den Lebensunterhalt brauchte; die Größe war von Region zu Region verschieden und umfasste in der Mark Meißen etwas mehr als zwanzig Hektar.

Infirmarius: der mit der Krankenpflege beauftragte Bruder im Kloster

Kautereisen: Instrument zum Ausbrennen von Wunden

Landding: vom Markgrafen einberufene große Landesversammlung, bei der Rechtsstreitigkeiten der Burggrafen, Edelfreien, reichs- und markgräflichen Ministerialen verhandelt und die landespolitischen Fragen behandelt wurden.

Mark Silber: im Mittelalter keine Wert-, sondern eine Gewichtsangabe; eine Mark Silber wog etwa 233 Gramm

Ministerialer: unfreier Dienstmann eines edelfreien Herrn, als Ritter oder für Verwaltungsaufgaben eingesetzt, teilweise auch in bedeutenden Positionen; bekanntestes Beispiel für einen Ministerialen mit hohem Rang und Einfluss war Jordan von Blankenburg, Truchsess von Herzog Heinrich dem Löwen.

Oberhau, Mittelhau: festgelegte Hiebe im Schwertkampf. Der Oberhau kann senkrecht oder diagonal von oben geführt werden, der Mittelhau waagerecht.

Palas: Wohn- und Saalbau einer Burg oder Pfalz

Pfalz: mittelalterliche Bezeichnung für die Burgen, in denen der reisende kaiserliche oder königliche Hofstaat zusammentrat, aber auch Regierungsstätte beispielsweise eines Grafen oder Herzogs

Pfennigschale: Behältnis zur Aufbewahrung von Münzen. Zu der im Roman geschilderten Zeit waren sogenannte Hohlpfennige in Umlauf; verschiedene Motive wurden mit einem Stempel in dünne Silberscheiben geprägt. Diese Münzen waren so dünn, dass sie bei loser Aufbewahrung schnell zerbrochen wären. Später erhielten die Hohlpfennige den Namen »Brakteaten«; die Behältnisse aus Kupfer oder Messing heißen seitdem Brakteatenschalen.
Es sind nur wenige erhalten; das Freiberger Stadt- und Bergbaumuseum besitzt jedoch gleich drei davon.

Reinigungseid: Rechtsmittel im Mittelalter; mit diesem Eid beschwor jemand seine Unschuld. Eideshelfer konnten das bekräftigen, wobei ein Mann von Stand in der Regel nur zwei oder höchstens sechs Eideshelfer benötigte, ein Bauer hingegen (regional unterschiedlich) zwölf bis zwanzig.

Reisige: bewaffnete Reitknechte

Scheidebank: Ort, wo reichhaltiges Erz und taubes Gestein voneinander getrennt wurden. Diese Arbeit übernahmen in der Vergangenheit oft Frauen und Kinder.

Schwertfeger: Schmied, der sich auf das Schärfen von Waffen, insbesondere Schwertern spezialisiert hat.

Schwertleite: feierliche Aufnahme in den Ritterstand, für lange Zeit die deutsche Form des Ritterschlags

Sieben freie Künste: an den Klosterschulen nach antikem Vorbild unterrichtete Fächer: Grammatik, Rhetorik, Dialektik sowie Arithmetik, Geometrie, Astronomie und Musik

Sicherheit bieten: Geste, mit der sich der Unterlegene in einem ritterlichen Zweikampf auf Gnade und Ungnade ergibt.

Schockzehnter: Abgabe von 60 Garben je Hufe Ackerland, die dem Bischof zustand und meistens der Ortskirche überlassen wurde. Markgraf Otto hatte diese Abgabe für Rodungsdörfer zunächst erlassen, bis die Meißner Bischöfe Gerung und sein Nachfolger Martin ihr Recht auf den Schockzehnten erstritten.

Stapelrecht: mittelalterliches Recht, nach dem durchreisende Händler in Städten ihre Ware drei Tage lang feilbieten mussten, ehe sie weiterzogen

Tjost: Zweikampf im Turnierkampf, zu Pferd oder zu Fuß mit Lanze und Schwert

Trippen: hohe hölzerne Sohlen, die unter die Schuhe gebunden wurden, damit der Träger trockenen Fußes durch schlammige oder schmutzbedeckte Straßen und Wege kam

Truchsess: oberster Hofbeamter

Vagant: fahrende Sänger, die in der Regel insbesondere die Ausschweifungen der weltlichen und geistlichen Obrigkeit zum Thema ihrer oft satirischen Gedichte und Lieder machten; häufig waren die Vaganten einstige Studenten und Klosterschüler.

Zaunreiterin oder »hagazussa«: deutscher Vorläuferbegriff für »Hexe«. Das Wort

»Hexe« setzte sich eigentlich erst später als zum Zeitpunkt dieser Geschichte durch, wird hier aber schon wegen des besseren Verständnisses verwendet

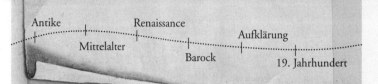

Susanne Stein
Die Mätresse
des Kaisers

Roman

Jerusalem im 13. Jahrhundert: Als der Stauferkaiser Friedrich II. vom Sultan eine junge Frau als »Gastgeschenk« angeboten bekommt, ist es um ihn geschehen. Die unbekannte Schöne ist niemand anderes als die piemontesische Gräfin Bianca, die eine dramatische Flucht zur Gefangenen im Harem des Sultans gemacht hat. Auch sie ist vom ersten Augenblick an fasziniert von dem charismatischen Herrscher. Beide spüren, dass sie füreinander bestimmt sind – doch die Staatsräson steht der Erfüllung ihrer Liebe im Weg. Dreimal heiratet der Kaiser, dreimal wird er Witwer, und jedes Mal hofft Bianca vergeblich, dass sie doch noch ihr Glück an seiner Seite finden wird. Als er sich erneut mit einer anderen vermählen soll, trifft sie eine folgenschwere Entscheidung ...

Knaur Taschenbuch Verlag